Peter Robinson

Verdronken verleden

A.W. Bruna Uitgevers B.V., Utrecht

Oorspronkelijke titel
In a Dry Season
© 1999 by Peter Robinson.
Published by arrangement with Lennart Sane Agency AB.
Vertaling
Valérie Janssen
Omslagbeeld
© Michael Trevillion, Trevillion Images
Omslagontwerp
Wil Immink
© 2006 A.W. Bruna Uitgevers B.V., Utrecht

ISBN-10 90 229 9216 0
ISBN-13 978 90 229 9216 6
NUR 305

Verdronken verleden

Bezoek onze internetsite www.awbruna.nl
voor informatie over al onze boeken en softwareproducten.

Het verleden is een onbekend land; ze doen er alles anders.

– L.P. Hartley, *The Go-Between*

Voor pap en Averil, Elaine en Mick, en Adam en Nicola

Proloog

Augustus 1967

Het was de Summer of Love, mijn man was net begraven en ik ging voor het eerst terug om naar het reservoir te kijken dat het dorp uit mijn jeugd onder water had gezet.

Toen ik deze reis maakte, waren Ronald en ik pas een paar maanden terug van een van onze talrijke, langdurige verblijven in het buitenland. Verblijven die mij vele jaren lang uitstekend waren bevallen. Ronald was me eveneens goed bevallen. Hij was een fatsoenlijke man en een goede echtgenoot, die heel gewillig had aanvaard dat ons huwelijk een verstandshuwelijk was. Ik denk dat hij me als een aanwinst beschouwde voor zijn carrière in de diplomatie, ook al bezat ik beslist geen verblindende schoonheid of sprankelende gevatheid waarmee ik hem in mijn netten had verstrikt. Ik was echter zeer presentabel en intelligent, en kon bovendien bijzonder goed dansen.

Welke reden er ook aan ten grondslag lag, de rol van de vrouw van een onbeduidende diplomaat ging me al snel bijzonder goed af. Het was de tol die ik moest betalen, maar het viel me niet zwaar. Ergens vormde ik voor Ronald een toegangskaart tot een succesvolle carrière en promotie, en was hij de mijne naar vlucht en ontsnapping, iets wat ik hem natuurlijk nooit heb verteld. Ik ben met hem getrouwd omdat ik wist dat we ons leven buiten Engeland zouden doorbrengen en ik wilde zo ver mogelijk uit de buurt van Engeland zijn. Nu, na meer dan tien jaar in het buitenland, lijkt het er allemaal niet zoveel meer toe te doen. Ik zal de rest van mijn leven naar alle tevredenheid kunnen slijten in de flat aan Belsize Park. Ronald, die altijd een slimme investeerder is geweest, heeft me ook een aanzienlijk geldbedrag nagelaten. In elk geval genoeg om een paar jaar van te leven en een nieuwe Triumph sportwagen voor mezelf te kopen. Een rode. Met een radio.

En zo kwam het dat ik, meezingend met *All You Need is Love, Itchycoo Park* en *See Emily Play* of luisterend naar de regelmatig voorbijkomende nieuwsuitzendingen over de moord op Joe Orton en de opheffing van de piratenzenders voor de kust, voor het eerst in meer dan twintig jaar terugreed naar Hobb's End. Om een of andere onverklaarbare reden genoot ik met volle teugen van de ongepolijste, naïeve, zonderlinge nieuwe muziek waarnaar de jongelui zo graag luisteren, ook al was ik zelf al begin veertig. Het deed me ernaar verlangen om weer jong te zijn: jong, maar dan zonder de complicaties uit mijn eigen jeugd; jong, maar zonder de oorlog; jong, maar zonder het verdriet; jong, maar zonder de angst en het bloed.

Ik geloof dat ik vanaf Skipton, waar ik de hoofdweg verliet, geen enkele andere auto meer tegenkwam. Het was een volmaakte zomerse dag, zo een waarop de lucht doordrongen is van de heerlijke, zoete geur van pasgemaaid gras en veldbloemen. Ik meende zelfs de warme uitwaseming van de stapelmuurtjes te kunnen ruiken. Bessen glommen als gepoetste granaten aan de lijsterbesstruiken. Vogels scheerden en buitelden hoog boven de heidevelden en schapen blaatten treurig vanaf de heuvelflanken in de verte. De kleuren waren allemaal heel levendig: het groen was groener dan ooit, het blauw van de lucht werd niet bedorven door wolken en was oogverblindend fel.

Vlak na Grassington raakte ik de weg kwijt. Ik zette de auto stil en vroeg aan twee mannen die bezig waren een stapelmuurtje te repareren waar ik was. Het was lang geleden dat ik de zo kenmerkende platte uitspraak van de Dales voor het laatst had gehoord, en aanvankelijk leek het net een vreemde taal. Uiteindelijk begreep ik wat ze bedoelden en ik bedankte hen en reed weg, waarop ze me hoofdschuddend nastaarden, die vreemde dame van middelbare leeftijd met haar zonnebril, popmuziek en opzichtige rode sportwagen.

Het oude laantje liep aan de rand van het bos dood, dus moest ik uitstappen en de rest van de weg via een kronkelig zandpaadje te voet afleggen. Muggen zwermden dreinerig zoemend boven mijn hoofd, winterkoninkjes schoten tussen de bodembedekkers heen en weer, en pimpelmeesjes hipten van tak naar tak.

Eindelijk had ik het bos achter me gelaten en stond ik aan de rand van het reservoir. Mijn hart begon te bonzen en ik moest steun zoeken bij een van de bomen. De bast voelde ruw aan onder mijn handen. Ik had een hoogrode kleur en tintelende vingers, en heel even was ik bang dat ik zou flauwvallen. Gelukkig trok het gevoel weer weg.

Vroeger waren er natuurlijk ook bomen geweest, maar lang niet zoveel, en de meeste hadden ten noorden van het dorp gestaan, in Rowan Woods. Toen ik hier woonde, was Hobb's End een dorp in een vallei geweest. Nu strekte zich voor mijn ogen een door een bos omrand meer uit.

Het rimpelloze wateroppervlak weerspiegelde de bomen en weerkaatste af en toe de schaduw van een overvliegende meeuw of zwaluw. Rechts van me kon ik de kleine dam zien liggen waar de oude rivier versmalde voordat hij Harksmere in stroomde. Verward en onzeker over mijn gevoelens ging ik op de oever zitten en staarde ik naar het tafereel voor me.

Waar ik nu zat, had vroeger de oude spoorweg gelopen van de trein waarmee ik in mijn jeugd zo vaak had gereisd. Een enkel spoor dat naar Harrogate voerde en een treinverbinding die tijdens de oorlog onze enige echte toegang was geweest tot de rest van de wereld buiten Hobb's End. Dr. Beeching had er drie of vier jaar geleden echter een eind aan gemaakt en de rails waren inmiddels al overwoekerd met onkruid. De gemeenteraad had treurwilgen laten planten op de plek waar het oude station had gestaan, waar ik zo vaak kaartjes had gekocht bij mevrouw Shipley en waar ik opgewonden op het perron had staan wachten tot ik in de verte het gepuf en de fluit van de oude stoomlocomotief kon horen.

Ik liet mijn herinneringen de vrije loop en de tijd vloog om. Ik was laat vertrokken en de reis vanuit Londen had veel tijd gekost. Al snel had het duister het bos om mij heen opgeslokt, en de open ruimtes tussen de takken en de stiltes tussen de roep van de verschillende vogels opgevuld. Er stond een zacht briesje. Het water ving het vervagende licht en het rimpelende oppervlak zag eruit alsof iemand er zalmroze poeder over had uitgestrooid. Heel langzaam kleurde ook dit steeds donkerder, totdat er slechts een diepblauwe tint overbleef.

Toen kwam de volle maan op en straalde zijn porseleinwitte licht alle kanten uit, waardoor ik meende door het water heen het dorp te kunnen ontwaren dat daar ooit had gelegen, als een beeld dat in waterglas is vereeuwigd. Daar lag het, uitgestrekt in de diepte voor mijn voeten, donker glanzend en schemerig onder het bijna rimpelloze wateroppervlak.

Ik stond te staren en kreeg het gevoel dat ik het zo zou kunnen aanraken als ik mijn hand uitstak. Het was net de wereld achter de spiegel in Cocteaus *Orpheus*. Wanneer je je hand uitsteekt en het glas aanraakt, verandert het in water, kun je erdoorheen duiken en de onderwereld bereiken.

Wat ik zag, was een visioen van het dorp zoals het was geweest toen ik er woonde, met rook die kringelend uit de schoorstenen opsteeg boven de daken van leisteen of flagstone, de donkere vlasserij op het heuveltje ten westen van het dorp, de vierkante kerktoren en de High Street die meeslingerde met de smalle rivier. Hoe langer ik stond te kijken, hoe meer ik geloofde dat ik zelfs mensen kon ontwaren die hun alledaagse bezigheden uitvoerden: ze winkelden, leverden bestellingen af, roddelden. In mijn visioen kon ik zelfs ons winkeltje zien liggen, waar ik haar op die stormachtige lentedag in 1941 voor het eerst ontmoette. De dag waarop alles is begonnen.

1

Adam Kelly speelde graag in vervallen huizen en was dol op de muffe geur van oude kamers die kraakten en steunden wanneer hij erin rondstruinde, op de manier waarop het zonlicht tussen de latten door scheen en streperige schaduwen op de muren tekende. Hij genoot ervan om met een bonzend hart over de gaten in kapotte trappen te springen, van dakspant naar dakspant te duiken, en in tot stof vergaan pleisterwerk te springen zodat er enorme stofwolken ontstonden, en dan te kijken hoe de stofdeeltjes dansten in het schemerachtige licht.

Deze middag had Adam een heel dorp om in te spelen.

Hij stond aan de rand van de ondiepe vallei, staarde naar de onder hem gelegen ruïnes en dacht genietend aan het avontuur dat hem daar wachtte. Dit was de dag waarop hij al die tijd had gewacht. Misschien wel die kans die je maar één keer in je leven kreeg. Daar beneden was alles mogelijk. Vandaag hield Adam de toekomst van het heelal in zijn hand; het dorp was een test, een van de dingen die hij moest zien te veroveren voordat hij door mocht naar het Zevende Niveau.

De enige andere mensen die hij kon zien, stonden helemaal aan de andere kant, vlak bij de oude vlasserij: een man in een spijkerbroek en rood T-shirt, en een geheel in het wit geklede vrouw. Ze deden net of ze toeristen waren en namen alles op met hun videocamera, maar Adam vermoedde dat ze op hetzelfde uit waren als hij. Hij had het spel vaak genoeg op zijn computer gespeeld om te weten dat er overal bedrog op de loer lag en dat dingen nooit waren wat ze op het eerste gezicht leken. God sta ons bij als zij hem het eerst vinden, dacht hij.

Hij rende struikelend langs de zanderige helling naar beneden en wist slippend tot stilstand te komen toen hij de rode, uitgedroogde aarde onderaan bereikte. Er lagen nog steeds overal modderige poelen; al dat water kon natuurlijk in een paar weken tijd onmogelijk helemaal in het niets oplossen, dacht hij.

Adam bleef stilstaan om te luisteren. Zelfs de vogels deden er nu het zwijgen toe. De zon brandde op zijn huid en het zweet stroomde in dikke druppels achter zijn oren, in zijn nek en in zijn bilspleet omlaag. Zijn bril gleed voortdurend naar het puntje van zijn neus. De grauwe, vervallen cottages stonden trillend in de hitte, net als de muur achter het vuur in een smederij.

Er zou nu van alles kunnen gebeuren. De talisman moest hier ergens zijn en het was Adams taak om hem op te sporen. Maar waar moest hij beginnen? Hij wist niet eens hoe hij eruitzag, alleen maar dat hij hem zou herkennen wanneer hij hem had gevonden en dat er ergens aanwijzingen moesten zijn.

Hij stak de oude stenen brug over, liep een van de halfverwoeste cottages binnen en werd zich onmiddellijk bewust van de klamme, koele duisternis die zich als een mantel om hem heen vlijde. Het stonk er, alsof er ergens een kapot riool was, of een heet, walmend moeras waar een gigantisch buitenaards wezen dood lag weg te rotten.

Zonlicht golfde naar binnen door de plek waar ooit het dak had gezeten en bescheen de muur tegenover hem. De donkere stenen glommen vettig als een plas gemorste olie. Op sommige plekken waren de zware stenen tegels die de vloer hadden gevormd verschoven en gebroken, en door de spleten heen werden dikke klodders modder omhooggeperst. Sommige tegels wankelden toen Adam erop ging staan. Hij had het gevoel dat hij boven op drijfzand balanceerde en naar het middelpunt van de aardbol zou worden gezogen als hij ook maar één verkeerde beweging maakte.

Er was in dit huis niets te vinden. Tijd om verder te gaan.

Buiten zag hij nog steeds niemand. De twee toeristen leken te zijn vertrokken, tenzij ze zich natuurlijk hadden verstopt en achter de ruïne van de vlasserij op de loer lagen.

Adams oog viel op een gebouwtje vlak bij de brug, een soort bijgebouw dat waarschijnlijk ooit was gebruikt om kolen in op te slaan of voedsel koel te bewaren. Hij had die verhalen over vroeger wel gehoord, toen er nog geen elektrische kachels en koelkasten bestonden. Misschien was het zelfs wel een toilet geweest. Hij vond het zelf moeilijk te geloven, maar wist dat er een tijd was geweest dat mensen naar buiten hadden gemoeten om naar de wc te gaan, zelfs in de winter.

Wat de functie van het gebouw vroeger ook was geweest, de Vernietigers hadden het grotendeels met rust gelaten. Het was ongeveer twee meter hoog, met een schuin dak van flagstone dat nog helemaal intact was, en het was net of het hem uitdaagde om het te komen bedwingen. Dit was tenminste een gebouw waar hij bovenop kon klimmen om een goed overzicht te krijgen. Als die neptoeristen zich ergens in de buurt hadden verstopt, zou hij hen vanaf het dak vast kunnen zien.

Adam liep om het bijgebouwtje heen en zag tot zijn grote vreugde dat aan één kant een aantal stenen verder uit de muur stak dan de rest, net traptreden. Voorzichtig zette hij zijn voet op de onderste. Die was glibberig, maar hield hem wel. Hij klom omhoog. Elke trede leek stevig genoeg en al snel stond hij helemaal bovenaan.

11

Hij schoof het dak op. Het was schuin, maar niet echt steil, zodat hij er gemakkelijk overheen kon lopen. Hij bleef een tijdje bij de rand staan en tuurde met een hand boven zijn ogen ter bescherming tegen het scherpe zonlicht alle kanten op.

In het westen stond de vlasserij en de vreemdelingen waren nergens meer te bekennen. Het gebied ten noorden en ten zuiden van het dorp was dichtbebost en het was moeilijk door het groene gebladerte heen iets te onderscheiden. In het oosten lag de traanvormige kom van het Harksmere-reservoir. Op de Edge, die ten zuiden van Harksmere liep, fonkelden een paar autoraampjes in de zon. Afgezien daarvan was er in de wijde omgeving vrijwel geen beweging te bespeuren, nog geen trillend blaadje.

Toen hij er eenmaal van overtuigd was dat hij niet werd bespioneerd, wandelde Adam verder het dak op. Het was slechts ongeveer anderhalve meter breed, maar toen hij er midden op stond voelde hij een zachte trilling, en voordat hij de korte afstand naar de andere kant had kunnen overbruggen, stortten de dikke stenen platen onder zijn gewicht omlaag. Heel even hing hij in de lucht, alsof hij daar eeuwig zou kunnen blijven zweven. Hij stak zijn armen uit en fladderde er als vleugels mee heen en weer, maar tevergeefs. Krijsend viel hij omlaag de duisternis in.

Hij kwam met zijn rug op een kussen van modder terecht; zijn linkerpols schampte langs een omlaaggevallen flagstone en zijn rechterarm, die hij had uitgestoken om zijn val te breken, zonk tot aan de elleboog weg.

Toen hij naar adem snakkend omhoogkeek naar het lapje blauwe lucht boven hem zag hij dat twee van de overgebleven dakplaten nu ook omkantelden en op hem afkwamen. Elke plaat was ongeveer een vierkante meter groot en vijftien centimeter dik – stevig genoeg om hem te pletten als ze hem raakten. Hij kon zich echter niet bewegen; hij zat in de val en staarde als betoverd naar de vallende platen.

Ze leken in slowmotion omlaag te dwarrelen, als herfstblaadjes op een windstille dag. Zijn hoofd was volkomen leeg. Hij voelde geen paniek of angst, slechts een soort berusting, alsof hij een keerpunt had bereikt in zijn korte leventje en het niet langer in eigen hand had. Zelfs als hij het had gewild, had hij het niet kunnen uitleggen, maar toen hij daar op zijn bedje van warme modder lag en de donkere tegels vanuit de blauwe hemel omlaag zag tollen, wist hij, zo jong als hij was, dat hij helemaal niets kon doen om datgene wat het lot voor hem in petto had te voorkomen; wat er ook zou gebeuren, hij zou het moeten accepteren.

Dit moet het Zevende Niveau zijn, dacht hij, en hij wachtte met ingehouden adem op de klap, op het gevoel van brekende botten.

Eén tegel kwam links van hem terecht, groef zich in de modder en bleef als een oude grafsteen schuin tegen de muur leunen. De andere kwam rechts van hem

neer en brak op een van de vloertegels in tweeën. De ene helft viel in zijn richting en schampte nog net zijn bovenarm, die boven de modder uitstak, waardoor er een paar druppels bloed opwelden.

Adam haalde een paar keer diep adem en keek door het dak naar de hemel.
Dat waren de laatste tegels geweest. Hij was dus gered; hij leefde nog. Hij
voelde zich licht in het hoofd. Geen ernstige verwondingen, dacht hij, en hij
bewoog langzaam zijn ledematen heen en weer. Zijn linkerpols deed flink pijn
en waarschijnlijk zou hij er een joekel van een blauwe plek aan overhouden,
maar hij dacht niet dat hij gebroken was. Zijn rechterarm zat nog steeds diep
in de modder begraven en de tegel schuurde tegen zijn geschaafde elleboog.
Hij probeerde zijn vingers in de modder heen en weer te bewegen om na te
gaan of hij ze nog steeds kon voelen en ze stootten tegen iets hards.

Het voelde aan als een bundel gladde, harde staafjes of een soort roede van
korte twijgjes. Nieuwsgierig duwde hij zijn arm verder in de modder en hij
greep het voorwerp stevig beet, zoals hij vroeger in de stad als jong kind dat
bang was voor mensenmassa's ook zijn moeders hand had vastgeklemd; toen
liet hij zich met zijn volle gewicht naar links zakken, zijn kiezen verbeten op
elkaar geklemd toen er een pijnscheut door zijn gewonde pols vlamde, en trok
hij het ding omhoog. Centimeter voor centimeter wist hij zijn arm en de hand
die de prijs stevig vasthield los te wrikken. De modder maakte een zuigend,
slurpend geluid. Eindelijk schoot het voorwerp dat hij had gevonden uit de
modder los. Hij legde het op de dakplaat en leunde achterover tegen de muur
om het te kunnen bestuderen.

Het ding lag in het schemerige licht tegen de flagstone, met de vingers om de
rand gehaakt alsof het probeerde zichzelf uit het graf omhoog te trekken. Het
was het geraamte van een hand en de botten waren bedekt onder een aangekoekte laag vochtige, donkere aarde.

Banks deed een stap naar achteren om zijn werk te bewonderen en floot mee
met de habanera uit *Carmen* die luid uit de stereo-installatie galmde: Maria
Callas toen ze al over haar hoogtepunt heen was, maar het klonk nog steeds
fantastisch.

Niet slecht voor een amateur, dacht hij toen hij de verfkwast in een bakje ter-
pentine liet glijden, en beslist een verbetering ten opzichte van het beschimmelde behang dat hij gisteren nog van de muren van zijn nieuwe huis had
getrokken.

Hij vond de kleur echt prachtig. De medewerker van de doe-het-zelfzaak in
Eastvale had gezegd dat deze kleur een kalmerende invloed had en na de lij-
densweg die het afgelopen jaar voor Banks was geweest, kon hij alles wat een
kalmerende invloed had goed gebruiken. De tint blauw die hij had uitgekozen
was volgens de begeleidende informatie gebaseerd op die uit Perzische tapij-

ten, maar toen de verf eenmaal op zijn muur zat, deed de kleur Banks eerder denken aan het Griekse eiland Santorini, waar zijn ex-vrouw Sandra en hij hun laatste gezamenlijke vakantie hadden doorgebracht. Niet een herinnering waar hij nu op zat te wachten, maar hij dacht dat hij er wel mee zou kunnen leven.

Voldaan haalde Banks een pakje Silk Cut uit zijn borstzak. Hij telde eerst de inhoud. Pas drie gerookt sinds vanochtend. Mooi. Hij probeerde het aantal te beperken tot maximaal tien per dag en tot nu toe was hem dat uitstekend gelukt. Hij liep naar de keuken en zette water op voor een kop thee.

De telefoon ging. Banks zette de stereo uit en nam op.

'Pap?'

'Brian, ben jij het? Ik probeer je al een tijdje te pakken te krijgen.'

'O... Ja, we zijn op pad geweest met de band. Ik had niet gedacht dat je thuis zou zijn. Waarom ben je niet op je werk?'

'Als je niet had verwacht dat ik thuis zou zijn, waarom bel je dan nu?'

Stilte.

'Brian? Waar ben je? Is er iets aan de hand?'

'Nee hoor, er is niets aan de hand. Ik logeer bij Andrew in zijn flat.'

'Waar is dat?'

'Wimbledon. Luister eens, pap...'

'Is het zo langzamerhand niet eens tijd dat de examenuitslagen bekend worden gemaakt?'

Weer een stilte. Jezus, dacht Banks, het kostte net zoveel moeite om wat langere antwoorden uit Brian los te peuteren als om de waarheid los te krijgen uit een politicus.

'Brian?'

'Ja, nou, dat is ook de reden waarom ik je bel. Het zit namelijk zo... Ik had eigenlijk een boodschap willen inspreken.'

'Aha.' Banks had al door wat er aan de hand was. Hij zocht tevergeefs naar een asbak en gooide zijn as ten slotte maar in de haard. 'Ga verder,' zei hij uitnodigend.

'Het gaat over de examens...'

'Hoe erg is het? Wat heb je voor cijfers gehaald?'

'Nou, dat is het nou net... Ik bedoel... Je zult het vast niet leuk vinden.'

'Je bent toch wel geslaagd, hoop ik?'

'Ja, natuurlijk.'

'En?'

'Ik heb het gewoon niet zo goed gedaan als ik had verwacht. Het was echt superzwaar, pap. Dat zegt iedereen.'

'Wat is het geworden?'

Brian fluisterde bijna. 'Gemiddeld een zes.'

'Gemiddeld een zes? Dat valt me wel een beetje tegen. Ik had gedacht dat je het er beter van af zou brengen.'

'Ja... nou ja... het is nog altijd meer dan jij ooit heb gehaald.'

Banks haalde een paar keer diep adem. 'Wat ik al dan niet heb gehaald, heeft hier niets mee te maken. We hebben het nu over jou. Jouw toekomst. Met zo'n mager diploma krijg je nooit een fatsoenlijke baan.'

'En als ik nu eens geen fatsoenlijke baan wil?'

'Wat wil je dan gaan doen? Wil je soms tot een cijfertje in de statistieken gereduceerd worden? Een cliché? De zoveelste werkloze nietsnut?'

'Je wordt bedankt, pap. Het is fijn om te weten dat jij in elk geval vertrouwen in me hebt. Trouwens, voor alle duidelijkheid: ik ga helemaal geen uitkering vangen. We gaan proberen door te breken. Met de band.'

'Jullie gaan wát?'

'We gaan proberen door te breken. Andrew kent iemand die een onafhankelijke platenmaatschappij runt en een studio heeft, en die vent heeft gezegd dat we daar een demo mogen komen maken met een paar van mijn nummers. Je gelooft het misschien niet, maar er zijn mensen die ons goed vinden. We hebben het hartstikke druk met optreden.'

'Heb je enig idee hoe moeilijk het is om het in de muziekwereld te maken?'

'Het is de Spice Girls ook gelukt, en moet je eens kijken hoe weinig talent die hebben.'

'Dat geldt ook voor Tiny Tim, maar daar gaat het helemaal niet om. Het heeft niets met talent te maken. Van al die duizenden mensen die het proberen, redt slechts een enkeling het; de rest wordt onderweg platgewalst.'

'We verdienen nu al hartstikke goed.'

'Geld is niet zaligmakend. Heb je ook aan de toekomst gedacht? Wat ga je bijvoorbeeld doen als blijkt dat je op je vijfentwintigste je mooiste tijd al hebt gehad en geen cent meer op je bankrekening hebt?'

'Ben je nu soms ook al een expert op het gebied van muziek?'

'Heb je dáárom zulke slechte cijfers gehaald: omdat je al je tijd hebt verdaan met repetities en optredens?'

'Mijn studie kwam me toch al de strot uit.'

Banks mikte zijn sigarettenpeuk in de haard. Een vonkenregen spatte tegen de donkere stenen uiteen. 'Heb je hier al met je moeder over gesproken?'

'Eigenlijk hoopte ik dat... Nou ja, dacht ik dat jij dat misschien beter kon doen.'

Wat een giller, dacht Banks. Alsof Sandra en hij nog met elkaar praatten. Ze konden het tegenwoordig niet eens over het weer hebben zonder ruzie te krijgen.

'Ik denk dat het het beste is dat je haar zelf belt,' zei hij. 'Of nog beter: waarom ga je niet even bij haar langs? Ze woont in Camden Town, zo ver is dat niet.'

'Maar ze wordt vast razend!'

'Eigen schuld. Dat had je dan maar eerder moeten bedenken.'

De ketel begon schel te fluiten.

'Je wordt bedankt, pap,' zei Brian, en zijn stem klonk hard en verbitterd. 'Ik dacht dat jij het wel zou begrijpen. Ik dacht dat ik van jou op aan kon. Ik dacht dat je van muziek hield. Maar je bent geen haar beter dan de rest. Ga die kloteketel van je van het fornuis halen!'

'Brian...'

Maar Brian had al opgehangen. Met een harde klap.

De blauwe muren in de woonkamer hadden beslist geen kalmerende invloed op Banks' humeur. Wat een treurige bedoening, peinsde hij, als doe-het-zelven als therapie moest fungeren en het opknappen van je huis diende om het duister op een afstand te houden. Hij bleef even naar een kwasthaar staren die vastzat in de verf boven de haard, waarna hij de keuken in stormde en de ketel van het vuur haalde. Hij had geen trek meer in thee.

Geld is niet zaligmakend. Heb je ook aan de toekomst gedacht? Banks kon nauwelijks geloven dat hij dat had gezegd. Niet omdat hij geloofde dat geld wel zaligmakend was, maar omdat dat precies was geweest wat zijn ouders tegen hem hadden gezegd toen hij hun had verteld dat hij een zaterdagbaantje in de supermarkt kon krijgen en wat extra geld wilde verdienen. Hij was ervan geschrokken dat hij zo instinctief op Brians nieuws had gereageerd, alsof iemand anders, zijn eigen ouders bijvoorbeeld, de woorden had uitgesproken en hij slechts als de pop van een buikspreker had gefungeerd. Er zijn mensen die beweren dat we hoe ouder we worden, des te meer op onze ouders gaan lijken, en Banks begon zich zo langzamerhand af te vragen of ze misschien gelijk hadden. Als dat inderdaad zo was, dan was dat een angstaanjagend vooruitzicht.

Geld is niet zaligmakend, had zijn vader gezegd, hoewel het voor hem op een bepaalde manier wel degelijk zaligmakend was geweest, juist omdat hij het nooit had gehad. Heb je ook aan de toekomst gedacht? had zijn moeder gevraagd, wat haar manier was om hem duidelijk te maken dat hij veel beter thuis kon blijven om te studeren voor zijn examen dan in het weekend zijn tijd te verdoen met geld te verdienen dat hij toch alleen maar zou gebruiken om naar biljartcafés of bowlingbanen te gaan. Ze wilden dat hij net als zijn oudere broer Roy een leuke, respectabele, veilige kantoorbaan zou zoeken, bij een bank bijvoorbeeld, of een verzekeringsmaatschappij. Met een goed diploma kon hij het ver schoppen, hadden ze gezegd, wat inhield dat hij het verder zou brengen dan zijzelf. Hij was slim en dat werd toen, in de jaren zestig, van slimme kinderen uit de arbeidersklasse verwacht.

Voordat Banks kans had gehad om er verder over na te denken, ging de telefoon opnieuw. In de hoop dat het Brian was die terugbelde om zijn verontschuldigingen aan te bieden schoot hij de woonkamer in en griste hij de hoorn van de haak.

Dit keer was het echter hoofdcommissaris Jeremiah 'Jimmy' Riddle. Ik heb vast mijn dag niet, dacht Banks. Niet alleen was het dit keer niet Brian, maar het nieuwe telefoontje hield ook in dat Banks 1471 niet meer zou kunnen bellen om het nummer van Brian in Wimbledon te achterhalen, dat hij niet meer aan zijn zoon had kunnen vragen. 1471 werkte alleen voor het laatste telefoontje dat je had ontvangen. Hij vloekte en reikte weer naar zijn sigaretten. Als het zo doorging, zou het hem nooit lukken helemaal te stoppen. Verdomme. Buitengewone omstandigheden vereisen buitengewone maatregelen. Hij stak er een op.

'Spijbel je weer eens, Banks?'

'Vrije dag,' zei Banks. 'Keurig opgegeven. U kunt het controleren.'

'Kan me niets schelen. Ik heb een klusje voor je.'

'Ik ben er morgenochtend weer.'

'Nee, nu.'

Banks vroeg zich af wat dat voor klusje kon zijn waarvoor Jimmy Riddle hem van een vrije dag terugriep. Sinds Riddle hem tegen zijn zin weer in zijn functie had moeten laten terugkomen nadat hij hem vorig jaar overhaast had geschorst, was Banks' carrière op een doodlopend spoor beland en bestond zijn leven nog slechts uit een onophoudelijke stroom rapporten, statistieken en nog meer rapporten. Hij hoefde nog net geen voorlichtingspraatjes over verkeersveiligheid te houden op scholen, maar daar was dan ook alles mee gezegd. In negen maanden tijd was hij niet één keer actief bij een onderzoek betrokken geweest. Hij maakte overduidelijk geen deel meer uit van de incrowd, en soms leek het net of hij op Pluto zat; zelfs de enkele informant die hij sinds zijn komst naar Eastvale had weten te rekruteren, had hem laten zitten. Zijn kansen konden onmogelijk zo snel ten goede zijn gekeerd. Hier moest meer achter zitten; achter alles wat Riddle ondernam ging een verborgen agenda schuil.

'We hebben zojuist een melding binnengekregen uit Harkside,' vervolgde Riddle. 'Een jonge knul heeft een paar botten gevonden op de bodem van het Thornfield-reservoir. Dat is een van de reservoirs die deze zomer droog zijn komen te liggen. Vroeger schijnt het een dorp te zijn geweest, heb ik begrepen. Om kort te gaan, Harkside heeft alleen maar een wijkbureau en de hoogste in rang daar is een eenvoudig brigadiertje. Ik wil dat jij er als leidinggevende naartoe gaat.'

'Oude botten? Dat kan toch wel even wachten?'

'Waarschijnlijk wel. Maar ik heb liever dat je direct aan de slag gaat. Heb je daar problemen mee?'

'Waarom ligt dit niet bij Harrogate of Ripon?'

'Te druk. Wees nu eens niet zo ondankbaar, Banks. Dit is een ideale gelegenheid voor je om je carrière uit de dip te trekken waar die blijkbaar in is geraakt.'

Ja hoor, dacht Banks, je kunt me nog meer vertellen. Zijn carrière was niet in een dip geraakt, maar geduwd, en Jimmy Riddle kennende zou deze zaak hem er alleen maar dieper in doen wegzinken. 'Menselijke botten?'

'Dat weten we nog niet. Eigenlijk weten we op dit moment helemaal niets. Daarom wil ik dat je ernaartoe gaat en het uitzoekt.'

'Harkside?'

'Nee. Dat godvergeten Thornfield-reservoir. De plaatselijke brigadier is al ter plekke. Een zekere Cabbot.'

Banks dacht even diep na. Wat was hier in vredesnaam aan de hand? Het was heus niet Riddles bedoeling om hem een plezier te doen; misschien had hij er genoeg van om Banks' bewegingsruimte te beperken tot het bureau en had hij een nieuwe, interessante martelmethode bedacht.

Een geraamte in een drooggevallen reservoir?

Onder normale omstandigheden zou een inspecteur met zoveel ervaring als hij nooit worden afgevaardigd naar de uiterste grenzen van het graafschap om een verzameling oude botten te onderzoeken. Bovendien wezen hoofdcommissarissen nooit zaken toe aan agenten. Dat was de taak van de hoofdinspecteur of assistent-hoofdinspecteur. Banks wist uit ervaring dat hoofdcommissarissen hun bezigheden gewoonlijk beperkten tot zwetsen op televisie, landbouwevenementen openen en fanfarewedstrijden jureren. Behalve natuurlijk die klier van een Jimmy Riddle, meneer de bemoeial in hoogsteigen persoon, die geen mogelijkheid voorbij zou laten gaan om zout in Banks' wonden te wrijven.

Hoe druk ze het in Harrogate en Ripon ook hadden, Banks wist zeker dat ze best iemand konden missen met de juiste kwalificaties voor deze klus. Riddle verwachtte overduidelijk dat de zaak saai of vervelend zou zijn, of misschien wel allebei, en dat het onderzoek beslist zou uitdraaien op een mislukking en een beschamende aangelegenheid; waarom zou hij Banks er anders op zetten? En die brigadier Cabbot, wie hij ook was, was waarschijnlijk zo stom als het achtereind van een varken, want anders had hij de zaak heus wel zelf mogen afhandelen. Waarom zou een brigadier anders op een wijkbureautje in een gat als Harkside zijn gedropt? Bepaald niet de stad met de hoogste criminaliteit in het noorden.

'En dan is er nog iets, Banks.'

'Jawel, hoofdcommissaris?'

'Vergeet niet je laarzen mee te nemen.'

Banks zou hebben durven zweren dat hij Riddle hoorde grinniken, net de grootste pestkop van de school.

Hij haalde een plattegrond van de Yorkshire Dales tevoorschijn en bestudeerde de streek aandachtig. Thornfield was het meest westelijke van drie met elkaar verbonden reservoirs langs de rivier de Rowan, die vanaf de oorsprong in het Penninisch Gebergte min of meer in oostelijke richting stroomde, totdat hij een draai in zuidelijke richting maakte en vlak bij Otley overging in de rivier de Wharfe. Thornfield was in vogelvlucht slechts zo'n veertig kilometer ver weg, maar er liep geen grote weg naartoe en het grootste gedeelte van de route bestond voornamelijk uit weggetjes die tussen de niet-omheinde weides door liepen. Banks volgde met zijn wijsvinger de route op de kaart. Waarschijnlijk kon hij het beste in zuidelijke richting over de Moors rijden, via Langstrothdale Chase naar Grassington, en daarvandaan in oostelijke richting naar Pateley Bridge. Zelfs dan zou het nog minimaal een uur in beslag nemen. Na een korte douche pakte Banks zijn jasje en klopte hij als altijd op de zakken om zich ervan te vergewissen dat hij de autosleutels en zijn portemonnee bij zich had voordat hij de middagzon in stapte.

Voordat hij vertrok, bleef hij even stilstaan en hij legde zijn handen op de warme stenen muur en keek omlaag naar de kale rotsen waar eigenlijk de Gratly-waterval zou moeten stromen. Er schoot hem een regel te binnen uit een gedicht van T.S. Eliot dat hij de avond tevoren had gelezen: 'Gedachten van een dor brein in een dor seizoen.' Heel toepasselijk. De droogte hield al zo lang aan; alles was die zomer verdord, ook Banks' gedachten.

Zijn gesprek met Brian zeurde nog na in zijn hoofd; hij wilde dat het anders was verlopen. Hoewel Banks besefte dat hij zich sneller en vaker zorgen maakte over zijn dochter Tracy, die momenteel met een paar vriendinnen in een oud busje door Frankrijk rondtrok, hield dat beslist niet in dat hij zich niet om Brian bekommerde.

Door zijn werk was Banks met zoveel kinderen in aanraking gekomen die het verkeerde pad op waren gegaan dat het niet leuk meer was. Drugs. Vandalisme. Berovingen. Inbraak. Misdaad met geweld. Brian was veel te verstandig om die kant op te gaan, had Banks zichzelf altijd voorgehouden; hij had alle denkbare voordelen genoten die de middenklasse hem had geboden. Wat meer was dan Banks zelf ooit had gehad. En wat waarschijnlijk ook de reden was waarom hij zich door de opmerkingen van zijn zoon eerder gekwetst voelde dan iets anders.

Enkele wandelaars liepen langs de cottage met zware rugzakken op hun rug, krachtige beenspieren, korte broeken, stevige wandelschoenen en plattegronden die in een plastic hoesje om hun hals hingen voor het geval het zou gaan regenen. Daar was weinig kans op. Banks groette hen, maakte een opmerking over het mooie weer en stapte in zijn Cavalier. De bekleding was zo heet dat hij bijna weer uit de auto sprong.

Ach, dacht hij, en hij zocht naar een cassettebandje om naar te luisteren, Brian was oud genoeg om zijn eigen beslissingen te nemen. Als hij een poging wilde wagen om rijk en beroemd te worden en bereid was om daarvoor alles opzij te zetten, dan was dat zijn zaak, nietwaar?

Banks had tenminste eindelijk een echte klus om handen. Dit keer had Jimmy Riddle een fout gemaakt. Hij dacht ongetwijfeld dat hij Banks met een lastig, onoplosbaar karweitje had opgezadeld, met talloze mogelijkheden om de mist in te gaan – en ongetwijfeld had hij ook de schijn tegen – maar alles was beter dan in zijn kantoor rond te hangen. Riddle had die ene eigenschap van Banks over het hoofd gezien die alles overheerste, zelfs wanneer hij de bodem van de put had bereikt: zijn nieuwsgierigheid.

Banks voelde zich net als een aan de grond gehouden piloot die onverwacht weer toestemming kreeg om te vliegen en toen hij Loves *Forever Changes* in de cassetterecorder had laten glijden, reed hij te midden van opspattend grind weg.

De signeersessie begon om halfzeven, maar Vivian Elmsley had haar publiciteitsagent Wendi laten weten dat ze graag vroeg wilde aankomen om de ruimte te kunnen verkennen en een praatje te maken met het personeel.

Om kwart over zes stonden er al heel wat mensen te wachten. Dat was natuurlijk ook wel te verwachten. Na twintig boeken in evenzoveel jaren was Vivian Elmsley plotseling en volkomen onverwacht een gevierd auteur.

Haar reputatie en de verkopen waren de voorgaande jaren al gestaag gegroeid, maar nu was haar serie over inspecteur Niven, waartoe vijftien van de twintig boeken behoorden, onlangs voor televisie verfilmd met een knappe acteur in de hoofdrol, een gelikte aanpak en een enorm budget. De eerste drie afleveringen waren inmiddels al uitgezonden en hadden ondanks de vervelende houding die televisierecensenten tegenwoordig zo vaak jegens politieseries aannamen juichende recensies gekregen, met als gevolg dat Vivians gezicht in de afgelopen paar maanden enorm bekend was geworden bij het grote publiek.

Haar foto had op de cover van *Night & Day* gestaan, ze was door Melvyn Bragg geïnterviewd voor de *South Bank Show* en er was een groot artikel aan haar gewijd in het tijdschrift *Woman's Own*. Het was tenslotte heel bijzonder dat een vrouw van in de zeventig plotseling van de ene dag op de andere zo enorm veel succes had. Ze werd nu soms zelfs op straat herkend.

Adrian, die de signeersessie had georganiseerd, reikte haar een glas rode wijn aan en Thalia schikte de boeken die op een laag tafeltje bij de bank lagen. Om klokslag halfzeven introduceerde Adrian haar met de woorden dat ze geen introductie behoefde, en na een bescheiden applausje pakte ze haar exemplaar op van het nieuwste inspecteur Niven-boek, *Vermoorde onschuld*, en las ze een stuk voor uit het eerste hoofdstuk.

Vijf minuten zouden wel genoeg zijn, had Vivian bedacht. Korter zou de indruk kunnen wekken dat ze er zo snel mogelijk vandoor wilde; langer en ze liep het risico dat ze de aandacht van haar publiek zou verliezen. De bank was zacht en ze zakte er tijdens het voorlezen zo diep in weg dat hij zich beschermend om haar heen leek te vouwen. Ze vroeg zich af hoe ze het ooit moest klaarspelen om er weer uit op te staan. Ze was niet bepaald een kwiek jong ding meer.

Toen ze was uitgesproken, vormden de mensen een keurige rij en Vivian signeerde hun boeken, maakte met iedereen een kort praatje, vroeg of ze een speciale opdracht wilden hebben en lette er goed op dat ze hun namen foutloos opschreef. Het leek zo eenvoudig wanneer iemand meldde dat hij 'John' heette, maar hoe moest zij nu weten of het niet als 'Jon' werd gespeld? Er waren ook namen met nog ingewikkelder varianten: 'Donna' of 'Dawna'? 'Janice' of 'Janis'?

Vivian keek tijdens het signeren naar haar hand. Net een vogelklauw, vond ze, een geraamte bijna, vol levervlekken, met die dorre, gerimpelde huid rond de knokkels en vleeskussentjes aan weerszijden van haar trouwring, die ze niet meer afkreeg, hoe hard ze het ook probeerde.

Haar handen waren de eerste lichaamsdelen die verouderden, dacht ze. De rest van haar lichaam was tot nu toe bijzonder goed geconserveerd gebleven. Om te beginnen was ze nog altijd lang en slank. Ze was niet in elkaar geschrompeld of dik geworden, zoals zoveel oudere vrouwen, en had evenmin het harde, ondoordringbare pantser van getrouwde vrouw aangenomen.

Staalgrijs haar dat strak naar achteren was getrokken en in een knotje was vastgezet, waardoor midden op haar voorhoofd tussen twee hoge inhammen een spitse haarpunt naar haar karaktervolle, magere gezicht wees; haar donkerblauwe ogen te midden van een wirwar van kraaienpootjes leken bijna oosters door de schuine stand; haar neus was een tikje haakvormig en haar lippen waren smal. Geen gezicht dat vaak glimlachte, meenden de meeste mensen. En ze hadden gelijk, hoewel dat niet altijd zo was geweest.

Een stalen blik die onverschrokken in de diepten van het kwaad tuurt, had een interviewer over haar geschreven. En was het niet Graham Greene die ooit had opgemerkt dat er in het hart van iedere schrijver een splinter van ijs zat? Hij had gelijk, ook al had die er niet altijd gezeten.

'U hebt vroeger toch in het noorden van het land gewoond?'

Vivian keek van haar stuk gebracht door de vraag op. De man was een jaar of zestig, mager, uitgemergeld bijna, en had een lang, ingevallen gezicht en sprietig lichtblond haar. Hij droeg een vale spijkerbroek en zo'n felgekleurd shirt met korte mouwen dat je tijdens vakanties op het strand zo vaak zag. Toen hij het boek aan haar overhandigde om te signeren, viel het haar op dat zijn handen onnatuurlijk klein waren voor een man. Er was iets met die handen waardoor ze van slag raakte.

Vivian knikte. 'Heel lang geleden.' Toen wierp ze een blik op het boek. 'Aan wie zal ik de opdracht richten?'

'In welke plaats hebt u gewoond?'

'Het is al zo lang geleden.'

'Heette u toen ook al Vivian Elmsley?'

'Hoort u eens, ik...'

'Pardon, meneer.' Adrian kwam tussenbeide en verzocht de man beleefd om door te lopen. Hij deed wat hem werd gevraagd, wierp over zijn schouder nog eenmaal een blik op Vivian, legde toen haar boek met een harde klap op een stapel John Harveys en vertrok.

Vivian ging door met signeren. Adrian bracht haar een nieuw glas wijn, mensen vertelden haar dat ze hadden genoten van haar boeken en al snel was ze de vreemde man met zijn nieuwsgierige vragen vergeten.

Toen de sessie was afgelopen, stelden Adrian en het personeel voor om uit eten te gaan, maar Vivian was moe, een van de vele tekenen die duidden op haar voortschrijdende ouderdom. Het enige wat ze nu wilde, was naar huis gaan, zich daar lekker ontspannen in een warm bad, een gin-tonic voor zichzelf inschenken en Flauberts *De Leerschool der liefde: de geschiedenis van een jongeman* oppakken, maar eerst had ze behoefte aan wat lichaamsbeweging en frisse lucht. En wilde ze alleen zijn.

'Ik breng u wel met de auto,' zei Wendi.

Vivian legde een hand op Wendi's onderarm. 'Nee, meisje,' zei ze. 'Als je het niet erg vindt, ga ik liever eerst even een stukje lopen en dan neem ik verder de ondergrondse wel.'

'Ik doe het anders graag, hoor. Daar ben ik juist voor.'

'Nee. Ik red het echt wel in mijn eentje. Zo krakkemikkig ben ik nu ook weer niet.'

Wendi bloosde. Ze was waarschijnlijk van tevoren gewaarschuwd dat Vivian erg kribbig kon zijn. Er was altijd wel iemand die publiciteitsmedewerkers en andere begeleiders daarvoor waarschuwde. 'Het spijt me. Zo bedoelde ik het ook helemaal niet. Het is nu eenmaal mijn werk.'

'Zo'n knap jong ding als jij heeft ongetwijfeld wel leukere dingen te doen dan een oude dame tijdens de spits in Londen naar huis brengen. Waarom ga je niet lekker met je vriendje naar de film, of dansen of iets dergelijks?'

Wendi glimlachte en keek op haar horloge. 'Ik heb Tim inderdaad verteld dat ik hem pas later op de avond ergens kon ontmoeten. Als ik hem nu bel en dan in de rij ga staan voor last-minute kaartjes, kunnen we misschien nog wel een paar theaterkaartjes voor de helft van de prijs op de kop tikken. Maar alleen als u het echt zeker weet.'

'Heel zeker, liefje. Tot ziens.'

Vivian liep in de warme, schemerige herfstavond door Bedford Street. Londen. Ze kon het zelf soms nog steeds nauwelijks geloven dat ze nu werkelijk in Londen woonde. Ze herinnerde zich haar eerste bezoek nog – hoe uitgestrekt, koninklijk en overweldigend ze de stad toen had gevonden. Ze had in stille verwondering naar de bekende monumenten, pleinen en straten gestaard die ze slechts van horen zeggen, uit artikelen of van plaatjes kende: Piccadilly Circus, de Big Ben, St. Paul's, Buckingham Palace, Trafalgar Square. Dat was natuurlijk inmiddels al heel lang geleden, maar ook vandaag nog voelde ze diezelfde magie wanneer ze de namen opsomde of door de beroemde straten wandelde.

Charing Cross Road was vol mensen die laat van hun werk waren vertrokken of juist vroeg arriveerden voor een avondje theater of film, of om met vrienden iets te gaan drinken. Vivian nam niet meteen de ondergrondse, maar stak toen het voetgangerslicht eenmaal op groen was gesprongen eerst voorzichtig de weg over en wandelde vervolgens op haar gemak een rondje om Leicester Square.

Een koortje stond vlak bij de Burger King *Men of Harlech* te zingen. Wat was het allemaal veranderd: al die fastfoodrestaurants, de winkels, zelfs de bioscopen. Niet ver hiervandaan, op Haymarket, was ze voor het eerst naar een Londense bioscoop geweest, het Carlton. Wat had ze daar toen ook alweer gezien? *For Whom the Bell Tolls*. Ja, natuurlijk, dat was het geweest.

Toen ze terugliep naar de ingang van de ondergrondse bij Leicester Square, moest Vivian plotseling weer denken aan die vreemde man in de boekwinkel. Ze bleef niet graag lang stilstaan bij het verleden, maar hij had allerlei herinneringen bij haar naar boven geroepen, net als de foto's van het drooggevallen Thornfield-reservoir die recent in de kranten hadden gestaan.

De overblijfselen van Hobb's End waren voor het eerst in meer dan veertig jaar weer aan het daglicht blootgesteld en de herinneringen aan haar leven daar drongen zich nu aan haar op. Vivian rilde toen ze de trap naar de ondergrondse afliep.

2

Banks bleef even stilstaan om op adem te komen van zijn wandeling door het bos. Hij stond aan de rand van het Thornfield-reservoir en de langgerekte, met ruïnes gevulde kom, die ongeveer een halve kilometer breed en een kilometer lang was, strekte zich als een bedelende hand voor hem uit. Hij was niet op de hoogte van het achterliggende verhaal, maar wist wel dat de plek vele jaren lang onder water had gestaan. Dit was de eerste keer dat het dorp weer was opgedoken, als een opgegraven oude nederzetting of een soort hedendaags Brigadoon. Hij zag dat boomwortels in verwarde kluwens uit de helling van de andere oever staken. De verandering in de kleur van de aarde gaf aan waar de watergrens was geweest. Achter de hoge oever kropen de uitlopers van Rowan Woods weg in noordelijke richting.

Het meest dramatische deel van het tafereel lag recht voor hem: het verdronken dorp zelf. Het lag ingeklemd tussen de vervallen vlasserij op het heuveltje aan de westkant en een kleine brug die speciaal voor pakpaarden was bestemd aan de oostkant, en het geheel deed hem denken aan het geraamte van een reuzenlichaam. De brug was het bekken en de vlasserij de schedel, die was afgehakt en ergens links van het lichaam was neergelegd. De rivier en de hoofdstraat vormen samen de licht gekromde ruggengraat, waar diverse zijstraatjes als ribben uitstaken.

Er waren geen verharde wegen, maar de loop van de oude High Street langs de rivier was nog vrij gemakkelijk aan te wijzen. Bij de brug splitste de weg zich ten slotte: de ene tak leidde naar Rowan Woods, waar hij al snel overging in een smal voetgangerspad, en de andere voerde over de brug en langs de oever van Harksmere het dorp uit, waarschijnlijk helemaal tot aan Harkside. Banks vond het een bijzonder vreemde gedachte dat er al die jaren een volledig intacte brug onder het water had gelegen.

Op het lagergelegen terrein aan de andere kant van de brug stond een groep mensen, van wie er een in uniform was. Banks rende op een drafje langs het smalle pad naar beneden. Het was een warme avond en toen hij onder aan de helling aankwam, zweette hij. Voordat hij op het groepje afliep, haalde hij een zakdoek uit zijn zak tevoorschijn en veegde hij zijn voorhoofd en nek af. Aan de vochtige vlekken onder zijn armen kon hij niets doen.

Hij was niet te dik, had ook geen bijzonder slechte conditie. Hij rookte, at ongezond en dronk te veel, maar hij had het soort stofwisseling dat ervoor zorgde dat hij mager bleef. Intensief sporten was niets voor hem, maar sinds Sandra bij hem was weggegaan, had hij er een gewoonte van gemaakt om elk weekend in zijn eentje een lange wandeling te maken en hij zwom een of twee keer per week een kilometer in het openbare zwembad in Eastvale. Het kwam door dit verdomd warme weer dat hij zo snel buiten adem was.

De bodem van de vallei was minder modderig dan hij eruitzag. De blootgelegde roodbruine aarde was door de hitte grotendeels ingedroogd en vertoonde scheuren. Er waren echter ook enkele zompige plekken waaruit rietstengels omhoogstaken en hij moest verschillende keren over een flinke waterplas springen die hem de weg versperde.

Toen hij de brug opliep, kwam er een vrouw op hem afgelopen die hem halverwege tegenhield. 'Pardon, meneer,' zei ze met opgestoken hand. 'Dit is een plaats delict. U mag hier helaas niet komen.'

Banks glimlachte. Hij wist dat hij er niet direct als een inspecteur uitzag. Hij had zijn tweedjasje in de auto achtergelaten en droeg een spijkeroverhemd zonder das en met openstaande kraag, een lichtbruine lange broek en zwarte laarzen.

'Waarom is het hier dan niet met tape afgezet?' vroeg hij.

De vrouw keek hem fronsend aan. Ze was zo te zien eind twintig, begin dertig misschien, had lange benen en was lang en tenger: waarschijnlijk slechts een paar centimeter korter dan Banks' een meter drieënzeventig. Ze droeg een spijkerbroek en een witte blouse van zijdeachtige stof. Daaroverheen had ze een jasje met een visgraatpatroon aan dat de lijnen van haar middel en de licht naar buiten golvende heupen volgde. Haar kastanjebruine haar had een scheiding in het midden en hing in losse golven op haar schouders. Haar gezicht was ovaal, met een gladde, gebruinde huid, volle lippen en een kleine moedervlek rechts van haar mond. Ze had een zonnebril met een zwart montuur op en toen ze die afzette, leek ze Banks met haar ernstige, amandelvormige ogen te taxeren, alsof hij tot een tot nu toe onbekend ras behoorde.

Ze was niet knap in de gebruikelijke zin van het woord. Haar gezicht zou je nooit op de pagina's van een tijdschrift aantreffen, maar haar uiterlijk gaf duidelijk blijk van een sterk karakter en intelligentie. Haar rode laarzen pasten daar heel goed bij.

Banks glimlachte. 'Moet ik je eerst van de brug in de rivier gooien voordat ik mag oversteken, net als Robin Hood met Kleine Jan deed?'

'Ik denk dat u al snel zou ervaren dat het precies andersom was, maar u zou het natuurlijk kunnen proberen,' zei ze. Nadat ze elkaar nog een paar seconden vorsend hadden aangekeken, kneep ze haar ogen tot spleetjes, fronste haar wenkbrauwen en zei: 'U bent zeker inspecteur Banks?'

Ze wekte niet de indruk dat ze zenuwachtig was of zich ervoor schaamde dat ze hem voor een ramptoerist had gehouden; haar stem klonk geenszins verontschuldigend of vol ontzag. Hij wist niet of hij dat prettig vond. 'Brigadier Cabbot, neem ik aan?'

'Dat klopt.' Ze glimlachte. Het was niet meer dan een spiertrekking bij een van haar mondhoeken en een kort oplichtende flits in haar ogen, maar het maakte indruk. Veel mensen zouden het waarschijnlijk heel fijn vinden wanneer brigadier Cabbot naar hen glimlachte, dacht Banks peinzend. Wat Jimmy Riddles motieven om hem hierheen te sturen in Banks' ogen alleen maar verdachter maakte.

'En deze mensen?' Banks wees naar de man en vrouw die met de geüniformeerde agent stonden te praten. De man richtte een videocamera op het bijgebouw.

'Colleen Harris en James O'Grady. Ze waren op zoek naar een geschikte locatie voor een televisieprogramma en hebben gezien dat de jongen door het dak zakte. Ze zijn ernaartoe gerend om hem te helpen. Blijkbaar hadden ze hun camera bij de hand. Ik vermoed dat het wel een interessant item zal opleveren voor het journaal van vanavond.' Ze krabde aan de zijkant van haar neus. 'We hadden op het wijkbureau geen tape meer om de plaats delict af te zetten. Om eerlijk te zijn weet ik niet eens zeker of we daar ooit wel tape op voorraad hebben gehad.' Ze speelde met haar zonnebril toen ze hem dit vertelde, maar Banks dacht niet dat dat uit zenuwachtigheid was. Ze had het licht brouwende accent dat typerend was voor de West Country – niet heel uitgesproken, maar duidelijk genoeg om op te vallen.

'Aan die televisiemensen kunnen we nu niets meer doen,' zei Banks. 'Misschien komen ze ons nog van pas. Vertel me eerst maar eens wat er is gebeurd. Ik weet alleen dat een jongetje hier een paar oude botten heeft gevonden.'

Brigadier Cabbot knikte. 'Adam Kelly. Hij is dertien.'

'Waar is hij nu?'

'Ik heb hem naar huis gestuurd. Harkside. Hij leek flink geschrokken en hij had zijn pols en elleboog gekneusd. Niets ernstigs. Hij wilde naar zijn moeder, dus heb ik agent Cameron hier hem naar huis laten brengen. Die arme knul zal de komende maanden nog vaak genoeg last krijgen van nachtmerries.'

'Wat is er precies gebeurd?'

'Adam liep op het dak, en dat is toen ingestort. Hij heeft geluk gehad dat hij zijn rug niet heeft gebroken of onder de brokstukken is terechtgekomen en is geplet.' Ze wees naar het bijgebouw. 'De dakspanten die de flagstones ondersteunden, zijn waarschijnlijk na al die jaren onder water weggerot. Dat kleine beetje extra gewicht gaf de doorslag. Ik zou zelf hebben verwacht dat slopers het hele dorp tegen de vlakte hadden gegooid voordat het onder water werd gezet, maar blijkbaar hebben ze die dag de kantjes er een beetje van afgelopen.'

Banks keek om zich heen. 'Daar lijkt het inderdaad wel op, ja.'

'Geef hun eens ongelijk. Ze dachten waarschijnlijk dat niemand het dorp ooit nog te zien zou krijgen. Wanneer het onder water staat, kan niemand immers met zekerheid zeggen wat er allemaal nog aanwezig is. Maar goed, de modder heeft Adams val gebroken, zijn arm bleef erin steken en toen viste hij het geraamte van een hand op.'

'Van een mens?'

'Geen idee. Ik vind dat het er als een mensenhand uitziet, maar we zullen een expert moeten laten komen om er helemaal zeker van te zijn. Ik heb eens ergens gelezen dat berenklauwen heel veel op mensenhanden lijken.'

'Berenklauwen? En wanneer heb je voor het laatst een beer in deze streek gezien?'

'Vorige week nog, inspecteur.'

Banks zweeg even, zag toen het ondeugende lichtje in haar ogen en glimlachte. Deze vrouw had iets wat hem intrigeerde. Niets in haar stem wees erop dat ze aan zichzelf twijfelde of onzeker was over hoe ze zich moest gedragen. Bij de meeste jonge, beginnende agenten klonk er over het algemeen een soort 'Heb ik het wel goed gedaan, baas?' door in hun stem, of anders schoten ze meteen in de verdediging wanneer iemand met een hogere rang hen ter verantwoording riep over hun werkzaamheden. Susan Gay, de agent met wie hij eerder had samengewerkt, was zo iemand geweest. Bij brigadier Cabbot was hiervan echter niets te merken. Ze vertelde precies wat er had plaatsgevonden en welke beslissingen ze had genomen, en door de manier waarop ze dit deed klonk ze volkomen rustig en zelfverzekerd, zonder dat ze arrogant of eigengereid overkwam. Banks wist niet goed hoe hij ermee om moest gaan.

'Goed,' zei hij, 'laten we dan maar eens gaan kijken.'

Brigadier Cabbot vouwde haar zonnebril op, liet hem in haar schoudertas glijden en liep in de richting van het bijgebouw. Banks volgde haar. Ze bewoog met een soort soepele gratie in haar ledematen, als een kat, wanneer het tenminste geen voedertijd is.

Onderweg bleef hij even staan om met de mensen van de televisie te praten. Ze konden hem niet veel vertellen, behalve dan dat ze research in de omgeving hadden gedaan toen ze de jongen door het dak hadden zien zakken. Ze waren er direct naartoe gehold en toen ze hem bereikten, hadden ze gezien wat hij uit de aarde tevoorschijn had getrokken. Hij had hun hulp niet direct in dank aanvaard, vertelden ze, en was evenmin blij geweest om hen te zien, maar tot hun grote opluchting was hij niet ernstig gewond geraakt. Omdat het nu eenmaal hun werk was, vroegen ze Banks of hij bereid was om voor de camera commentaar te leveren. Hij weigerde beleefd en beweerde dat hij nog te weinig van de zaak af wist. Hij had zich nog niet omgedraaid of de vrouw was via haar mobiele telefoon al in een druk gesprek gewikkeld met het lokale nieuwsstation. Dit was blijkbaar vandaag ook niet de eerste keer dat ze hen belde.

Het bijgebouw was ongeveer twee bij twee meter. Banks bleef in de deuropening staan en keek naar de kuil in de modder waar de jongen terecht was gekomen en vervolgens naar de twee zware stenen tegels die aan weerszijden ervan lagen. Cabbot had gelijk: Adam Kelly had inderdaad heel veel geluk gehad. Er lagen nog veel meer tegels verspreid over de vloer; de meeste waren in stukken gebroken, en hier en daar staken ook scherven uit de modder omhoog. Voor hetzelfde geld was Adam op een daarvan terechtgekomen en had hij zijn rug gebroken. Wanneer je zo jong bent, geloof je nog dat je onsterfelijk bent. Banks en zijn vrienden hadden dat ook gedacht en waren dat blijven geloven, zelfs nadat Phil Simpkins een stuk touw rond een boomstam had gewikkeld, van de bovenste tak was gesprongen en tollend naar beneden was gevallen, recht op de spitse punten van de metalen reling.

Banks verdrong de herinnering en concentreerde zich op het tafereel dat zich voor hem uitstrekte. De zon bescheen de bovenste helft van de muur tegenover hem; de stenen glommen vochtig en slijmerig. Het rook in de kleine ruimte naar brak water, dacht Banks, hoewel er kilometers in de omtrek geen zout water te bekennen was, en naar rottende vis, die waarschijnlijk wel in de buurt te vinden was.

'Ziet u wat ik bedoel?' vroeg Cabbot. 'Omdat het dak het zonlicht heeft tegengehouden, is het hier veel modderiger dan buiten.' Ze veegde met een snel handgebaar een paar losse haarlokken van haar wang. 'Dat heeft dat jochie waarschijnlijk het leven gered.'

Banks' blik viel op het geraamte van de hand die om de rand van een kapotte tegel gekromd zat. Het was net een wezen uit een horrorfilm dat probeerde zich klauwend een weg naar buiten te banen uit een graf. De botten waren donker gekleurd en bedekt met een laag aangekoekte modder, maar Banks kreeg niettemin de indruk dat het een menselijke hand betrof.

'We zullen er een paar experts bij roepen om de hele zaak af te graven,' zei hij. 'Daarna hebben we een forensisch antropoloog nodig. Ik heb trouwens nog helemaal niets gegeten. Is er hier ergens in de buurt een plek waar we wat te eten kunnen krijgen?'

'Bij de Black Swan in Harkside maakt u de meeste kans. Wilt u Adam Kelly's adres hebben?'

'Heb jij al gegeten?'

'Nee, maar...'

'Kom dan maar met me mee, dan kun je me tijdens de maaltijd volledig op de hoogte brengen. Ik kan ook morgenochtend met Adam gaan praten; dan heeft hij wat meer tijd gehad om tot rust te komen. Agent Cameron kan het fort hier wel bewaken.'

Brigadier Cabbot wierp een blik op de beenderen.

'Kom,' zei Banks. 'We kunnen hier toch verder niets meer doen. Deze stakker was waarschijnlijk al dood toen wij nog geboren moesten worden.'

Vivian Elmsley was helemaal op van vermoeidheid toen ze na de signeersessie eindelijk thuiskwam. Ze zette haar aktetas in de gang neer en liep naar de woonkamer. De meeste mensen zouden verbaasd hebben opgekeken van zo'n moderne inrichting vol glas en chroom in het huis van iemand van Vivians leeftijd, maar ze gaf er beslist de voorkeur aan boven al die vreselijk nostalgische antieke stukken, snuisterijen en het in oude staat herstelde lijstwerk waarmee de huizen van de meeste ouderen waren volgepropt, in elk geval de huizen die zij vanbinnen had gezien. Het enige schilderij dat haar effen witte muren sierde, hing boven de smalle glazen schoorsteenmantel: een ingelijste reproductie van een van de bloemen van Georgia O'Keeffe, die een overweldigend gele kleur had en een ontzagwekkende symmetrie bezat.

Vivian zette eerst de ramen open voor wat frisse lucht, schonk toen een groot glas gin-tonic voor zichzelf in en liep naar haar favoriete stoel. Deze werd ondersteund door chromen buizen, was bekleed met zwart leer en stond in een uiterst comfortabele hoek achterover die schaamteloos uitnodigde tot lezen, drinken of televisie kijken.

Vivian wierp een blik op de klok, die onder de glazen stolp zijn keurig gepoetste koperen en zilveren mechanisme toonde. Bijna negen uur. Ze zou eerst naar het journaal kijken. Daarna zou ze in bad gaan en Flaubert lezen.

Ze pakte de afstandsbediening. Nadat ze het grootste gedeelte van haar leven alles met de hand had geschreven en alleen een oude radio in een notenhouten kastje als verpozing had gehad, was ze vijf jaar geleden bezweken voor de verlokkingen van de technologie. Een dag nadat ze van haar nieuwe Amerikaanse uitgever een flink voorschot had ontvangen, had ze tijdens een aanval van koopwoede op één enkele ochtend een televisie, een videorecorder en een stereotoren gekocht, en ook nog de computer waarop ze tegenwoordig haar boeken schreef.

Ze legde haar voeten op de bank en drukte op een toets van de afstandsbediening. Het nieuws bevatte de gebruikelijke rotzooi. Voornamelijk politiek, een moord of twee, hongersnood in Afrika, een mislukte moordaanslag in het Midden-Oosten. Ze wist werkelijk niet waarom ze nog de moeite nam om ernaar te kijken. Aan het eind volgde nog een van die human interest-items die ze gebruikten om de tijd te vullen.

Dit keer ging Vivian rechtop zitten en luisterde ze heel geconcentreerd.

De camera toonde een groep overbekende vervallen gebouwen en de commentaarstem vertelde dat dit verloren geraakte dorpje in de Dales, dat naar de naam Hobb's End had geluisterd, door de recente, aanhoudende droogte voor het eerst sinds het in 1953 in opdracht van de overheid onder water was gezet weer was opgedoken. Dit wist ze al, want het waren dezelfde opnames die ze ook hadden gebruikt toen het verhaal een maand geleden voor het eerst in het nieuws was geweest, maar plotseling zwenkte de camera een andere kant op en nu zag ze dat er een groep mensen, onder wie ook een geüniformeerde agent, bij de brug stond.

'Vandaag,' vervolgde de commentaarstem, 'heeft een jongen die in het dorpje op onderzoek was uitgegaan een ontdekking gedaan waar hij beslist niet op was voorbereid.'

De stem van de verteller klonk opgewekt, luchtig, net als die vele knusse mysteries waar Vivian een hartgrondige hekel aan had, omdat ze het niet al te nauw namen met de omstandigheden die een moord in het echte leven omringden. Het was een mysterie dat schreeuwde om de deskundigheid van Miss Marple, ging hij verder, en betrof een geraamte dat ditmaal niet in een kast was ontdekt, beste mensen, maar onder de modderige vloer van een oud bijgebouw. Hoe zou het daar terecht zijn gekomen? Was er kwade opzet in het spel? Vivian greep de koele chromen buizen aan de zijkant van haar stoel stevig vast en keek ingespannen toe, haar gin-tonic op de glazen tafel naast haar volledig vergeten.

De camera zoomde in op het bijgebouw, en Vivian zag dat er een man en een vrouw op de drempel stonden. De verteller keuvelde voort over de politie die al snel ter plekke was, maar in dit vroege stadium weigerde commentaar te geven, en sloot het item af met de opmerking dat ze de ontwikkelingen zouden blijven volgen.

Het weerbericht was al in volle gang toen Vivian zich eindelijk van de schok had hersteld. Ze merkte dat haar handen het chroom nog steeds zo stevig vastklemden dat zelfs haar levervlekken wit zagen.

Ze liet de buizen los, leunde achterover in de stoel en haalde een paar keer diep adem. Toen stak ze een trillende hand uit naar de gin-tonic en ze slaagde erin een slok te nemen zonder te morsen. Daar knapte ze van op.

Toen ze helemaal was gekalmeerd, liep ze naar de werkkamer en zocht ze in haar dossierkast naar het manuscript dat ze aan het begin van de jaren zeventig had geschreven, drie jaar na haar laatste bezoek aan het Thornfield-reservoir. Ze vond de stapel papieren en nam hem mee terug naar de woonkamer.

Het was nooit bestemd geweest voor publicatie. Het was eigenlijk meer een oefening geweest, een tekst die ze had geschreven toen ze na de dood van haar man belangstelling had gekregen voor schrijven. Ze had het verhaal op papier gezet in een tijd waarin ze nog geloofde dat het bekende adagium 'Schrijf over dingen die je kent' betekende: 'Schrijf over je eigen leven, over je eigen ervaringen.' Het had een paar jaar geduurd voordat ze erachter was gekomen dat het anders in elkaar stak. Ze schreef nog steeds over dingen die ze kende:

schuldgevoel, verdriet, pijn en waanzin, alleen verwerkte ze die nu in de levens van haar personages.

Toen ze het manuscript begon te lezen, ontdekte ze dat ze niet eens wist in welk genre het precies thuishoorde. Waren het haar memoires? Was het een novelle? Het verhaal bevatte beslist enkele waar gebeurde feiten; ze had tenminste haar best gedaan om zich aan de feiten te houden en had er zelfs omwille van de nauwkeurigheid haar oude dagboeken op nageslagen. Ze had deze tekst echter geschreven op een moment in haar leven waarop ze nog geen grip had gehad op dat grensgebied tussen autobiografie en fictie, die daardoor met elkaar verstrengeld waren geraakt en niet meer van elkaar te onderscheiden waren. Zou het haar nu wel lukken om ze uit elkaar te houden? Er was maar één manier om daarachter te komen.

Banks was nog niet eerder in Harkside geweest. Hij volgde brigadier Cabbot, die voor hem uit reed in haar metallic paarse Astra, door bochtige straatjes die alleen bestemd waren voor eenrichtingsverkeer en aan weerszijden geflankeerd werden door lage muurtjes waarachter typische Dales-cottages van kalksteen en grove zandsteen lagen met hun kleine, kleurrijke tuinen. Veel van de huizen grensden met de voordeur direct aan de straat en overal hingen bloembakken of manden vol rode en goudgele bloemen buiten.

Ze parkeerden hun auto op het dorpsplein, waar onder een paar her en der verspreide bomen bankjes in de schaduw stonden. In de lengende schaduwen van de ondergaande zomerzon zaten ouden van dagen, met rimpelige handen om hun wandelstok geslagen uit te rusten en te praten met andere ouden van dagen, of keken ze stil naar de wereld die aan hen voorbijgleed. Midden op het plein stond een klein oorlogsgedenkteken in de vorm van een naald, waarop de namen stonden vermeld van de bewoners van Harkside die tijdens de twee wereldoorlogen waren omgekomen.

Rondom het plein stonden de belangrijkste gebouwen: een Kwiksave-supermarkt waarin, aan de ongewone, barokke gevel te zien, waarschijnlijk ooit een bioscoop gehuisvest was geweest, een Barclay's Bank, een tijdschriftenzaak, een slager, een kruidenier, een bookmakerskantoor, een Oddbins Wines, een vijftiende-eeuwse kerk en drie pubs, waaronder ook de Black Swan. Hoewel Harkside slechts tussen de twee- en drieduizend inwoners telde, was het de grootste plaats in de directe omgeving, en de bewoners van de omringende boerderijen en gehuchten beschouwden het als de grote stad, zondig en vol verleidingen. Het was in feite een groot dorp, maar de meeste mensen in de omgeving spraken over 'het stadje'.

'Waar staat het wijkbureau?' vroeg Banks.

Cabbot wees naar een zijstraatje.

'Dat gebouw dat eruitziet als een bakstenen garage? Met dat platte dak?'

'Inderdaad. Het lelijkste gebouw van de stad.'

'Woon je hier?'

'Ja. Als boetedoening, omdat ik heb gezondigd.'

Het was een cliché-uitdrukking, wist Banks, maar hij vroeg zich desalniettemin af wat die zonden waren geweest. Zijn fantasie ging met hem op de loop en hij huiverde even van verrukking.

Ze liepen naar de Black Swan, een gebouw met witgekalkte muren en donkere houten balken, een puntgevel en een doorzakkend leistenen dak. Binnen was het donker en ondanks de openstaande deur en ramen nog altijd veel te warm. Hoewel ze allang op één oor hadden moeten liggen, waren enkele toeristen en wandelaars na hun maaltijd blijven hangen en ze zaten met een drankje voor zich aan de wankele houten tafels. Cabbot liep met Banks in haar kielzog naar de bar en vroeg de barkeepster of ze nog iets te eten konden krijgen.

'Hangt er helemaal van af wat je wil hebben, meid,' zei deze, en ze wees naar het menu dat op een schoolbord stond.

Banks slaakte een diepe zucht. Iene miene mutte. Hij had het al zo vaak meegemaakt: je loopt tien minuten nadat de pub geopend is naar binnen en bestelt iets van het menu, maar krijgt vervolgens te horen dat het er niet meer is. Na vier of vijf alternatieven, die eveneens geen van alle nog te krijgen zijn, tref je heel misschien iets wat ze nog wel eens op voorraad zouden kunnen hebben. Als je geluk hebt tenminste.

Vandaag liet Banks de kip tandoori met friet, het wild in rodewijnsaus met friet en de fettucine Alfredo met friet de revue passeren, voordat hij de jackpot binnenhaalde: quiche met rundvlees en stilton. Met friet. Hij had de afgelopen jaren minder rundvlees gegeten, maar maakte zich sinds kort niet zoveel zorgen meer over de gekkekoeienziekte. Als zijn hersens uiteindelijk toch als modderige prut zouden eindigen, kon hij in dit stadium weinig meer doen om het proces nog te keren. Ze werkten nu soms al net zo traag en troebel als modder.

Brigadier Cabbot bestelde een broodje gezond, zonder friet.

'Aan de lijn?' vroeg Banks, die terugdacht aan Susan Gay, die bijna altijd aan rauwkost had zitten knabbelen.

'Nee. Ik eet geen vlees. En de friet wordt hier in dierlijk vet gebakken. Er is verder weinig keus.'

'Aha. Drink je wel alcohol?'

'Ik zou niet zonder kunnen.' Ze lachte. 'Ik wil nu trouwens wel een glas Swan's Down Bitter. Ik kan het u echt aanraden. Ze brouwen het hier zelf.'

Banks volgde haar advies op en was blij dat hij dat had gedaan. Hij had nog niet eerder een vegetariër ontmoet die een expert was op het gebied van bier.

'Ik kom jullie eten wel brengen wanneer het klaar is, mensen,' zei de vrouw.

Banks en Cabbot namen hun glas mee naar een tafel bij een van de openstaande ramen. Het raam keek uit op het in schemerdonker gehulde plein.

Het tafereeltje was veranderd: waar eerder de oude mannen hadden gezeten, had nu een groep tieners plaatsgenomen. Ze leunden rokend tegen de boomstammen, dronken uit blikjes, duwden en trokken aan elkaar, vertelden elkaar grappen, lachten en probeerden een stoere indruk te maken. Banks moest weer aan Brian denken. Zo erg was het eigenlijk toch niet, dat hij zijn studie architectuur eraan gaf voor een carrière in de muziek? Dat hield echt niet in dat hij als een lamlendige nietsnut zou eindigen. En wat drugs betreft had Brian waarschijnlijk al vaak genoeg de kans gehad om ermee te experimenteren. Banks had dat zelf op die leeftijd in elk geval wel gedaan.

Wat hem het meeste dwarszat, was het plotselinge besef dat hij zijn zoon eigenlijk nauwelijks meer kende. Sinds Brian een paar jaar geleden uit huis was gegaan, was hij volwassen geworden en Banks had hem in die tijd maar een paar keer gezien. Als hij eerlijk was, moest hij toegeven dat hij veel meer tijd en energie aan Tracy had besteed. Bovendien had hij zijn eigen beslommeringen en problemen gehad, zowel privé als op zijn werk. Hoewel die hem nu wellicht wat minder in beslag zouden nemen, waren ze beslist nog niet helemaal de wereld uit.

Als brigadier Cabbot zich al slecht op haar gemak voelde bij Banks' sombere zwijgzaamheid, liet ze dat niet merken. Hij haalde zijn sigaretten tevoorschijn. Nog steeds niet slecht; hij had er die dag pas vijf gerookt, ondanks de woordenwisseling met Brian en het telefoontje van Jimmy Riddle. Breken met de gewoonte om in de auto te roken was een goed idee geweest. 'Heb je er bezwaar tegen?' vroeg hij.

Ze schudde haar hoofd.

'Zeker weten?'

'Als u wilt weten of ik eronder zal lijden, dan is het antwoord ja, maar ik weet mijn eigen hunkering meestal wel onder controle te houden.'

'Gestopt?'

'Een jaar geleden.'

'Sorry.'

'Geeft niet. Ik zit er niet mee.'

Banks stak een sigaret op. 'Ik ben van plan om zelf binnenkort ook te stoppen. Ik ben al aan het minderen.'

'Veel succes.' Annie Cabbot hief haar glas op, nam een slok bier en smakte goedkeurend met haar lippen. 'Ah, heerlijk. Mag ik u iets vragen?'

'Ga je gang.'

Ze boog zich voorover en raakte zijn rechterslaap aan. 'Wat is dat?'

'Wat? Dat litteken?'

'Nee. Die blauwe verf. Ik had nooit gedacht dat inspecteurs hun haar lieten verven.'

Banks voelde dat hij bloosde. Hij wreef over de plek die ze had aangewezen.

'Dat zal wel muurverf zijn. Ik was mijn woonkamer aan het schilderen toen Jimmy Riddle belde. Ik dacht dat ik alles had weggewassen.'

Ze glimlachte. 'Geeft niet. Het staat u juist wel goed.'

'Zal ik er dan maar meteen een bijpassende oorbel bij nemen?'

'Ik zou het niet overdrijven als ik u was.'

Banks gebaarde naar het tafereel voor hun raam. 'Hebben jullie daar veel problemen mee?' vroeg hij.

'Die jongeren? Nee, niet echt. Een paar lijmsnuivers en vandalen. Ze vervelen zich gewoon. Tieners die elkaar ophitsen, meer niet.'

Banks knikte. Brian verveelde zich tenminste niet en hij liep ook niet doelloos met zijn ziel onder zijn arm. Hij had iets ontdekt waar hij zich met hart en ziel op wilde storten. Of het ook iets zou opleveren, was natuurlijk een tweede. Banks probeerde zich op zijn huidige klus te concentreren. 'Ik heb op weg hiernaartoe mijn brigadier gebeld,' zei hij. 'Hij zal ervoor zorgen dat er morgenochtend een team van de technische recherche komt om de botten op te graven. Een zekere John Webb zal daar de leiding over hebben. Hij heeft archeologie gestudeerd. Bovendien neemt hij tijdens zijn vakanties ook deel aan allerlei opgravingen, dus hij zal zijn vak wel verstaan. Ik heb ook onze odontoloog Geoff Turner gebeld en hem gevraagd om zo snel mogelijk een blik te werpen op het gebit. Misschien kun jij morgen een paar universiteiten bellen en kijken of je een behulpzame antropoloog kunt opsnorren. Dat soort mensen werkt over het algemeen graag mee, dus ik verwacht niet dat dat problemen zal opleveren. Vertel me nu eerst maar eens alles wat je over het Thornfield-reservoir weet,' zei hij, en hij liet zijn rookpluimen kronkelend door het raam naar buiten waaien.

Cabbot leunde achterover in haar stoel, strekte haar benen voor zich uit en liet het bierglas op haar platte buik rusten. Ze had haar rode laarzen omgeruild voor een paar witte sandalen en nu de pijpen van haar spijkerbroek wat omhoog waren gekropen, werden haar slanke blote enkels zichtbaar en het gouden kettinkje dat om haar linkerenkel zat. Banks had nog nooit eerder meegemaakt dat iemand erin slaagde zich zo comfortabel op een ongemakkelijke pubstoel te installeren. Hij vroeg zich opnieuw verwonderd af wat ze in vredesnaam had uitgespookt dat ze naar zo'n van god en iedereen verlaten gehucht als Harkside was overgeplaatst. Was zij soms ook een van Jimmy Riddles verschoppelingen?

'Het is het meest recente van de drie reservoirs die langs de Rowan zijn gebouwd,' begon ze. 'Linwood en Harksmere zijn daar allebei al aan het eind van de negentiende eeuw neergezet om Leeds van extra water te voorzien. Dat wordt via pijpleidingen van de reservoirs naar het enorme waterleidingbedrijf net buiten de stad geleid, waar het wordt gezuiverd voordat het naar de huizen van de bewoners wordt gepompt.'

'Maar Harksmere en Thornfield liggen in North Yorkshire, niet in West York-shire. Of West Riding, zoals het vroeger heette. Waarom zouden ze water dat voor Leeds is bestemd helemaal daarvandaan laten komen?'

'Ik weet er het fijne ook niet van, maar North Yorkshire en de gemeente Leeds hebben bepaalde afspraken gemaakt over het bestemmingsplan voor het ge-bied. Dat is ook de reden waarom we niet onder het natuurgebied vallen.'

'Wat bedoel je daar precies mee?'

'Rowandale. Nidderdale trouwens ook. We vallen niet onder het Yorkshire Dales National Park, hoewel dat wel logisch zou zijn als je naar de geografische ligging en de natuurlijke omgeving kijkt. Dat komt door dat water. Niemand had zin om zich te schikken naar de regels en voorschriften van het overkoe-pelende orgaan voor de nationale parken, dus was het gemakkelijker om ons buiten het natuurgebied te houden.'

Net als Eastvale, bedacht Banks. Omdat dat ook net buiten de grens van het park lag, waren de strenge bouwverordeningen die in het Yorkshire Dales Na-tional Park golden daar niet van toepassing. Met als gevolg dat er monsterlijke gedrochten als de wijk East Side verrezen, met zijn gruwelijk lelijke woonto-rens en maisonnettes, en die nieuwe wijk met sociale woningbouw die onlangs bij Gallows View uit de grond was gestampt en die op het politiebureau al 'Galgenveld' werd genoemd.

Hun eten werd op tafel gezet. Banks drukte zijn sigaret uit. 'En Thornfield?' vroeg hij toen hij zijn eerste hap had doorgeslikt. De quiche was lekker, het rundvlees was goed mals en de stilton maakte het gerecht echt af. 'Hoe lang bestaat dat al? En wat is er met het dorp gebeurd?'

'Het Thornfield-reservoir is aan het begin van de jaren vijftig gebouwd, rond dezelfde tijd waarin ons systeem van nationale parken in het leven werd geroe-pen, maar het dorp stond toen inmiddels al een paar jaar leeg. Al sinds het ein-de van de oorlog, geloof ik. Vroeger woonden er zo'n drie- tot vierhonderd mensen. Het heette toen niet Thornfield, maar Hobb's End.'

'Waarom?'

'Geen flauw idee. Er komt in de geschiedenis van het dorp geen enkele Hobb voor, tenminste voorzover bekend is, en het was al evenmin ergens het einde van, behalve dan misschien van de moderne beschaving.'

'Hoe lang heeft het dorp daar bestaan?'

'Weet ik niet. Waarschijnlijk sinds de Middeleeuwen. Dat geldt tenminste voor de meeste van dit soort dorpjes.'

'Waarom stond het leeg? Waardoor zijn de bewoners weggejaagd?'

'Ze zijn niet weggejaagd. Het is gewoon langzaam uitgestorven geraakt. Dat gebeurt wel vaker. Hebt u dat grote gebouw helemaal aan de westkant gezien?'

'Ja.'

'Dat was de vlasserij. De raison d'être van het dorp in de negentiende eeuw.

De eigenaar van de vlasserij, lord Clifford, was tevens de eigenaar van het land en de cottages. Heel feodaal.'

'Je hebt er blijkbaar veel over gelezen, maar je klinkt niet alsof je uit de omgeving komt.'

'Dat klopt. Ik heb me in het gebied verdiept toen ik hier kwam wonen. Het heeft een interessante geschiedenis. Maar goed, de vlasserij is langzaam maar zeker in onbruik geraakt: te veel concurrentie van de grotere bedrijven en vanuit het buitenland, en toen de oude lord Clifford overleed, wilde zijn zoon niets meer met het dorp te maken hebben. Dat was vlak na de Tweede Wereldoorlog. In die tijd waren de Dales nog niet zo populair als toeristische trekpleister, en er was niemand die de cottages wilde opkopen om ze als vakantiehuisjes te verhuren. Wanneer iemand uit het dorp wegtrok en niemand anders in zijn cottage geïnteresseerd was, bleef die gewoonlijk leegstaan en stortte zij na verloop van tijd in. Iedereen verhuisde langzaam maar zeker naar de grote steden of naar andere dorpen in de Dales. Uiteindelijk heeft de nieuwe lord Clifford het land aan het waterschapsbedrijf van Leeds verkocht. De laatste bewoners kregen een ander huis aangeboden, en dat was het dan. In de jaren daarna betrokken ingenieurs tijdelijk het dorp om het gebied te prepareren en ten slotte werd het als reservoir in gebruik genomen.'

'Waarom speciaal die plek? Er zijn waarschijnlijk talloze plekken waar reservoirs kunnen worden aangelegd.'

'Dat is niet helemaal waar. Het kwam deels doordat de andere twee hier al in de buurt lagen, en het was gemakkelijker voor de ingenieurs om er een bij te bouwen. Op die manier konden ze het waterpeil beter onder controle houden. Maar ik vermoed dat het voornamelijk te maken heeft met de grondwaterspiegel en vast gesteente en dergelijke. De bodem van de Dales is erg rijk aan kalksteen, en blijkbaar kunnen ze op dat soort kalksteen geen reservoirs plaatsen. Het is poreus. De bodem van Rowan Valley bestaat uit een ander steensoort, dat harder is. Het heeft allemaal te maken met breuklijnen en extrusies. Ik ben alleen bang dat mijn aardrijkskundige kennis van de middelbare school grotendeels is weggezakt.'

'De mijne ook. Wanneer heeft dit zich allemaal afgespeeld, zei je?'

'Tussen het einde van de Tweede Wereldoorlog en het begin van de jaren vijftig. Ik kan de precieze data op het bureau opzoeken.'

'Graag.' Banks zweeg even en nam een slok bier. 'Als we inderdaad met een lijk te maken hebben, en als dat lijk inderdaad van een mens is, moet het er dus al voor het begin van de jaren vijftig hebben gelegen?'

'Tenzij iemand het er deze zomer heeft verstopt.'

'Ik ben geen expert, maar na wat ik tot nu toe heb gezien, vermoed ik toch dat het vrij oud is.'

'Misschien heeft het eerst ergens anders gelegen en is het pas kortgeleden hiernaartoe verplaatst. Toen het reservoir eenmaal was drooggevallen, heeft iemand misschien wel bedacht dat het een mooie plaats was om het lijk waarmee hij in zijn maag zat te verbergen.'

'Dat is een mogelijkheid.'

'Wat er verder ook precies is gebeurd, ik denk niet dat degene die het daar heeft begraven een duikpak heeft aangetrokken en naar de bodem is gezwommen.'

'Begraven?'

'Jazeker. Volgens mij is het lijk daar begraven.'

Banks had zijn quiche op en schoof de rest van de patat opzij. 'Leg eens uit.'

'Die stenen platen. Het zou best kunnen dat het lichaam vanzelf met een halve of zelfs een hele meter aarde bedekt is geraakt, zonder al te veel hulp van buitenaf. Het zou kunnen. We hebben natuurlijk geen flauw idee hoe alles daar beneden de afgelopen veertig of meer jaar is verschoven en dichtgeslibd. En dan weten we ook nog niet of het slachtoffer misschien een blok beton aan zijn voeten had. Maar ik zie niet in hoe een lichaam onder die stenen platen op de vloer van het bijgebouw kan zijn beland zonder wat hulp van een mensenhand – u wel?'

Op een stormachtige dag in april 1941 dook ze voor het eerst op in onze winkel. Zelfs in haar *land girl*-uniform, dat bestond uit een groene trui met een V-hals, een beige blouse, een groene stropdas en een kniebroek van bruine corduroy, zag ze eruit als een filmster.

Ze was niet erg groot, een meter vijfenvijftig misschien, hooguit een meter zestig, maar het saaie uniform kon niet verhullen dat ze het soort figuurtje had dat mannen op straat zo graag nafloten. Ze had een bleek, hartvormig gezichtje, een volmaakt gevormde neus en mond, en de grootste, donkerste, blauwste ogen die ik ooit had gezien. Haar blonde haren stroomden als een waterval onder haar bruine vilten hoed vandaan, die ze zwierig scheef op haar hoofd had gezet en met één hand vasthield toen ze binnenkwam.

Ik moest onmiddellijk aan een boek van Hardy denken, *A Pair of Blue Eyes*, dat ik enkele weken eerder had gelezen. De ogen van dit meisje waren net als de ogen van Elfride Swancourt 'een verheffing van haar hele wezen'. Ze waren 'van een nevelige en beschaduwde kleur blauw, onpeilbaar en oneindig... Ze bekeken zelden de buitenkant, maar drongen altijd dieper door.' Die ogen wisten je ook het gevoel te geven dat je de enige mens op aarde was wanneer ze met je praatte.

'Verschrikkelijk is het buiten, vind je ook niet? Ik neem niet aan dat je vijf Woodbines voor me hebt, of wel?' vroeg ze.

Ik schudde mijn hoofd. 'Het spijt me,' zei ik. 'We hebben helemaal geen sigaretten.' Dit was een van de moeilijkste periodes die we tot dusver in de oorlog hadden meegemaakt: de Luftwaffe bombardeerde onze steden; U-boten brachten in een angstaanjagend tempo geallieerde konvooien op de Atlantische Oceaan tot zinken; en het rantsoen vlees was net verlaagd naar slechts one shilling en tenpence per week. En nu kwam zij, brutaal als de donder en bovendien ook nog een vreemdelinge, zomaar de winkel binnenwandelen en vroeg ze pardoes om sigaretten!

Ik loog natuurlijk. We hadden wel sigaretten, maar de kleine voorraad die we hadden, bewaarden we onder de toonbank voor onze vaste klanten. We verkochten ze beslist niet zomaar aan de eerste de beste onbekende, knappe land girl met ogen die regelrecht uit een roman van Thomas Hardy kwamen.

Ik had er altijd al moeite mee gehad om mijn grote mond te houden en stond ook nu op het punt om haar te vertellen dat ze maar eens naar het luchtmachtpersoneel moest lonken dat altijd in het dorp rondhing, toen ze me met een hele reeks handelingen ontwapende.

Eerst sloeg ze met haar kleine vuist op de toonbank en vloekte ze. Daarna beet ze op haar onderlip en ten slotte brak er een stralende glimlach door. 'Ik had ook niet verwacht dat je ze wel zou hebben,' bekende ze, 'maar ik kon het niet laten het toch te vragen. Ik heb eergisteren mijn laatste opgerookt en ik snak echt naar een peuk. Nou ja, niets aan te doen.'

'Ben jij de nieuwe land girl van Top Hill Farm?' vroeg ik, inmiddels nieuwsgierig geworden en met een beetje wroeging vanwege mijn bedrog.

Ze glimlachte weer. 'Er blijft hier zeker niets lang geheim?'

'Het is maar een klein dorp.'

'Dat begrijp ik. Ik ben inderdaad de nieuwe land girl, ja. Gloria Stringer.' Toen stak ze haar hand uit. Een vreemd gebaar voor een vrouw, en vooral in deze streek ook heel ongebruikelijk, maar ik beantwoordde de geste. Haar hand was zacht en een beetje vochtig, als een blaadje na een zomerse bui. De mijne voelde ruw en zwaar aan toen ik haar tere hand vasthield. Ik was altijd een lomp en onhandig kind geweest en dat gevoel werd tijdens die eerste ontmoeting met Gloria alleen maar bevestigd. 'Gwen Shackleton,' mompelde ik verlegen. 'Aangenaam.'

Gloria liet haar hand met de palm op de toonbank rusten, leunde op één heup en keek om zich heen. 'Er is hier ook niet veel te doen, hè?' zei ze.

Ik glimlachte. 'Niet echt, nee.' Ik begreep natuurlijk best wat ze bedoelde, maar ik vond het vreemd en tamelijk ongevoelig van haar dat ze dat zei. Ik stond elke ochtend om zes uur op om de winkel te runnen en daarnaast was ik één avond per week actief als brandwacht, wat in deze omgeving altijd een lachertje was geweest, totdat de Spinner's Inn in februari door een verdwaalde brandbom in de as was gelegd en twee mensen waren omgekomen. Ook hielp ik een handje bij de plaatselijke Women's Voluntary Service. Meestal was ik na het nieuws om negen uur 's avonds uitgeteld en viel ik in slaap zodra ik mijn hoofdkussen zag.

Ik had natuurlijk wel gehoord hoe zwaar het werk van een land girl was, maar afgaande op haar uiterlijk en vooral ook die zachte handen, zou ik hebben durven zweren dat Gloria Stringer nog nooit in haar leven zware lichamelijke arbeid had verricht. De eerste gedachte die toen bij me opkwam, was geen vriendelijke. Boer Kilnsey stond erom bekend dat hij zijn handen niet kon thuishouden en daarom vermoedde ik dat hij wanneer zijn vrouw niet thuis was Gloria wellicht een nieuwe manier zou leren om de vore te ploegen. Ik was toen pas zestien en wist niet eens helemaal zeker wat dat inhield, maar ik had verschillende boeren die uitdrukking horen gebruiken wanneer ze dachten dat ik buiten gehoorsafstand was.

Het was de eerste keer dat ik er wat mijn inschatting van Gloria betreft helemaal naast zat, maar zeker niet de laatste. Haar gave om er altijd fris en schoon uit te zien was eenvoudigweg een van haar vele opmerkelijke eigenschappen. Al had ze de hele dag gehooid, gedorst, erwten geoogst, gemolken of rapen uitgegraven, ze wist er toch altijd fris en levendig uit te zien, barstend van de energie, alsof zij, anders dan wij arme stervelingen, een onzichtbaar schild om zich heen had opgetrokken waar de zware arbeid van alledag niet doorheen kon dringen.

Ik moet eerlijk bekennen dat ik Gloria bij die eerste ontmoeting niet mocht; ik vond haar ijdel, ordinair, oppervlakkig en egoïstisch. En beeldschoon natuurlijk. Dat laatste vond ik nog wel het ergst.

En toen kwam midden in ons gesprek natuurlijk Michael Stanhope binnenlopen.

Michael Stanhope was een van de excentriekere dorpsbewoners, om het voorzichtig uit te drukken. Hij was een redelijk succesvol kunstenaar van begin vijftig, schat ik, met een zwierig uiterlijk, die er een enorm plezier aan leek te beleven wanneer hij mensen kon beledigen.

Die dag droeg hij een verkreukeld witlinnen pak met een groezelig lichtpaars overhemd en een scheefhangend geel vlinderdasje. Ook had hij zijn gebruikelijke breedgerande hoed op en had hij een wandelstok bij zich met een greep in de vorm van een slangenkop. Zoals gewoonlijk zag hij er weer tamelijk liederlijk uit. Zijn ogen waren bloeddoorlopen, hij had zich minstens drie dagen niet geschoren en er hing een muffe walm van verschaalde rook en alcohol om hem heen.

Veel mensen mochten Michael Stanhope niet, omdat hij er niet voor terugdeinsde om te zeggen wat hij dacht en zich nadrukkelijk tegen de oorlog had uitgesproken. Ik vond hem eigenlijk best aardig, hoewel ik het niet altijd met hem eens was. De helft van de tijd zei hij dergelijke dingen alleen maar om mensen tegen zich in het harnas te jagen, zoals die keer dat hij erover had geklaagd dat hij geen schilderlinnen meer kon krijgen, omdat het leger dat allemaal inpikte. Wat helemaal niet waar was.

Maar natuurlijk moest uitgerekend hij op dat moment binnenkomen.

'Goedemorgen, engel van me,' zei hij zoals altijd, hoewel ik me helemaal niet engelachtig voelde. 'Het gebruikelijke recept graag, als je dat tenminste hebt?'

'Eh... het spijt me, meneer Stanhope,' stamelde ik. 'We hebben momenteel helemaal niets meer.'

'Helemaal niets? Kom, kom, meisje, dat kan toch niet waar zijn?' Hij grinnikte en wierp een ondeugende blik op Gloria. Toen knipoogde hij naar haar.

'Het spijt me, meneer Stanhope.'

'Ik durf te wedden dat je, als je even op de gebruikelijke plek kijkt' – en hij boog zich voorover en tikte met zijn wandelstok op de toonbank – 'daar vast nog wel iets voor me hebt,' zei hij.

Ik kon niet anders dan zijn verzoek inwilligen. Met het schaamrood op de kaken en tot op het bot gegeneerd stak ik mijn hand onder de toonbank en haalde ik de twee pakjes Piccadilly tevoorschijn die ik voor hem had weggelegd, zoals ik altijd deed wanneer we geluk hadden en iets binnenkregen.

'Dat is dan one shilling en eightpence, alstublieft,' zei ik.

'Het is werkelijk een schande,' beklaagde meneer Stanhope zich, terwijl hij in zijn zakken naar muntgeld zocht, 'dat de overheid ons met torenhoge belastingen opzadelt om oorlog te kunnen voeren. Vind je ook niet, engel van me?'

Ik mompelde iets nietszeggends.

Gloria had gefascineerd naar ons gesprek staan luisteren. Ik wierp haar vluchtig een schuldbewuste blik toe toen ik de sigaretten aan meneer Stanhope overhandigde, maar ze glimlachte naar me en haalde berustend haar schouders op.

Meneer Stanhope had het gebaar blijkbaar opgevangen. Hij merkte het altijd meteen wanneer er een nieuwe nuance of onderstroom in de sfeer ontstond. Hij teerde echt op dat soort dingen.

'Ach, ik begrijp het al,' zei hij, en hij draaide zich om en keek met openlijke bewondering naar Gloria's figuurtje. 'Ik neem aan dat u ook sigaretten had willen hebben, is het niet, jongedame?'

Gloria knikte. 'Dat klopt.'

'Welnu,' zei meneer Stanhope, en hij hield de koperen slangenkop van zijn wandelstok even nadenkend tegen zijn kin, 'dan weet ik het goed gemaakt. Aangezien ik een fervent voorstander ben van rokende vrouwen, kunnen we misschien iets afspreken. Op één voorwaarde.'

'O, ja?' zei Gloria, en ze sloeg haar armen over elkaar en kneep haar ogen tot spleetjes. 'En wat mag dat dan wel zijn?'

'Dat u zo nu en dan ook buiten op straat rookt.'

Gloria staarde hem heel even verbluft aan en begon toen te lachen. 'Dat is geen enkel probleem,' zei ze. 'Daar kunt u van op aan.'

Toen overhandigde hij haar een van de pakjes.

Ik was stomverbaasd. Er zaten tien sigaretten in elk pakje en ze waren niet goedkoop of gemakkelijk te krijgen.

In haar plaats zou ik hem hebben verteld dat ik zijn vrijgevigheid bijzonder op prijs stelde, maar ze onmogelijk kon aannemen, maar Gloria nam het pakje gewoon aan en zei: 'Mag ik u hartelijk danken, meneer...?'

Hij keek haar stralend aan. 'Stanhope. Michael Stanhope. Tot uw dienst. Het is me een waar genoegen. Neemt u maar van mij aan, jongedame, dat het zeldzaam plezierig is om een vrouw zo bevallig als uzelve te ontmoeten in deze contreien.' Hij ging nog dichter bij haar staan en bekeek haar kritisch van top tot teen – vrij onbeschoft, vond ik, als een boer die een paard inspecteert dat hij overweegt te kopen.

Gloria liet zich niet afschrikken.

Toen meneer Stanhope klaar was, draaide hij zich om en vertrok hij, maar voordat de deur achter hem dichtviel, wierp hij over zijn schouder nog snel een blik op Gloria. 'Weet u, u moet beslist mijn studio eens komen bezoeken, jongedame. Om mijn etsen te bekijken, zullen we maar zeggen.' Waarna hij grinnikend verdween.

In de stilte die volgde keken Gloria en ik elkaar even sprakeloos aan, maar ten slotte begonnen we allebei te giechelen. Toen we onszelf weer onder controle hadden, zei ik haar dat het me speet dat ik tegen haar had gelogen over de sigaretten, maar ze wuifde mijn verontschuldiging weg. 'Je vaste klanten gaan voor,' zei ze. 'We leven momenteel nu eenmaal in zware tijden.'

'Ik wil je ook mijn excuses aanbieden voor meneer Stanhope,' zei ik. 'Ik ben bang dat hij vrij onbeschoft kan zijn.'

'Onzin,' zei ze met dat ondeugende lachje van haar. 'Ik vond hem juist erg aardig. En hij heeft me tenslotte deze gegeven.'

Ze maakte het pakje open en bood me een sigaret aan. Ik schudde mijn hoofd; ik rookte toen nog niet. Ze stopte er een in een mondhoek en stak hem aan met een kleine zilveren aansteker die ze uit de zak van haar uniform haalde. 'Maar goed ook,' zei ze. 'Ik begrijp dat ik het hiermee wel een tijdje zal moeten doen.'

'Ik kan er in het vervolg wel een paar voor je apart leggen,' bood ik aan. 'Nu ja, ik kan het in elk geval proberen. Het hangt er natuurlijk van af hoeveel we er binnenkrijgen.'

'Zou je dat willen doen? Heel graag! Dat zou echt geweldig zijn. En mag ik dan nu heel even dat exemplaar van *Picture Goer* zien dat daar ligt, met Vivien Leigh op de cover? Ik bewonder Vivien Leigh enorm, jij niet? Zo'n beeldschone vrouw. Heb je *Gejaagd door de wind* gezien? Ik heb hem in de West End gezien voordat ik een maand op training moest. Echt...'

Voordat ik het tijdschrift echter voor haar kon pakken of haar kon vertellen dat *Gejaagd door de wind* in het hoge noorden nog niet draaide, kwam Matthew binnengerend.

Toen Gloria het geluid van de winkelbel hoorde, draaide ze zich nieuwsgierig om. Zodra mijn broer haar zag, bleef hij stokstijf stilstaan en hij zonk zo diep weg in de poelen van haar ogen dat je de plons kon horen.

Het eerste wat Banks deed toen hij die avond in zijn cottage terugkwam, was het antwoordapparaat afluisteren. Niets. Verdomme. Na de puinhoop die hij er eerder die dag aan de telefoon van had gemaakt, had hij het nu willen goed- maken, maar hij wist nog steeds niet hoe hij aan Brians nummer in Wimble- don moest komen. Hij wist niet eens wat Andrews achternaam was. Daar kon hij natuurlijk wel achter komen – hij werkte tenslotte niet voor niets bij de politie – maar het zou de nodige tijd vergen en kon alleen tijdens kantooruren. Misschien wist Sandra het, maar een gesprek met haar was wel het laatste waar hij zin in had.

Banks schonk een whisky voor zichzelf in, deed de grote lamp uit en knipte de leeslamp naast zijn leunstoel aan. Hij pakte het boek op waarin hij de afgelo- pen week had zitten lezen, een bloemlezing van twintigste-eeuwse poëzie, maar hij kon zich niet concentreren. De blauwe muren leidden hem af en de geur van verf die door de diepe stilte die over het platteland hing heen drong deed hem beseffen dat hij zich eenzaam en rusteloos voelde. Hij zette de radio aan. Iemand speelde het eerste deel van Tsjaikovski's vioolconcert.

Banks keek om zich heen. De muren zagen er goed uit; de kleur paste perfect bij het plafond, dat hij in de kleur van rijpe brie had geschilderd. Misschien was het geheel iets te kil, dacht hij, maar met dit weer kon hij die koelte wel gebruiken. Hij kon ze in de winter, wanneer ijs en sneeuw hun intrede deden, altijd nog oranje of rood schilderen en daarmee de illusie van warmte oproe- pen.

Hij stak zijn laatste sigaret van die dag op en nam zijn borrel mee naar buiten. De cottage stond aan een smal, onverhard laantje ongeveer vijftig meter ten westen van Gratly. Tegenover Banks' voordeur bevond zich een soort inham in de lage muur die het laantje van de Gratly Beck scheidde. Overdag was het een ideale plek voor wandelaars om even uit te rusten en de watervalletjes te bewonderen, maar 's avonds was er nooit iemand. De laan was geen door- gaande weg en er was meer dan voldoende ruimte voor Banks om zijn auto te parkeren. Net voorbij de cottage ging het laantje over in een wandelpad, dat langs de bosrand liep en de oever van de Gratly Beck volgde.

Banks was dit stukje terrein als zijn persoonlijke veranda gaan beschouwen en vond het prettig om hier 's avonds laat, wanneer het heel rustig was, even te staan of op het lage muurtje te zitten en zijn benen over de rand te laten bun- gelen. Zo kon hij rustig nadenken, de dingen op een rijtje zetten.

Vanavond voelden de stenen nog warm aan; de rook op zijn tong smaakte zo zoet als pasgemaaid hooi. Boven op de helling van de heuvel die aan de vallei grensde, daar waar de scherp afgetekende watervallen maar een of twee tinten dieper zwart waren dan de avond zelf, blaatte een schaap. Het felle licht van de sterren doorboorde de satijnen hemel, samen met de lichten van een in de verte gelegen boerderij; een bijna volle maan hing boven Helmthorpe, dat op de bodem van de vallei lag, en de vierkante kerktoren met zijn eeuwenoude windvaan stond als een rots tegen de nacht afgetekend. Zo moet het ook zijn geweest ten tijde van de oorlog, peinsde Banks, die zich de verhalen van zijn moeder herinnerde over het leven in Londen tijdens de Blitzkrieg.

Zittend bij de drooggevallen watervallen dacht Banks terug aan de bizarre manier waarop hij eigenaar was geworden van deze geïsoleerd liggende kalkstenen cottage. Het was in meer dan één opzicht een droomcottage: hij had de cottage in feite letterlijk gekocht vanwege een droom, iets wat hij nog nooit aan iemand had verteld.

Tijdens die laatste maanden waarin hij in zijn eentje in de twee-onder-een-kap in Eastvale had gewoond, had Banks zo weinig grip op zijn leven gehad dat hij sinds de kerst het huis niet meer had schoongemaakt of opgeruimd. Waarom zou hij al die moeite doen? De meeste avonden zat hij toch in een pub of maakte hij in zijn eentje lange autoritten buiten de stad, en 's nachts viel hij meestal halfdronken op de bank in slaap, met de muziek van Mozart of Bob Dylan op de achtergrond en aan zijn voeten de vette stukken papier waarin *fish and chips* hadden gezeten of de bakjes van andere afhaalmaaltijden, die zich in een zich steeds verder uitbreidende cirkel om hem heen opstapelden.

In april had hij een nieuw dieptepunt bereikt. Tracy was in het paasweekend bij haar moeder in Londen langs geweest en had zich aan de telefoon laten ontvallen dat er een nieuwe man in Sandra's leven was, een persfotograaf die Sean heette, en het leek serieus. Hij zag er jong uit, had Tracy gezegd. Wat een verdomd groot compliment was uit de mond van een negentienjarige. Banks had zich onmiddellijk afgevraagd of deze verhouding soms al van vóór afgelopen november stamde, toen Sandra en hij uit elkaar waren gegaan. Hij had het aan Tracy gevraagd, maar ze had geantwoord dat ze dat niet wist. Ook had ze laten merken dat ze het niet prettig vond dat Banks' gedachten in die richting gingen, dus had hij het onderwerp verder maar laten rusten.

Het gevolg was geweest dat Banks die avond meer dan anders had gezwolgen in woede en zelfmedelijden. Telkens wanneer hij aan Sean had gedacht – wat vaker was geweest dan hem lief was – had hij hem graag de nek willen omdraaien. Hij had zelfs overwogen om een oude vriend bij de Met te bellen en hem te vragen of ze die rotzak niet voor het een of ander konden oppakken. Er zaten heel wat agenten bij de Met die maar al te graag iemand die naar de naam Sean luisterde achter slot en grendel zouden willen zetten. Hoewel hij de regels zelf ook wel eens erg vrij had geïnterpreteerd wanneer dat hem zo was uitgekomen, had Banks zijn positie echter nooit misbruikt om er zelf beter van te worden, en zelfs op dit nieuwe dieptepunt zou hij daar ook niet mee beginnen.

Zijn haatgevoelens waren onredelijk, dat wist hij, maar wanneer was haat ooit wel voor rede vatbaar? Hij had Sean zelfs nog nooit ontmoet. En bovendien, als Sandra een jonge knul wilde oppikken om mee het bed in te duiken, dan kon je daar natuurlijk moeilijk die jonge knul de schuld van geven. Dan moest je bij haar zijn. Deze logica had Banks er overigens niet van weerhouden om moordzuchtige gevoelens jegens die klootzak te koesteren.

Die avond had hij te diep in zijn whiskyglas gekeken en was hij zoals gewoonlijk op de bank in slaap gevallen terwijl Dylans *Blood On the Tracks* op de cd-speler speelde. Pas lang nadat de muziek was opgehouden, was hij wakker geworden uit een droom die heel bijzonder was geweest vanwege de intense emoties.

Hij had alleen aan een grenen tafel in een keuken gezeten, waar zonlicht door de opengeschoven gordijnen naar binnen was gestroomd en alles in een warme, honingkleurige gloed had doen baden. De muren waren gebroken wit geweest, met een rij rode tegels boven het aanrecht; een bij elkaar horende set rode bussen voor koffie, thee en suiker had op de witte formicakastjes gestaan, en aan een houten rek naast een blok met keukenmessen hadden potten en pannen met een koperen bodem gehangen. De details waren buitengewoon scherp geweest; elke nerf en knoest in het hout, elke speling van het licht op staal of koper had met een bovennatuurlijke felheid geglansd. Hij had zelfs het warme grenen van de tafel en de op maat gemaakte kastjes kunnen ruiken, en de olie op de scharnieren.

Dat was alles. Er was verder helemaal niets gebeurd. Alleen die droom over licht. Het intense gevoel van gelukzaligheid dat over hem heen was gespoeld, warm en licht als het zonlicht zelf, had echter nog steeds om hem heen gehangen toen hij wakker werd en tot zijn teleurstelling ontdekte dat hij alleen en met een flinke kater op de bank in het huis in Eastvale lag.

Toen Sandra een paar weken later tot de beslissing was gekomen dat ze de scheiding definitief wilde doorzetten en dat een verzoening in de nabije toekomst niet in het verschiet lag, hadden ze het huis verkocht. Sandra had de televisie en de video gekregen; Banks de stereo en het leeuwendeel van de cd-verzameling. Dat was niet meer dan eerlijk; hij was immers degene geweest die ze had verzameld. Ze hadden de keukenspullen verdeeld, en om een of andere duistere reden had Sandra ook de blikopener meegenomen. Hun boeken en kleding waren in een mum van tijd verdeeld geweest, en ze hadden het grootste deel van de meubels verkocht. Al met al had hun twintigjarige huwelijk maar bar weinig tastbaars nagelaten. Zelfs nadat het huis was verkocht, had Banks zich niet al te druk gemaakt over een plek die hij thuis kon noemen, totdat een verblijf van enkele weken in een *bed and breakfast* die zo uit een boek van Bill Bryson leek te komen hem van gedachten deed veranderen.

Hij had behoefte gehad aan eenzaamheid. Toen hij de cottage de eerste keer vanbuiten zag, had hij het niets bijzonders gevonden. Het uitzicht over de vallei was fantastisch, net als de beschutting die het bos, de beek en het groepje essen dat tussen de cottage en Gratly stond het huisje boden, maar het was een log, lelijk klein ding waaraan nog het nodige moest worden gedaan.

De cottage was opgetrokken uit een veel in de Dales voorkomende mengeling van kalksteen, zandsteen en flagstone, en was oorspronkelijk bestemd geweest voor een boerderijknecht. In het zandsteen boven de deur stonden de datum '1768' en de initialen 'J.H.' gekerfd – waarschijnlijk het jaar waarin de cottage was gebouwd en de initialen van de eerste eigenaar. Banks had zich afgevraagd wie die J.H. was geweest en wat er met hem was gebeurd. Mevrouw Perkins, de huidige eigenaresse, had allebei haar zonen en haar man verloren en wilde nu bij haar zus in Tadcaster intrekken.

Vanbinnen had het huis aanvankelijk al evenmin indruk gemaakt; het had er naar kamfer en schimmel geroken, en het meubilair en de aankleding waren grauw en sjofel geweest. Op de begane grond was een woonkamer met aan één kant een stenen open haard; boven waren slechts twee kleine slaapkamers. De badkamer en het toilet waren in een later stadium aan de achterkant van de keuken aangebouwd, zoals wel vaker het geval was in zulke oude huizen. In 1768 hadden ze zich niet zoveel gelegen laten liggen aan het sanitair.

Banks geloofde niet in visioenen en vooruitziendheid, maar evenmin had hij kunnen ontkennen dat hij op het moment dat hij die dag de keuken was binnengekomen door hetzelfde gelukzalige, vredige gevoel werd overspoeld dat hij ook in zijn droom had ervaren. Het had er natuurlijk heel anders uitgezien, maar hij was ervan overtuigd geweest dat dit dezelfde plek was, die plek uit zijn droom.

Hij had geen flauw idee gehad wat het allemaal betekende, maar hij had wel geweten dat hij de cottage moest en zou hebben.

Hij had echter niet verwacht dat hij zich dit huis zou kunnen veroorloven; huizen in de Dales brachten tegenwoordig astronomisch hoge prijzen op. Dit keer hadden het geluk en menselijke excentriciteit hem echter een handje geholpen. Mevrouw Perkins had hoegenaamd niets op gehad met het hele idee van voor de verhuur bestemde vakantiehuisjes en het was haar ook beslist niet alleen om het geld te doen geweest. Ze wilde de cottage alleen aan iemand verkopen die er ook daadwerkelijk in zou gaan wonen. Toen ze eenmaal had ontdekt dat Banks naar precies zo'n huisje op zoek was en dat zijn naam hetzelfde was als haar meisjesnaam, was de zaak zo goed als beklonken. Het enige wat in Banks' nadeel was geweest, was dat hij niet in Yorkshire was geboren, maar desondanks had ze hem wel gemogen, was ze ervan overtuigd geweest dat ze familie van elkaar moesten zijn en had ze zelfs op haar oudedamesachtige manier met hem geflirt.

Toen ze het huis voor 50.000 pond aan hem verkocht, wat waarschijnlijk de helft was van wat ze er eigenlijk voor had kunnen krijgen, en ze hem vertelde dat het meer dan genoeg was om tot haar dood van rond te komen, had de makelaar, Dimmoch, gekreund en vol ongeloof zijn hoofd geschud. Na afloop had Banks zich niet aan de indruk kunnen onttrekken dat Dimmoch hem ervan verdacht dat hij mevrouw Perkins flink onder druk had gezet.

De cottage was Banks' langetermijnproject en diende als therapie, toevluchtsoord en, zo hoopte hij, zijn redding. Ergens had hij het idee dat hij ook aan zichzelf werkte wanneer hij aan de cottage werkte. Ze moesten allebei gerenoveerd worden en hadden allebei nog een lange weg te gaan. Alles was nieuw voor hem; hij had nog nooit eerder ook maar de minste belangstelling getoond voor klussen of tuinieren, net zomin als hij ooit iets op had gehad met zelfanalyse en introspectie. Op een of andere manier was hij het afgelopen jaar echter van het rechte pad gedwaald en hij wilde de weg terug weer vinden; hij was ook iets van zichzelf kwijtgeraakt en hij wilde weten wat het was. Tot dusver had hij een paar grenen keukenkastjes in de keuken geplaatst die veel weg hadden van de keukenkastjes uit zijn droom, een douchecabine geïnstalleerd ter vervanging van de Victoriaanse badkuip op klauwen en de woonkamer geverfd. Het was niet genoeg geweest om de depressie helemaal op een afstand te houden, maar het was nu allemaal min of meer handelbaar geworden; hij wist zich tenminste elke ochtend uit zijn bed te slepen, zelfs wanneer hij de dag die voor hem lag met gepaste tegenzin tegemoet zag.

Een nachtvogel krijste in de verte, een haperend, spookachtig geluid, misschien omdat een roofdier zijn nest bedreigde. Banks drukte zijn sigaret uit en liep naar binnen. Toen hij zich opmaakte om naar bed te gaan, dacht hij aan de hand die mogelijk van een mens afkomstig was; hij dacht ook aan brigadier Cabbot, die beslist heel menselijk was; en hij dacht aan Hobb's End, dat verdwenen, vervallen dorpje dat plotseling met al zijn geheimen uit de diepte was opgedoken; ergens in zijn hoofd, in het duister dat heel diep achter het domein van de logica en rede verscholen lag, hoorde hij een echo, een tik, en voelde hij dat iets ongrijpbaars zich over de tussenliggende jaren heen uitstrekte en contact maakte.

3

Banks sloeg de volgende ochtend vanaf de bosrand de technische recherche gade die onder de ervaren leiding van John Webb het geraamte voorzichtig uit zijn modderige graf haalde.

Eerst moesten ze de muur slopen waar de botten naast begraven lagen; vervolgens maakten ze een geul rond het gebied en groeven ze net zo lang aarde uit tot de botten, die op ongeveer een meter diepte lagen, helemaal waren blootgelegd. Daarna schoven ze een dunne metalen plaat op de aarde onder de botten en toen die ten slotte op zijn plaats zat, waren ze klaar om het geheel eruit te tillen.

De metalen plaat met de botten, die nog steeds onder een laag aarde bedekt zaten, werd omhooggetrokken en vier dragers van de technische recherche droegen hem de helling op, waar ze hem in het gras voor Banks' voeten neervlijden als een verbrande offerande. Het was net elf uur geweest en brigadier Cabbot had zich nog altijd niet laten zien. Banks had al met Adam Kelly gepraat, die niet in staat was geweest om nog iets nieuws toe te voegen aan zijn eerdere verklaring.

Adam was nog steeds erg van slag, maar Banks had een veerkracht in hem ontdekt die hijzelf als tiener ook had bezeten. Banks had zelf ook maar al te graag in vervallen huizen gespeeld, en daar waren er in het Peterborough van na de oorlog heel wat van geweest. Meer dan een geschaafde knie had hij er nooit aan overgehouden, maar een leerlinge van de meisjesschool was om het leven gekomen toen een vallende dakspant boven op haar was terechtgekomen, dus hij had wel begrepen hoe gevaarlijk het kon zijn. De gemeenteraad liet dergelijke huizen zo goed mogelijk dichtspijkeren. Adams avontuur had gelukkig geen blijvende schade aangericht en hij had nu tenminste een verhaal dat hij tot ver in het schooljaar zou kunnen blijven vertellen. Heel even zou hij een zekere bekendheid mogen genieten onder zijn vriendjes.

Banks tuurde naar het smerige, verwrongen geval voor zijn voeten. Het had vrijwel niets menselijks. De botten hadden de modderbruine kleur aangenomen van de aarde waar ze zo lang in hadden gelegen; ook waren ze bedekt met een donkere, smerige korst troep. Die kleefde als een plakkerige stoofpot aan de ribben, bleef aan de verschillende gewrichten hangen en vulde alle hoekjes en gaatjes op. De schedel leek er ook helemaal vol mee te zitten: er zat modder in de mond, de neus en de oogholtes, en sommige pijpbeenderen leken net oude, doorgeroeste metalen leidingen die jarenlang onder de grond hadden gelegen.

Banks werd een beetje onpasselijk van de aanblik. Hij had natuurlijk wel ergere dingen bekeken zonder dat hij had hoeven overgeven: hier waren tenminste geen gapende rode gaten, geen uit het lichaam puilende ingewanden, geen benen die halverwege het bovenbeen waren afgehakt, geen lappen huid die als een te strak rokje over de kartelige randen omhoogkropen; iets gruwelijkers was hij echter evenmin tegengekomen.

De technisch rechercheurs hadden het geraamte tijdens alle stadia van de opgraving gefotografeerd en toen ze het eenmaal naar de top van de heuvel hadden gesjouwd, gingen ze terug naar beneden om het terrein helemaal uit te kammen, om nog dieper te graven op een nog groter stuk terrein, en ze lieten het aan John Webb over om hier iets los te peuteren of daar iets weg te krabben. Webb speurde in de aarde tevens naar voorwerpen die tegelijkertijd met het geraamte waren begraven, zoals knopen en sieraden en dergelijke.

Banks leunde als een bewaker die de wacht houdt tegen een boomstam, wist zijn misselijkheid te onderdrukken en keek toe hoe Webb zijn werk verrichtte. Hij was moe; na al die overpeinzingen zo laat op de avond had hij slecht geslapen. Het grootste deel van de nacht had hij liggen woelen en draaien, en hij was vaak wakker geschrokken uit brokstukken van nachtmerries die zich snel in een donker hoekje verborgen zodra hij wakker werd, zoals kakkerlakken wanneer je het licht aandoet. De warmte van de ochtendzon maakte hem doezelig. Hij liet zich een ogenblik gaan, sloot zijn ogen en liet zijn hoofd tegen de boom rusten. Hij kon de ruwe bast tegen zijn kruin voelen en het zonlicht toverde caleidoscopische patronen achter zijn oogleden. Hij bevond zich op het randje van slaap toen hij achter zich geritsel hoorde, gevolgd door een stem.

'Goedemorgen, inspecteur. Zware nacht gehad?'

'Zo zou je het wel kunnen zeggen, ja,' zei Banks, en hij liep van de boomstam weg.

Brigadier Cabbot staarde naar de botten die voor hen lagen. 'Dit is dus wat er uiteindelijk van ons allemaal overblijft.' Ze leek zich er niet bepaald druk om te maken, en ze maakte zich blijkbaar evenmin zorgen over het feit dat ze zo laat was.

'Is het gelukt?' vroeg Banks.

'Het heeft wel even geduurd. Het universitaire jaar is nog niet begonnen en veel docenten zijn nog steeds op vakantie of bezig met onderzoeksprojecten in het buitenland. Uiteindelijk heb ik ene dr. Ioan Williams van de universiteit van Leeds te pakken gekregen. Hij is fysisch antropoloog en heeft aardig

48

wat ervaring in forensisch werk. Hij reageerde vrij enthousiast toen ik hem over onze vondst vertelde. Hij zal wel een saaie zomer hebben gehad.'

'Hoe snel kan hij aan de slag?'

'Als we de overblijfselen zo snel mogelijk naar het lab van de universiteit brengen, kan hij ze door zijn assistenten laten schoonmaken en zou hij aan het begin van de avond al even kunnen kijken, zei hij. Een voorlopig onderzoek, natuurlijk.'

'Mooi,' zei Banks. 'Hoe sneller we weten waarmee we hier te maken hebben, hoe beter.'

Als het geraamte er al honderd jaar of langer lag, had het weinig zin om haast te zetten achter het onderzoek, omdat de kans dat ze dader nog levend in de kraag konden vatten natuurlijk nihil was. Als echter zou blijken dat het een slachtoffer van een moord betrof en het tijdens of na de oorlog was begraven, dan bestond er een kans dat er nog iemand in leven was die zich misschien iets herinnerde. Dan bestond er tevens een kans dat de moordenaar nog leefde.

'Wil je dat ik ervoor zorg dat het geraamte wordt weggebracht?' vroeg Webb. Banks knikte. 'Als je dat zou willen doen, graag, John. Heb je een ambulance nodig?'

Webb hield zijn hand beschermend boven zijn ogen tegen de zon en keek op. Een paar zilveren haren in zijn baard weerkaatsten het licht. 'Mijn oude Range Rover is goed genoeg. Ik zal een van de jongens laten rijden, dan kan ik achterin zitten en ervoor zorgen dat onze vriend hier niet in stukken uiteenvalt.' Hij keek op zijn horloge. 'Met een beetje geluk zijn we om een uur of een bij het lab.'

Annie Cabbot leunde met over elkaar geslagen armen en gekruiste benen tegen een boom. Vandaag droeg ze een rood T-shirt op haar spijkerbroek met daaronder witte Nikes, en ze had haar zonnebril op haar hoofd geschoven. Blijkbaar hadden ze hier in Harkside vrij informele kledingvoorschriften, dacht Banks, maar dat moest hij nodig zeggen. Hij had altijd een hekel gehad aan pakken met stropdassen, al vanaf de eerste dag aan de hogeschool in Londen waar hij de opleiding handel en economie had gevolgd. Hij had er drie jaar lang een opleiding gevolgd, waarbij hij zes maanden college afwisselde met zes maanden werken, en het studentenleven slokte al snel steeds grotere delen van zijn tijd en aandacht op, wat uiteraard ten koste ging van zijn toewijding aan de zakenwereld. Iedereen op de hogeschool liet zich in die tijd meeslepen door de woelige levensstijl van de jaren zestig, ook al waren de jaren zeventig inmiddels aangebroken; overal waar je keek, zag je kaftans, wijde pijpen onder Afghaanse jassen, Indiase shirts van dun katoen met felgekleurde borduursels, hoofddoeken, kralen en noem maar op. Banks had zich nooit helemaal aan de tijdgeest kunnen overgeven; hij was geen aanhanger geweest van de bijbehorende filosofie of mode, maar had wel zijn haar tot over zijn kraag laten groeien en één keer was hij van zijn werk naar huis gestuurd omdat hij sandalen en een gebloemde das aanhad.

'Ik wil veel meer over dit dorp weten,' zei hij tegen Cabbot. 'Met een paar namen zouden we al een heel eind opschieten. Probeer het eens bij het kiesregister en het kadaster.' Hij wees naar de bouwval van de cottage vlak bij de brug. 'Dat bijgebouw hoorde duidelijk bij die cottage, dus ik zou graag willen weten wie daar woonde en wie de buren waren. Volgens mij zijn er drie mogelijkheden. Het zou kunnen gaan om iemand die het verlaten dorp heeft gebruikt als plek om een lijk te dumpen in de tijd dat het niet langer bewoond was...'

'Tussen mei 1946 en augustus 1953. Ik heb het vanochtend opgezocht.'

'Mooi. Het zou ook kunnen dat het lichaam hier is begraven toen er nog wel mensen in het dorp woonden, dus vóór mei 1946, en dat het slachtoffer hier ergens in de buurt woonde. Of het is hier pas deze zomer begraven, zoals jij eerder al opperde. Het is nog te vroeg om te speculeren, maar we moeten wel te weten zien te komen wie er in die cottage woonde voordat het dorp leegliep en of er iemand uit het dorp als vermist is opgegeven.'

'Goed.'

'Wat is er met de kerk gebeurd? Ik ga er tenminste van uit dat er een is geweest.'

'Een kerk en een kapel. St. Bartholomew's is ontwijd en daarna gesloopt.'

'Waar is het archief van de kerk gebleven?'

'Dat weet ik niet. Ik heb nooit een reden gehad om dat uit te zoeken. Ik vermoed dat het naar St. Jude's in Harkside is gebracht, net als alle doodskisten van de begraafplaats.'

'Als je verder niets kunt vinden, is het misschien de moeite waard om er eens een blik op te werpen. Je weet nooit wat je allemaal tegenkomt in zo'n oud kerkelijk archief of de parochieblaadjes. En dan is er nog de plaatselijke krant. Welke is dat ook alweer?'

'De *Harkside Chronicle*.'

'Juist. Als onze expert vanavond iets specifieker kan aangeven op welke periode we ons moeten concentreren, zou het krantenarchief ons mogelijk ook het een en ander kunnen vertellen. En verder, brigadier Cabbot...'

'Inspecteur?'

'Hoor eens, ik kan je niet steeds met brigadier Cabbot blijven aanspreken. Wat is je voornaam?'

Ze glimlachte. 'Annie, inspecteur. Annie Cabbot.'

'Goed dan, Annie Cabbot, weet je misschien hoeveel huisartsen of tandartsen er in Hobb's End waren?'

'Ik kan me niet voorstellen dat het er veel zijn geweest. Waarschijnlijk gingen de meeste mensen daarvoor naar Harkside. Misschien waren het er wat meer

in de tijd dat iedereen in de vlasserij werkzaam was. Vroeger hadden de eige-
naren van dat soort bedrijven tenminste nog hart voor hun arbeiders en hielden ze hun gezondheid goed in de gaten.'

'Hielden ze in de gaten of hun arbeiders wel in staat waren om zestien uur aan
één stuk te werken zonder er dood bij neer te vallen, zul je bedoelen,' zei
Banks.

Annie lachte. 'Bolsjewiek.'

'Ik ben wel voor ergere dingen uitgemaakt. Kijk toch maar even of je die informatie kunt achterhalen. Het is een beetje een gok, maar als het ons lukt om
de overblijfselen te identificeren aan de hand van tandartsgegevens, is dat
mooi meegenomen.'

'Ik zal het uitzoeken, inspecteur. Verder nog iets?'

'Gas, water, elektra en de belastingdienst. Mogelijk moeten we alles natrekken.'

'Dat zal wel lukken voor het eind van het jaar. Kan ik daarna nog iets doen?'

Banks glimlachte. 'Ik vermoed dat je wel een agent als hulpje mag inlijven. Als
we niet snel iets boven tafel krijgen, zal ik extra mankracht aanvragen, maar ik
betwijfel of deze zaak een hoge prioriteit heeft.'

'Dat zou fijn zijn, inspecteur.'

'Laten we ons voorlopig maar concentreren op de identiteit van het slachtoffer. Dat is het belangrijkste.'

'Goed.'

'Ik bedenk trouwens net iets: weet jij toevallig of er nog voormalige bewoners
van Hobb's End in leven zijn en nu bijvoorbeeld in Harkside wonen? Dat lijkt
me niet zo heel vergezocht.'

'Ik zal het eens aan inspecteur Harmond vragen. Hij is hier in de omgeving
opgegroeid.'

'Uitstekend. Dan laat ik dat aan jou over en ga ik met John mee om de botten
naar Leeds te brengen.'

'Wilt u dat ik daar vanavond ook naartoe kom?'

'Ja, graag. Zorg dat je om een uur of zes bij het lab bent. Waar is het eigenlijk
precies?'

Annie legde het hem uit.

'Dit is trouwens mijn mobiele nummer,' zei hij toen. 'Bel me zodra je iets hebt
ontdekt.'

'Komt voor elkaar, inspecteur.' Annie gaf haar zonnebril een duwtje en hij
gleed precies naar de juiste plek op haar neus. Toen draaide ze zich om en
beende met grote stappen het bos in.

Banks was een vreemde snuiter, dacht Annie tijdens de rit terug naar Harkside. Ze had natuurlijk al de nodige geruchten over hem opgevangen voordat

ze hem had ontmoet. Zo wist ze bijvoorbeeld dat hoofdcommissaris Riddle hem niet kon luchten of zien en dat Banks uit de gratie was, en niet zo'n klein beetje ook, maar ze wist niet waarom. Er werd zelfs beweerd dat het tussen die twee op een knokpartij was uitgedraaid. Hoe dan ook, zijn carrière zat in het slop en als je vooruit wilde, kon je hem maar beter niet als partner hebben.

Annie had zelf ook weinig op met Jimmy Riddle. Ze had hem een paar keer ontmoet en hem erg arrogant en uit de hoogte gevonden. Annie was een pupil van Millie: assistent-hoofdcommissaris Millicent Cummings, de nieuwe directeur Personeelszaken die zich met hart en ziel toelegde op de uitbreiding van het aantal vrouwen in de gelederen en er tevens voor zorgde dat ze beter werden behandeld; dat Millie en Riddle, die zich vanaf het begin tegen haar aanstelling had verzet, elkaars bloed wel konden drinken, was algemeen bekend. Niet dat Riddle er per se een voorstander van was dat vrouwen slechter werden behandeld, maar hij gaf er de voorkeur aan om het probleem maar liever helemaal te voorkomen door hun aanwezigheid in het korps tot een absoluut minimum te beperken.

Annie had eveneens gehoord dat Banks' vrouw hem onlangs had verlaten voor een ander. Daar kwam nog bij dat hij er volgens de geruchten al heel lang een vriendin op na hield in Leeds, zelfs al voordat zijn vrouw bij hem was weggegaan. Ze had hem horen omschrijven als een einzelgänger, als iemand die zich regelmatig drukte en als een bolsjewistische klootzak. Hij was ooit een uitstekend agent geweest, die echter snel was afgetakeld, zo werd beweerd; hij had zijn beste tijd gehad nu zijn vrouw bij hem weg was, was passé, zat met een burn-out, was een schaduw van zijn vroegere zelf.

Nu ze hem zelf had meegemaakt, wist Annie niet goed wat ze van hem moest denken. Ze dacht dat ze hem wel mocht. Ze vond hem in elk geval aantrekkelijk en hij zag er niet veel ouder uit dan hij was, ongeveer halverwege de dertig, ondanks die paar grijze haren bij de slapen van zijn kortgeknipte zwarte haar. En wat die zogenaamde burn-out betrof: hij leek erg vermoeid en torste zo te zien een zware droefheid met zich mee, maar ze had gemerkt dat er ergens achter zijn doortastende blauwe ogen nog steeds een heilig vuur gloeide. Wellicht iets minder krachtig dan voorheen, maar het brandde nog steeds.

Aan de andere kant was het best mogelijk dat hij het werk inderdaad niet meer aankon en de schijn ophield door voor de vorm nog de welbekende handelingen te verrichten, maar er in feite vrede mee had om zich tot aan zijn pensioen achter bergen papierwerk te verschuilen. Misschien bestond het vuur dat ze in hem vermoedde nog slechts uit wat smeulende asresten, was het nog net niet helemaal gedoofd, maar zou dat niet lang meer duren. Als Annie de afgelopen paar jaar echter iets had geleerd, dan was het wel dat ze over niemand voorbarige conclusies moest trekken: een moedig man is in werkelijkheid maar al te vaak slap; een wijs man komt maar al te vaak dom over. Er waren tenslotte meer dan genoeg mensen die haar maar een rare vonden, en ook van haar kon gemakkelijk worden gezegd dat ze de laatste tijd de schijn ophield door alleen nog voor de vorm de welbekende handelingen te verrichten. Ze vroeg zich af of er over haar werd geroddeld in het district. Als dat zo was, kon ze zelf wel raden wat voor geruchten dat zouden zijn: dat ze een lesbisch secreet was.

Annie parkeerde haar auto op de smalle strook asfalt naast het lelijke bakstenen gebouw waar het wijkbureau was gevestigd en liep naar binnen. Er werkten slechts vier politieagenten in het gebouw: inspecteur Harmond, Annie en de agenten Cameron en Gould. Afgezien van Samantha, die op de administratie werkte, was Annie de enige vrouw. Dat vond ze prima; de mannen wisten zich tamelijk fatsoenlijk te gedragen. Ze voelde zich door hen beslist niet bedreigd. Cameron was getrouwd en had twee kinderen, aan wie hij overduidelijk verknocht was. Gould leek een van die zeldzame wezens te zijn die geen enkele seksuele dimensie bezitten en woonde uit eigen wil nog steeds bij zijn moeder thuis, waar hij met zijn modeltreintjes speelde en zijn postzegelverzameling bijhield. Ze wist dat dergelijke types in boeken vaak enorm gevaarlijk bleken te zijn en een seriemoordenaar of pleger van seksuele delicten in zich hadden, maar er school geen greintje kwaad in Gould. En zelfs als hij stiekem graag vrouwenondergoed droeg, zou het Annie echt geen zier kunnen schelen. Inspecteur Harmond was een soort vriendelijke oom. Hij zag zichzelf graag als brigadier Blaketon uit *Heartbeat*, maar Annie vond dat hij er niet in de buurt kwam.

Het politiebureau van Harkside mocht dan aan de buitenkant oerlelijk zijn, het bevatte naast inspecteur Harmonds kantoortje, dat van de rest was afgescheiden en zich recht tegenover de toegangsdeur bevond, in elk geval wel een royale open werkruimte waar alle agenten hun eigen plek hadden en meer dan genoeg ruimte om hun spullen goed te kunnen uitspreiden. Annie vond dat wel prettig. Haar L-vormige bureau was het rommeligst van allemaal, maar ze wist precies waar alles was en kon zo snel de hand op iets leggen wanneer erom werd gevraagd dat zelfs inspecteur Harmond haar er niet langer meer mee plaagde.

Annies bureau stond in een hoek met een zijraam. Het uitzicht op een met keien geplaveid steegje, een poort en de muur die de achterkant vormde van de Three Feathers, was niet geweldig, maar ze zat tenminste dicht bij een bron van natuurlijk daglicht en frisse lucht, en het was fijn om iets van de buitenwereld te kunnen zien. Ook al had het de laatste tijd amper gewaaid, toch genoot ze van elk vleugje warme lucht dat door het raam naar binnen kwam; ze kikkerde er echt van op. Deze kleine dingen waren wel degelijk belangrijk, had Annie gemerkt. Ze had voor haar overplaatsing mogen meewerken aan een paar grote zaken, had een kans gehad om snel carrière te maken, had van de opwinding mogen proeven die daarmee gepaard ging, maar het was slecht voor haar afgelopen. Nu begon ze langzaam maar zeker weer te beseffen welke dingen in het leven er echt toe deden.

Harkside was een plek waar men zich over het algemeen keurig aan de wet hield, dus was er voor een brigadier niet veel te doen. Er was genoeg papierwerk om haar bezig te houden en haar het gevoel te geven dat ze echt wel werkte voor haar geld, maar het was niet een positie waarin vaak moest worden overgewerkt en er waren regelmatig erg rustige periodes. Ook dat vond ze prima. Soms was het juist goed om niets te doen. En als er geen mensen werden beroofd, vermoord of in elkaar geslagen, was dat niet iets om over te klagen, toch?

Op dat moment had ze twee zaken op haar bord die beide huiselijk geweld betroffen, en een geval van nachtelijk vandalisme. Daar kwam nu het geraamte nog bij. Die andere zaken konden wel even wachten. Inspecteur Harmond had het aantal patrouilles in de wijken waar de vandalen het vaakst hadden toegeslagen verhoogd, waardoor ze waarschijnlijk binnen afzienbare tijd wel op heterdaad zouden worden betrapt, en de beide mannen die hun vrouw hadden geslagen, hadden inmiddels berouw getoond en hulp gezocht.

Annie liep eerst naar het koffiezetapparaat, waar ze haar mok met het opschrift ZIJ DIE MOET WORDEN GEHOORZAAMD volgoot, voordat ze naar inspecteur Harmonds kantoortje liep en op de deur klopte. Hij riep haar binnen.

'Inspecteur?'

Harmond keek op van zijn bureau. 'Annie. Wat is er, meid?'

'Hebt u even tijd?'

'Aye. Ga zitten.'

Annie nam plaats. Harmonds kantoor was heel eenvoudig ingericht; aan de muren hingen alleen zijn oorkondes en op zijn bureau stond een ingelijste foto van zijn vrouw en kinderen. Hij was begin vijftig en leek volledig vrede te hebben met de gedachte dat hij de rest van zijn carrière als inspecteur op een wijkbureau op het platteland zou doorbrengen. Zijn hoofd was te groot voor zijn slungelige lijf en Annie was altijd bang dat het eraf zou vallen als hij het schuin hield. Dat was echter gelukkig nog nooit gebeurd. Hij had een vriendelijk, rond en open gezicht. Zijn gelaatstrekken waren wat grof en er groeiden een paar zwarte haren uit de punt van zijn misvormde aardappelneus, maar het was het soort gezicht dat vertrouwen inboezemde. Als de ogen werkelijk de spiegel van de ziel waren, dan had inspecteur Harmond een heel fatsoenlijke ziel.

'Het gaat om dat geraamte,' zei ze, en ze sloeg haar benen over elkaar en hield de koffiemok op haar schoot in balans.

'Is daar iets mee dan?'

'Dat is het nu juist, inspecteur. We weten er momenteel nog helemaal niets over. Inspecteur Banks wil graag weten hoeveel huisartsen en tandartsen er in Hobb's End waren en of er hier in de omgeving nog iemand in leven is die daar vroeger heeft gewoond.'

Harmond wreef over zijn slaap. 'Die laatste vraag kan ik heel gemakkelijk voor je beantwoorden,' zei hij. 'Ken je mevrouw Kettering nog, van dat parkietje dat was ontsnapt toen haar nieuwe bankstel bij haar werd thuisbezorgd?'

'Hoe zou ik dat kunnen vergeten?' Het was een van Annies eerste zaken in Harkside geweest.

Inspecteur Harmond glimlachte. 'Zij heeft in Hobb's End gewoond. Ik weet niet precies wanneer of hoe lang, maar ik weet zeker dat ze er ooit heeft gewoond. Ze moet inmiddels minstens negentig zijn.'

'Verder nog iemand?'

'Ik kan zo een-twee-drie niemand bedenken. Misschien kom ik er later nog op. Laat het maar aan mij over, ik zal hier en daar eens navraag doen. Weet je nog waar ze woont?'

'Ergens langs de Edge toch? Dat hoekhuis met die enorme tuin?'

De Edge was de bijnaam die de plaatselijke bevolking aan de vijftien meter hoge wal had gegeven die langs de zuidkant van het Harksmere-reservoir liep en vroeger over het voor pakpaarden bestemde bruggetje naar Hobb's End had geleid. De officiële naam was Harksmere View en tegenwoordig leidde de weg nergens meer naartoe. Eén enkele rij cottages keek uit over het water en werd van de rest van het dorp Harkside afgescheiden door een strook land van bijna een kilometer breed.

'En de huisartsen en tandartsen?' vroeg Annie.

'Dat is iets lastiger,' zei Harmond. 'Er zullen er door de jaren heen heel wat zijn geweest, maar god weet wat er van hen is terechtgekomen. Het dorp is direct na de oorlog al leeggelopen, dus waarschijnlijk zijn ze nu allemaal allang overleden. Bedenk wel, beste meid, dat ik nog niet zo heel oud ben. Ik was zelf nog een klein jochie toen het dorp leeg kwam te staan. Voorzover ik me kan herinneren, was er niet eens een dorpsagent. Daar was het te klein voor. Hobb's End viel onder Harkside.'

'Hoeveel scholen waren er?'

Inspecteur Harmond krabbelde op zijn kruin. 'Alleen een kleuterschool en een lagere school, geloof ik. De middelbare school en beroepsopleidingen waren hier in Harkside.'

'Enig idee waar de oude schooldossiers zouden kunnen zijn?'

'In het archief van de betreffende wethouder, zou ik denken. Tenzij ze op een of andere manier zijn vernietigd. In die tijd, direct na de oorlog, zijn er nogal wat archiefstukken verloren gegaan. Was dat alles?'

Annie nam een slokje koffie en stond toen op. 'Op dit moment wel, inspecteur.'

'Hou je me wel op de hoogte?'

'Uiteraard.'

'Annie?'

'Ja?'

Harmond wreef langs de zijkant van zijn neus. 'Die inspecteur Banks, hè... Ik heb hem zelf nooit ontmoet, maar ik heb het een en ander over hem opgevangen. Wat is hij voor iemand?'

Annie bleef in de deuropening staan en dacht met een diepe rimpel op haar voorhoofd na. 'Weet u,' zei ze ten slotte, 'ik zou het u niet kunnen zeggen.'

'Een beetje een raadsel, dus?'

'Ja,' zei Annie, 'een beetje een raadsel. Ik denk dat je dat wel zou kunnen stellen.'

'Pas dan maar goed op, meid,' hoorde ze hem nog net zeggen toen ze zich al had omgedraaid en wilde weglopen.

Voordat ik vertel wat er toen gebeurde, zou ik graag eerst iets over mezelf en mijn dorp vertellen. Ik heet dus Gwen Shackleton, een afkorting van Gwynneth, niet van Gwendolyn. Ik weet dat dit Welsh klinkt, maar mijn familie woont al minstens twee generaties lang in Hobb's End, Yorkshire. Mijn vader, God hebbe zijn ziel, is drie jaar voor het uitbreken van de oorlog aan kanker overleden, en in 1940 werd ook mijn moeder ziek: gewrichtsreuma. Een heel enkele keer was ze nog wel in staat om me te helpen in de winkel, maar dat kwam niet vaak voor en het merendeel van het werk rustte dus op mijn schouders.

Matthew hielp me zo vaak hij kon, maar op doordeweekse dagen nam zijn studie het grootste deel van zijn tijd in beslag en in de weekenden was hij actief bij de Home Guard. Hij was eenentwintig, maar ondanks de oproep om zich te melden had het ministerie hem aangemoedigd om eerst het derde jaar van zijn studie weg- en waterbouw aan de universiteit van Leeds af te ronden. Ik neem aan dat ze ervan uitgingen dat zijn opleiding hen in het leger nog van pas zou komen.

Ons winkeltje, waar we tijdschriften, rookwaren en kruidenierswaren verkochten, lag ongeveer halverwege de High Street, vlak bij de slager en de groenteman, en we woonden boven de zaak. We verkochten geen bederfelijke waren, maar alleen dingen als kranten, snoep, sigaretten, kantoorartikelen, jam en dergelijke, thee en ingeblikt eten, afhankelijk uiteraard van wat er op dat moment beschikbaar was. De kleine uitleenbibliotheek die ik zelf had opgebouwd, was mijn grote trots. Omdat papier schaars werd en er maar weinig boeken voorhanden waren, leende ik ze voor tuppence per week uit. Ik had een uitgebreide selectie World's Classics op voorraad, vooral titels van Anthony Trollope, Jane Austen en Charles Dickens. Ook was er voor de liefhebbers – helaas het merendeel van mijn klanten – een aardige hoeveelheid sensatielectuur voorhanden, Agatha Christie, bijvoorbeeld, en de romantische boeken van Mills en Boons. Hoewel de meeste gezonde mannen uit het dorp in dienst waren gegaan en bij een of andere tak van het leger waren ingedeeld, leek het er drukker dan ooit. De oude vlasserij werkte weer op volle toeren en de meeste getrouwde vrouwen staken daar de handen uit de mouwen. Voor de oorlog werd er nauwelijks nog gewerkt, maar nu had het leger vlas nodig om webbing te maken voor het tuig van parachutes en andere zaken waarvoor een stevige vezel nodig was, zoals zeildoek voor geweren en brandslangen.

Aan de andere kant van Rowan Woods, op ongeveer anderhalve kilometer afstand van het dorp, lag een enorme RAF-basis en het wemelde in de High Street vaak van de jeeps en vrachtwagens die om het minste of geringste toeterden en probeerden elkaar op de smalle wegen te passeren. De mannen die op de vliegbasis werkten, kwamen soms naar de pubs in het dorp, zoals de Shoulder of Mutton even verderop aan de High Street en de Duke of Wellington aan de andere kant van de rivier, maar meestal gingen ze naar Harkside, waar veel meer te beleven was. Zo hadden we in Hobb's End bijvoorbeeld geen een bioscoop en in Harkside waren er drie.

Afgezien van dit soort zaken is het echter moeilijk te zeggen in hoeverre de oorlog het dagelijkse leven in Hobb's End beïnvloedde. Ik denk dat de gebeurtenissen ons aanvankelijk eigenlijk nauwelijks raakten. Voor de achterblijvers ging het leven van alledag grotendeels gewoon zijn gangetje. De eerste stroom evacués arriveerde in september 1939, maar toen er een tijdlang verder niets gebeurde, trokken ze langzamerhand een voor een weer huiswaarts, en we kregen pas weer nieuwe toen in het jaar daarop in augustus de bombardementen begonnen.

Ondanks het feit dat er van alles op de bon was, veranderden onze eetgewoontes lang niet zo sterk als die van de mensen in de steden, omdat wij altijd al veel groente hadden gegeten en er op het platteland toch wel aan eieren, boter en melk te komen was. Onze buurman, meneer Halliwell, was slager, en hij was waarschijnlijk de populairste man in het dorp; zo nu en dan konden we bij hem de thee en suiker die we apart hadden gehouden omruilen voor een extra stukje schapen- of varkensvlees.

Afgezien van het gevoel dat we ergens op zaten te wachten, van het idee dat het gewone leven tijdelijk was opgeschort totdat dit allemaal voorbij was, was de verduistering waarschijnlijk het moeilijkste om aan te wennen. En zelfs daarmee hadden we meer geluk dan de meesten, aangezien Hobb's End toch al geen straatverlichting had en het op het platteland altijd al vrij donker was. Toch was dat ene speldenpuntje licht op de heuvelflank in de verte vaak het enige wat je de weg naar huis wees.

Tijdens de verduistering moesten we de ramen afplakken om eventuele schade door rondvliegende glasscherven te voorkomen en waren we bovendien verplicht om dikke verduisteringsgordijnen op te hangen. Moeder stuurde me vrijwel elke avond naar buiten om te kijken of er geen licht zichtbaar was, omdat ons plaatselijke ARP-lid een Pietje Precies was. Ik weet nog goed dat het hele dorp dubbel lag van het lachen toen we hoorden dat mevrouw Darnley met een bezoek van hem was vereerd omdat ze wel de voorkant van haar huis had verduisterd, maar niet de ramen aan de achterkant. 'Doe niet zo dom, jongeman,' had ze tegen hem gezegd. 'Als de Duitsers Hobb's End komen bombarderen, dan komen ze natuurlijk uit het oosten en niet vanuit Grassington. Denk toch eens beter na.'

Wanneer de maan scheen, vooral een volle maan, was het effect echt spectaculair: dan was het net alsof de heuvels door een laagje zilverkleurig poeder werden bedekt; dan fonkelden de sterren als geslepen diamanten op zwart fluweel en zag het hele landschap eruit als zo'n zwartwitgravure of houtsnede die je in oude boeken wel eens ziet. Op bewolkte avonden of avonden waarop er geen maan was – wat heel vaak het geval was – kwam het met een schrikbarende regelmaat voor dat mensen tegen bomen aanliepen of de rivier in fietsten. Als je een zaklantaarn in verschillende lagen vloeipapier wikkelde, kon je hem wel gebruiken, maar batterijen waren schaars. De lampen van alle auto's en fietsen moesten worden bedekt en afgeschermd met een grote verscheidenheid aan middeltjes, waardoor er vaak maar een heel klein beetje flauw, nutteloos licht door een mager spleetje werd geperst. Het behoeft dan ook geen betoog dat er vrij veel auto-ongelukken plaatsvonden, totdat ook benzine schaars werd en niemand zijn auto meer gebruikte, behalve dan voor zaken.

Een aantal gebeurtenissen bracht de oorlog iets dichterbij: de brand in de Spinner's Inn, bijvoorbeeld, en de dood van die jongen van Jowett bij Duinkerken, maar op de dag voordat Gloria Stringer in ons leven kwam, was er iets voorgevallen wat ons gezin persoonlijk trof: Matthew had zijn oproep ontvangen. Hij moest zich over twee weken in Leeds melden voor de medische keuring.

Jimmy Riddle had Banks er ooit van beschuldigd dat hij er regelmatig tussenuit piepte om in Leeds met zijn vriendin het bed in te duiken of bij de Classical Record Shop te winkelen. Wat betreft het eerste had hij ernaast gezeten, maar als hij Banks aan het eind van deze middag uit het Merrion-winkelcentrum had zien komen met een nieuwe opname van Herbert Howells *Hymnus Paradisi* in zijn hand geklemd, zou Riddle ongetwijfeld beseffen dat hij op ten minste één punt eindelijk in het gelijk werd gesteld. Niet dat het Banks ook maar iets kon schelen. Hij keek zelfs niet eens schichtig om zich heen toen hij langs Morrisons naar Woodhouse Lane liep.

Het was halfzes geweest. De winkels gingen sluiten en kantoormedewerkers trokken huiswaarts. Banks was achter John Webbs Range Rover aan naar Leeds gereden en had hem gezelschap gehouden tot ze het geraamte veilig en wel in dr. Williams' lab hadden gelegd, dat zich op de eerste verdieping bevond van een enorm gebouw van rode baksteen net buiten de hoofdcampus. Daar had hij nogmaals forensisch odontoloog Geoff Turner gebeld en hem met de belofte van minstens één gratis biertje overgehaald om de volgende ochtend langs te komen en het gebit van het geraamte te onderzoeken.

Daarna had Banks een tijdje staan toekijken hoe de laboratoriumassistenten waren begonnen met het schoonmaken van de botten en was hij vervolgens even snel een broodje gaan eten in een restaurantje aan Woodhouse Lane, met na afloop dus een kleine omweg langs de Classical Record Shop. Hij was ongeveer anderhalf uur weg geweest.

Toen Banks weer terugkwam bij het lab, had Annie Cabbot net haar Astra op het terrein geparkeerd. Ze had hem nog niet gezien. Hij zag hoe ze uitstapte, naar het gebouw keek, een blik wierp op het papiertje in haar hand en haar wenkbrauwen fronste.

Hij naderde haar van achteren. 'Je bent op het goede adres.'

Ze draaide zich om. 'Hallo, inspecteur. Ik had eigenlijk verwacht dat het meer... Nou ja, ik weet het eigenlijk ook niet. Maar niet dit.'

'Dat het er meer als een echt lab had uitgezien?'

Ze glimlachte. 'Ja. Dat zal het wel zijn. Niet dat ik weet hoe dat eruitziet. Meer hightech misschien. Dit lijkt mijn oude studentenhuis wel.'

Banks gebaarde naar het gebouw. 'De universiteit heeft een flink aantal van deze oude panden gekocht toen de eigenaars het zich niet meer konden veroorloven om hier met hun bediendes te blijven wonen. Je zou er verbaasd van staan hoeveel vreemde, excentrieke departementen zich hier allemaal ophouden. Laten we maar naar binnen gaan.'

Banks liep achter haar aan de trap op. Dit keer droeg ze een zwarte panty en zwarte schoenen, een halflange zwarte rok met een bijpassend jasje en een witte blouse. Ook had ze een zwartleren koffertje bij zich. Veel zakelijker dan anders. Banks ving een vleugje jasmijn op toen hij achter haar liep. Het deed hem denken aan de jasmijnthee die Jem, zijn vriend en buurman in het studentenhuis in Notting Hill, altijd zo overdreven aandachtig had ingeschonken, alsof hij de traditionele Japanse theeceremonie uitvoerde.

Banks drukte op de knop van de intercom en de deur zwaaide zoemend voor hen open. Het lab lag op de eerste verdieping en was bereikbaar via een krakende, kale trap. Hun voetstappen echoden tegen het hoge plafond.

Dr. Ioan Williams stond hen boven aan de trap op te wachten. Hij was een lange, magere vent met sluik, vettig blond haar. Zijn brillenglazen in het metalen montuur vergrootten zijn grijze ogen en zijn adamsappel leek net een toverbal die halverwege zijn keel was blijven steken. Hij was veel jonger dan

Banks had verwacht en droeg niet de gebruikelijke witte laboratoriumjas, maar ging informeel gekleed in een gescheurde spijkerbroek en een zwart T-shirt met een opdruk van Guinness. Zijn handdruk was stevig en afgaande op zijn belangstelling voor brigadier Cabbot stond zijn hoofd momenteel waarschijnlijk niet voor de volle honderd procent naar wetenschappelijke zaken. Of misschien juist wel. Biologie.

'Kom binnen,' zei hij, en hij leidde hen door de gang naar de deur van het lab, die hij voor hen openhield. 'Ik ben bang dat het niet zo heel veel voorstelt.' In tegenstelling tot zijn naam was er in Williams' accent geen spoortje Welsh te bespeuren. Hij sprak keurig algemeen beschaafd Engels, vond Banks, bijna Oxbridge-Engels. Alsof hij een hete aardappel in zijn keel had, zou Banks' moeder zeggen.

Het lab bestond uit twee kamers die waren samengevoegd. Afgezien van de lange tafel in het midden van de kamer met daarop het geraamte was er eigenlijk niet veel bijzonders te zien. Tegen een van de muren stonden boekenkasten, tegen een andere een lange werkbank. Daarop lagen verschillende meetinstrumenten en stukjes bot waaraan kaartjes bungelden – net voorwerpen met een prijskaartje in een etalage.

Tja, dacht Banks, meer had Williams natuurlijk ook niet nodig. Hij onderzocht alleen maar botten. Dat leverde vrijwel geen rommel op. Geen bloed of ingewanden die moesten worden opgeruimd, en ontleedmessen en scalpels waren overbodig. Het enige wat hij echt nodig had, waren zagen, beitels en een schedelboor. En godzijdank hoefden ze zich geen zorgen te maken over de stank, ook al hing er wel een doordringende, naar klei en oude modder riekende walm in de ruimte.

Aan de muren hingen een paar posters: een van Pamela Anderson in haar *Baywatch*-badpak en een andere van een menselijk geraamte. Wellicht had het scherpe contrast een bijzondere betekenis voor dr. Williams, bedacht Banks peinzend. Stemde het hem tot nadenken over de sterfelijkheid van de mens. Of misschien was hij gewoon gek op borsten en botten.

De botten op de tafel zagen er beslist anders uit nu Williams' assistenten eraan hadden gewerkt. Ze hadden een groot deel van de korst laten zitten, vooral in de holtes en gaten waar moeilijk bij te komen was, maar de schedel, ribben en pijpbeenderen waren nu gemakkelijker te onderzoeken. Ze waren bij lange na niet zo sprankelend wit als de skeletten die je doorgaans aantrof in laboratoria en vertoonden eerder de vale geelbruine kleur van een akelige nicotinevlek, maar het geheel deed nu in elk geval meer aan menselijke overblijfselen denken. Aan de achterkant van de schedel plakte zelfs wat samenklittend rood haar. Banks had al eerder iets dergelijks gezien en wist dat dit niet per se hoefde te betekenen dat het slachtoffer rood haar had gehad; haar wordt rood wanneer het oorspronkelijke pigment verdwijnt en zelfs een flink aantal van de veenmoeraslijken, lichamen uit de ijzertijd die in veengrond bewaard waren gebleven, had rood haar gehad.

'Mijn jongens hebben tijdens het schoonmaken verschillende voorwerpen aangetroffen,' zei Williams. 'Ze liggen daar op de werkbank.'

Banks bekeek de verzameling smerige voorwerpen. Het was moeilijk te zien wat ze ooit precies waren geweest: stukken verroest metaal misschien? Een ring? Flarden van oude kledingstukken?

'Kunt u ze laten schoonmaken en naar me opsturen?' vroeg hij.

'Geen probleem. Laten we maar eens aan de slag gaan.'

Annie haalde haar opschrijfboekje tevoorschijn en sloeg haar benen over elkaar.

'Om te beginnen,' zei Williams, 'kan ik officieel bevestigen dat we inderdaad te maken hebben met menselijke overblijfselen, hoogstwaarschijnlijk van Kaukasische afkomst. Ik moet morgen nog een paar dingen onder de microscoop controleren en omwille van de wetenschappelijke nauwkeurigheid een aantal metingen verrichten aan de schedel, maar u kunt er voorlopig wel vanuitgaan dat ik gelijk heb.'

'Is er een DNA-analyse gemaakt?' vroeg Banks.

Williams kreunde. 'Iedereen denkt blijkbaar maar dat een DNA-analyse wonderen kan verrichten en antwoord geeft op alle vragen. Dat is dus niet zo. Momenteel kan ik u al veel meer vertellen dan een DNA-analyse zou opleveren. Neemt u maar van mij aan dat ik enorm veel ervaring heb op dit gebied. Kan ik doorgaan?'

'Graag. Maar laat voor alle zekerheid toch maar een DNA-analyse maken. Die komt misschien nog van pas bij het vaststellen van de identiteit van het slachtoffer of van eventuele nabestaanden.'

Williams knikte. 'Uitstekend.'

'En radiokoolstofdatering?'

'Mijn beste inspecteur, zou u de wetenschap niet liever over willen laten aan wetenschappers? Radiokoolstofdatering is bij lange na niet nauwkeurig genoeg. Die heeft haar nut weliswaar bewezen bij archeologische opgravingen, maar ik denk dat u al snel zult ontdekken dat onze vriend hier uit een recenter verleden stamt. Als dat alles was...?' Hij richtte zijn aandacht weer op het geraamte. 'Het was in dit geval tamelijk eenvoudig om de lengte van het lichaam te bepalen door de botten in hun oorspronkelijke positie te plaatsen en het geheel op te meten. Circa anderhalve meter, honderdvierenvijftig tot honderdvijfenvijftig centimeter.'

'Wat is dat in het oude stelsel?' wilde Banks weten.

'Vijf foot en twee inches.' Dr. Williams wierp een blik op Annie Cabbot en glimlachte toen naar haar. 'Ik kan er helaas niet bij vermelden of hij ook blauwe ogen had.'

Annie beantwoordde zijn glimlach koeltjes. Toen Williams zich weer had omgedraaid, zag Banks dat ze haar ogen ten hemel sloeg en haar rok zo ver mogelijk over haar knieën trok.

'Verder hebben we te maken met de overblijfselen van een jonge vrouw,' vervolgde Williams. Hij liet een korte stilte vallen om het dramatische effect van zijn woorden te vergroten.

Annie keek heel even op, maar boog zich onmiddellijk weer over haar opschrijfboekje.

'Gaat u verder,' zei Banks. 'We luisteren.'

'Over het algemeen,' legde Williams uit, 'is een mannelijk geraamte langer en voelen de botten iets ruwer aan, maar de voornaamste verschillen betreffen de schedel en het bekken. Een mannelijke schedel is dikker.'

'Daarom is het natuurlijk ook zo moeilijk om tot ze door te dringen,' mompelde Annie zonder op te kijken.

Williams lachte. 'Verder is in dit geval het bekken nog intact, en daarom is het voor een geoefend oog heel eenvoudig te zien.' Williams stak zijn hand uit en legde hem tussen de benen van het geraamte. 'Het vrouwelijke bekken is breder en zit lager dan het mannelijke, om het baren te vergemakkelijken.' Banks zag dat Williams zijn hand over het bot liet glijden. 'De ronding van het schaambeen is eveneens beslist vrouwelijk, en dat geldt ook voor het heupbeen.' Hij raakte de plek met zijn wijsvinger aan. 'Veel breder dan dat van een man.' Hij haakte zijn vinger om het bot, keek opnieuw naar Annie Cabbot en streelde de schaamstreek van het geraamte liefkozend. Annie concentreerde zich op haar opschrijfboekje en keek niet op.

Williams richtte zich weer tot Banks. 'Zoals u kunt zien, is de symfyse hier rechthoekig. Bij mannen is die driehoekig. Ik kan nog wel even doorgaan, maar ik denk dat dit voorlopig wel voldoende is.'

'Het gaat dus om een vrouw,' zei Banks.

'Jawel. En er is nog iets.' Hij pakte een klein vergrootglas op van de werkbank en overhandigde het aan Banks. 'Kijkt u hier eens naar.' Williams wees naar de plek waar de twee schaambeenderen aan de voorkant van het lichaam bij elkaar kwamen. Banks boog zich voorover en keek door het vergrootglas. Hij zag een kleine inkeping of holte in het bot van misschien een centimeter lang. 'Dat is de dorsale rand van de buitenkant van het schaambeengewricht,' zei Williams, 'en wat u daar ziet, is een door partus ontstaan litteken. Dat wordt veroorzaakt door de druk die de aangehechte gewrichtsbanden uitoefenen op het bot.'

'Ze heeft dus minimaal één kind gebaard?'

Williams glimlachte. 'Aha, u bent bekend met de technische termen?'

'Een paar, ja. Gaat u verder.'

Annie keek Banks met opgetrokken wenkbrauwen aan, maar legde zich weer snel toe op haar aantekeningen voordat Williams haar met zijn wellustige blik kon doorboren.

'Welnu,' ging Williams verder, 'er bevindt zich aan beide kanten van het schaambeen slechts één enkele holte, wat erop duidt dat ze naar alle waarschijnlijkheid slechts eenmaal in haar leven een kind heeft gebaard. Gewoonlijk vallen dergelijke partuslittekens meer op naarmate de vrouw meer kinderen heeft gebaard.'

'Hoe oud was ze toen ze stierf?'

'Ik zou uitgebreidere tests moeten uitvoeren om daar met enige zekerheid iets over te kunnen zeggen. Met een röntgenfoto van de ossificatiekernen, die het calcium en de andere mineralen produceren waaruit het bot bestaat, kunnen we een redelijk accurate inschatting maken. We kunnen ook een spectrografische analyse laten maken van botdeeltjes. Dat zal echter de nodige tijd vergen en ook het nodige kosten. Ik neem aan dat u zo snel mogelijk een ruwe schatting wilt hebben?'

'Ja,' zei Banks. 'Wat kunt u me op dit moment al vertellen?'

'Om te beginnen hebben we de epifysaire verbinding. Ik zal het even uitleggen.' Hij keek naar Annie als een professor die aan een college begon. Ze negeerde hem. Het leek hem niet te deren. Misschien bekeek hij alle vrouwen wel met zo'n verlekkerde blik en besefte hij niet eens meer dat hij het deed, overwoog Banks. 'Hier,' vervolgde dr. Williams, 'aan het uiteinde van de pijpbeenderen in zowel armen als benen zijn de epifysen allemaal stevig vastgegroeid aan de schachten, wat gewoonlijk pas gebeurt rond het twintigste of eenentwintigste levensjaar. Maar kijkt u hier eens,' zei hij, en hij wees naar het sleutelbeen. 'De epifyse van het sleutelbeen aan de kant van het borstbeen, die pas rond het dertigste levensjaar vastgroeit, is nog niet vastgegroeid.'

'Over welke leeftijd hebben we het nu dan? Ruwweg?'

Williams wreef over zijn kin. 'Ik zou zeggen tussen de twee- en achtentwintig. Als we naar de schedelnaden kijken, zult u zien dat de pijlnaad weliswaar is begonnen met de sluiting van de inwendige schedel, maar dat de occipitale en lambda-naden nog wijd openliggen. Ook dat duidt op een leeftijd van ergens in de twintig.'

'Hoe accuraat is deze schatting?'

'Die kan er niet ver naast zitten. Ik bedoel daarmee dat dit beslist niet het geraamte van een veertigjarige of veertienjarige kan zijn. U kunt er tevens van uitgaan dat ze over het geheel genomen in tamelijk goede gezondheid verkeerde. Niets wijst op oude, genezen botbreuken en er zijn geen afwijkingen of misvormingen aan het geraamte.'

Banks keek naar de botten en probeerde zich de jonge vrouw voor te stellen van wie ze ooit deel hadden uitgemaakt, het levende vlees dat ze had omhuld. Hij slaagde er niet in. 'Enig idee hoe lang ze daar heeft gelegen?'

'O, lieve hemel. Ik vroeg me al af wanneer u met die vraag op de proppen zou komen.' Williams sloeg zijn armen over elkaar en legde een wijsvinger tegen zijn lippen. 'Dat is moeilijk te zeggen. Het is echt heel moeilijk om zoiets met enige nauwkeurigheid te zeggen. Voor een leek is een geraamte dat tien jaar in de aarde heeft gelegen wellicht niet meer te onderscheiden van een geraamte dat, laten we zeggen, duizend jaar begraven is geweest.'

'U denkt toch niet dat dit geraamte daar duizend jaar begraven heeft gelegen?'

'Nee, nee. Ik zei: voor een leek. Nee, bepaalde aanwijzingen duiden erop dat we hier van doen hebben met vrij recente overblijfselen, in plaats van archeologische.'

'En wat zijn dat voor aanwijzingen?'

'Wat valt u het meeste op wanneer u naar deze botten kijkt?'

'De kleur,' zei Banks.

'Juist. En wat zegt die u?'

Banks was er niet helemaal van overtuigd dat deze socratische aanpak op een moment als dit echt zinvol was, maar wist uit ervaring dat het gewoonlijk een goed idee was om aan de grillen van een wetenschapper tegemoet te komen. 'Dat ze verkleurd zijn of beginnen te vergaan.'

'Heel goed. Heel goed. Eigenlijk duidt verkleuring erop dat ze min of meer de kleur hebben aangenomen van de omringende aarde. Dan nu het volgende. Was dit u al opgevallen?' Hij wees naar verschillende plekken op de botten waar de buitenkant als een oude verflaag leek af te bladderen.

'Ik dacht dat dat gewoon de korst vuil was,' zei Banks.

'Nee. Het is in feite de buitenste laag van het bot die afbrokkelt of afschilfert. Als we dit alles bij elkaar optellen, inclusief het volledig ontbreken van zacht weefsel of ligamenten, dan schat ik dat het daar enkele decennia heeft gelegen. In elk geval langer dan tien jaar, en we weten natuurlijk al dat het onwaarschijnlijk is dat ze daar na 1953 is begraven. Ik zou daar nog eens tien jaar vanaf halen.'

'1943?'

'Wacht even. Het is natuurlijk maar een ruwe schatting. Het tempo waarin een geraamte vergaat, is uiterst onvoorspelbaar. Uw odontoloog zal u daar ongetwijfeld meer over kunnen vertellen en de betreffende periode wellicht nog iets nauwkeuriger afbakenen.'

'Kunt u verder nog iets doen om het jaar van overlijden zo nauwkeurig mogelijk te bepalen?'

'Ik zal uiteraard mijn best doen, maar het kan wel even duren. Er zijn diverse tests die ik kan uitvoeren met de botten, tests die we gebruiken in geval van relatief recente overblijfselen, in tegenstelling tot archeologische vondsten. Ik kan nog een test met carbonaat proberen en ultraviolette fluorescentie; ik kan een histologische analyse maken en de Uhlenhut-reactie testen. Maar ook die

64

zijn geen van alle honderd procent accuraat. Niet zo nauwkeurig als u zou willen. Ze kunnen u desnoods vertellen of de botten ouder of jonger dan vijftig jaar zijn, maar u wilt kennelijk een specifiek jaartal, een maand, een dag en een uur horen. Realistisch gezien kunt u hooguit een antwoord verwachten dat aangeeft of het tussen de dertig en vijftig jaar oud is of tussen de vijftig en honderd. Ik wil niet de indruk wekken dat ik u nu ga vertellen hoe u uw werk moet doen, maar u maakt de meeste kans om erachter te komen wie ze was en wanneer ze is vermoord als u oude aangiftes van vermiste personen laat natrekken.'

'Dat had ik inderdaad al begrepen,' zei Banks.

'Verder heb ik meer informatie nodig over de grondsoort, de aanwezige mineralen en bacteriën, temperatuurschommelingen en verschillende andere factoren. Begraven in een bijgebouw en toen onder water gezet als reservoir, zei u?'

'Dat klopt.'

'Ik zal de plek morgenochtend onmiddellijk zelf bezoeken en een paar monsters nemen, en daarna zal ik aan de tests beginnen.' Hij wierp een blik op Annie. 'Misschien wil brigadier Cabbot me daarbij begeleiden?'

'Het spijt me,' zei Annie. 'Veel te druk.'

Zijn blik bleef even verlangend op haar rusten. 'Jammer.'

'Een bezoek aan de plek zal geen problemen opleveren,' zei Banks. 'Ik zal voor een auto zorgen en de technische recherche op de hoogte stellen van uw komst. U zult misschien wel begrijpen dat we de manier waarop het lichaam was begraven en de plek zelf enigszins verdacht vinden. Ik weet dat u weinig hebt om op af te gaan, maar kunt u ons ook maar iets vertellen over de doodsoorzaak?'

'Ik denk dat ik u daarin een heel klein beetje op weg kan helpen, ook al is het niet direct mijn vakgebied en zult u uw eigen politiepatholoog moeten vragen om dit te bevestigen.'

'Natuurlijk. We zullen dokter Glendenning vragen om zo snel mogelijk met het onderzoek te beginnen. Ik betwijfel echter of het hoog op zijn prioriteitenlijst terecht zal komen. Wat hebt u gevonden waarmee we voorlopig aan de slag kunnen?'

'Ziet u die sporen op de botten daar?' Dr. Williams wees op een aantal ribben en de schaamstreek. Toen Banks iets beter keek, zag hij een aantal scherpe inkepingen. Door de schilfers en de korst waren ze moeilijk te zien, maar nu hij er eenmaal op was gewezen, besefte hij dat hij dergelijke sporen al eerder op botten had aangetroffen.

'Steekwonden,' mompelde hij.

'Precies.'

'De doodsoorzaak?' Banks boog zich voorover en tuurde ingespannen naar de beschadigingen.

'Ik zou zeggen van wel. Ziet u die kleine stukjes gekruld botschaafsel daar, die net op houtkrullen lijken?'

'Ja.'

'Ze zitten nog steeds aan het bot vast, en dat gebeurt alleen maar bij levend bot. Bovendien zijn er ook geen tekenen die erop duiden dat het herstel zich had ingezet. Als ze na deze verwondingen nog had geleefd, zou een dag of tien nadat ze waren toegebracht het herstelproces zijn ingezet en zouden de botten zich tot op zekere hoogte hebben hersteld. In theorie kan ze een tot tien dagen voordat ze aan iets anders overleed met een scherp voorwerp zijn gestoken. Ik heb u echter al eerder gezegd dat dat hoogst onwaarschijnlijk is. Vooral omdat de plek van sommige verwondingen erop wijst dat het lemmet zeer waarschijnlijk belangrijke organen heeft doorboord. Ik zou hieruit durven concluderen dat er vrij agressief op haar is ingestoken, verschillende keren ook, en dat dat vrijwel zeker tot haar dood heeft geleid. Maar pint u me daarop alstublieft niet vast.'

Banks keek Annie Cabbot aan. 'Vermoord,' zei ze.

'Ik kan me tenminste niet voorstellen dat die arme vrouw het zichzelf heeft aangedaan,' zei Williams instemmend. 'Tenzij ik me heel erg vergis, ziet het er inderdaad naar uit dat het hier een slachtoffer van een moord betreft.'

4

Annie reed de volgende ochtend via Long Hill naar het huis van mevrouw Ruby Kettering. Het zou weer een bloedhete dag worden, voelde ze, en ze draaide het raampje van haar portier omlaag. Ze had die ochtend alle behoedzaamheid laten varen en besloten geen panty aan te trekken. In die warmte zat zo'n ding vreselijk ongemakkelijk. Je zou mannen er ook nooit op betrappen dat ze zoiets belachelijks droegen.

Long Hill begon bij het dorpsplein en vormde een verbinding tussen Harkside en de rand van het Harksmere-reservoir. Aan de drukke winkelstraat, die vlak langs de dorpskern liep, bevonden zich naast een bonte mengeling van winkels en pubs ook de meeste openbare gebouwen, waaronder het gemeentehuis, de bibliotheek, de Vereniging van Plattelandsvrouwen en het cultureel centrum. Het was nog te vroeg voor toeristen, maar de winkels waren open en de plaatselijke bewoners liepen al op straat of stonden met een boodschappentas aan hun arm in kleine groepjes op de stoep te kletsen. De weg was smal en aan beide zijden was een dubbele gele streep aangebracht. Aan het eind werd de bebouwing echter minder en werd de weg bijna een kilometer lang aan weerszijden slechts omgeven door velden, tot aan de T-splitsing met de Edge.

Annie zette haar auto in het gras van de berm tegenover de splitsing. Vanaf die plek kon ze de in de verte gelegen ruïnes van Hobb's End zien liggen. Rond het bijgebouw waar het geraamte was ontdekt, stonden verschillende figuurtjes en Annie besefte dat dat de leden van de technische recherche moesten zijn die het gebied nog steeds uitkamden. Ze vroeg zich af of dr. Williams, die griezel die zelfs bij een geraamte zijn handjes niet kon thuishouden, er ook was.

Annie stak de weg over en duwde het tuinhekje open. Mevrouw Kettering zat op haar knieën in haar tuintje en besproeide de dahlia's. Ze keek op. Annie vertelde wie ze was.

'Ik ken jou wel,' zei de oude dame, en ze zette haar handen op haar bovenbenen en duwde zichzelf omhoog. 'Ik herinner me jou nog wel. Jij bent die aardige politieagente die mijn Joey heeft teruggevonden.'

Annie aanvaardde het complimentje met een kort hoofdknikje. Eigenlijk had ze Joey niet zelf gevonden. Het parkietje had nietsvermoedend op het dorpsplein de kruimeltjes staan oppikken die een oude man daar rondstrooide en was daar zo heerlijk genietend in opgegaan dat het niet in de gaten had gehad dat een troep mussen hem vanuit een boom had zitten gadeslaan of dat een rode kater op nog geen drie meter afstand onder een struik op de loer had gelegen. Een van de jongens uit de buurt had hem echter gezien, en omdat hij zich de poster herinnerde waarop een beloning van vijf pond was geboden voor degene die de zoekgeraakte parkiet terugbracht, had hij Joey voorzichtig gevangen en naar het politiebureau gebracht. Annie had Joey alleen maar veilig bij mevrouw Kettering thuis terugbezorgd. Een van de vele opwindende taken die ze sinds haar overplaatsing in Harkside had mogen verrichten. Dit incident had Annie overigens wel haar eerste tijdens het werk opgelopen verwonding opgeleverd. Joey had haar onder haar duim in de hand gepikt en de wond had vrij hevig gebloed, maar inspecteur Harmond had niets willen horen van een letselschadeclaim.

Mevrouw Kettering droeg een rode honkbalpet, een wijd geel hemd en een ruime witte korte broek die tot op haar knieën viel. Haar benen staken daar wit als reuzel onder uit, vol rode vlekken en een heel netwerk van spataderen. Haar voeten waren in zwarte gymschoenen zonder veters gestoken. Hoewel ze wat voorovergebogen liep, zag ze er voor haar leeftijd nog kranig uit.

'Ach, lieve hemel,' zei ze, en ze veegde met haar onderarm de zweetdruppels en modderige strepen van haar voorhoofd. 'Ik hoop dat je me niet komt arresteren. Heeft iemand me verklikt?'

'U verklikt? Hoezo?' vroeg Annie.

Mevrouw Kettering wierp een schuldige blik op de tuinslang die opgerold naast de voordeur lag. 'Ik weet dat er een watertekort heerst, maar ik kan mijn tuin toch niet zomaar laten verdorren? Met dit weer moet er juist veel gesproeid worden. Ik heb geen auto, dus gebruik ik nooit water om die te wassen, en ik dacht... nou ja, als ik nu maar een heel klein beetje gebruik...'

Annie glimlachte. Ze had haar auto ook al in geen weken gewassen, maar dat had niets te maken met de waterschaarste. 'Maakt u zich maar geen zorgen, mevrouw Kettering,' zei ze met een knipoog. 'Ik zal u niet verraden bij het waterleidingbedrijf.'

Mevrouw Kettering slaakte een zucht van opluchting en legde een knokige, dik beaderde hand op haar hart. 'Och, dank je wel, je bent een schat,' zei ze. 'Weet je, ik geloof niet dat ik het op mijn leeftijd nog aan zou kunnen om de gevangenis in te moeten. Ik heb gehoord dat het eten er echt verschrikkelijk is. En dat met mijn maag... Trouwens, noem me alsjeblieft Ruby. Wat kan ik voor je doen?'

'Het gaat over Hobb's End.'

'Hobb's End?'

'Inderdaad. Ik heb begrepen dat je daar vroeger hebt gewoond.'

Mevrouw Kettering knikte bevestigend. 'Zeven jaar hebben Reg en ik daar gewoond. Van 1933 tot 1940. Het was ons eerste huis samen, toen we net getrouwd waren.'

'Zijn jullie er niet tot het eind van de oorlog gebleven?'

'O, nee. Mijn Reg heeft meegevochten in de oorlog, hij zat bij de marine, en ik ben toen in de munitiefabriek vlak bij Sheffield gaan werken. Tijdens de oorlog woonde ik bij mijn zus in Mexborough. Toen Reg in 1945 terugkwam, zijn we er nog een poosje blijven wonen, maar toen hij een baan kreeg op een boerderij net buiten Harkside zijn we daarnaartoe verhuisd. We zijn altijd gek geweest op het platteland. Luister eens, meisje, heb je misschien trek in een koel drankje? Limonade?'

'Graag.'

'Ik ben bang dat we de zon niet helemaal kunnen ontlopen,' zei mevrouw Kettering, 'maar we kunnen daar wel gaan zitten.'

Ze wees naar de kant van de tuin die aan Long Hill grensde. Een kort paadje voerde naar een terras met flagstones, waar twee rood-groen gestreepte tuinstoelen half in de schaduw stonden. Verschillende klimplanten slingerden zich langs het latwerk dat aan de muur was bevestigd omhoog en zorgden voor een beetje schaduw.

'Dat is uitstekend,' zei Annie, en ze liep ernaartoe en zette haar zonnebril af. Mevrouw Kettering liep het huis in. Annie nam plaats in een van de tuinstoelen en strekte genietend haar benen uit. Ze voelde de hitte op haar blote schenen, warm en sensueel als de streling van een minnaar. Het gevoel deed haar terugdenken aan het strand van St. Ives, waar ze was opgegroeid en waar ze heel wat zomerdagen had doorgebracht met haar vader, die daar een baantje had gehad als verhuurder van strandstoelen aan vakantiegangers. De herinnering aan die zomers deed haar ook weer aan Rob denken: op zijn vrije dagen waren ze er vaak op uitgetrokken om langs de hoge rotsachtige kust aan zee te wandelen, met zijn bootje rond de landtong te varen en in stille baaitjes te vrijen in het licht van de ondergaande zon die de horizon in een kleurrijke gloed onderdompelde, met op de achtergrond het geluid van golven die op het strand braken. Wat was het romantisch geweest en wat was het lang geleden. Annie snoof de zoete geur van de bloemen op. Bijen zoemden eentonig om haar heen op zoek naar stuifmeel. Ze deed haar ogen weer open en zag de meeuwen die boven Harksmere cirkelden.

'Ziezo, liefje,' zei mevrouw Kettering, die met een dienblad kwam aangelopen. Ze bood Annie een van de hoge glazen aan, pakte vervolgens zelf het andere, zette het dienblad weg en ging zitten. De stoelen stonden schuin naar elkaar toe gedraaid, waardoor je gemakkelijk met elkaar kon praten zonder je nek te verdraaien.

'Hobb's End,' zei mevrouw Kettering. 'Dat is een tijd geleden. Ik kan niet zeggen dat ik er de afgelopen jaren veel aan heb teruggedacht, hoewel ik het nu vanuit mijn tuin natuurlijk wel kan zien liggen. Wat wil je precies weten?'

'Alles wat je nog weet,' zei Annie. Ze vertelde mevrouw Kettering over de vondst van het geraamte.

'Ja, daar heb ik iets over gezien op het journaal. Ik vroeg me al af wie toch al die mensen waren die daar af en aan lopen.' Mevrouw Kettering verviel in een korte overpeinzing. Annie sloeg haar gade en dronk ondertussen haar limonade. Een roodborstje streek neer op het gras, bleef een paar seconden zitten, keek hen met een scheef oog aan, poepte en vloog weer weg.

'Een jonge vrouw, ongeveer een meter vijfenvijftig lang, met een baby?' herhaalde mevrouw Kettering, en ze fronste geconcentreerd haar wenkbrauwen. 'Nu ja, je had natuurlijk dat meisje van McSorley, maar dat was toen we er net waren komen wonen. Tegen de tijd dat we weer vertrokken was ze al dik in de dertig en had ze drie kinderen. Nee, meisje, er schiet me eerlijk gezegd helemaal niemand te binnen. De cottage aan de rand van het dorp, zeg je, bij de elfenbrug?'

'Elfenbrug?'

'Zo noemden we die brug vroeger. Omdat hij zo klein was dat er alleen elfjes overheen konden lopen.'

'Op die manier. Inderdaad, ja. Onder het bijgebouw.'

Mevrouw Kettering trok een gezicht. 'Reg en ik woonden helemaal aan de andere kant van het dorp, net voorbij de vlasserij. Toch moet ik honderden keren langs dat huis zijn gekomen. Het spijt me, liefje, mijn geheugen laat me in de steek. Ik kan me beslist niet meer herinneren of daar toen een jonge vrouw woonde.'

'Dat geeft niet,' zei Annie. 'Kun je me dan iets over het dorp zelf vertellen?'

'Welnu, om te beginnen had het een heel eigen karakter, ook al lag het dicht bij Harkside. Harksiders keken neer op de bewoners van Hobb's End, omdat het maar een arbeidersdorp was. Ze dachten dat ze beter waren dan wij.' Ze haalde haar schouders op. 'Ach, iedereen heeft blijkbaar iemand nodig om op neer te kunnen kijken, zullen we maar denken.'

'Kun je je nog huisartsen en tandartsen herinneren die daar vroeger een praktijk hebben gehad?'

'Jazeker. Meneer Granville was de dorpstandarts. Vreselijke man. Alcoholist. En als ik me niet vergis, waren er twee huisartsen. Wij zaten bij dokter Nuttall. Heel zachte handen had hij.'

'Weet je ook wat er met zijn praktijk is gebeurd? Ik neem aan dat hij inmiddels is overleden?'

'O, al een tijdje, zou ik denken. En Granville liep ook al tegen de zestig toen de oorlog uitbrak. Je bent zeker op zoek naar hun dossiers?'

'Dat klopt.'

'Ik betwijfel of je na al die tijd nog iets zult vinden, lieverd.'

'Waarschijnlijk niet. Wat voor mensen woonden er nog meer in het dorp?'

'Van alles wat, eigenlijk. Even denken. Winkeliers, melkboeren, drie pubeigenaren, boerenknechten, stapelmuurbouwers, leveranciers met bestelbusjes, allerlei soorten handelsreizigers, een flinke groep gepensioneerden, kolonels en dergelijke. Onderwijzers, natuurlijk. We hadden zelfs onze eigen beroemde kunstenaar. Niet direct een Constable of Turner, dat begrijp je, en tegenwoordig is hij ook niet meer zo bekend. Loop maar even met me mee.'

Ze stond moeizaam op uit haar tuinstoel en Annie liep achter haar aan het huis in. Het was bloedheet binnen en Annie voelde dat een zweetdruppel achter haar oren omlaaggleed. Het jeukte. Ze was blij dat ze geen panty aanhad.

Door het plotselinge contrast tussen het felle zonlicht buiten en de duistere kamers binnen kon ze het interieur niet meteen scherp onderscheiden, en het enige wat haar opviel was dat het ouderwets aandeed: een schommelstoel, een oude staande klok, kristallen voorwerpen in een kastje met glazen deuren. In de kamer waar mevrouw Kettering haar naartoe bracht, rook het naar meubelwas met citroengeur.

Ze bleven voor een schoorsteenmantel van donker hout staan en mevrouw Kettering wees op de grote aquarel die erboven hing. 'Die heeft hij gemaakt,' zei ze. 'Ik heb hem als afscheidscadeau van hem gekregen. Ik weet niet waarom, maar hij mocht me wel. Misschien omdat ik er in mijn jonge jaren niet slecht uitzag. Hij was een beetje een schavuit, die Michael Stanhope, als ik eerlijk ben. Maar ja, dat zijn de meeste kunstenaars. Een goede schilder ook. Oordeel zelf maar.'

Annies ogen hadden zich aan het duister aangepast en ze kon Stanhopes schilderij nu goed zien. Ze hield van kunst, een passie die ze van haar vader had geërfd. Ze moest glimlachen toen ze mevrouw Ketterings opmerking hoorde. 'Een beetje een schavuit.' Ja, dat sloeg inderdaad ook wel op haar vader. Annie schilderde zelf ook als hobby, dus de aanblik van het werk van een miskend talent uit Hobb's End wekte haar nieuwsgierigheid.

'Is dat het Hobb's End van vlak voor de oorlog?'

'Ja,' zei mevrouw Kettering. 'Of eigenlijk aan het begin van de oorlog. Het is geschilderd vanaf de elfenbrug, met uitzicht op de vlasserij.'

Annie deed een stap achteruit en bestudeerde het werk aandachtig. Het eerste wat haar opviel, was Stanhopes bijzondere kleurgebruik. Het was herfst op het schilderij, en hij wist tinten en kleurschakeringen die diep in het binnenste van stenen, velden, heuvelflanken en water verborgen lagen tevoorschijn te toveren en aaneen te smeden tot een patroon van paarse, blauwe, bruine en groene vlakken dat je in werkelijkheid in geen enkel dorp in Yorkshire zou aantreffen. Toch accepteerde de kijker het als vanzelfsprekend. Niets had zijn ware kleur, maar toch leek het net alsof alles precies was zoals het hoorde. Het effect was mysterieus en heel onwerkelijk.

Daarna werd haar aandacht getrokken door het subtiel vervormde perspectief, dat waarschijnlijk beïnvloed was door het kubisme. De vlasserij op de heuvel stond in de linkerbovenhoek en hoewel deze de indruk wekte dat zij het tafereel had moeten domineren, werkte dit juist averechts door een of ander trucje waardoor het perspectief belangrijker werd dan het formaat. Zij was aanwezig, maar daar was dan ook alles mee gezegd. Aan de rechterkant van de rivier stond de kerk, die veel prominenter aanwezig leek door toedoen van zijn donkere, ietwat dreigende vierkante toren en de roeken of raven die erboven cirkelden.

De rest van de compositie was tamelijk eenvoudig en realistisch: een scène in de High Street van een dorp, met bewoners die haar aan Brueghel deden denken. Het schilderij was heel gedetailleerd; misschien zelfs wel te druk, als je het oordeel van de doorsneetekenleraar mocht geloven.

De dorpelingen hielden zich bezig met heel gewone dingen: ze winkelden, kletsten met elkaar of liepen achter een kinderwagen. Iemand stond zijn voordeur te schilderen; een man zat schrijlings met opgerolde hemdsmouwen op de nok van het dak, waar hij de schoorsteen repareerde; bij het tijdschriftenwinkeltje was een lang meisje bezig de kranten in het rek op de stoep te schikken; de slagersjongen fietste door de aan de rivier grenzende High Street met een mand vol in bruin papier verpakte pakjes aan het stuur en zijn met bloed bevlekte schort wapperde vrolijk in de wind.

De rijen huizen aan weerszijden van de straat verschilden qua grootte en ontwerp. Er waren twee-onder-een-kapwoningen en rijtjeshuizen waarvan de voordeur direct aan de straat grensde, maar ook veel grotere, vrijstaande huizen met keurig onderhouden voortuinen die op flinke afstand van de straat achter een lage stenen muur stonden. Hier en daar werd de rij huizen aan de High Street onderbroken door een reeks winkels. Er was ook een pub, de Shoulder of Mutton, met een scheefhangend uithangbord, alsof het in de wind heen en weer wiegde.

Het gewone leven. Toch had het geheel iets sinisters. Dat kwam deels door de gezichten. Annie ontwaarde bij de meeste mensen de zelfvoldane, hooghartige glimlach die vaak voortvloeit uit het gevoel van morele superioriteit of de kwaadaardige grijns die op een sadistische inslag duidt. Stanhope had zo gedetailleerd geschilderd dat dit effect bijna wel opzettelijk moest zijn. Wat moest hij hen hebben gehaat.

Als je lang genoeg bleef kijken, ging je bijna geloven dat de man op het dak op het punt stond om een flagstone te laten vallen op een van de voorbijgangers onder hem en dat de slagersjongen met een hakmes rondzwaaide waarmee hij elk moment iemands hoofd kon afhakken.

De enige aanwezigen die er wel leuk uitzagen, waren de kinderen. Waar de rivier de Rowan door het dorp stroomde, was die smal en ondiep. Kinderen speelden in het water, spatten elkaar nat of waren aan het pootjebaden, de meisjes met hun rokken tot boven hun knieën opgetrokken en de jongens in korte broeken. Sommigen van hen hadden engelachtige gezichtjes en ze zagen er allemaal onschuldig uit.

Toen Annie enige tijd had staan kijken, drong het tot haar door dat de aanblik van de kinderen iets religieus, bijna extatisch had en dat dit in combinatie met het water ook aan de doop deed denken. Het was het soort religieus symbolisme dat ze van Stanley Spencer kende, hoewel het er hier iets minder dik bovenop lag. De kerk torende dreigend en kwaadaardig boven alles uit. De vlasserij diende slechts als vulling op de achtergrond.

Annie liet haar blik even een andere kant op dwalen. Toen ze vervolgens opnieuw naar het schilderij keek, leek het tafereel weer normaal en werd haar aandacht vooral getrokken door de vreemde kleuren. Het was een krachtig schilderij. Waarom had ze dan nog nooit van Stanhope gehoord?

Rechts onderaan in de hoek, net boven de signatuur van de kunstenaar, stond het bijgebouw waar het geraamte was gevonden, naast een kleine, halfvrijstaande cottage. Op een houten bord bij de deur was een naam geschilderd: Bridge Cottage.

'Wat vind je ervan?' vroeg mevrouw Kettering.

'Is het je wel eens opgevallen hoe iedereen kijkt? Alsof...'

'Alsof ieder van hen een hypocriet of sadist is? Ja, dat is mij inderdaad ook opgevallen. Dat is Stanhopes visie. Ik moet zeggen dat ik Hobb's End zelf nooit zo heb gezien. Er waren natuurlijk wel vervelende mensen, maar ik zou niet durven beweren dat ze een dominante plaats innamen in het dorp. Michael Stanhope was in sommige opzichten een zeer getourmenteerd man. Ga je mee terug naar de tuin?'

Annie wierp nog een laatste blik op het schilderij, zag niets meer wat ze nog niet eerder had opgemerkt en liep toen achter mevrouw Kettering aan naar buiten.

Het felle zonlicht was een enorme schok. Annie hield een hand boven haar ogen totdat ze weer bij haar stoel stond en ging zitten. Er zat nog een restje limonade in haar glas. Ze dronk het in een keer op. Warm en zoet. Om een of andere reden was haar gemoedsrust door het schilderij verstoord, had het dezelfde invloed op haar uitgeoefend als sommige verontrustende schilderijen van haar vaders hand; ze wilde er meer over weten, wilde meer weten over het Hobb's End van Michael Stanhope.

'Hoe oud was Stanhope indertijd?'

'Toen ik hem kende moet hij eind veertig zijn geweest.'

'Wat is er van hem geworden?'

'Ik geloof dat hij tot het bittere eind in het dorp is gebleven en ik heb gehoord dat hij uiteindelijk naar een klein atelier in Londen is verhuisd. Hij heeft daarna echter niet veel meer gedaan. Niet veel meer bereikt, moet ik eigenlijk zeggen. Ik heb zijn naam nog een of twee keer in de krant gezien, maar ik geloof dat hij zijn draai niet meer kon vinden toen hij Hobb's End eenmaal had verlaten. Volgens mij is het hem nooit gelukt om een plekje te veroveren in de kunstenaarswereld in de grote stad. Ik heb gehoord dat hij in de jaren vijftig in verschillende psychiatrische inrichtingen heeft gezeten, en het laatste wat ik over hem heb gelezen was zijn overlijdensbericht in 1968. Hij is aan longkanker gestorven. Die arme man had altijd een sigaret in zijn mond. Tijdens het schilderen moest hij zijn ogen altijd half dichtknijpen tegen de opstijgende rook. Ik ben er altijd van overtuigd geweest dat dat zijn perspectief moet hebben aangetast.'

'Dat zou best kunnen,' zei Annie. 'Wat is er met zijn schilderijen gebeurd?'

'Ik zou het niet weten, liefje. Her en der verspreid, zou ik zo denken. Particuliere verzamelaars. Kleine galeries.'

Annie zweeg even en probeerde alles te laten bezinken. 'De cottage waar we het geraamte hebben gevonden, Bridge Cottage,' zei ze ten slotte. 'Die zag er op het schilderij erg verwaarloosd uit.'

'Dat is mij inderdaad ook opgevallen,' zei mevrouw Kettering, 'en nu bedenk ik opeens iets. Ik weet het na al die tijd natuurlijk niet helemaal zeker meer, maar ik geloof dat er indertijd een oude dame woonde. Een erg teruggetrokken mensje.'

'Een oude dame?'

'Ja, volgens mij wel. Ik kan je verder helaas niets over haar vertellen. Toen ik naar het schilderij stond te kijken, schoot me alleen weer te binnen dat sommige kinderen dachten dat ze een heks was. Ze had een lange, kromme neus. Ze waren als de dood voor haar, sloegen altijd voor haar op de vlucht. Ik geloof wel dat zij het was, ja. Het spijt me dat ik je verder niet kan helpen.'

Annie boog zich voorover en raakte mevrouw Ketterings arm even aan. 'Je hebt me al enorm geholpen. Echt.'

'Wil je verder nog iets weten?'

Annie stond op. 'Ik kan even niets bedenken. Nu in elk geval niet.'

'Kom maar langs wanneer je nog iets bedenkt. Ik vind het heerlijk om bezoek te krijgen.'

Annie glimlachte. 'Dat zal ik beslist doen. Dank je wel.'

Toen ze weer in haar auto zat, trommelde Annie met haar vingers op het stuur en staarde ze naar de weerspiegeling van de meeuwen op het water. Ze wist nu dat het huis Bridge Cottage heette en dat er in de zomer van 1939 waarschijnlijk een oude vrouw had gewoond. Natuurlijk had ze nog steeds geen flauw idee hoe lang het lichaam onder de vloer van het bijgebouw had gelegen, dus kon ze ook niet inschatten of ze met deze nieuwe informatie iets opschoten. Wat echter misschien wel belangrijker was, was dat Hobb's End door het schilderij van Stanhope voor haar was gaan leven, en dat gevoel zou later nog wel eens van pas kunnen komen. Annie had het altijd belangrijk gevonden dat ze ook gevoelsmatig bij een zaak betrokken raakte, ook al had ze deze filosofie nog nooit aan een van haar mannelijke collega's voorgelegd. Waarom klonk 'vrouwelijke intuïtie' toch altijd net zo beledigend als 'hysterisch' en 'die tijd van de maand'?

Ze keerde de auto en reed terug naar het bureau, waar ze nog een lange dag vol telefoontjes voor de boeg had.

Toen Matthew en Gloria elkaar die eerste keer zagen, voelde ik onmiddellijk de aantrekkingskracht die tussen hen beiden hing, zoals je ook de mysterieuze elektrische lading in de lucht voelt die een storm aankondigt, waardoor je je schrikachtig en slecht op je gemak voelt zonder dat daar een reden voor lijkt te zijn.

Wanneer een man de kamer binnenkwam, veranderde er iets in Gloria. Het was net of ze dan plotseling 'aanstond' – hetzelfde gevoel dat ik altijd had wanneer ik samen met de andere leden van de amateurtoneelvereniging stond te wachten tot het doek opging en we eindelijk voor een echt publiek mochten optreden. Ik wil niet beweren dat dit bewust gebeurde, maar zodra er een man in haar buurt kwam, veranderde er automatisch iets aan haar; dan bewoog ze zich net iets anders, praatte ze anders. Dat was me bij Michael Stanhope al opgevallen. Hij moet ook iets hebben gemerkt, want anders zou hij haar die sigaretten niet hebben gegeven.

Bij Matthew was het echter anders. Meteen na die eerste ontmoeting in april ging alles heel snel. Nog diezelfde middag liet Matthew haar het dorp zien, voorzover daar tenminste iets te zien was. Een paar dagen later gingen ze samen naar de film in Harkside en vervolgens naar de dansavond ter viering van de Dag van de Arbeid die door het cultureel centrum daar werd georganiseerd. Ik hielp bij de tafel met versnaperingen en zag hoe dicht ze tegen elkaar aan dansten, hoe ze naar elkaar keken.

Het verbaasde me helemaal niet toen Matthew op een zondag aankondigde dat hij Gloria had uitgenodigd voor het avondeten. Het was 11 mei en moeder had een van haar buien, dus de voorbereiding kwam volledig op mijn schouders neer. Ik wist dat een bord met sandwiches zou hebben volstaan, maar ik kon goed koken, en wat belangrijker was: ik wist ook met het weinige dat nog beschikbaar was iets lekkers op tafel te zetten en ik denk dat ik die dag indruk wilde maken.

Al de hele dag vingen we verontrustende berichten op over een verschrikkelijk bombardement op Londen. Sommige mensen beweerden dat de House of Commons en Westminster Abbey volledig waren verwoest en dat daarbij duizenden mensen de dood hadden gevonden. Ik had inmiddels al geleerd dat ik dergelijke geruchten met een flinke korrel zout moest nemen. Tenslotte is de waarheid een van de eerste slachtoffers die tijdens een oorlog sneuvelen, om met Hiram Johnson te spreken.

Terwijl de stoofschotel met konijn op het fornuis stond te pruttelen, luisterde ik naar *The Brains Trust*. Joad en Huxley debatteerden net over de vraag waarom je anderen wel kunt kietelen, maar jezelf niet toen Gloria haar hoofd om de hoek van de deur stak, met Matthew in haar kielzog. Ze waren een beetje vroeg en moeder was zich nog aan het optutten in haar slaapkamer.

Gloria droeg haar goudblonde haar met een scheiding aan de linkerkant en het viel in lange pijpenkrullen over haar schouders. Ze had vrijwel geen make-up op, alleen een beetje poeder en een dun laagje lippenstift. Ze had een blauwe blouse aan met schoudervullingen en pofmouwen, en een eenvoudig zwart rokje met aan de zijkant een rij zilveren knopen. Ik moet toegeven dat haar ingetogen uiterlijk me verraste; ik had van haar eigenlijk iets heel opzichtigs verwacht. Desalniettemin voelde ik me erg saai in mijn eenvoudige oude overgooier.

'Kijk eens wat Gloria voor ons heeft meegebracht,' zei Matthew, en hij hield een halve liter melk en zes eieren omhoog. Ik pakte ze aan en bedankte haar. Ik wist dat moeder zou glunderen wanneer ze de eieren zag. Ze zou ze in waterglas leggen, zoals ze altijd deed. Zwevend in de doorzichtige gelei zouden ze nog maandenlang goed blijven. Ik voelde me altijd onbehaaglijk bij de aanblik ervan; ze zagen er zo sinister uit, drijvend in die transparante ruimte als een baarmoeder die eeuwig op het punt staat te baren, maar daar nooit helemaal in slaagt en in plaats daarvan gevangenzit, voor altijd bevroren in een doodgeboren bestaan.

Sinister of niet, door het gebruik van waterglas hadden we naast het poedervormige surrogaat dat alleen geschikt was voor roerei altijd verse eieren.

'Hallo, Gwen,' zei Gloria. 'Ik had kunnen weten dat je een fan bent van *Brains Trust*. Wie is je favoriet? Joad of Campbell? Toch niet Huxley, hoop ik?'

'Joad.'

'Waarom?'

'Omdat hij intelligent, belezen en welbespraakt is.'

'Hmm. Misschien wel, ja,' zei Gloria, en ze ging op de bank zitten, sloeg haar benen over elkaar en trok zorgvuldig haar rok recht. Matthew ging naast haar zitten en zag eruit als de trotse nieuwe eigenaar van... nou ja, een trotse nieuwe eigenaar in elk geval. 'Ik ben zelf dol op Campbell,' zei ze. 'Ik vind hem veel grappiger.'

'Ik had echt niet verwacht dat jij naar zoiets zou luisteren,' zei ik, maar de woorden waren mijn mond nog niet uit of ik had er alweer spijt van. Dit was tenslotte wel de vrouw die mijn geliefde broer overduidelijk aanbad.

Gloria haalde haar schouders op. 'Ik heb er een paar keer naar geluisterd.'

Toen klaarde haar gezicht op. 'Maar je hebt wel gelijk. Als ik een radio had, zou ik de hele dag naar muziek luisteren en naar niets anders.'

'Hebben ze op de boerderij dan geen radio?' Ik kon mijn oren niet geloven. We mochten dan met een voedseltekort kampen, maar iedereen had toch zeker wel een radio?

'Meneer Kilnsey wil geen radio in huis hebben. Hij is nogal streng gelovig – een methodist, dacht ik. Volgens hem zijn radio's de luidsprekers van de duivel.'

Ik hield mijn hand voor mijn mond en giechelde, maar begon onmiddellijk te blozen. 'O, lieve help. Het spijt me.'

'Het is inderdaad wel grappig. Ach, ik vind het niet zo erg. Het enige wat ik daar doe, is werken en slapen. Het is wel sneu voor mevrouw Kilnsey. Ik heb het idee dat ze af en toe best een muziekje zou kunnen gebruiken om haar op te vrolijken. Maar ja, als de radio de luidspreker van de duivel is, dan is muziek natuurlijk zijn stem des verderfs.'

'Alsjeblieft, zeg,' zei Matthew, en hij schudde zijn hoofd.

Gloria gaf hem een duwtje. 'Het is echt waar! Zo praat hij echt.'

'Ik moet even naar het eten gaan kijken,' zei ik.

Ik zette eerst een ketel water op voor thee, schilde een paar aardappels en maakte de wortels en pastinaken schoon. Het maal dat ik die zondag bereidde, was erg goed, al zeg ik het zelf. Matthew had dat weekend tijdens een van de Home Guard-oefeningen een konijn gevangen in Rowan Woods en daar zat genoeg vlees aan voor ons alle vier. Er waren een paar uien uit onze eigen tuin en wat rabarber voor een taart.

Het water kookte. Ik zette thee en nam die samen met een schaal biscuitjes mee naar binnen. Omdat zoveel dingen inmiddels op de bon waren moesten we zuinig zijn, en de thee was heel wat slapper dan we gewend waren. Nu we maar eens in de twee weken vierhonderd gram suiker kregen, waarvan het meeste dit keer in de rabarbertaart was verdwenen, gebruikten we geen van drieën nog suiker in de thee. Ik wist echter niet of dat voor Gloria ook gold, dus ik vroeg haar of ze wat suiker wilde.

'Ik ben ermee gestopt,' zei ze. 'Ik besteed mijn suikerrantsoen liever aan andere zaken.'

'O ja?' vroeg ik.

Ze schudde vrolijk haar hoofd, zodat haar krullen heen en weer dansten. 'Als je suiker mengt met warm water, kun je het gebruiken als haarversteviger.'

Dat was iets waar ik zelf nooit op zou zijn gekomen, aangezien mijn dunne, peper-en-zoutkleurige haar in een kort pagekopje was geknipt. 'Dan zal je hoofd wel vreselijk plakkerig aanvoelen,' zei ik.

Ze lachte. 'Tja, het kost me soms de grootste moeite om mijn hoed af te zetten, dat kan ik je wel vertellen. Maar met die wind die we soms op de boerderij hebben, kan het ook een zegen zijn.'

Op dat moment maakte moeder haar grootse entree. Ze liep langzaam vanwege haar reuma en haar wandelstok maakte een scherp tikkend geluid op de kale vloerplanken, zodat je haar al lang voordat je haar zag kon horen aankomen. Ze droeg een van haar oude jurken met een bloemetjesmotief en had de moeite genomen om haar haren te krullen, hoewel ik betwijfel of ze daar ook suiker en warm water voor had gebruikt. Moeder gebruikte nooit make-up. Ze was een klein, teer uitziend vrouwtje, liep een beetje voorovergebogen en had een rond, rozig, lief gezicht. Het was een vriendelijk gezicht en ze was dan ook een vriendelijke vrouw. Net als ik kon ze soms echter venijnig uit de hoek komen. De reuma mocht dan de rest van haar lichaam hebben aangetast, maar met haar tong was beslist niets aan de hand. Ik had eigenlijk verwacht dat Gloria en zij tijdens hun eerste ontmoeting met elkaar in aanvaring zouden komen, maar zoals wel vaker de afgelopen tijd had ik het bij het verkeerde eind.

'Wat een schattige blouse is dat,' zei moeder nadat ze aan elkaar waren voorgesteld. 'Heb je die zelf gemaakt?'

Ik verslikte me bijna.

'Ja,' zei Gloria. 'Ik heb ergens een stukje parachutezijde opgedoken en die heb ik geverfd. Ik ben blij dat u hem mooi vindt. Ik kan er voor u ook een maken, als u wilt. Ik heb op de boerderij nog een stukje stof liggen.'

Moeder legde een hand op haar hart. 'Lieve hemel, meisje, je gaat toch zeker je tijd niet zitten verdoen met het maken van chique kleding voor een oude, invalide vrouw als ik? Nee hoor, ik red het wel met wat ik heb.' Typisch mijn moeder: die vermoeide toon, alsof we ons elk moment rond haar sterfbed zouden scharen.

The Brains Trust was afgelopen en werd gevolgd door een speciale uitzending over Jerome Kern. Gloria genoot met volle teugen van al die nummers die ze kende uit haar geliefde Hollywood-musicals. Ze neuriede mee met A Fine Romance, You Couldn't Be Cuter en The Way You Look Tonight.

Tot mijn stomme verbazing raakten moeder en Gloria vervolgens in een geanimeerd gesprek gewikkeld over de prachtige rollen van Fred Astaire en Ginger Rogers in Swing Time. Tegen de tijd dat we gingen eten, was ik flink misselijk.

Jerome Kern was afgelopen en we zetten de radio uit tijdens het eten. 'Zo, lieverd,' zei moeder toen de stoofschotel was opgeschept, 'vertel ons eens iets over jezelf.'

'Er is eigenlijk niet zoveel te vertellen,' zei Gloria.

'Ach, dat zal wel meevallen. Waar kom je vandaan?'

'Londen.'

'Arm kind. Waar zijn je ouders?'

'Ze zijn allebei omgekomen bij de bombardementen.'

'O, lieve schat, dat spijt me echt verschrikkelijk.'

'Er zijn heel veel mensen overleden.'

'Wanneer is het gebeurd?'

'Vorig jaar. September. Ik ben nu helemaal alleen.'

'Onzin, lieverd,' zei moeder. 'Je hebt ons toch?'

Ik verslikte me bijna in een hap konijn. 'We hoeven haar echt niet meteen te adopteren, moeder,' wist ik nog net uit te brengen.

'Doe niet zo onbeleefd, Gwen. Het is oorlog, voor het geval je dat nog niet had gemerkt. Mensen moeten elkaar steunen.'

'Gloria heeft het inmiddels allemaal achter zich gelaten,' zei Matthew. 'Ja toch, lief?'

Ze keek hem met die grote, prachtige ogen van haar zo aanbiddend aan dat ik er bijna wee van werd. 'Ja,' zei ze, 'dat is zo. En wat er verder ook gebeurt, ik ga nooit meer terug.'

'Is er dan helemaal niemand meer?'

'Nee. Ik was een paar straten verderop bij een vriendin op bezoek toen de luchtaanval begon. Totaal onverwacht. Mijn vrienden hadden een schuilkelder in hun achtertuin en daar zijn we in gaan zitten. Ik was niet eens ongerust. Ik dacht dat mijn familie wel in de ondergrondse zou schuilen of in de kerk op de hoek, zoals we altijd deden bij een luchtaanval, maar ze hebben het niet gehaald. Ons huis is ingestort, net als de huizen aan weerszijden. Mijn grootouders woonden naast ons, dus zij zijn ook omgekomen.'

We zwegen even en probeerden de verschrikkingen waarover Gloria ons zojuist zo nuchter had verteld te verwerken. Daarmee vergeleken waren wij met onze rantsoenproblemen erg nietig en onbeduidend.

'Waarom heb je er toen voor gekozen om naar zo'n van god verlaten gehucht als Hobb's End te komen?' wilde moeder weten.

'Ik had geen keus. Ze hebben me hier gewoon naartoe gestuurd, de mensen van de Land Army. Ik heb een opleiding gevolgd in Askham Bryan, niet zo heel ver hiervandaan. Meneer Kilnsey kan wel wat hulp gebruiken nu zijn zoon in dienst is, en hij wordt er zelf ook niet jonger op. Ik was blij dat ik naar het platteland kon ontsnappen. Ik kon de gedachte aan een baan in een smerige, stinkende munitiefabriek niet verdragen.'

'Maar,' zei moeder, 'het leven op een boerderij is anders ook geen pretje.'

Gloria lachte. 'Dat kunt u wel zeggen. Het is ook smerig en stinkt evengoed. Maar ik red me wel. Ik heb het nooit erg gevonden om hard te werken. Ik vind het juist wel fijn.' Ze wierp vanuit een ooghoek een blik op mij. 'Die stoofschotel is heerlijk, Gwen. Ik meen het echt. Het lekkerste maal dat ik in tijden heb gegeten. Dank je wel.'

Ik was overdreven in mijn nopjes en probeerde uit alle macht om niet te blozen, maar je kunt het nu eenmaal niet voorkomen, net zomin als je jezelf kunt kietelen. Ik bloosde. 'Graag gedaan,' zei ik.

Na de rabarbertaart, waarvoor ik eveneens een allervriendelijkst complimentje van Gloria kreeg, zette Matthew verse thee en mocht de radio weer aan voor *The Happidrome*.

Ik ving nog net het staartje op van een nieuwsbericht waarin werd bevestigd dat Westminster Abbey, het British Museum en de Houses of Parliament waren gebombardeerd en weliswaar beschadigd, maar niet verwoest waren. Je wist overigens nooit wanneer je een nieuwslezer op zijn woord kon geloven, ook al moesten ze sinds kort voor elke nieuwsuitzending hun naam noemen, zodat de luisteraar wist dat de BBC nog niet door de Duitsers was overgenomen. De Duitsers konden de uitzendingen tenslotte ook opvangen en we wilden niet dat ze zouden denken dat we op wat voor manier dan ook zwaar aangeslagen of gedemoraliseerd waren. Dat lord Haw-Haw dat zogenaamd namens ons allemaal deed, was al erg genoeg. De voorafgaande week had hij nog beweerd dat de Duitsers mogelijk de vlasserij in Hobb's End zouden bombarderen, wat ons ARP-lid bijna een beroerte had bezorgd.

Bij de thee staken Matthew en Gloria een sigaret op. Ik wist dat moeder weinig ophad met vrouwen die rookten, maar ze zei niets. Toen schraapte Matthew zijn keel en hij zei: 'Moeder, ik heb Gloria vanavond uitgenodigd voor een speciale reden, want... Nou ja, we willen u iets vertellen.'

Moeder trok verbaasd haar wenkbrauwen op en mijn hart bonkte tegen mijn ribbenkast.

'We willen graag trouwen.'

Ik staarde sprakeloos naar Matthew: lang, levendig, knap, met een lok donkerbruin haar die altijd charmant over een oog viel, kuiltjes aan weerszijden van zijn mond wanneer hij lachte, heldere ogen en een krachtige kin. Toen keek ik naar Gloria en zag ik hoe stralend ze eruitzag.

Het was vanaf het begin onontkoombaar geweest.

Op dat moment haatte ik haar.

'Aha,' zei moeder, nadat ze eerst een kalmerend slokje thee had genomen. 'Wil je dat echt?'

'Ja.'

'En jij, jongedame?'

'Heel graag,' zei Gloria, en ze boog zich voorover en pakte Matthews hand. 'Ik weet dat we elkaar nog niet zo heel lang kennen, maar het is tenslotte oorlog en...'

Moeder legde haar met een handgebaar het zwijgen op. 'Jawel, beste meid, dat weet ik allemaal wel. Maar hebben jullie er al aan gedacht dat Matthew binnenkort misschien wel heel ver weg wordt gestuurd?'

'Natuurlijk hebben we dat zelf ook al bedacht, moeder,' zei hij. 'Maar ook al heb ik de medische keuring al achter de rug, ik zal na mijn afstuderen toch eerst nog een militaire training moeten volgen, en er bestaat een goede kans dat ik waarschijnlijk tot na de kerst nog elk weekend naar huis zal kunnen komen.'

'En de rest van de week?'

'Ik blijf gewoon op de boerderij werken,' zei Gloria, 'en Matt gaat tot juli doordeweeks naar de universiteit van Leeds; daarna moet hij natuurlijk ergens anders naartoe voor zijn militaire opleiding, waar dat ook is. Ik besef heus wel dat het niet ideaal is. Het liefst zouden we natuurlijk de hele tijd samen zijn.' Ze zaten hand in hand en ze keek hem aan. 'Maar we weten ook dat dat niet realistisch is. Nog niet, in elk geval.'

Ik kon mijn oren niet geloven; ze noemde hem Matt. Hoe kon ze? Moeder en ik hadden hem altijd Matthew genoemd.

'En je studie?' vroeg moeder aan hem.

'Ik zal net zo hard werken als altijd.'

'Hmm. Een heleboel mensen stellen hun huwelijk juist even uit,' zei ze, 'omdat het momenteel zulke onzekere tijden zijn.'

'Er zijn ook een heleboel mensen die juist wel trouwen,' wierp Matthew tegen, 'en het beste proberen te maken van de tijd die hun rest. Ja, we beseffen dat het leven erg onzeker is. Maar als me in het leger iets mocht overkomen, dan zal ik tenminste als een gelukkig man kunnen sterven, omdat ik met Gloria ben getrouwd. Al was het maar voor één dag.'

'Zeg niet zulke vreselijke dingen, Matthew,' zei moeder, en ze legde nogmaals haar hand op haar hart. Toen keek ze mij aan. 'Wat vind jij ervan, Gwen?'

Ik slikte moeizaam. 'Ik? Als ze het graag willen, dan zullen wij hen echt niet kunnen tegenhouden.'

'Lieve, beste Gwen,' zei Matthew. 'Ik wist dat ik van jou op aan kon.'

'Waar gaan jullie wonen?' wilde moeder weten. 'Hebben jullie daar al over nagedacht? Niet dat Gwen en ik jullie hier niet zouden willen hebben als jullie het zouden vragen, maar er is niet genoeg ruimte. We hebben niet eens genoeg ruimte voor een evacué. En jullie kunnen beslist niet samen op de boerderij gaan wonen.'

'Ja,' zei Matthew, 'daar hebben we ook al over nagedacht. Daarom willen we ook zo snel mogelijk trouwen.'

Moeder keek hem fronsend aan. 'O?'

'We gaan in Bridge Cottage wonen.'

'Wat? Dat vervallen krot bij de elfenbrug?'

'Ja. Het is groot genoeg voor ons tweeën. En dan hebben we tenminste een plekje dat van onszelf is. Nou ja, we huren het natuurlijk alleen maar, maar u begrijpt wel wat ik bedoel. Zoals u weet, is het na het overlijden van juffrouw Croft gebruikt om evacués in op te vangen. Ik heb met lord Cliffords agent in Leeds gesproken, en die heeft gezegd dat de mensen die er nu wonen volgende week gaan verhuizen. Een vrouw en haar twee kinderen, evacués uit

Birmingham. Ze hebben blijkbaar heimwee gekregen en gaan terug naar huis. Ik weet dat er veel aan moet worden opgeknapt, maar het meeste kan ik zelf doen. En het is maar vijf shilling per week.'

'En als er kinderen komen? Hebben jullie daar ook al aan gedacht?'

'Ik ben niet in verwachting, mevrouw Shackleton, als u dat soms bedoelt,' zei Gloria.

'Natuurlijk niet, lieverd. Dat bedoelde ik helemaal niet. Ik zou zoiets nooit zeggen. Maar stel dat jullie na je trouwen een kind krijgen, dan zal de vader van het kind hoogstwaarschijnlijk weg zijn en komt alles op jou neer.'

Er verscheen een treurige blik in Gloria's ogen, die ik daar nog wel vaker zou zien, een donkere wolk die de zon verdreef. 'We zijn niet van plan om kinderen te krijgen,' zei ze. 'Nog niet, in elk geval. Zoals het er nu voor staat, zou ik geen kind op de wereld willen zetten, niet na wat ik zelf allemaal heb meegemaakt.' Toen verdween de wolk en ze glimlachte weer. 'Misschien na de oorlog, maar dat zien we dan wel. Dan wordt alles anders.'

Moeder zweeg even, vertrok haar gezicht in een grimas alsof ze pijn had, wat waarschijnlijk ook zo was, en zei toen: 'Jullie hebben echt aan alles gedacht, hè?'

Matthew keek haar glunderend aan. 'Aan alles, moeder. We willen onze huwelijksplannen volgende week zondag graag in de kerk laten afkondigen. Geef ons alstublieft uw zegen!'

Moeder hield me haar kopje voor en ik schonk nieuwe thee in. Haar hand trilde en ze zette het kopje rinkelend terug op het schoteltje. Ze keek weer naar Gloria. 'Je bent dus een wees, lieverd? Je hebt geen levende familie meer?'

'Niemand. Maar u zei immers net zelf dat ik jullie heb, toch?'

Moeder glimlachte. Heel kort. Meer stond ze zichzelf in die dagen niet toe. Een korte, moeizame glimlach. 'Dat is inderdaad waar. Ja, je hebt gelijk.'

'O, alstublieft, mevrouw Shackleton, geeft u ons alstublieft toestemming.'

'Het ziet ernaar uit dat ik weinig keus heb. Vooruit dan maar, jullie hebben mijn zegen.' Toen slaakte ze een diepe zucht en keek ze mij aan. 'Ik denk dat we onze bonnen zullen moeten gaan opsparen, denk je ook niet, Gwen?'

Op sommige ochtenden, vooral wanneer het mooi weer was, liep Vivian Elmsley's ochtends graag via Rosslyn Hill naar de High Street, waar ze bij een van de cafés op het terras aan een tafeltje ging zitten en rustig de tijd nam voor haar kopje koffie. Ze wandelde langzaam, omdat ze had gemerkt dat ze tegenwoordig na een dergelijke inspanning maar moeilijk weer op adem kwam.

Zoals gewoonlijk herkenden een of twee voorbijgangers op straat haar van een televisieprogramma of tijdschriftcover, maar de inwoners van Hampstead accepteerden de aanwezigheid van een beroemdheid in hun midden zonder veel omhaal, zeker wanneer het iemand van het schrijversgilde betrof, dus kwam niemand zeuren om een handtekening of haar vertellen hoe goed of slecht haar nieuwste boek wel niet was.

Ze vond al snel een leeg tafeltje, bestelde koffie en vouwde de *Times* open. Haar dagen verliepen niet volgens een vast patroon. Soms merkte ze tijdens haar wandeling dat ze aan het boek dacht waaraan ze bezig was en zag ze de mensen op straat nauwelijks, was ze zich niet eens bewust van het seizoen. Op die dagen haalde ze haar aantekenboekje tevoorschijn en noteerde ze daarin tijdens de koffie de ideeën die in haar opborrelden. Vandaag wist het boek haar aandacht echter niet vast te houden, iets wat haar de nodige zorgen baarde.

In plaats daarvan sloeg ze haar krant maar open. Het korte artikel waarnaar ze op zoek was, stond in een kolom op een van de binnenpagina's die gewoonlijk gereserveerd waren voor nieuwsberichten uit de provincie:

VUIL SPEL VERMOED IN ZAAK ROND RESERVOIR-GERAAMTE
In een onverwacht persbericht aan de plaatselijke journalisten heeft de politie van North Yorkshire gisteravond bekendgemaakt dat de stoffelijke resten die op de bodem van het Thornfield-reservoir zijn aangetroffen afkomstig zijn van een jonge vrouw die door moord om het leven is gekomen. Inspecteur Alan Banks, die de leiding heeft over het onderzoek, zei dat de politie er weliswaar nog niet in is geslaagd om de identiteit van het slachtoffer te achterhalen, maar dat wel bekend is geworden dat het het lichaam betreft van een jonge vrouw van in de twintig. Alles wijst erop dat ze is doodgestoken. Hoe lang het lichaam daar heeft gelegen is moeilijk vast te stellen, meldde inspecteur Banks desgevraagd, maar voorlopige informatie lijkt erop te duiden dat het om een misdaad gaat die ergens in de twintigste eeuw is gepleegd. Het Thornfield-reservoir is gebouwd op de plek van het vroegere dorp Hobb's End, waarvan de resten onlangs voor het eerst sinds 1953 weer zichtbaar zijn geworden. Het geraamte lag begraven onder een bijgebouw en is gevonden door een dertienjarige jongen, Adam Kelly, die in het gebied aan het spelen was. Iedereen die informatie heeft, wordt verzocht onmiddellijk contact op te nemen met de politie van North Yorkshire.

Zoveel wisten ze dus al. Vivian legde de krant met bevende hand op tafel en zoog wat van de tot schuim opgeklopte melk op die op haar koffie lag. Ze kon zich nu toch niet meer op de rest van het nieuws concentreren en hoefde evenmin nog te proberen zich in de kruiswoordpuzzel te verdiepen. Dat ene korte berichtje had haar dag volledig verpest.

Grappig, dacht ze, zoals de tijd je voor de gek hield. In de tussenliggende jaren was ze erin geslaagd om haar verleden ver achter zich te laten: ze was met Ronald in Afrika geweest, in Hongkong, Zuid-Amerika en Maleisië; had kort na zijn dood haar eerste, moeizame schreden op het schrijverspad gezet; had zich door de afwijzingen en vernederingen heen geworsteld; had de stroomversnelling overleefd waarin ze was terechtgekomen na de publicatie van haar eerste boek; was langzaam maar zeker succesvol geworden; had het zelfs tot televisieseries geschopt. Voordat ze Ronald ontmoette, was ze bang geweest dat haar hele leven door het lot was geruïneerd. In plaats daarvan had ze in de daaropvolgende jaren ontdekt dat het weliswaar op een bepaalde manier was aangetast, maar dat het haar tevens veel meer voldoening had geschonken dan ze ooit had durven dromen. De tijd heelde misschien niet alle wonden, maar sommige dingen sterven gewoon af, verdorren en lossen stukje bij beetje op in het niets.

Natuurlijk was ze na Ronalds dood nooit meer in een andere man geïnteresseerd geweest. (Je zou zelfs kunnen zeggen dat ze ook nooit echt op die manier in Ronald geïnteresseerd was geweest.) Voor niets ging echter de zon op en de prijs die ze uiteindelijk had betaald was relatief klein geweest, minder onverdraaglijk dan de nachtmerries en het diepe, knagende schuldgevoel dat weliswaar als voedingsbodem fungeerde voor haar ongebreidelde fantasie, maar dat haar tegelijkertijd op vrijwel alle mogelijke andere manieren dwarszat en de zwartgallige buien en slapeloze nachten veroorzaakte die, zo vreesde ze, haar misschien wel nooit meer met rust zouden laten.

En dan nu dit. Ze keek naar de nietsvermoedende voetgangers die op de stoep voorbijliepen: een jonge vrouw in een keurig grijs mantelpakje met een mobiele telefoon aan haar oor; een jong blond stel dat hand in hand met rugzakken op langsslenterde, zo te zien Scandinavische toeristen; een man met een grijze baard en een met verf besmeurde schilderskiel; twee meisjes met groen-en-oranje haar en ringen door hun neus. Vivian slaakte een zucht. De straten van Hampstead. 'Al wat menselijk is, vindt u hier,' zoals de oude *News of the World* altijd over zichzelf had beweerd. Nu ja, misschien niet alles, niet in Hampstead tenminste, maar toch zeker wel de hogere, bevoorrechte klassen. Waren ze echt allemaal zo nietsvermoedend en onschuldig? Misschien niet. Ongetwijfeld bevonden zich in de mensenmassa's van Hampstead ook wel een stuk of wat moordenaars.

Vivian rilde even. Ze herinnerde zich opeens dat ze de afgelopen weken verscheidene keren het gevoel had gehad dat iemand haar volgde. Ze had het afgedaan als een verzinsel van haar overactieve verbeelding. Ze verdiende tenslotte haar geld met boeken over misdaad, en dezelfde morbide fantasie die aan de basis lag van haar succes veroorzaakte tevens af en toe een paniekaanval of depressieve bui. Alles had immers een keerzijde; ze verdiende aan haar angsten, maar moest er ook mee leven. Dus misschien had ze het zich werkelijk allemaal maar ingebeeld. Wie zou haar immers willen volgen? De politie? Ach, welnee. Als die met haar wilde praten, zouden ze haar wel direct benaderen.

Vivian wierp een blik op de krant, die nog steeds opengevouwen was bij het artikel over Hobb's End, en ze zuchtte. Ach, het zou nu niet lang meer duren voordat ze erachter kwamen. Wat zou er dan nog overblijven van haar zuurverdiende rust?

Banks probeerde het eerst bij de administratie van Brians universiteit, waar hij met een leugentje om bestwil over het belang van de gevraagde informatie binnen tien minuten de assistent wist over te halen om in dit geval de 'strenge voorschriften omtrent privacy' te negeren. Op het schrijfblok voor hem stond nu het telefoonnummer van een zekere Andrew Jones.

Hij draaide het nummer niet meteen, omdat hij nog niet zeker wist wat hij tegen Brian moest zeggen als hij hem aan de lijn kreeg. Hij wist alleen dat ze het moesten bijleggen, dat ze een manier moesten zien te vinden om als normale, redelijke mensen met elkaar te praten. Gelukkig waren Brian en hij allebei tamelijk vergevingsgezind van aard. Wanneer ze vroeger ruzie hadden gehad, had een van hen beiden altijd binnen enkele minuten een verzoenend gebaar gemaakt en was alles weer goed geweest. Sandra was degene die alles heel lang op een laag pitje liet pruttelen; soms trakteerde ze je eerst een week lang op kille afstandelijkheid en sombere stiltes voordat ze je precies vertelde waarom ze kwaad op je was.

Banks was er nog niet helemaal van overtuigd dat hij er dit keer in zou slagen om een verzoening tot stand te brengen en niet weer in de rol van woedende vader te vervallen. Bovendien had hij een goede reden om woedend te zijn. Niet alleen had Brian er na drie jaar hoger onderwijs – een periode die financieel een flinke aderlating was geweest voor Banks en Sandra – zomaar de brui aan gegeven, maar ook was hij wekenlang praktisch van de aardbodem verdwenen geweest, omdat hij te laf was om het aan iemand te vertellen.

Uiteindelijk bleek dat Banks zich voor niets zoveel zorgen had gemaakt. Toen hij het nummer draaide, nam er niemand op en er was geen antwoordapparaat. Toen belde hij Annie, die erg opgewonden leek over een schilderij van Hobb's End dat was gemaakt door een kunstenaar die Michael Stanhope heette. Banks kon haar enthousiasme niet delen, maar was blij om te horen dat ze de naam had achterhaald van de cottage waartoe het bijgebouw behoorde.

Hij verwachtte een telefoontje van John Webb over al het materiaal dat op de plaats delict was aangetroffen en bestudeerde intussen de inhoud van zijn postbakje. Het ontwerp voor een nieuw uniform was goedgekeurd tijdens een vergadering van de Vereniging Hogere Politieambtenaren. Fascinerend. Hadden ze nou echt niets beters te doen? Wat dachten de bobo's eigenlijk dat het politiekorps was, een of ander modehuis of zo? Voordat je het wist lieten ze straks de jongste agenten en agentes nog over een catwalk flaneren in doorzichtige uniformen en veren boa's.

Daaronder lag een exemplaar van het nieuwste rapport van mevrouw Millicent Cummings, de assistent-hoofdcommissaris of het hoofd Personeelszaken zoals haar echte functieaanduiding luidde. North Yorkshire had de laatste tijd onder vuur gelegen vanwege het extreem hoge aantal klachten over seksuele intimidatie, variërend van pesterijen en aanranding tot discriminatie en bizarre inwijdingsrituelen, en Millie was als nieuwe bezem ingezet. Volgens de meeste mannelijke medewerkers was ze overigens ook op diezelfde bezem naar binnen komen vliegen. Banks mocht Millie wel; ze was een intelligente, eerlijke vrouw met een zware baan. Wat hem betreft konden er niet genoeg schurken en klaplopers uit het korps worden geknikkerd.

Banks pakte een rapport op over het beperken van de verkoop van alcohol. Het bevatte de aangifte van een tienjarige knul die straalbezopen was geworden van alcoholhoudende frisdrankjes en die met zijn fiets door de etalageruit van een schoenenwinkel was geknald. Een paar oppervlakkige snijwonden en kneuzingen. Mazzel gehad. Wat helaas niet kon worden gezegd van de arme verkoper, die net op dat moment met een schoenlepel over de voet van een mogelijke klant gebogen had gestaan. Spoedoperatie wegens enorm bloedverlies.

Banks tekende de verslagen en memo's voor gezien, ook het rapport dat hem op de hoogte stelde van het feit dat de CID onder de naam Managementteam Misdaad verder zou gaan, en werkte vervolgens een tijdje aan het artikel dat hij aan het schrijven was over politiewerk in de jaren negentig. Een van de voordelen van zijn nieuwe computer en zijn huidige aan kantoor gebonden bestaan was dat hij de afgelopen maanden een of twee artikelen had kunnen schrijven, en hij had gemerkt dat hij het leuk vond. Hij had ook een paar lezingen en voorlichtingspraatjes gehouden en ontdekt dat hij daar eveneens goed in was. Op gezette tijden kwam de gedachte bij hem op dat het misschien geen gek idee was om zich te richten op een carrière in het aan politiewerk gerelateerde onderwijs, maar de kaarten waren hem niet gunstig gezind vanwege zijn opleiding, of juist het gebrek daaraan. Banks had inderdaad geen universitaire graad, zoals Brian hem onlangs zo wreed voor de voeten had geworpen. Hij had aan de hogeschool een soort handel- en economiediploma behaald. Dat moest dan zogenaamd gelijkwaardig zijn aan een universitaire propedeusebul, maar meer was het beslist niet. Bovendien was het ding al bijna een kwarteeuw oud. Waarschijnlijk bestonden dergelijke diploma's tegenwoordig niet eens meer. Een toekomstige werkgever zou waarschijnlijk in lachen uitbarsten wanneer hij het onder ogen kreeg. Bij de gedachte alleen al bloosde Banks van schaamte en woede.

Brian had tenminste nog een bul gehaald, zij het met een mager gemiddeld zesje, wat altijd nog beter was dan Banks' eigen resultaten. Jezus, het klonk net alsof het om een wedstrijd ging. Moest hij het nu plotseling opnemen tegen zijn eigen zoon?

Gelukkig ging de telefoon voordat hij een antwoord op die vraag had geformuleerd. Het was John Webb.

'Ik heb zojuist de spullen opgehaald die we in de buurt van het geraamte in Hobb's End hebben gevonden,' zei hij. 'Het team van dr. Williams heeft alles keurig schoongemaakt.'

'Wat heb je ontdekt? Na al die tijd waarschijnlijk niet veel meer, neem ik aan.'

'Je zou er nog van staan te kijken welke dingen zoiets juist wel overleven. Het is allemaal tamelijk onvoorspelbaar. Ik heb een paar knopen gevonden en een paar metalen haakjes die mogelijk afkomstig zijn van een beha of jarretelgordel. Verder heb ik een paar kleine leren schoenen gevonden die wellicht aan het slachtoffer hebben toebehoord.'

'Houdt dat in dat ze in haar kleding is begraven?'

'Daar ziet het wel naar uit, ja.'

'Verder nog iets?'

'Ja, een soort stof, zwart en dik. Beslist geen kleding.'

'Enig idee wat dat kan zijn?'

'Misschien een gordijn?'

'Heb je ook een trouwring gevonden of iets wat daarop lijkt?' vroeg hij.

'Het zou kunnen. Ik twijfelde aanvankelijk vanwege de corrosie, maar het lijkt er wel erg veel op.'

'Ik neem aan dat er geen naam en datum aan de binnenkant staan gegraveerd?'

Webb lachte. 'Het is best mogelijk, maar als het zo is, dan kan ik dat na al die tijd echt niet meer ontcijferen.'

'Daar was ik al bang voor. Nog iets gevonden wat het moordwapen zou kunnen zijn geweest? Waarschijnlijk een soort mes.'

'Helemaal niets.'

'Handtas of portemonnee? Iets aan de hand waarvan we haar kunnen identificeren?'

'Nee, het spijt me. Alleen wat ik je zojuist al heb verteld. En een medaillon, maar ook dat bevat geen inscriptie of iets anders. In elk geval niets wat een lang verblijf onder de aarde heeft overleefd. Als er al een foto of iets dergelijks in heeft gezeten, dan is die waarschijnlijk helemaal vergaan.'

'Oké, ontzettend bedankt, John.'

'Graag gedaan. Ik zal het later vandaag naar je toe laten brengen.'

Banks liep naar het raam. De hitte viel hem nog steeds zwaar; hij voelde zich slaperig en duf, alsof hij een paar borrels op had, wat echter niet het geval was. Het met keien geplaveide marktplein was tjokvol toeristen en bussen uit Leeds, Wigan en Scunthorpe, en in elk hoekje en gaatje stonden auto's geparkeerd die alles bij elkaar een weelderig kleurenpalet vormden. De hele zomer waren toeristen in drommen op de Dales afgekomen. Pubs, hotels, winkels en bed and breakfast's hadden stuk voor stuk een recordomzet behaald. Natuurlijk had het ook al twee maanden helemaal niet geregend, en ook daarvoor al waren er sinds april alleen wat kleine buien gevallen.

Hoewel het de gezondheidsfreaks eindelijk was gelukt om een algeheel rookverbod te laten uitvaardigen voor alle politiebureaus, stak Banks toch een sigaret op. Hij had dat rookverbod nu al een tijdje stilletjes genegeerd. Op de bureaus waar agenten een gemeenschappelijke werkruimte deelden, kwam je er natuurlijk niet onderuit; daar moest je gewoon naar buiten om te roken. Maar hier, in dat labyrint van gangetjes dat achter de oude Tudor-gevel schuilging, had hij zijn eigen kantoortje. Als hij de deur dichthield en het raam openzette, kraaide er geen haan naar. Het zou hem ook een zorg zijn. Ze konden hem hierom toch moeilijk in verzekerde bewaring stellen.

Banks keek naar een paar leuke, jonge toeristes die in T-shirt en korte broek een ijsje zaten te eten op het verhoogde voetstuk van het marktkruis en liet zich meeslepen door een aangename fantasie waarin Annie Cabbot en haar rode laarzen een rol speelden. Hij had de afgelopen tijd veel gefantaseerd en wist niet of dat een goed of een slecht teken was.

Volgens het officiële beleid mochten collega-agenten natuurlijk niet met elkaar naar bed. En een inspecteur en zijn brigadier al helemaal niet. Daarop rustte nog altijd een enorm taboe. De een zou zich schuldig maken aan seksuele intimidatie; de ander zou carrière willen maken via het bed.

In werkelijkheid was het echter schering en inslag. Overal in het land wipten agenten met elkaar, neukten ze elkaar suf, ongeacht hun rang. Een moordzaak vormde vaak nog wel de beste aanleiding: seks en dood, een oeroude, de geslachtsdrift stimulerende combinatie.

Droom maar lekker verder, hield hij zichzelf voor, en hij rukte zich abrupt los uit zijn fantasie. Als hij eerlijk tegen zichzelf was, besefte hij heus wel dat Annie Cabbot hem niet zag zitten, en bovendien zou hij toch nooit een poging durven wagen. Elk mogelijk talent dat hij als tiener mocht hebben gehad om met een vrouw te flirten was hij nu inmiddels wel kwijt. Hij had geen flauw idee meer hoe hij zoiets zou moeten aanpakken. Hij was te oud om weer afspraakjes te maken en zich druk te maken over de vraag of een afscheidskus al dan niet gewenst was. Of een slaapmutsje. Of een uitnodiging om de hele nacht te blijven. Of hij zelf voor condooms moest zorgen. Hij werd al zenuwachtig en schutterig als hij er alleen al aan dacht. Hij zou niet weten waar hij moest beginnen.

Sinds Sandra's vertrek had hij slechts eenmaal een seksueel avontuurtje beleefd en dat was op een volslagen mislukking uitgedraaid. Tijdens Susan Gays afscheidsfeestje in de Queen's Arms had Banks te diep in het glaasje gekeken en een vrouw opgepikt die naar de naam Karen nog-wat had geluisterd. Of misschien had Karen hem wel opgepikt. Hoe dan ook, het bier had zijn zelfvertrouwen een flinke impuls gegeven en Karen was aangeschoten en erg speels geweest. Instantwellust. Zonder onnodig veel tijd te verspillen waren ze naar zijn huis gegaan, waar ze na slechts een korte aarzeling heftig vrijend op de bank waren gevallen en hun kleding alle kanten op was gevlogen. Ondanks de drank functioneerde alles naar behoren.

Op een of andere manier waren ze later op de avond nog in bed beland, want Banks was om een uur of vier in de ochtend wakker geworden met een bonkende hoofdpijn, een naakte vrouw die over hem heen gedrapeerd lag en een brandend verlangen om alleen te zijn. Hij had Karen gebruikt, zoals zij hem wellicht ook had gebruikt, en het enige wat hij nu wilde was dat ze wegging. Hij bleef echter stil naast haar liggen en dacht zijn sombere gedachten, totdat ze tegen zonsopgang wakker werd en zei dat ze naar huis moest. Hij hield haar niet tegen, zag zich niet genoodzaakt tot een teder afscheid en had haar nooit meer gezien.

De telefoon redde hem uit deze deprimerende herinnering en riep hem terug naar zijn kantoor. Het was Geoff Turner, de forensisch odontoloog. Zijn telefoontje herinnerde Banks eraan dat hij binnenkort een afspraak had met de tandarts, en hij had al sinds zijn schooltijd een enorme hekel aan de tandarts. Als deze zaak zich zo voorspoedig bleef ontwikkelen, had hij misschien een mooi excuus om de afspraak af te zeggen.

'Alan?'

'Geoff. Dat is snel. Is er nieuws?'

'Niets wereldschokkends. Daar is het nog te vroeg voor. Maar ik wilde graag snel beginnen. Ik heb geraamtes altijd al bijzonder fascinerend gevonden.'

Banks zag weer voor zich hoe dr. Williams de schaamstreek van het geraamte liefkozend had gestreeld en zei: 'Viezerik.'

Turner lachte. 'In wetenschappelijk opzicht, natuurlijk.'

'Dan is het goed.'

'Ik bel je vanuit het lab. Om te beginnen heb ik gecontroleerd of dr. Williams' inschatting van haar leeftijd ten tijde van het overlijden klopte. Hij heeft gelijk. De laatste molaren – voor jullie leken zijn dat de verstandskiezen – zijn al doorgebroken, maar de apex is nog niet helemaal gesloten, en hetzelfde geldt voor de mediale randen aan de suturen van de snijtanden. De molaren breken gewoonlijk pas door na het twintigste levensjaar, dus dat is aanwijzing nummer één. De apex groeit gewoonlijk rond het vijfentwintigste levensjaar dicht en de mediale randen rond het dertigste. Dat alles wijst erop dat ze halverwege de twintig moet zijn geweest, met een marge van een jaar of twee.'

'Bedankt, Geoff. Enig idee hoe lang ze daar heeft gelegen?'

'Hoho, niet zo snel. Ik zei je al dat ik maar heel even heb kunnen kijken. De vullingen die ik heb aangetroffen lijken te duiden op vrij recente tandheelkundige ingrepen, mocht dat je interesseren. En met recent bedoel ik de twintigste eeuw.'

'Kun je een iets nauwkeuriger schatting maken?'

'Afgaande op materiaal en techniek waarschijnlijk niet later dan de jaren vijftig, als je daar iets aan hebt.'

'Je weet heel zeker dat het niet recenter is? Uit de jaren negentig, bijvoorbeeld?'

'Beslist niet. Wanneer je in die stoel zit is het misschien moeilijk te geloven, maar de tandheelkunde heeft in de afgelopen dertig jaar echt heel wat vooruitgang geboekt en daar is in deze mond niets van terug te vinden. Hier zijn geen moderne technieken of materialen aan te pas gekomen. Bovendien ontbreken er verschillende tanden.'

'Kan dat na haar dood zijn gebeurd?'

'Je wilt weten of de moordenaar tanden of kiezen kan hebben verwijderd?'

'Ja. Is dat mogelijk?'

'Mogelijk wel, maar niet waarschijnlijk. Het ziet er naar mijn mening allemaal als vakwerk uit.'

'Ik weet niet of het iets uitmaakt, maar ze kan in elk geval niet tussen 1953 en deze zomer zijn begraven.'

'In dat geval is het volgens mij absoluut vóór 1953 gebeurd.'

'Weet je zeker dat het niet om iemand gaat die gewoon haar gebit heeft verwaarloosd?'

'Dit heeft niets met verwaarlozing van het gebit te maken, Alan, maar daar kom ik zo nog wel op terug. Het draait allemaal om materialen en procedures.'

'Ga verder.'

'Er is eigenlijk verder niet veel meer te vertellen. Alleen een paar vage ideeën.'

'Wat zouden we in ons vak moeten beginnen zonder vage ideeën?'

Turner lachte. 'Dat moet je nooit tegen een wetenschapper zeggen. Pure ketterij. Maar goed, ik weet het natuurlijk pas echt zeker wanneer de röntgenfoto's zijn gemaakt, maar volgens mij heeft de kwaliteit van de tandartsbehandeling nogal wat te wensen overgelaten en is het gebit ook niet regelmatig gecontroleerd. Ik heb heel sterk de indruk dat deze jongedame alleen naar de tandarts ging wanneer ze ergens last van had.'

'Wat bedoel je daarmee?' vroeg Banks, die zich steeds meer in het slachtoffer kon inleven. Hij dacht precies zo over tandartsen.

'Als ze was blijven leven, waren de meeste vullingen nog wel een paar jaar meegegaan, maar één gaatje was niet helemaal goed gevuld en daar zou ze binnen niet al te lange tijd last van hebben gekregen. Dat soort werk. Een beetje slordig. Bovendien zijn er dus verschillende tekenen die duiden op verwaarlozing, wat zou kunnen inhouden dat we te maken hebben met iemand die het niet breed had en zich dus niet de beste behandeling kon veroorloven. Het kwam vrij vaak voor dat meisjes na hun twintigste al hun tanden en kiezen lieten trekken en de rest van hun leven met een vals gebit rondliepen.'

'Goed. Bedankt, Geoff.' Banks was altijd van mening geweest dat het idee dat je vrijwillig betaalde om zoveel pijn te mogen lijden de kern symboliseerde van het masochisme.

'Een andere optie is natuurlijk dat het oorlogstijd was.'

'Hoe kom je daar zo bij?'

'Dat lijkt me niet meer dan logisch. De meeste goede jonge tandartsen en huisartsen zaten in het leger en alleen de oude stakkers waren achtergebleven. Slechte materialen. Het was moeilijk om gebitsreparaties te laten uitvoeren. Het leger had altijd de hoogste prioriteit.'

'Dat is zo. Daar had ik nog niet aan gedacht.'

'En dan is er nog iets.'

'En dat is?'

'De National Health Service is pas in 1948 in het leven geroepen. Daarvóór moest iedereen zelf voor de kosten van een gebitsbehandeling opdraaien. De arbeidersklasse kwam er ook in dat opzicht uiteraard weer het bekaaidst vanaf.'

'Vertel mij wat,' zei Banks, die zich nog goed herinnerde hoe zijn vader na een lange werkdag in de staalfabriek zwijgend en uitgeput was thuisgekomen, en zijn moeder 's avonds vaak op de bank in slaap was gevallen nadat ze de hele dag de huizen van anderen had schoongemaakt. 'Dus we moeten mogelijk rekening houden met twee factoren: oorlogstijd en arme komaf.'

'Inderdaad.'

'Nogmaals bedankt, Geoff. Als ik ooit iets voor jou kan doen...'

'Ik verzin wel wat. En als je haar tandarts en zijn dossiers weet op te sporen...'

'We doen ons best,' zei Banks. 'Het is alleen wel erg lang geleden. Stel dat die tandarts nog in leven is, zou hij dan zulke oude dossiers hebben bewaard?'

'Goede vraag. Veel succes, Alan. Ik spreek je nog wel.'

Banks legde de hoorn neer en leunde achterover in zijn stoel om na te denken over wat hij zojuist had gehoord. Zowel Ioan Williams als Geoff Turner was er zeker van dat het geraamte daar begraven had gelegen voordat het Thornfield-reservoir eerder deze zomer was drooggevallen, en dr. Williams had tevens aangegeven dat het er op zijn vroegst begin jaren dertig kon zijn verstopt. Dus was het geraamte jonger dan honderd en eerder tussen de vijftig en zestig jaar oud. Als het slachtoffer inderdaad tussen de twee- en achtentwintig was geweest toen ze werd vermoord, zou ze nu dus waarschijnlijk tussen de zeventig en tachtig zijn geweest als ze nog had geleefd. Niet alleen zou zíj dan nu nog in leven kunnen zijn, maar ook haar moordenaar en mogelijke getuigen, of op zijn minst mensen die haar hadden gekend.

De zaak nam steeds serieuzere vormen aan. De overblijfselen die in het Thornfield-reservoir waren opgegraven, waren voor hem niet langer zomaar een verzameling smerige oude botten; voor Banks' geestesoog nam de vrouw langzaam maar zeker een vleselijke gedaante aan. Hij had geen idee hoe ze er had uitgezien, maar in gedachten zag hij al een soort amalgaam voor zich van de grote filmsterren uit de oorlog, gekleed in de mode van die tijd: Greer Garson, Deanna Durbin, Merle Oberon. Als hij haar naam kon achterhalen, dan zou ze voor hem nog meer gaan leven.

Hij keek op zijn horloge. Net na vieren. Als hij nu op pad ging, kon hij over ongeveer een uur in Harkside zijn. Meer dan genoeg tijd om aantekeningen uit te wisselen met Annie.

5

Het huwelijk van Matthew en Gloria was een relatief kleinschalige aangelegenheid. Enkele familieleden, onder wie een paar verre ooms, tantes, neven en nichten die ik in geen jaren had gezien, kwamen helemaal uit Eastvale en Richmond om erbij aanwezig te zijn. Gloria had natuurlijk geen familie, dus de rest van de gasten bestond uit mensen uit het dorp. Meneer en mevrouw Kilnsey van de boerderij waren er, hoewel meneer Kilnsey zich toen hij de anglicaanse kerk binnenging, kweekvijver van afgoderij, enorm ongerust leek te maken over zijn sterfelijke ziel.

Gloria had erop gestaan dat Michael Stanhope werd uitgenodigd, met wie ze een innige vriendschap had gesloten, en hij voelde zich in deze gewijde omgeving ogenschijnlijk net zomin op zijn gemak als meneer Kilnsey. Hij was gelukkig nuchter en had de moeite genomen om zich te scheren, zijn haar te kammen en een fatsoenlijk, zij het ietwat afgedragen, glimmend pak aan te trekken. Hij dacht er ook aan om tijdens de dienst zijn hoed af te zetten.

Ik moet toegeven dat Gloria een prachtig, stralend bruidje was. Met haar engelachtige gezichtje en wereldse figuurtje had ze natuurlijk van nature al een voorsprong op de rest. Hoewel ze voortreffelijk kon naaien, had ze besloten dat het handiger was om haar trouwjurk te kopen. Ze had er bij Foster's in Harkside een gevonden die in de aanbieding was voor twee pond en tien shilling. Het was een eenvoudige witte jurk, niet echt uitbundig en zonder een kilometers lang achter haar aan kronkelende sleep, maar elegant en smaakvol. Omdat kant niet op de bon was, maakte ze zelf een sluier. Ik weet niet of ze haar krullen met suiker en water had verstevigd, maar de glanzende blonde pijpenkrullen vielen in een nog fraaiere waterval dan anders op haar schouders.

Vrijwel onmiddellijk nadat moeder hun haar zegen had gegeven, had Gloria haar trouwjurk gekocht, dus zij was al helemaal voorzien toen op de zondag voor het huwelijk plotseling ook kleding op de bon ging. Dat zul je ook altijd zien. Gelukkig waren we er toen allemaal allang aan gewend dat nieuwe kleding buiten ons bereik lag en dat we het moesten doen met wat we hadden. Matthew diepte zijn enige pak op en we lieten het reinigen en oppersen. Het zou hem een halfjaar aan kledingbonnen hebben gekost om zich in het nieuw

93

te steken. Moeder trok haar mooiste bloemetjesjurk aan, die er met een riempje hier en wat kant daar toch als nieuw uitzag, en ze kocht speciaal voor de gelegenheid een hoed, evenals kant en lint een van de weinige kledingstukken die niet op de bon waren.

Cynthia Garmen en ik waren de bruidsmeisjes en we droegen bij elkaar passende tafzijden jurken die van oude gordijnen waren gemaakt. Ik had wat kant in stroken geknipt en daar onze onderbroek mee af gezet, zodat we ons extra feestelijk zouden voelen. Ik weet niet hoe het Cynthia is vergaan, want ze heeft er nooit iets over gezegd, maar door die dingen heb ik de hele kerkdienst lang jeukende bovenbenen gehad.

7 juni 1941 was een prachtige dag en de wolken spelden als druppels gemorste melk Arabische lettertekens in de lucht.

De plechtigheid verliep keurig. De eerwaarde Graham ging met zijn gebruikelijke redenaarstalent en ernst voor in de dienst. Barry Naylor, Matthews getuige, was de ring niet vergeten en iedereen kende zijn tekst. Niemand viel flauw, ook al was het bijzonder warm in de kerk. Moeder plengde een paar tranen. Vanwege de papierschaarste was er natuurlijk geen confetti en er ontbrak nog iets, maar ik besefte pas veel later op de avond wat dat was en al die tijd bleef het gevoel in mijn achterhoofd zeuren.

We gingen naar buiten voor de foto's. Film was duur en moeilijk te krijgen, maar we waren niet van plan om Matthews trouwdag voorbij te laten gaan zonder die op een of andere manier visueel vast te leggen, en een van zijn vrienden bij de Home Guard, Jack Cheswick, zag zichzelf graag als een soort amateurfotograaf. Meneer Truewell, de drogist, was ook de kwaadste niet en de film kostte ons uiteindelijk slechts twintig Passing Cloud-sigaretten. Tot onze grote vreugde waren de foto's goed gelukt, maar helaas is het fotoalbum tijdens een van de latere verhuizingen zoekgeraakt.

We hielden de receptie in de zaal naast de kerk. Ik had het grootste deel van de catering natuurlijk voor mijn rekening genomen, maar kon de laatste voorbereidingen met een gerust hart aan mijn hulpjes Sue en Olive overlaten. We hadden in Leeds een verzoek moeten indienen om extra bonnen en Sue, die zelf een paar maanden eerder was getrouwd, had me aangeraden om het verwachte aantal gasten te verdubbelen. Daarom had ik opgegeven dat er honderd mensen zouden komen. Desondanks kregen we maar zestig gram thee en moesten we een deel van ons eigen rantsoen opofferen om een ook maar enigszins drinkbaar brouwsel te krijgen.

Gelukkig hadden we net de eerste lading Amerikaans voedsel van de Lend-Lease binnengekregen in de winkel, dus er was gekookte ham in blik voor sandwiches en worstvlees in blik waar je geweldige saucijzenbroodjes van kon maken, omdat je het vet dat in het blikje achterbleef kon gebruiken voor het deeg. Er was niet echt veel te drinken, behalve een vaatje waterig bier dat van de Shoulder of Mutton afkomstig was en een restje zoete sherry die we al die tijd in de kast hadden staan. Meneer Stanhope schonk ons een fles gin en wat wijn. De taart was op een enorme teleurstelling uitgedraaid. Het gebruik van glazuur was bijna een jaar eerder verboden, dus we moesten ons behelpen met karton en crêpepapier. Op de foto's zag het er nog wel aardig uit.

Het hoogtepunt van de receptie was de band. Matthews vriend Richard Bright speelde trompet in de Victor Pearson Dance Band en minstens de helft van de band kwam op de bruiloft spelen in ruil voor een maaltijd.

Gloria en Matthew openden natuurlijk de eerste dans en toen ik hen zo zag, kreeg ik een brok in mijn keel. Daarna mocht iedereen meedoen. De muziek was wel aardig, als het tenminste je smaak was, maar ik vond de meeste nummers te luidruchtig en druk of juist te weeïg en sentimenteel.

Ik sprak Michael Stanhope even, die opmerkte hoe mooi Gloria eruitzag en dat Matthew een bofkont was. Voor de verandering zei hij eens een keer niets akeligs over de oorlog. Betty Warden had op een of andere manier een uitnodiging weten los te peuteren en sloeg het grootste deel van de avond alles en iedereen afkeurend met haar neus in de lucht gade, maar ik moet zeggen dat ze een heel ander mens leek toen ze met William Goodall danste. Hij trouwens ook. Ze kregen allebei bijna iets menselijks.

Alice Hill was vrolijk en spraakzaam als altijd, en ik vermoed dat ze op die avond ontdekte dat ze Eric Poole wel heel aardig vond. Ze dansten in elk geval heel vaak heel dicht tegen elkaar aan.

Op een gegeven moment kwam Gloria, die zich inmiddels had omgekleed en een lange, uitwaaierende rok met een roze blouse droeg, naar me toe; op haar voorhoofd en bovenlip glinsterden een paar zweetdruppeltjes, omdat ze kort daarvoor nog heel enthousiast had gedanst. Haar ogen straalden. Ik had het idee dat ze een paar drankjes op had.

Ze legde haar zachte, smalle handje op mijn arm. 'Dit is de gelukkigste dag van mijn leven, Gwen,' zei ze. 'Weet je, een halfjaar geleden was ik er nog van overtuigd dat ik nooit meer zou kunnen lachen of dansen. Maar dankzij jou, je moeder en natuurlijk mijn lieve Matt... Dank je wel, Gwen, dank je wel.' Toen boog ze zich snel voorover, omhelsde me en gaf me een kus op mijn wang. Het was een erg onhandig gebaar, en omdat ze zo klein was, moest ik me bukken. Haar adem rook naar gin. Ik weet zeker dat ik bloosde, maar ze zei er niets over.

'Ik heb je nog niet zien dansen,' zei ze.

Ik schudde mijn hoofd. 'Ik dans niet. Ik bedoel, ik kan niet dansen.'

'Ik leer het je wel,' zei ze. 'Niet nu, natuurlijk... maar ik zal het je wel leren. Vind je dat goed?'

Ik knikte verbouwereerd. 'Ja. Als je dat wilt.'

'Dat is wel het minste wat ik kan doen.'

Ze liep weg om een praatje te maken met moeder en Cynthia, en keek iedereen die ze tegenkwam stralend aan met die aan Hardy's heldin toebehorende ogen van haar.

Ik zette mijn beste beentje voor, wandelde van tafel naar tafel, was beleefd tegen mijn verre familieleden en verwijderde oom Geralds hand van mijn knie zonder aandacht te vestigen op het feit dat hij daar lag.

De dorpsbewoners vertrokken tegen zonsondergang om ervoor te zorgen dat hun verduisteringsgordijnen allemaal goed hingen. Onze familie logeerde bij vrienden in Harkside, en ook zij vertrokken een voor een, voordat het te donker werd om de weg die door de velden liep te kunnen zien.

Matthew en Gloria gingen naar Bridge Cottage om daar hun eerste nacht als man en vrouw door te brengen. Of het ook hun eerste keer samen was, weet ik niet. Het is tegenwoordig misschien moeilijk te geloven, nu iedereen zo'n wereldwijze houding aanneemt over seks, maar ik wist indertijd van toeten noch blazen. Ik had bijvoorbeeld geen flauw benul wat mannen en vrouwen nu eigenlijk precies deden om baby's te maken.

De volgende dag gingen ze op een driedaagse huwelijksreis naar Scarborough. Matthew had al een kamer gereserveerd in een pension in St. Mary's, vlak bij het kasteel. Daarna moest Matthew terug naar de universiteit omdat de tentamens daar binnenkort zouden beginnen, en Gloria moest naar Top Hill Farm, hoewel ze van nu af aan in Bridge Cottage zou wonen en lopend of met de fiets naar haar werk zou gaan.

Toen ik eindelijk dodelijk vermoeid in mijn eentje vertrok om naar huis te gaan, stond moeder in de deuropening met Sue en Olive te praten. Het was een lange, zware dag geweest.

Hoewel het al laat was, hing er in het westen achter de donkere vlasserij nog altijd een diepe, paarsrode gloed in de lucht. Het was stil in de straten, ook al kon ik achter me nog steeds de muziek horen die uit de zaal naast de kerk opklonk. Toen ik thuiskwam, controleerde ik of de verduisteringsgordijnen stevig waren dichtgetrokken en klom ik uitgeput in bed.

Pas toen ik al half slapend het gonzende, dreunende lawaai opving van de bommenwerpers die vanaf de RAF-basis bij Rowan Woods opstegen, schoot me te binnen wat me na de huwelijksplechtigheid dwars had gezeten.

Niet alleen was er geen confetti geweest, maar er hadden ook geen kerkklokken geluid. Sinds 1940 zwegen alle kerkklokken; ze mochten alleen worden geluid wanneer er een invasie plaatsvond. Het was me alleen niet direct opgevallen, omdat ik zo aan de stilte gewend was geraakt.

Ik vond het erg treurig en huilde mezelf die nacht in slaap.

Toen ze voetstappen op de trap hoorde, bleef Annie afwachtend met een stoffige dossiermap in haar handen staan. Ze hoopte dat het agent Gould was die haar een kop thee kwam brengen en keek verbaasd op toen ze in plaats daarvan inspecteur Banks zag opdoemen.

'Inspecteur Harmond zei dat je hier beneden was,' zei Banks.

Annie stak haar neus in de lucht en gebaarde om zich heen naar de muf ruikende, slechtverlichte kelderruimte. 'Welkom in ons archief,' zei ze. 'Het zal u wel duidelijk zijn hoe vaak we hier in ons eigen verleden duiken.'

'Maak je geen zorgen. Er komt een dag dat dit allemaal in de computer te vinden is.'

'Als ik oud en grijs ben, zeker.'

Banks dook glimlachend onder een laaghangende leiding aan het plafond door en kwam naar haar toe. 'Al iets gevonden?'

'Eigenlijk best veel. Ik heb het grootste deel van de dag aan de telefoon gehangen en loop nu een aantal dossiers van vermiste personen na.'

'En?'

'Het is voor dat soort dingen een tamelijk verwarrende periode, zo vlak na de oorlog. Heel veel veranderingen, heel veel mensen ook die kwamen of gingen. Maar goed, de meeste mensen die als vermist werden opgegeven, kwamen uiteindelijk wel weer boven water, dood of levend, en in een aantal gevallen in de koloniën. Een paar jonge vrouwen die aan de algemene omschrijving voldoen zijn echter niet teruggevonden. Ik zal proberen na te gaan of er verder iets over hen bekend is.'

'Zin in een biertje? De Black Swan?'

Annie glimlachte. 'U haalt me de woorden uit de mond.' Wat een opluchting. Ze zou al dolblij zijn geweest met een gewoon kopje thee, maar het vooruitzicht van een glas Swan's Down was nog veel aantrekkelijker. Ze had een groot gedeelte van de middag in de smoorhete, stoffige kelder doorgebracht en nu zat haar mond vol stof en begonnen haar contactlenzen uit te drogen. Bovendien was het vrijdag en al na vijven.

Enkele minuten later zat ze met haar benen voor zich uitgestrekt en haar enkels over elkaar geslagen op een lekker zacht plekje op een bank achter een halfleeggedronken glas; ze smakte goedkeurend met haar lippen. Als ze een kat was geweest, had ze nu zitten spinnen.

'Ik heb eerst navraag gedaan bij het kiesregister,' zei ze, 'maar een medewerker van het gemeentehuis vertelde me dat daarin na het uitbreken van de oorlog geen wijzigingen meer zijn opgenomen. De laatste die volgens hun gegevens in Bridge Cottage woonde, is een zekere mevrouw Violet Croft. Bij het kadaster had ik iets meer geluk. Violet Croft huurde de cottage van de familie Clifford en de beheerder heeft de boeken uiterst nauwkeurig bijgehouden. Ze heeft daar van 14 september 1919 tot 3 juli 1940 gewoond en is beslist die oude dame waar Ruby Kettering het over had, die vrouw die volgens de dorpskinderen een heks was. Daarna heeft de cottage leeggestaan tot juni 1941, toen een zekere meneer en mevrouw Shackleton er hun intrek namen. In de tussenliggende periode is hij waarschijnlijk in gebruik geweest als opvang voor evacués of als huisvesting voor ingekwartierde militairen, maar daar zijn verder geen gegevens over bekend en er is geen enkele manier om daar nu nog achter te komen.'

'Ik betwijfel of er tijdens de oorlog veel woningen lang leeg hebben gestaan,' zei Banks. 'Denk je dat het mogelijk is dat een paar soldaten die daar gelegerd waren in een dronken bui een plaatselijke hoer hebben vermoord en toen besloten om de sporen van hun daden uit te wissen?'

'Het zou kunnen.' Annie rilde even.

'Het was tenslotte oorlogstijd,' vervolgde Banks. 'Legerkampen en luchtmachtbases schoten van de ene dag op de andere als paddestoelen uit de grond. Grote groepen evacués kwamen en gingen. Het was toen heel gemakkelijk om spoorloos te verdwijnen, een andere identiteit aan te nemen en door de mazen heen te glippen.'

'Maar iedereen had een persoonsbewijs en een bonnenboekje op naam. Dat vertelde die medewerker van het gemeentehuis me tenminste. Volgens hem bestond er aan het begin van de oorlog een soort landelijke burgerlijke stand, de National Registry, en kreeg iedereen een persoonsbewijs.'

'Ik kan me zo voorstellen dat er met dat soort dingen gemakkelijk kon worden gesjoemeld. Wie weet, misschien hebben we hier wel te maken met een nazi-spion die door de geheime dienst om zeep is geholpen.'

Annie lachte. 'Een Mata Hari?'

'Wellicht. Maar goed, wat is er met mevrouw Violet Croft gebeurd?'

Annie sloeg een pagina van haar opschrijfboekje om. 'Vervolgens ben ik naar St. Jude's gegaan, waar ik een zeer behulpzame jonge dominee aantrof. Alle oude kerkarchieven en blaadjes van St. Bart's liggen daar opgeslagen. Hele dozen vol. Violet Croft, trouw kerkgangster en ongehuwd, is in juli 1940 overleden aan longontsteking. Ze was zevenenzeventig jaar.'

'Dan kunnen we haar van ons lijstje strepen. En de Shackletons?'

'Nu wordt het echt interessant. Ze zijn op 7 juni 1941 in St. Bart's getrouwd. Hij heette Matthew Stephen Shackleton, zij Gloria Kathleen Stringer. Getuigen waren Gwynneth Shackleton en Cynthia Garmen.'

'Inwoners van Hobb's End?'

'Matthew Shackleton wel. Zijn ouders woonden aan de High Street, op nummer 38. Ze hadden daar een tijdschriftenzaakje. De bruid was volgens deze gegevens afkomstig uit Londen en haar ouders waren overleden.'

'Grote stad,' mompelde Banks. 'Hoe oud was ze?'

'Negentien. Geboren op 17 september 1921.'

'Interessant. Dan viel ze tegen het eind van de oorlog in de leeftijdscategorie die dr. Williams noemde.'

'Precies.'

'Is er iets bekend over eventuele kinderen?'

'Nee. Ik heb het doopregister doorgenomen, maar daar staat niets in. Denkt u dat hij zich daarin vergist zou kunnen hebben?'

'Ik denk het niet. Je hebt zelf de holte gezien.'

'Ik zie het verschil tussen een door partus ontstaan litteken en een gat in de grond niet eens. Dergelijk letsel kan toch evengoed na het overlijden zijn aangebracht? Dat soort dingen is immers zelden nauwkeurig te bepalen.'

'Het zou kunnen. We zullen een balletje opgooien bij dr. Glendenning wanneer hij klaar is met de lijkschouwing. Volgens mij zie ik in een visioen St. Catherine's House in jouw naaste toekomst opdoemen.'

Annie kreunde. Het controleren van geboorte-, huwelijks- en overlijdensaktes was een van de saaiste opdrachten die je als agent maar kon krijgen. Het enige positieve eraan was dat je naar Londen mocht, maar zelfs dat leverde tegenwoordig maar weinig meer op nu het hoofdbureau zo'n gebrek aan bereidheid toonde om de onkosten voor een overnachting op te hoesten. Tijd om even lekker te winkelen was er niet meer bij.

'Heb je nog geluk gehad bij de wethouder van Onderwijs?' vroeg Banks.

'Nee. Ze beweren dat de dossiers uit Hobb's End zijn vernietigd of anders zijn zoekgeraakt. Hetzelfde geldt voor de artsen en tandartsen. Degenen die in Hobb's End waren gevestigd zijn allemaal overleden en hun praktijk is na hun dood opgeheven. Hun dossiers zal wel eenzelfde lot beschoren zijn, vermoed ik. Ik denk dat we verder onderzoek in deze richting wel achterwege kunnen laten.'

'Jammer. Wat zegt jouw instinct je, Annie?'

Annie wees met haar duim naar zichzelf. 'Moi?'

'Ja, jij. Ik wil graag weten wat je gevoel je tot dusver over deze zaak zegt.'

Annie was stomverbaasd. Nog nooit had een hogere, leidinggevende agent haar om haar gevoel, haar vrouwelijke intuïtie gevraagd. Banks was beslist anders dan anderen. 'Nou, inspecteur,' zei ze, 'om te beginnen denk ik dat de moordenaar een bekende van het slachtoffer was.'

'Waarom?'

'U vroeg naar mijn gevoel, niet om een logische redenatie.'

'Akkoord.'

'Ik heb het idee dat het binnen het gezin moet worden gezocht. Net als die kerel die zijn vrouw heeft vermoord en toen naar Canada is gevlucht.'

'Dr. Crippen?'

'Die, ja. Ik heb een televisieverfilming gezien met Donald Pleasance in de rol van Crippen. Eng.'

'Crippen heeft zijn vrouw onder de keldervloer begraven.'

'De kelder, het bijgebouw – één pot·nat.'

'Oké, ik begrijp waar je naartoe wilt. Conclusie?'

'Slachtoffer: Gloria Shackleton.'

'Moordenaar?'

'Haar man of iemand anders die haar kende.'

'Motief?'

'Joost mag het weten. Jaloezie, seks, geld – kies zelf maar. Maakt het uit?'

'Heb je aan mevrouw Kettering gevraagd of ze nog contact heeft met iemand die ook in Hobb's End heeft gewoond?'

'Het spijt me. Daar heb ik even niet aan gedacht.'

'Vraag het haar dan alsnog. Misschien kunnen we een paar mensen opsporen die de Shackletons daadwerkelijk hebben gekend. Je weet bovendien maar nooit waar al die oud-inwoners tegenwoordig uithangen. Misschien zit er nog een weekendje Parijs of New York voor ons in.'

Annie zag dat Banks zijn ogen afwendde. Flirtte hij nu met haar? 'Dat zou fijn zijn,' zei ze, en ze probeerde zo neutraal mogelijk te klinken. 'En voor wat het waard is: ik vind het ook typisch iets wat iemand uit het dorp zelf of uit de nabije omgeving zou doen. Het was een goede bergplaats. Ik denk niet dat iemand ooit had kunnen voorspellen dat er een reservoir zou worden gebouwd of dat er een enorme droogte zou komen. Niet dat dat er echt iets toe deed. Ik bedoel, als Adam Kelly niet had gespijbeld en op dat dak had rondgebanjerd, zouden we het nooit hebben ontdekt. Een onvoorziene speling van het lot.'

'Verduisteringsgordijnen.' Banks sloeg met zijn hand op tafel.

'Pardon?'

'Verduisteringsgordijnen. Iets wat John Webb heeft gezegd. Hij vertelde dat ze een soort dikke zwarte stof bij het lichaam hebben gevonden. Op dat moment zag ik het verband nog niet, maar nu klinkt het heel logisch. Het lichaam was in verduisteringsgordijnen gewikkeld, Annie. Geoff heeft het bovendien ook over tandheelkunde in oorlogstijd gehad. Wanneer was die verduistering afgelopen?'

'Tegen zonsopgang, zou ik denken.'

Banks glimlachte. 'Idioot. Ik bedoel natuurlijk: wanneer is het afgeschaft?'

'Dat weet ik niet.'

'Ik neem aan dat we daar snel genoeg achter kunnen komen. Het kan zijn dat het om een restje verduisteringsstof ging, hoewel dat volgens mij hoogst onwaarschijnlijk is, want ik herinner me dat mijn moeder me ooit heeft verteld dat er tijdens de oorlog nooit restjes waren; of misschien was de stof niet langer nodig voor het oorspronkelijke doel, wat mogelijk zou kunnen helpen om het tijdstip van de moord nog preciezer te bepalen. Ik denk echt dat we een misdaad op het spoor zijn die in oorlogstijd is begaan, en alles wijst erop dat Gloria Shackleton het slachtoffer is.'

'Briljant speurwerk, Holmes.'

'Elementair. Goed, voordat we verdergaan, moeten we eerst zo veel mogelijk over haar te weten zien te komen. Wat was haar meisjesnaam ook alweer?'

'Stringer, inspecteur. Gloria Stringer.'

'Goed. We weten al dat ze de juiste leeftijd had, en we weten ook dat ze tijdens de oorlog in Bridge Cottage woonde. Stond ze op de lijst van personen die als vermist waren opgegeven?'

'Niet in de rapporten die ik heb gezien. En haar naam was de eerste die ik heb nagetrokken.'

'Oké. Als je na laten we zeggen 1946 geen melding meer over haar in de plaatselijke archieven aantreft, kunnen we de periode die we moeten onderzoeken nog verder beperken.' Banks keek op zijn horloge. 'Zullen we even iets gaan eten? Ik heb behoorlijk trek. Alleen heb ik geen zin om weer hier te eten. Zijn er ook fatsoenlijke restaurants in Harkside?'

Annie zweeg even en liet al die restaurants de revue passeren waar ze alleen maar een salade voor haar hadden of een hoofdgerecht van vlees met twee groentes waarvan ze het vlees hadden weggelaten; na ons de zondvloed, dacht ze, en terwijl een roekeloos gevoel van opwinding door haar lijf stroomde, zei ze: 'We kunnen ook naar mijn huis gaan, inspecteur.'

Na de huwelijksreis bleef Gloria zich trouw elke ochtend om acht uur bij de boerderij melden voor haar werk en ze kwam elke dag pas om vijf uur of nog later weer thuis. De weekenden bracht ze door in Bridge Cottage, waar ze fris en beeldschoon op Matthews thuiskomst wachtte. Matthew rondde zijn studie weg- en waterbouw af, kreeg een diploma met een eervolle vermelding en begon onmiddellijk aan zijn militaire opleiding in Catterick, wat niet al te ver weg was.

Op een avond hoorde ik dat Gloria erin was geslaagd om een extra halve vrije dag te regelen op de boerderij, zodat ze steeds het hele weekend vrij had, in ruil voor naai- en herstelwerk. Zolang de Kilnseys hun mond hielden, zou haar lokale districtshoofd er niets van hoeven te weten. En zolang Gloria hun kleding bleef herstellen, zouden ze dat heus wel doen.

De meeste dagen had ik het druk met de winkel. In mijn vrije tijd werkte ik mee aan de voorstelling van J.B. Priestleys nieuwe toneelstuk, *When We Were Married*, dat de amateurtoneelvereniging in Harkside zou opvoeren, en ik was veel tijd kwijt aan de repetities.

Ondanks dit alles lukte het ons om af en toe samen in Harkside naar de film te gaan. Gloria was dol op films en soms had ze niet eens genoeg tijd om haar uniform voor iets anders te verwisselen, maar kwam ze met levensgevaarlijke snelheid naar het Lyceum of de Lyric gefietst, waar we hadden afgesproken. Ze slaagde er altijd wel in om iets aparts te doen met haar uiterlijk, een felroze lintje bijvoorbeeld, of een gele blouse in plaats van de bij het uniform horende groene.

Die zomer hadden we voor het eerst dubbele zomertijd, wat inhield dat het veel langer licht bleef. In de herfst en winter moesten we echter altijd in het donker naar huis. Via de velden was het maar zo'n anderhalve kilometer van Harkside naar Hobb's End; er liep echter geen pad en op bewolkte, maanloze nachten kon je urenlang blijven ronddwalen in het pikkedonker en het dorp straal voorbijlopen. Als de maan niet helder scheen, waren we gedwongen om langs de langere route naar huis te lopen: helemaal via Long Hill en langs de Edge, zodat we moesten oppassen dat we niet in het Harkside-reservoir vielen. Omdat Harkside zoveel groter was dan Hobb's End, deed het tijdens de verduistering ook veel spookachtiger aan. Om te beginnen hadden ze er in tegenstelling tot ons wel straatverlichting, en hoewel de lampen natuurlijk niet brandden, waren er langs de palen lange, verticale witte strepen geschilderd om je in het duister op weg te helpen, net als de strepen witte verf die langs de stoepranden waren aangebracht. Sommige mensen hadden zelfs een likje lichtgevende verf op hun deurbel gesmeerd, die als vuurvliegjes langs de straten opgloeiden.

Soms kregen we een lift aangeboden van een aantal RAF-jongens uit Rowan Woods en we sloten zelfs vriendschap met een paar Canadese vliegers die bij de RAF waren ingedeeld: Mark uit Toronto en Stephen uit Winnipeg. Mark was de knapste van de twee en ik had gemakkelijk de hele avond naar zijn zachte, zangerige accent kunnen luisteren. Ik kon aan de manier waarop hij naar Gloria keek zien dat hij haar leuk vond. Hij raakte haar vaak aan, bood haar bijvoorbeeld zijn hand om haar te helpen bij het instappen in de jeep en legde zijn hand tegen haar schouderblad wanneer hij de deur voor haar openhield en haar naar binnen of buiten leidde. Gloria vond het zo te zien wel grappig.

Stephen had een hoge piepstem, flaporen en haar dat me deed denken aan plukken stro die op zijn hoofd waren geplakt, maar hij was wel aardig. Soms gingen we met hen naar de film en ze gedroegen zich allebei voorbeeldig.

In september nam ik Gloria op haar twintigste verjaardag mee naar Brunton's Café aan Long Hill, waar we ons te goed deden aan gegrilde worst met aardappelpuree en gebraiseerde boterbonen, gevolgd door jamcake met custard. Matthew kon er niet bij zijn, omdat het een doordeweekse dag was, maar Gloria liet me zien wat hij haar al als verjaardagscadeau had gegeven. Het was een prachtig hartvormig gouden medaillon; op de buitenkant stonden hun door elkaar gevlochten namen gegraveerd en binnenin zat een foto van hen samen die uit een van de trouwfoto's was geknipt. Na het eten gingen we met een bolle buik naar het Lyceum om *Ziegfeld Girl* te zien, met Jimmy Stewart en Lana Turner. De film was zo gedenkwaardig dat ik me de volgende dag niet één melodie meer kon herinneren.

Het was uiteraard Gloria's keuze geweest. Helaas liep onze smaak wat dat betreft nogal uiteen. Gloria was dol op leeghoofdige Hollywood-mucials en romantische komedies met beeldschone actrices en razendknappe acteurs, terwijl ik juist de voorkeur gaf aan iets met wat meer vlees op de botten, een verfilming van een literaire klassieker bijvoorbeeld. Ik bleef meestal liever thuis om naar de hoorspelen van de Home Service te luisteren en heb echt genoten van onder andere Gaskells *Cranford* en Thackerays *Vanity Fair*.

Het was echter Gloria's verjaardag en zij mocht zeggen waar we heen gingen. Ze vond het Lyceum de fijnste bioscoop vanwege de rode pluchen stoelen en het orgel dat langzaam en majestueus door het luik omhoogrees met daarachter de beroemde Teddy Marston, die gewoonlijk *The White Cliffs of Dover*, *Shine On Victory Moon* en meer van dergelijke vaderlandslievende melodieën speelde. Wanneer Gloria dat hoorde, kreeg ze altijd tranen in haar ogen. Daarna werden de lichten gedimd en werd het zware roodfluwelen gordijn langzaam opgetrokken.

Soms gingen Alice, Cynthia en Betty met ons mee naar de film, en zelfs Michael Stanhope liet zich een enkele keer verleiden. Hoewel hij ons dan op de terugweg vaak vermaakte met zijn ironische, kritische commentaar, stelde het me een beetje teleur dat hij blijkbaar eerder geneigd leek tot Gloria's soort film dan tot iets substantiëlers. Hij werd immers verondersteld een serieus kunstenaar te zijn.

Ik vroeg me vaak af waar Gloria en hij het over hadden wanneer ze samen in de Shoulder of Mutton iets gingen drinken. Ik was natuurlijk nog te jong om met hen mee te gaan en ze zouden me ook niet hebben meegevraagd. Ik ga er maar van uit dat ze lange, ingewikkelde gesprekken hadden over de diepere betekenis van Hollywood-musicals.

Matthew en Gloria richtten Bridge Cottage zo goed en zo kwaad als dat ging in. De overheid zou pas veel later een verbod uitvaardigen op het maken van de meeste meubelsoorten, maar toch waren goede spullen ook toen al erg duur of niet te vinden. Zelfs voor de eenvoudigste dingen, zoals gordijnroedes en kapstokhaakjes, moest je enorm veel moeite doen. Soms bezochten ze in het weekend een veiling, waar ze dan een oud dressoir, een kledingkast of een ladekast op de kop tikten, en zo wisten ze stukje bij beetje hun huis op een smaakvolle, hoewel niet direct bijzonder elegante manier te meubileren. Bridge Cottage veranderde in een thuis.

Gloria's grootste trots was de radio-grammofoon die ze van de Coopers hadden overgenomen, wier zoon John om het leven was gekomen toen *The Prince of Wales* vlak voor de kerst tot zinken werd gebracht. John was er bijzonder trots op geweest en zijn vader en moeder konden de aanblik van het toestel na zijn overlijden niet langer verdragen.

Gloria was haar belofte dat ze me dansles zou geven niet vergeten en vrijwel elk weekend bracht ik een uur of twee in Bridge Cottage door, waar Matthew dan altijd de avondkrant zat te lezen. Het voelde vreemd aan wanneer ze haar armen om me heen sloeg. Haar lichaam was zo zacht en ik kon haar parfum ruiken: Evening in Paris. Ze was een goede lerares, maar omdat ze zoveel kleiner was dan ik was het aanvankelijk wat onhandig dat zij mij moest leiden. Ik raakte er echter al snel aan gewend. Ik was ook een goede leerlinge. Binnen een paar weken had ik de wals, de quickstep en de foxtrot onder de knie. Ik probeerde mijn nieuwe verworvenheden op 5 november uit tijdens de Guy Fawkes-dansavond in het cultureel centrum in Harkside. We mochten tijdens de oorlog natuurlijk geen vreugdevuren ontsteken, maar daarom konden we Guy Fawkes Night nog wel vieren. Het dansen ging uitstekend en dat was bijzonder goed voor mijn zelfvertrouwen.

Tegen Kerstmis was Matthews opleiding bijna voltooid en er was al gesproken over de legereenheid waar hij zich bij zou aansluiten. Ik vroeg hem of hij een aanstelling zou krijgen als officier, maar hij vertelde me dat hij dat betwijfelde. Hij was op gesprek geweest en was voor een onaangename verrassing komen te staan toen de commissie hem had gevraagd wat zijn ouders voor werk deden en hoe vaak hij had deelgenomen aan de plaatselijke vossenjacht. Volgens hem was de kans dat de zoon van een winkelier een aanstelling als officier zou krijgen heel gering.

Tijdens een feestje dat Gloria en Matthew rond die kerst gaven, kreeg ik voor het eerst het vermoeden dat Gloria een probleem had met mannen.

Annies huis bleek een vierkante, kleine cottage te zijn en maakte deel uit van een rijtje dat zich in het midden van een doolhof bevond. Banks liet zijn auto bij het dorpsplein staan en volgde haar door een wirwar van smalle, slingerende straatjes en steegjes, langs achtertuinen waar de was aan waslijnen in de avondzon te drogen hing, waar kinderen speelden of waar zich achter stevige tuinpoorten blaffende honden ophielden, en was binnen een mum van tijd de weg kwijt.

'Waarom denk ik steeds dat ik een stuk touw had moeten vastbinden aan de Black Swan?' vroeg hij toen hij achter haar over een paadje liep dat zo smal was dat je niet naast elkaar kon lopen.

Annie wierp een blik over haar schouder en glimlachte. 'Zoals Theseus, bedoelt u? Ik hoop dat u niet denkt dat ik de Minotaurus ben, omdat ik in het hart van een labyrint woon.'

Banks' mythologische kennis was enigszins roestig, maar hij kon zich nog wel herinneren dat hij onder de indruk was geweest van een eeuwenoude vaas die hij tijdens een schoolreisje in het British Museum had gezien. Er had een afbeelding op gestaan van Ariadne die bij de ingang van het labyrint het ene uiteinde van de draad vasthield en Theseus die in het hart ervan de Minotaurus doodde.

Hij had zelfs de overblijfselen van het echte labyrint gezien in het paleis van Knossos op Kreta, waar een pedante gids die behept was met een zware aandoening van synonymitis alles voor Sandra en hem had willen verklaren, terwijl zij alleen maar uit alle macht probeerden een proestbui te onderdrukken. 'Dit is de troon van koning Minos, zijn koninklijke zetel, zijn staatshoofdelijke zitplaats... En ze brachten haar lichaam naar de heuvel, de helling, de rots, de berg.' Hij zag de olijfbomen weer voor zich met hun zilvergroene olieachtige bladeren en de sinaasappelbomen die langs de weg naar Heraklion stonden.

Dit was echter niet het juiste moment om aan Sandra te denken.

Hij stond op het punt om zich te laten ontvallen dat hij Annie eerder als Ariadne zag, omdat ze waarschijnlijk de enige was die hem weer uit de doolhof naar buiten kon leiden, maar hij slikte zijn woorden in. Als je bedacht wat er op Naxos tussen Theseus en Ariadne was voorgevallen, was dat misschien niet zo'n verstandig idee.

Hij volgde Annie nog dieper het labyrint in.

Haar sleutels rinkelden al in haar hand. 'We zijn er bijna,' zei ze met een blik over haar schouder; ze deed een hoge houten poortdeur in een stenen muur open en leidde hem door een kleine betegelde achtertuin naar de achterdeur. 'Waar parkeer jij je auto eigenlijk?' vroeg Banks.

Annie liet haar sleutelbos op de keukentafel vallen en lachte. 'Heel ver hiervandaan. Oké, het is wat klein en er is bar weinig uitzicht en licht. Maar het is wel betaalbaar en het is van mij. Nou ja, het zal ooit van mij zijn, zodra ik de hypotheek heb afbetaald. U weet vast wel hoe het is wanneer je pas brigadier bent.'

'Jazeker. Ik weet zelfs hoe het is om een doodgewone agent te zijn.' Banks kon zich die dagen waarop ze de eindjes met moeite aan elkaar hadden weten te knopen, vooral toen Tracy en Brian nog klein waren en Sandra een tijdlang niet had kunnen werken, heel goed herinneren. In die tijd bestond er niet zoiets als ouderschapsverlof. Al helemaal niet voor tandartsassistentes. Zelfs nu hij inspecteur was, kon hij zich de cottage eigenlijk al nauwelijks veroorloven. Hij moest plaatselijke veilingen en tweedehandsmarkten aflopen om zijn cottage te kunnen meubileren. Dit jaar zat een vakantie naar Griekenland er niet in. 'Jij krijgt tenminste je overwerk uitbetaald,' zei hij. 'Waarschijnlijk verdien je meer dan ik.'

'In Harkside? Laat me niet lachen.' Annie ging hem voor naar de woonkamer. Die was klein, maar knus en in witte, citroengele en crèmetinten geschilderd om het gebrek aan daglicht te compenseren. Het gevolg was dat de kamer luchtig, licht en vrolijk aandeed. Er was net voldoende ruimte voor een klein wit bankstel met een bank die waarschijnlijk amper groot genoeg was voor twee superslanke mensen, een televisie, een ministereo en een kleine boekenkast onder het raam. Aan de muren hingen een paar kleine aquarellen, groten-deels landschappen uit de omgeving. Banks herkende Semerwater, Aysgarth Falls en Richmond Castle. Ook hing er een olieverfschilderij van een jonge vrouw met prerafaëlitisch golvend haar en lachende ogen.

'Wie heeft die schilderijen gemaakt?' vroeg hij.

'Ik. De meeste tenminste.'

'Ze zijn erg goed.'

Annie keek gegeneerd. 'Ik vind van niet. Niet echt. Oké, ze kunnen er wat techniek betreft wel mee door, maar verder...' Ze hief haar hand op en streek haar haren naar achteren. 'Ik voel me eigenlijk nogal groezelig na die kelder. Ik ga boven even snel douchen en daarna begin ik aan het eten. Ik ben zo klaar. Doe alsof u thuis bent. Als u het warm hebt, kunt u het raam openzetten. Er staat een flinke voorraad bier in de koelkast. Pakt u zelf maar iets.' Ze draaide zich om en liep de kamer uit. Banks hoorde de traptreden kraken toen ze naar boven liep.

Deze vrouw was moeilijk te doorgronden, dacht hij peinzend. Ze had een in-specteur te gast in haar huis, haar eigen baas nota bene, maar niets in haar ge-drag jegens hem wees erop dat zij in hun relatie de rol van ondergeschikte vertolkte. Ze gedroeg zich tegenover iedereen hetzelfde en schikte zich niet in de verschillende rollen die andere mensen allemaal wél in hun leven spelen. Hij vermoedde dat ze zich tegenover Jimmy Riddle precies zo zou opstellen. Niet dat hij hoopte dat ze die klootzak ook bij haar thuis zou uitnodigen, dacht Banks. Hij hoorde dat de douche werd aangezet. Hoewel de cottage klein was, was hij niet echt oud, niet zo oud als die van hem, en waren er een badkamer en toilet op de eerste verdieping. Hij vermoedde echter dat An-nie die douche zelf had laten installeren, want hij kon onmogelijk deel hebben uitgemaakt van het oorspronkelijke ontwerp.

Hij deed wat hij altijd deed wanneer hij alleen werd gelaten in een onbekende kamer: hij neusde wat rond. Hij kon het niet laten. Zijn nieuwsgierigheid was een aangeboren eigenschap. Hij trok geen lades open en las evenmin persoon-lijke post door, tenzij hij natuurlijk vermoedde dat hij met een misdadiger van doen had, maar hij snuffelde graag in boekenkasten en was altijd benieuwd naar de muzikale voorkeuren en de stand van zaken in het algemeen.

Annies woonkamer was vrij Spartaans. Hij zag wel wat boeken en cd's staan, maar het waren er niet veel. Hij kreeg de indruk dat ze op een bepaald mo-ment qua bestaan had moeten inkrimpen en alleen de dingen die echt belang-rijk voor haar waren, waren overgebleven. Er bevond zich zo te zien geen kaf meer tussen het koren. In tegenstelling tot zijn eigen verzameling, waar de miskleunen in grote stapels naast de onbekende pareltjes lagen opgestapeld. Schijfjes waar hij nooit naar luisterde stonden op de plank zij aan zij met een paar die grijs waren gedraaid.

Hij bukte zich en bestudeerde de titels van de cd's in het kastje onder de stereo. Een vreemde collectie: gregoriaanse gezangen, Don Cherry's *Eternal Now* en een aantal sfeerwerken van Brian Eno. Daarnaast was er een uitgebreide bluesverzameling, variërend van Mississippi John Hurt tot John Mayall. En ook een paar pop- en folk-cd's: Emmylou Harris' *The Wrecking Ball*, Kate en Anna McGarrigle, een enkele k.d. lang.

De boeken hadden bijna allemaal betrekking op oosterse filosofie; het was een opmerkelijke, goedgevulde verzameling titels uit de jaren zestig, en dat terwijl Annie zelf typisch een vrouw van de jaren negentig was. Banks kende een aantal van de titels maar al te goed. Hij had ze voor het eerst in Jems kamer gezien, tijdens zijn studietijd in Notting Hill, en sommige ervan had hij zelfs van hem geleend en gelezen: Baba Ram Dass' *Be Here Now*, Gurdjieffs *Ontmoetingen met bijzondere mensen*, Ouspensky, Carlos Castaneda, Thomas Merton, Alan Watts en een paar oude, blauwe Pelican-pockets over yoga, zen en meditatie. Nu hij ze zo voor zich zag, waande hij zich ogenblikkelijk terug tussen de in de kleur van gesmolten boter geverfde muren van de schemerige, met kaarsen verlichte kamer waar naar jasmijn geurende wierookstaafjes brandden; herinnerde hij zich de eerste keer weer dat hij hasj had gerookt, met Arlo Guthries *Alices Restaurant* op de stereo; schoten hem hun serieuze nachtelijke discussies te binnen over Marx en Marcuse, over het veranderen van het systeem, over liefde en revolutie, waarbij Banks zich meer dan eens de rol van conventionele burgerman en advocaat van de duivel had aangemeten. Vriendelijke, zachtaardige Jem, zijn uitgemergelde gezicht altijd in de schaduw, het lange donkere haar tot op zijn smalle schouders, zijn zachte, hese stem en zijn verzet tegen het doden van de muizen die soms tijdens hun gesprekken voor hun neus door de kamer liepen. Zijn platenverzameling: *Rainbow Bridge*, *Bitches Brew*, *Live Dead*, *Joy of a Toy*.

Rare tijden. Vervlogen tijden.

In die dagen had Banks de helft van zijn tijd besteed aan het bestuderen van bedrijfspsychologie en kostenberekeningen, en de andere helft aan het luisteren naar Miles Davis, Jimi Hendrix, Roland Kirk en The Soft Machine. Het ene leidde naar zekerheid en het leven dat zijn ouders voor hem wilden, het andere naar onzekerheid en god mag weten wat nog meer. Armoede en een drugsverslaving, naar alle waarschijnlijkheid. Moeilijk te geloven dat er een tijd was geweest waarin alles op het scherp van de snede had gebalanceerd en hij beide kanten op had kunnen gaan.

Toen overleed Jem en ging Banks bij de politie, een derde optie die hij tot op dat moment zelfs in zijn stoutste dromen niet had overwogen.

De douche werd uitgezet en even later ving Banks het brommende geluid op van een föhn. Hij schudde de herinneringen die als spinnenwebben in zijn hoofd leken te hangen van zich af en liep naar de keuken. Net als in de woonkamer overheersten ook in deze ruimte lichte kleuren, met als contrast voor de vele witte tegels een rand chocoladebruine tegel rond het aanrecht. Een klein fornuis, koelkast, aanrecht, keukenkastjes en daarnaast ook een eettafel. Daar konden waarschijnlijk met gemak vier mensen aan zitten, schatte hij.

Banks deed de koelkast open en pakte een flesje Black Sheep. In een van de laden vond hij een flesopener en in een van de kastjes een bierglas. Voorzichtig schonk hij het bier in het glas zodat er een mooie, kleine kop op kwam; hij nam een slok en liep terug naar de woonkamer. De föhn zweeg en hij hoorde Annie boven rondlopen. Hij haalde *Eternal Now* uit het hoesje en legde hem in de cd-speler. Hij had wel eens van Don Cherry gehoord, een jazztrompettist die vroeger met Ornette Coleman had gespeeld, maar kende zijn werk niet.

Tokkelende akkoorden op vreemd klinkende snaarinstrumenten en het donkere, galmende geluid van een fluitachtig instrument dat zich erdoorheen mengde. Banks zette het geluid zachter, trok het begeleidende boekje uit het hoesje en begon in afwachting van Annies komst te lezen, met de vreemde combinatie van houten saxofoons, Indiase harmoniums en Polynesische gamelans op de achtergrond.

Nog voordat het eerste nummer was afgelopen kwam Annie als een heldere, warme bries de kamer binnengewaaid.

'Een Don Cherry-fan, dat had ik nooit achter u gezocht,' zei ze met een ondeugende grijns.

'Het leven zit vol verrassingen. Ik vind het mooi.'

'Ik had begrepen dat u meer een operakenner was.'

'Navraag gedaan?'

'Roddels op de werkvloer, meer niet. Zal ik dan maar gaan koken?'

Banks glimlachte. 'Uitstekend.'

Ze dook de keuken in. 'U mag me wel gezelschap houden,' riep ze over haar schouder.

Banks legde het cd-hoesje terug op de plank en nam zijn bier mee. Hij nam plaats aan de keukentafel. Annie stond voorovergebogen voor de koelkast en haalde er allerlei groentes uit tevoorschijn. Die spijkerbroek stond haar goed.

'Is pasta goed?' vroeg ze, en ze draaide haar hoofd in zijn richting.

'Geweldig. Het is lang geleden dat ik een zelfbereide maaltijd heb gehad. Tegenwoordig neem ik meestal een snelle hap in een pub of haal ik iets kant-en-klaars bij Marks.'

'Ach ja, redders in nood voor de eenzame eter.'

Banks lachte. Hij vond het grappig en tegelijkertijd ook erg treurig hoeveel jonge, alleenstaande mannen en vrouwen je op doordeweekse dagen even na vijven zag rondlopen op de voedselafdeling van Marks, waar ze garnalen-*vindaloo* in hun mandje legden, van gedachten veranderden en in plaats daarvan voor de eenpersoonsportie kip Kiev kozen met een doosje gemengde groentes. Wellicht een goede plek om een meisje op te pikken, mijmerde hij.

Annie liet een grote pan vollopen met water, deed er een klein beetje zout en olie bij en zette hem op een gaspit. Ze sneed de schoongemaakte champignons, sjalotjes, knoflook en courgette met geoefende gebaren in stukken. Haar bewegingen gingen gepaard met een sobere gratie die Banks zeer hypnotiserend vond; er ging iets natuurlijks en geconcentreerds van haar uit waardoor hij zich op zijn gemak voelde.

Ze liep naar een keukenkastje, haalde er een fles rode wijn uit en ontkurkte die.

'Wilt u ook wat?'

Banks hield zijn glas bier omhoog. 'Ik zal dit eerst maar opdrinken.'

Annie schonk een flink glas voor zichzelf in. De olie in de koekenpan werd snel heet en ze liet er telkens een handvol groente in glijden. Toen die gaar was, voegde ze er tomaten uit blik en een handvol kruiden aan toe. Banks besloot dat koken zijn volgende project zou worden, zodra hij klaar was met het opknappen van de cottage. Iets nieuws om de depressie op afstand te houden. Hij hield van eten en nu hij alleen was, was het niet meer dan logisch dat hij goed leerde koken.

Tegen de tijd dat Banks zijn bier op had, kondigde Annie aan dat het eten klaar was en ze zette twee dampende borden op tafel. Don Cherry was afgelopen en ze zette Emmylou Harris op, met die stem die heel even aan scherpe weerhaakjes in haar keel leek te blijven hangen voordat hij zich naar buiten perste en over eenzaamheid, verlies en verdriet zong. Stuk voor stuk thema's die Banks raakten. Hij strooide versgemalen peper en geraspte parmezaanse kaas over zijn pasta en begon te eten. Na een paar happen gaf hij Annie een complimentje.

'Zo ziet u maar,' zei ze, 'er is veel meer dan alleen salades en tofu. Als vegetariër word je vanzelf creatiever in de keuken.'

'Dat merk ik.'

'Wijn?'

'Graag.'

Annie pakte een fles Bulgaarse merlot van Sainsbury's, vulde haar glas bij en schonk er ook een vol voor Banks. 'Er is nog meer, hoor,' zei ze. 'Weet u, ik zou graag meer te weten willen komen over die kunstenaar uit Hobb's End, Michael Stanhope.'

'Waarom? Denk je dat er een verband is tussen hem en deze zaak?'

'Dat zou best eens kunnen. Hij woonde tenslotte tijdens de oorlog in Hobb's End. Misschien kende hij die mevrouw Shackleton wel. Wellicht zijn er nog meer schilderijen. Wie weet wat die ons kunnen vertellen.'

'Misschien heb je wel gelijk,' gaf Banks toe. 'Hoewel ik er niet zeker van ben in hoeverre kunst als betrouwbaar bewijsmateriaal wordt gezien, zelfs als hij een schilderij van de moord zelf heeft gemaakt.'

Annie glimlachte. 'In technisch opzicht misschien niet, nee. Maar kunstenaars vervormen de werkelijkheid vaak om een dieper liggende waarheid bloot te leggen.'

'Geloof je dat echt?'

Annies ogen, die de kleur van melkchocolade hadden, glansden in de schemering. 'Ja,' zei ze. 'Dat geloof ik echt. Dat geldt trouwens niet voor mijn eigen werk, hoor. Zoals ik al zei: in technisch opzicht kan ik vrij goed meekomen, maar het ontbreekt me aan datgene wat iemand tot een groot kunstenaar maakt. Visie. Passie. Gedrevenheid. Waanzin. Ik kan het niet goed uitleggen. Datgene wat iemand tot een genie maakt, zouden veel mensen zeggen. De realiteit van een ware kunstenaar is net zo steekhoudend als die van ieder ander. Wellicht nog wel meer, omdat een kunstenaar altijd probeert dieper te kijken en te verhelderen.'

'Heel veel kunst is anders verre van verhelderend.'

'Jawel, maar dat komt vaak doordat het onderwerp, die waarheid die hij boven tafel probeert te krijgen, zo ongrijpbaar is dat deze alleen met symbolen of vage beelden kan worden benaderd. Begrijp me goed. Ik wil heus niet beweren dat kunstenaars altijd een soort diepere betekenis willen overbrengen. Het zijn geen predikanten. Wat ik probeer duidelijk te maken, is dat Stanhope beslist iets vreemds heeft opgemerkt aan Hobb's End, iets wat onder de oppervlakte verborgen lag en veel verder reikte dan de oppervlakkige ideeën over het dorpsleven die de meeste mensen hebben. Hij zag dat zich daar iets kwaadaardigs ophield en dat de kinderen mogelijk de verlossing in zich droegen.'

'Is dat niet wat vergezocht? Misschien kwam dat wel door de dreigende oorlog.'

'Ik zeg ook niet dat hij een visionair was. Ik denk alleen dat hij iets zag wat de meeste andere mensen niet konden zien of liever negeerden. Hij keek dieper, en misschien zag hij wel iets wat ons van pas kan komen. Verdomme!'

'Wat is er?'

'O, ik heb net wat pastasaus op mijn shirt gemorst. Het geeft niet.'

Ze grijnsde en wreef over de rode vlek op haar borst. Dat maakte het alleen maar erger. 'Ik kan gewoon niet eten zonder te knoeien.'

'Ik zal het aan niemand vertellen.'

'Bedankt. Waar was ik gebleven?'

'De visie van de kunstenaar.'

'Juist. Het heeft niets te maken met persoonlijkheid. Tijdens zijn leven kan Stanhope best een akelige, wellustige, bezopen luie donder zijn geweest. Neem dat maar gerust van mij aan; ik heb heel wat kunstenaars gekend, en de meeste voldeden uitstekend aan dat beeld. Over mensen die het stereotiepe beeld belichamen gesproken...'

Banks nam nog een slokje wijn. Emmylou Harris zong over iets moois en wits om aan te trekken. Banks meende op de achtergrond Neil Youngs hoge zangstem op te vangen. 'Je weet blijkbaar heel wat van het onderwerp af,' zei hij. 'Heeft dat een bepaalde reden?'

Annie zweeg even, staarde naar haar lege bord en speelde wat met de vork in haar hand. Ten slotte zei ze zachtjes: 'Mijn vader is schilder.'

'Bekend?'

'Niet echt. In sommige kringen misschien.' Ze keek op en glimlachte moeizaam. 'Hij zal nooit de geschiedenis in gaan als een der groten, als u dat soms bedoelt.'

'Ik neem aan dat hij nog leeft?'

'Ray? Jazeker. Hij is net tweeënvijftig geworden. Hij was nog maar twintig toen ik werd geboren.'

'Heeft hij het in zich om een groot kunstenaar te worden?'

'Tot op zekere hoogte. Maar u moet goed beseffen dat er een enorme kloof gaapt tussen iemand als mijn vader en een Van Gogh of Picasso. Het is allemaal heel relatief.'

'En je moeder?'

Opnieuw zweeg Annie even. 'Die is overleden,' zei ze ten slotte. 'Toen ik zes was. Ik kan me haar niet zo goed meer herinneren. Ik zou graag willen dat het anders was, maar zo is het nu eenmaal.'

'Wat verdrietig. Sorry.'

'Nog wat wijn?'

'Graag.'

Annie schonk in.

'Dat olieverfportret in de woonkamer, is dat je moeder?'

Annie knikte.

'Heeft je vader dat geschilderd?'

'Ja.'

'Het is erg goed. Ze was een mooie vrouw. Je lijkt veel op haar.'

Buiten was het bijna donker. Annie had geen lampen aangedaan, dus Banks kon de uitdrukking op haar gezicht niet zien.

'Waar ben je opgegroeid?' vroeg hij.

'St. Ives.'

'Leuk stadje.'

'Kent u het?'

'Ik ben er een paar keer met vakantie geweest. Jaren geleden inmiddels, toen ik nog bij de Met werkte. Niet direct dicht in de buurt.'

'Ik ga er ook lang niet zo vaak naartoe als ik eigenlijk zou moeten. U herinnert zich waarschijnlijk nog wel dat het in de jaren zestig een enorme aantrekkingskracht uitoefende op allerlei hippies. Het is toen een soort kunstenaarscommune geworden.'

'Dat herinner ik me inderdaad nog.'

'Mijn vader woonde er al voor die tijd. In de loop der jaren heeft hij allerlei vreemde baantjes gehad om maar te kunnen blijven schilderen. Het is best mogelijk dat hij u ooit een strandstoel heeft verhuurd. Tegenwoordig schildert hij plaatselijke landschappen, die hij aan toeristen verkoopt. Hij maakt ook wel eens glasgravures. Hij heeft er aardig veel succes mee.'

'Dus hij kan ervan leven?'

'Ja. Hij hoeft in elk geval geen strandstoelen meer te verhuren.'

'Heeft hij jou in zijn eentje opgevoed?'

Annie schoof haar stoel naar achteren. 'Nou, niet helemaal. Mijn moeder was weliswaar overleden, maar we woonden in een kunstenaarscommune op een oude boerderij net buiten de stad, dus er waren altijd veel mensen in de buurt. Zij vormden gezamenlijk zo'n beetje mijn familie, zou je kunnen zeggen. Ray woont inmiddels al bijna twintig jaar samen met Jasmine.'

'Een vreemde plek om op te groeien, of zie ik dat verkeerd?'

'Wel voor mensen die zoiets nog nooit hebben meegemaakt. Voor mij was het allemaal heel gewoon. Ik vond de andere kinderen juist vreemd, de kinderen met een moeder en een vader.'

'Werd je op school niet ontzettend gepest?'

'Getreiterd zelfs. Sommige dorpsbewoners waren bijzonder intolerant. Ze dachten dat we elke nacht orgiën hadden, drugs gebruikten, de duivel aanbaden – dat soort dingen. Er was inderdaad altijd wel hasj aanwezig, maar voor de rest hadden ze er niet verder naast kunnen zitten. En er zaten natuurlijk wel een paar losgeslagen types bij: zo'n vrije, experimentele levensvorm trekt altijd de nodige labiele figuren aan, maar over het geheel genomen was het een erg fijne omgeving om in op te groeien. Bovendien kreeg ik een geweldige opleiding in de kunsten, en die heb ik beslist niet aan school te danken.'

'Waarom ben je bij de politie gegaan?'

'De dorpsagent heeft me ontmaagd.'

'Ik meen het serieus.'

Annie lachte en schonk nog wat wijn in. 'Het is anders echt waar. Hij heette Rob. Hij kwam een keer bij ons kijken omdat hij op zoek was naar een zwerver, een van die ongewenste types die af en toe voorbijkwamen. Hij was knap. Ik was zeventien. Hij vond me aantrekkelijk. Het leek me wel een passende daad van verzet.'

'Verzet tegen je oud... je vader?'

'Tegen iedereen. O, begrijp me niet verkeerd. Ik had geen hekel aan hen of zo.

Ik was in die tijd hun levensstijl gewoon zat. Er waren altijd te veel mensen, je kon je nooit eens voor hen verstoppen. Er werd te veel gekletst en te weinig gedaan. Je had nergens privacy. Daarom waardeer ik het nu des te meer. En op een gegeven moment heb je het als volwassene echt wel gehad met *White Rabbit*.'

Banks lachte. 'Ik heb hetzelfde met *Nessun Dorma*.'

'Rob kwam sterk, betrouwbaar en zelfverzekerd over en wist waar hij voor stond.'

'En was hij dat ook?'

'Ja. We zijn bij elkaar gebleven tot ik naar de universiteit van Exeter ging. Een jaar later dook hij daar op als agent. Hij stelde me aan een paar vrienden van hem voor en we spraken weer af. Volgens mij vonden ze me maar een rare. Ik had mijn oude leventje nooit helemaal van me afgeschud. Ik hield nog altijd vast aan een groot aantal waarden en normen van mijn vader, en ik deed aan yoga en meditatie, iets waar toen nog vrijwel niemand zich in had verdiept. Eigenlijk paste ik nergens echt bij. Ik weet niet waarom, maar een baan als agent leek me heel opwindend. Anders. Laten we wel wezen: de meeste banen zijn gewoon dodelijk saai. Ik was eigenlijk van plan om lerares te worden, maar veranderde van gedachten en ging bij de politie. Een beetje impulsief, dat geef ik onmiddellijk toe.'

Banks wilde haar vragen hoe ze in zo'n onbetekenend gehucht als Harkside was beland, maar voelde dat dit niet het juiste moment was. Hij kon haar natuurlijk wel naar haar werk vragen en kijken of ze er dan uit zichzelf over begon. 'Hoe heeft het uitgepakt?'

'Het is niet gemakkelijk voor een vrouw. Maar het leven is nu eenmaal wat je er zelf van maakt. Ik ben een feministe, maar dan van het soort dat graag aanpakt, en ik weiger te gaan zitten zeuren over wat er allemaal mis is met het systeem. Misschien heb ik dat wel van mijn vader. Hij gaat ook zijn eigen gang. Tja, en u weet zelf ook wel hoe het is: het grootste deel van de tijd is het helemaal niet opwindend. Af en toe is het zelfs ronduit saai.'

'Dat is maar al te waar. Wat is er van Rob terechtgekomen?'

'Hij is drie jaar daarna om het leven gekomen tijdens een gewapende politie-inval in een drugspand. Arme jongen. Zijn pistool blokkeerde.'

'Sorry.'

Annie legde een hand op haar voorhoofd en wapperde zich er vervolgens wat koelte mee toe. 'Pfoe, ik heb het warm. Ik ben geloof ik de hele tijd aan het woord. Ik heb in tijden niet zo goed met iemand kunnen praten.'

'Ik heb wel trek in een sigaret. Heb je zin om even mee naar buiten te gaan? Een beetje afkoelen, als dat kan tenminste?'

'Goed.'

Ze liepen de achtertuin in. Het was een warme avond, hoewel een licht briesje de kop leek op te steken. Annie stond naast hem. Hij kon haar eau de toilette ruiken. Hij stak een sigaret op, inhaleerde en blies een donkere rookpluim uit. 'Het was een zware klus,' zei hij, 'om jou aan het praten te krijgen over je privé-leven.'

'Ik ben het niet gewend. Ik lijk in veel opzichten op u.'

'Hoezo?'

'Nou, hoeveel hebt u me al over uw leven verteld?'

'Wat wil je weten?'

'Zo bedoel ik het niet. U vertelt anderen gewoon nooit iets over uzelf, laat niet gemakkelijk iemand in uw leven toe. Zo zit u niet in elkaar. U bent een solist, net als ik. En niet alleen nu, omdat uw...'

'Omdat mijn vrouw bij me weg is?'

'Dat wilde ik inderdaad zeggen. Niet alleen omdat u fysiek alleen bent of omdat u alleen woont. Ik bedoel van nature, diep vanbinnen. Ook toen u getrouwd was. Volgens mij hebt u een eenzaam, geïsoleerd karakter. Het kleurt de manier waarop u naar de wereld kijkt, de afstandelijkheid die u voelt. Ik leg het niet echt goed uit, hè? Ik ben denk ik ook zo. Ik kan in een volle kamer alleen zijn. Ik durf te wedden dat dat voor u ook geldt.'

Banks dacht al rokend na over Annies woorden. Dat was precies wat Sandra hem voor de voeten had gegooid tijdens hun laatste ruzie, de waarheid die hij niet had willen toegeven. Iets in hem hield zich altijd afzijdig, zij kon er niet bij en hij weigerde het prijs te geven. Het was niet alleen zijn baan en de eisen die deze aan hem stelde, het ging dieper: een innerlijke kern van eenzaamheid. Zo was hij als kind al geweest. Een toeschouwer. Altijd een buitenstaander, zelfs wanneer hij met andere kinderen speelde. Annie had gelijk: het zat van nature in hem en hij dacht niet dat hij dat zou kunnen veranderen, als hij dat al zou willen.

'Misschien heb je wel gelijk,' zei hij. 'Grappig, eigenlijk. Ik heb altijd gedacht dat ik een doorsnee-echtgenoot en vader was.'

'En nu?'

'Nu weet ik niet zeker meer of ik dat ooit wel ben geweest.'

In een van de aangrenzende tuinen miauwde een kat. Verderop in de straat ging een deur open en weer dicht en iemand zette zijn televisie aan. Emmylou zweefde door het openstaande keukenraam naar buiten en zong over het verlies van deze heerlijke oude wereld. Banks liet zijn sigaret op de grond vallen en trapte de gloeiende as uit. Plotseling joeg er een kille windvlaag ritselend langs de bomen in de verte en door de achtertuin. Annie huiverde. Banks sloeg een arm om haar schouders en trok haar voorzichtig tegen zich aan. Ze legde haar hoofd op zijn schouder.

'Hmm,' zei ze peinzend. 'Ik weet eigenlijk niet of dit wel zo'n goed idee is.'

'Waarom niet?'

Annie zweeg even. Banks voelde haar warme schouder onder het dunne T-shirt en het bandje van haar beha.

'We hebben waarschijnlijk allebei te veel gedronken.'

'Als je je soms zorgen maakt over het verschil in rang...'

'Nee. Nee. Dat is het niet. Dat kan me eerlijk gezegd geen moer schelen. Zoals ik eerder al zei: deze baan is niet mijn hele wereld. Ergens ben ik nog altijd een bohémienne. Nee, het is gewoon... Ik heb een paar slechte ervaringen met mannen gehad. Ik ben al... Ik bedoel, ik heb al... Hè, shit, waarom is dit zo moeilijk?' Ze wreef over haar voorhoofd. Banks zei niets. Annie slaakte een diepe zucht. 'Ik leef al een hele tijd celibatair,' zei ze toen. 'Uit eigen verkiezing. Inmiddels bijna twee jaar.'

'Ik wil je niet onder druk zetten,' zei Banks.

'Maakt u zich maar geen zorgen. Ik laat me niet zo gemakkelijk onder druk zetten. Ik maak mijn eigen keuzes.'

'Ik zal nooit van mijn leven zelf de weg naar de uitgang van dit labyrint kunnen vinden.'

'Ik zou u er wel naartoe brengen,' zei Annie, en ze keek hem glimlachend aan. 'Als ik echt wilde dat u wegging. Maar ik betwijfel eigenlijk of u in staat bent om auto te rijden. Het is waarschijnlijk mijn plicht om u te arresteren. Om te voorkomen dat u een overtreding begaat.' Ze zweeg even en fronste haar wenkbrauwen, maar legde toen voorzichtig haar hand op zijn borstkas. Zijn hart begon sneller te kloppen. Dat moest ze beslist kunnen horen en voelen. 'Er zijn heel wat redenen om dit niet te doen,' ging ze verder. 'Ik heb gehoord dat u niet deugt.'

'Dat is niet waar.'

'Een rokkenjager bent.'

'Ook niet waar.'

Ze keken elkaar enkele ogenblikken zwijgend aan. Annie beet op haar lip, huiverde opnieuw en zei: 'Ach, verdomme.'

Banks had er spijt van dat hij net een sigaret had gerookt. Hij boog zich voorover en kuste haar. Haar lippen weken vaneen en haar lichaam voegde zich naar het zijne. De sigaretten was hij onmiddellijk vergeten.

6

Matthew en Gloria hadden besloten om op kerstavond een feestje te geven, en daarvoor gingen we eerst met zijn allen schaatsen op het Harksmere-reservoir. Er waren heel wat mensen op de been en in metalen tonnen op de oever brandden vuurtjes. Het was donker en de combinatie van ijs en vuur in het schemerdonker had iets hypnotiserends, voor mij in elk geval wel, dus ik schaatste rond in een soort trance. Wanneer ik mijn ogen dichtdeed, zag ik de vlammen achter mijn gesloten oogleden dansen en ik voelde een golf van warmte wanneer ik langs de oever scheerde.

Rond een uur of zeven gingen we een voor een terug naar Bridge Cottage en al snel arriveerden ook de eerste andere gasten, waaronder nog meer medewerkers van de vliegbasis en een paar van hun vriendinnetjes. Alice's Eric zat toen al in Noord-Afrika, maar Betty's William had de medische keuring niet doorstaan, wat me ook helemaal niet verbaasde, dus hij mocht alleen bij de Home Guard aan het werk.

Michael Stanhope kwam gekleed in zijn gebruikelijke kunstzinnige 'kostuum' met hoed en wandelstok, en bracht twee flessen gin en wat wijn mee, waardoor hij zeer welkom was. Hij moet ongetwijfeld een hele kelder vol drank hebben gehad. Het was niet altijd even gemakkelijk om aan alcohol te komen, omdat de meeste distilleerderijen inmiddels gesloten waren, en als je er al aan kon komen was het verschrikkelijk duur. Ik zag al voor me hoe Michael Stanhope zijn privé-voorraad fles voor fles had verstopt toen hij doorkreeg dat een oorlog onvermijdelijk was. Ik hoopte maar dat hij niet door zijn voorraad heen zou raken.

Matthew en Gloria hadden de kleine woonkamer zo goed en zo kwaad als dat ging versierd met ballonnen en serpentines, en boven de schoorsteenmantel hing kerstboomverlichting. De verduisteringsgordijnen waren dichtgetrokken en de ruimte voelde warm en knus aan, zelfs wanneer je aan de ijspegels en bevroren plassen buiten dacht. Overal hing maretak en er was een nepkerstboom vol lichtjes en engelenhaar.

We hadden alleen Pasha-sigaretten op voorraad, en die smaakten volgens Gloria als de restjes die van de fabrieksvloer waren opgeveegd, wat waarschijnlijk ook zo was. De Canadezen hadden gelukkig een paar Players, dus de kamer zag algauw blauw van de rook. Mark en Stephen hadden ook een fles Canadian Club-whisky meegebracht.

Helaas voor Gloria was John Coopers muzikale smaak beperkt gebleven tot opera's, dus had ze erg weinig aan de platenverzameling die ze bij de radio-grammofoon had gekregen. Omdat ze zelf maar een paar platen bezat, hadden we de radio aanstaan. Gelukkig was er die avond een concert van Victor Sylvester, en al snel dansten de gasten dicht tegen elkaar aan in de krappe kamer. Matthew was Gloria de hele dag nauwelijks uit het oog verloren, maar toen het steeds drukker en rumoeriger werd in de kleine cottage, werd het ook steeds moeilijker voor hen om bij elkaar te blijven.

Overal zag je dansende of kletsende stelletjes. Cynthia en Johnny Marsden namen de hele bank in beslag en zaten te zoenen. Eén keer zag ik zelfs dat hij zijn hand onder haar jurk wilde schuiven, maar ze hield hem tegen. Gloria had veel te veel Canadian Club gedronken en was daarna overgestapt op gin. Niet dat ze erg luidruchtig was of vaak omviel, maar haar ogen stonden glazig en ze stond wat onvast op haar benen. Naarmate de avond vorderde, viel dat steeds meer op, evenals de sigaret die ze, meedeinend op het ritme van de muziek, een beetje scheef vasthield.

Ik werd afgeleid door een radiotelegrafist van de RAF die me eerst onder een maretak trok en me een zoen gaf die naar ingeblikte sardines smaakte, en me vervolgens de ingewikkelde procedure van plaatsbepaling via de radar probeerde uit te leggen. Ik had eigenlijk tegen hem moeten zeggen dat ik een Duitse spion was. Had hij die WALLS HAVE EARS-posters niet gezien die overal hingen?

Het moet inmiddels een uur of tien zijn geweest en het feest was in volle gang. Tegen die tijd waren er al heel wat mensen dronken. Ik had zelf alleen maar gemberbier gedronken en een heel klein slokje Canadian Club, maar voelde me toch een beetje licht in het hoofd door al die vrolijkheid. Op de feestjes die in de oorlog werden gegeven, vooral wanneer ze zich rond een belangrijke feestdag als Kerstmis afspeelden, waren de aanwezigen altijd net even iets luidruchtiger, scheller en meer geforceerd vrolijk dan in vredestijd.

Michael Stanhope stond tegen een jonge korporaal te oreren over de plicht van kunstenaars om alle vormen van propaganda te mijden in hun speurtocht naar de waarheid. 'Als de overheid naar kunstenaars zou luisteren,' zei hij, 'dan zou er geen oorlog zijn.' De korporaal zou waarschijnlijk allang zijn weggelopen als meneer Stanhope niet om de paar minuten zijn glas had volgeschonken met gin.

Matthew leunde tegen een muur en was in een druk gesprek gewikkeld met twee mannen in legeruniform, ongetwijfeld omdat hij van hen wilde weten hoe het er in het leger werkelijk aan toeging nu zijn opleiding eenmaal voorbij was.

Ik besefte dat ik Gloria al een tijdje niet had gezien en vroeg me af of ze misschien misselijk of iets dergelijks was geworden. Ze had erg veel gedronken. Ik moest toch naar het toilet, dus ik trok me zo vriendelijk en beleefd mogelijk terug uit het gesprek over plaatsbepaling via de radar. Buiten was het koud en donker, dus ik sloeg mijn jas om mijn schouders, pakte de met vloeipapier gedempte lantaarn en liep de achtertuin in.

Bridge Cottage had twee bijgebouwen; het ene was het toilet en het andere werd als opslagplaats gebruikt. Ik liep over de tuintegels naar het toilet en hoorde dat de radio-grammofoon binnen in het huis *In the Dark* speelde.

Plotseling ving ik ergens dicht bij me in de buurt een geluid op. Ik bleef staan en hoorde het weer: gegrom en een onderdrukt stemmetje dat iets riep. Ik hoorde niet meteen uit welke richting het kwam, maar besefte algauw dat het achter het bijgebouw was geweest. Ik liep er aarzelend naartoe en liet het licht van de lantaarn op de muur vallen.

Wat ik daar zag, deed mijn huid tintelen. Zelfs in het gedempte licht dat door het vloeipapier scheen, kon ik zien dat Gloria door Mark, de Canadese vlieger, tegen de muur werd gedrukt. Haar rug stond tegen het enorme V-teken geperst dat iemand daar de afgelopen zomer tijdens de Victory-campagne met kalk had aangebracht. Haar jurk was in kreukels tot haar middel omhooggesjord en het bleke witte vlees van haar bovenbenen boven de rand van haar kousen stak scherp af tegen het duister. Ik weet nog dat ik dacht dat ze het vast ijskoud moest hebben. Mark stond tegen haar aan gedrukt, had één hand op haar mond gelegd en friemelde met de andere ter hoogte van zijn middel ergens aan.

Gloria riep met gedempte stem: 'Nee, alsjeblieft, nee!' – steeds weer hetzelfde – en probeerde zich te verzetten, terwijl hij haar allerlei scheldwoorden toewierp. Toen hij mijn zaklamp zag, vloekte hij en ging hij er via de voorkant van het huis vandoor.

Zonder me aan te kijken leunde Gloria even hijgend en snikkend, met verfomfaaide haren en kleren, tegen de muur. Toen trok ze haar jurk recht, boog zich voorover, steunde met haar handen op haar knieën en gaf over in de tuin. Het braaksel was warm en veroorzaakte een barst in het ijs. Ik kon de 'V' zien die het krijt op de rug van haar jurk had achtergelaten.

Ik had geen idee wat ik moest doen. In die tijd wist ik helemaal niets over dit soort zaken, en ik was er niet eens zeker van waar ik zojuist getuige van was geweest, maar ik wist wel dat er iets niet klopte.

Ik besefte dat Gloria gekwetst, van streek en verdrietig was. Daarom deed ik iets wat op dat moment heel vanzelfsprekend leek: ik spreidde mijn armen en ze liet zich tegen me aan zakken. Ik hield haar dicht tegen me aan, streelde haar haren en zei dat ze zich geen zorgen hoefde te maken, dat alles wel goed zou komen.

Tegen zonsopgang zetten de vogels hun vertrouwde lied in, gevolgd door het geluid van de wagen van de melkboer die voorbijratelde, en al snel lag Banks te luisteren naar de wervelwind van onbekende straatgeluiden die door het half-openstaande raam van Annies slaapkamer naar binnen kwam. Een baby huilde hongerig; iemand gooide een deur dicht; een hond zette het op een blaffen; een brievenbus viel met een venijnige tik dicht; een motor sloeg aan. Het klonk Banks, die inmiddels aan de stilte van zijn nieuwe cottage gewend was geraakt, allemaal erg vreemd in de oren.

Annie lag zacht ademend naast hem; na elke korte stilte ademde ze steeds zachtjes uit, een geluid dat het midden hield tussen gesnuif en een zucht. In het licht dat door de dunne gordijnen naar binnen drong, kon Banks haar goed zien. Ze lag opgerold op haar zij met haar rug naar hem toe en haar handen in elkaar geslagen voor zich, zodat hij ze niet kon zien. Het witte laken was naar beneden geschoven en hij liet zijn ogen langzaam van de ontblote welving van haar heup naar boven glijden, naar haar schouders en haren. Ongeveer halverwege had ze een kleine moedervlek. Banks raakte hem zachtjes aan. Annie bewoog zich in haar slaap, maar werd nog steeds niet wakker.

Banks ging op zijn rug liggen en deed zijn ogen dicht. Het enige waarvoor hij gisteravond bang was geweest, wat hem had tegengehouden tot aan dat intieme moment in de achtertuin waarop zijn arm als vanzelf had bewogen, was dat hij hetzelfde zou voelen als die keer dat hij met Karen naar bed was geweest. Hij had natuurlijk beter moeten weten; hij had moeten weten dat dit anders was. Hij wist het ook wel. Maar de angst was nog niet verdwenen. Hun vrijpartij was in het begin wat aarzelend geweest, maar hij had ook niet anders verwacht. In het echte leven ging het er nooit zo aan toe als in de film, waarin de beide geliefden gezamenlijk een explosieve climax van wagneriaanse omvang bereiken, vuurwerk knalt, orkesten steeds krachtiger spelen en treinen op topsnelheid tunnels in duiken. Dat kwam alleen bij Monty Python voor. In het echt krijg je tijdens het vrijen te maken met teleurstellingen, fouten en aarzelingen, vooral wanneer je partner en jij elkaars lichaam nog niet goed kennen. Als je erom kunt lachen, zoals Banks en Annie, ben je al halverwege. Als je uitkijkt naar de vele uren van oefening die nodig zullen zijn om te leren hoe je de ander meer kunt laten genieten, zoals Banks, dan was je nog veel verder.

Na afloop had ze zich in de kromming van zijn arm genesteld, haar huid warm, vochtig en zilt van het zweet, en toen wist hij dat hij deze keer niet wakker zou worden met een brandend verlangen om alleen te zijn.

Heel even liet hij zich meevoeren op een golf van paranoia en vroeg hij zich af of dit een val was die Riddle voor hem had opgezet. Een nieuwe benadering: creëer de perfecte gelegenheid en hij begaat uit zichzelf wel een cruciale fout. Zaten er verborgen camera's in de muren van de slaapkamer? Was Annie misschien Riddles geheime minnares? Spanden ze soms samen om Banks voorgoed van het toneel te laten verdwijnen? Deze gedachten kropen door zijn hoofd als de schaduwen van de wolken die over de heuvelflanken van de Dales schoven. En net zo snel als zij was opgedoken, was de paranoia ook weer verdwenen. Jimmy Riddle kon onmogelijk weten wie brigadier Cabbot was of hoe ze eruitzag. Blijkbaar wist hij niet eens wat haar voornaam was, want anders had hij Banks beslist op veilige afstand van haar gehouden.

Banks deed zijn ogen open en keek naar de Tibetaanse mandala op de muur, een cirkel van vuur vol felgekleurde, ingewikkelde, met elkaar verstrengelde symbolen en mythologische figuren, sommige angstaanjagend en gewapend, andere duidelijk zachtaardiger. Jem had een soortgelijke poster aan de muur gehad, herinnerde Banks zich. Hij had uitgelegd dat het een kaart was van de stadia die je moet doorlopen voordat je een staat van heelheid bereikt. Volgens Jung, had Jem hem verteld, zouden mensen die op de goede weg waren in hun dromen mandala's zien zonder dat ze ook maar iets van het tantristisch boeddhisme af wisten.

Deze manier van denken uit de jaren zestig was voor Banks een van de grootste struikelblokken geweest; hij was van mening geweest dat het erop duidde dat de hersens verweekt waren door te veel marihuana of LSD. Tijdens hun lange discussies over het veranderen van het systeem had Jem altijd het standpunt gehuldigd dat je het systeem niet van binnenuit kunt veranderen; als je er middenin zit, ga je er deel van uitmaken; dan word je erdoor opgeslokt en verpest. Uiteindelijk krijg je er zelf belang bij. Misschien was dat wel wat er met Banks was gebeurd, maar ook al die jaren terug al had hij nooit het idee gehad dat hij zich er volledig aan kon overgeven, vooral niet aan die gespeelde 'we moeten allemaal van elkaar houden'-saamhorigheid. Annie had gelijk: hij was een solist. Hij had altijd enige afstand bewaard, zelfs bij Jem. Als hij dat niet had gedaan, zou Jem misschien niet zijn gestorven.

Annie bewoog zich en Banks liet zijn hand langzaam van haar heup naar haar schouder glijden.

'Mmm...' mompelde ze. 'Goedemorgen.'

'Goedemorgen.'

'Ik begrijp dat je wakker bent.'

'Al uren.'

'Ach, arme ziel. Was dan opgestaan, dan had je thee kunnen zetten.'

'Ik klaag niet, hoor.' Banks sloeg zijn arm om haar middel, legde zijn hand op haar buik en trok haar tegen zich aan. Hij drukte een kus op het zachte plekje tussen haar schouder en nek, liet zijn hand omhoogglijden en omvatte haar kleine borst. Gisteravond was hij erachter gekomen dat ze net boven haar linkerborst een kleine tatoeage van een rode roos had, en hij vond dat ongelooflijk sexy. Hij was nog nooit met een getatoeëerde dame naar bed geweest.

Annie zuchtte en drukte zich steviger tegen hem aan – gekromde lichamen die met elkaar versmolten, hun huid die alles aanraakte waar hij bij kon.

Banks was Jem alweer vergeten. Hij raakte zachtjes Annies schouder aan om haar naar zich toe te draaien.

'Nee,' fluisterde ze. 'Zo is het goed.'

En dat was waar.

'Ik wil je graag bedanken,' zei Gloria de eerstvolgende keer dat ik haar alleen zag. 'Voor laatst, op het kerstfeestje. Als jij niet was gekomen, weet ik niet wat er zou zijn gebeurd. Ik zou niet willen dat je dacht dat het meer was dan het echt was.'

'Ik weet niet eens wat ik dacht dat het was,' zei ik. Ik vond de situatie wat gênant, voelde me niet op mijn gemak nu ze er zo openlijk met me over sprak. Bovendien was het bitter koud. We stonden in de High Street en de ijskoude wind boorde zich fluitend door mijn oude jas, alsof die vol gaten zat. Wat bij nader inzien waarschijnlijk ook zo was. Ik zette mijn kraag op rond mijn hals en voelde dat mijn blote handen bijna vastvroren aan de hengsels van de boodschappentas. Ik was zo dom geweest om mijn wanten te vergeten.

'Ik wilde alleen maar naar het toilet,' zei ze, 'en hij volgde me naar buiten. Mark. Ik weet dat ik een beetje te veel gedronken had. Het was niet mijn bedoeling, maar het kan best zijn dat ik hem een beetje heb aangemoedigd. Hij noemde me een flirt, zei dat ik hem de hele avond al had lopen uitdagen. Het liep allemaal gewoon een beetje uit de hand, meer niet.'

'Hoezo?' Ik wipte van mijn ene voet op de andere in de hoop dat de beweging me warm zou houden. Gloria leek de kou niet te voelen. Maar ja, land girls hadden dan ook een warme kakioverjas.

'Eerder die avond,' ging ze verder. 'Hij kreeg me te pakken onder een maretak. Iedereen deed het. Ik had er verder niets achter gezocht, maar... Gwen?' Ze beet op haar onderlip.

'Ja?'

'Ach, ik weet het ook niet. Mannen. Soms zijn ze zo... Ik weet niet wat het is; je probeert gewoon vriendelijk tegen ze te zijn en dan krijgen ze meteen het verkeerde idee.'

'Verkeerde idee?'

'Ja. Ik wilde alleen maar aardig zijn. Zoals ik tegen iedereen ben. Ik heb niets gedaan om hem te doen geloven dat ik zo'n soort meisje was. Mannen hebben soms heel rare ideeën over me. Ik weet niet waarom. Het is net alsof ze zichzelf niet in bedwang kunnen houden. Ze zijn ook zo sterk. En je kunt het geloven of niet, maar soms is het gemakkelijker om maar toe te geven.'

'En heb je dat gedaan? Toegeven?'

'Nee. Ik verzette me juist. Ik probeerde Matt om hulp te roepen, wie dan ook, maar Mark had zijn hand op mijn mond gelegd. Vroeger zou ik misschien hebben toegegeven. Misschien ook niet, dat weet ik niet. Maar nu heb ik Matt. Ik hou van hem, Gwen, en ik wilde geen scène veroorzaken, zodat Matt van streek zou zijn en er echt moeilijkheden zouden komen. Ik haat geweld. Ik weet niet wat er zou zijn gebeurd als jij niet toevallig naar buiten was gekomen. Ik had niet veel kracht meer. Begrijp je wat ik bedoel?'

'Ik geloof van wel,' zei ik. Ik had mijn pogingen om warm te blijven gestaakt. Gelukkig was ik nu zo verkleumd dat ik de kou niet meer voelde.

'Kunnen we het niet gewoon vergeten?' vroeg Gloria smekend.

Ik knikte. 'Dat is waarschijnlijk maar het beste.'

Ze omhelsde me. 'Gelukkig. En we blijven toch vriendinnen, hè Gwen?'

'Natuurlijk.'

Toen Banks was vertrokken, trok Annie zoals gebruikelijk twintig minuten uit om te mediteren, gevolgd door een paar yoga-oefeningen en een douche. Toen ze zich afdroogde, tintelde haar huid en ze besefte dat ze zich uitstekend voelde. De gok die ze gisteravond had genomen, was het waard geweest. En vanochtend ook. Dat celibataire gedoe was echt niet zo prettig als wel eens werd beweerd.

Ze moesten beslist meer oefenen. Banks was een tikje terughoudend, wat conservatief. Dat was ook wel te verwachten na een huwelijk van meer dan twintig jaar met dezelfde vrouw, bedacht Annie. Ze dacht terug aan haar seksleven met Rob en hoe vanzelfsprekend hun samenzijn was geworden. Zelfs toen ze een jaar of twee uit elkaar waren geweest, hadden ze hun vertrouwde ritme moeiteloos opgepakt toen ze in Exeter weer bij elkaar kwamen.

Hoe kwam het dat zoveel mensen Banks zo totaal verkeerd hadden ingeschat, vroeg ze zich af. Roddels verdraaien de waarheid, dat was waar – maar zo erg? Misschien fungeerde hij als een onbeschilderd doek dat mensen gebruikten om hun eigen fantasieën op te projecteren. Ze hoopte maar dat hij in elk geval niet het soort man was dat zich moreel verplicht voelde om verliefd te worden zodra hij eenmaal met een vrouw naar bed was geweest. Als puntje bij paaltje kwam, had ze geen flauw idee wat zijzelf nu precies van hun relatie verwachtte, als er al sprake was van een relatie, natuurlijk. Ze wilde hem graag vaker zien – dat wel; ze wilde ook graag weer met hem naar bed, ja; maar verder wist ze het niet. Misschien was het toch wel prettig als hij een klein beetje verliefd op haar zou worden. Een heel klein beetje maar.

Ze hoopte vooral dat hij geen spijt zou krijgen van wat ze hadden gedaan omwille van haar, dat hij niet het gevoel zou krijgen dat hij misbruik had gemaakt van haar kwetsbaarheid of het feit dat ze aangeschoten was, of iets dergelijks onzinnigs waar mannen zo goed in waren. En wat betreft hun werk: ach, hij zou zich vast niet gaan inbeelden dat ze alleen met hem in bed was gedoken omdat hij haar baas was of omdat ze op promotie uit was. Toch? Annie trok lachend een spijkerbroek aan. Met inspecteur Banks naar bed gaan was tegenwoordig echt niet de manier om carrière te maken. Eerder het tegenovergestelde.

Vandaag riep een opnieuw prachtige zomerse dag haar uitnodigend naar buiten, en het was een enorme luxe dat de belangrijkste beslissing die ze nu moest nemen bestond uit een keuze maken tussen de was doen of naar Harrogate rijden en daar boodschappen doen. Ze vond het centrum van Harrogate heerlijk: zo compact en overzichtelijk. De cottage moest nodig worden opgeruimd, dat was waar. Maar het kon wel wachten. Annie stoorde zich niet aan een beetje rommel; zoals gewoonlijk waren er veel interessantere dingen te doen dan huishoudelijke klusjes. Ze kon de was wel in de machine stoppen voordat ze vertrok; zoveel werk was het niet.

Voordat ze ook maar ergens naartoe ging, nam ze echter eerst de hoorn van de haak en draaide ze een nummer dat ze uit haar hoofd kende.

Het toestel ging zes keer over voordat een mannenstem antwoordde.

'Ray?'

'Annie? Ben jij dat?'

'Ja.'

'Hoe gaat het met je, meisje? Waar ben je allemaal mee bezig? Geniet je wel een beetje van het leven?'

'Jij wel, zo te horen.'

'We hebben een klein feestje voor Julie.'

Annie ving op de achtergrond gelach en muziek op. Retro-rockmuziek uit de jaren zestig, onder andere Grateful Dead en Jefferson Airplane. 'Maar het is pas tien uur 's ochtends,' zei ze.

'O ja? Ach, je weet hoe dat gaat, liefje: carpe diem en zo.'

'Pap, wanneer word je nu eens volwassen? Jezus, je bent tweeënvijftig. Is het dan helemaal niet tot je doorgedrongen dat we niet meer in de jaren zestig leven, maar in de jaren negentig?'

'O, o. Je bent boos op me. Je zegt alleen maar "pap" tegen me wanneer je boos op me bent. Wat heb ik nu weer gedaan?'

Annie lachte. 'Niets,' zei ze. 'Heus. Je bent onverbeterlijk. Ik geef het op. Maar let op mijn woorden: op een goede dag komt er een politie-inval en worden jullie allemaal opgepakt. Dat zal dan heel gênant voor mij zijn. Hoe moet ik dat in vredesnaam aan mijn baas uitleggen? Een wietrokende oude hippie die mijn vader blijkt te zijn?'

'De politie? Die maakt zich toch niet druk om een paar kleine jointjes? Alsjeblieft, zeg. Ze hebben wel wat beters te doen, hoop ik. En dat "oude" mag je trouwens wel weglaten. Maar goed, hoe gaat het met mijn favoriete vrouwelijke smeris? Nog een stevige beurt gehad de laatste tijd?'

'Pap! Kunnen we dat onderwerp misschien laten rusten? Ik dacht dat we hadden afgesproken dat mijn seksleven mijn eigen zaak is.'

'Aha, ja dus! Echt wel! Ik kan het aan je stem horen. Wauw, dat is geweldig nieuws, liefje. Hoe heet hij? Is hij ook agent?'

'Pap!' Annie voelde dat ze bloosde.

'Goed, goed. Het spijt me. Een kleine uiting van vaderlijke bezorgdheid, meer niet.'

'Ik waardeer het dan ook bijzonder.' Annie slaakte een diepe zucht. Het was echt net alsof je tegen een kind praatte. 'Het gaat uitstekend met me,' zei ze. 'Waarom geeft Julie een feestje? Is er iets wat ik zou moeten weten?'

'Heb ik je dat dan niet verteld? Ze heeft eindelijk een uitgever gevonden voor die roman van haar. Na al die jaren.'

'Nee, dat heb je me niet verteld. Dat is fantastisch nieuws. Zeg haar maar dat ik enorm blij voor haar ben. Hoe gaat het met Ian en Jo?'

'Die zitten in Amerika.'

'Leuk. En Jasmine?'

'Jasmine maakt het prima.' Annie hoorde een stem op de achtergrond. 'Je krijgt de groetjes van haar,' zei haar vader. 'Het is geweldig om even met je te praten, daar niet van, maar het is niets voor jou om op dit uur te bellen. Zeker niet nu je naar Yorkshire bent verhuisd. Of geldt het goedkope tarief daar op andere tijden? Kan ik soms iets voor je doen? Wil je misschien dat ik een paar verdachten voor je in elkaar kom slaan? Een valse bekentenis of wat voor je ophoest?'

Annie klemde de hoorn stevig tussen haar oor en haar schouder en trok haar benen onder zich op de bank. 'Nee. Maar nu je er zelf over begint,' zei ze, 'kun je me misschien wel met iets anders helpen.'

'Vraag maar raak.'

'Michael Stanhope.'

'Stanhope... Stanhope... Komt me bekend voor. Wacht eens even... Ja, nu weet ik het weer: die kunstenaar, Michael Stanhope. Wat is daarmee?'

'Wat weet je van hem?'

'Eigenlijk niet zoveel. Even denken. Hij leek aanvankelijk een veelbelovend talent, maar hij heeft het niet kunnen waarmaken. Hij is ergens in de jaren zestig overleden, dacht ik. Hij was de laatste jaren niet erg productief meer. Waarom wil je dat weten?'

'Ik heb een schilderij van hem gezien in verband met een zaak waaraan ik momenteel werk.'

'En je denkt dat het een aanwijzing kan zijn?'

'Ik weet het niet. Ik wilde gewoon meer over hem weten.'

'Wat was het voor schilderij?'

Annie beschreef het voor hem. 'Ja, dat is beslist een Stanhope. Hij had een reputatie op het gebied van bruegheliaanse dorpsscènes. Met een scheutje Lowry om het af te maken. Dat was zijn probleem, weet je: hij ontleende te veel aan het werk van anderen en heeft nooit een eigen stijl ontwikkeld. Het was een beetje van alles wat. Een tikje Stanley Spencer ook. Haute symbolisme. Enorm uit de mode tegenwoordig. Maar goed, wat zou Michael Stanhope te maken kunnen hebben gehad met een zaak waaraan jij nu bezig bent?'

'Misschien helemaal niets. Zoals ik al zei: ik was gewoon nieuwsgierig. Weet je waar ik meer informatie over hem kan vinden? Is er een boek over hem?'

'Ik geloof het niet. Hij was niet zo belangrijk. Het grootste deel van zijn werk bevindt zich waarschijnlijk in privé-verzamelingen, of mogelijk ook hier en daar in galeries. Waarom ga je niet een keertje in Leeds kijken? Daar hebben ze best een aardige collectie, als je tenminste tegen die verdomde Atkinson Grimshaws bestand bent. Ik zou zo denken dat ze daar wel een paar Stanhopes hebben hangen, aangezien hij uit die omgeving komt en zo.'

'Goed idee,' zei Annie, en ze kon zichzelf wel voor het hoofd slaan dat ze daar zelf niet eerder op was gekomen. 'Dat zal ik zeker doen. En, Ray?'

'Ja?'

'Pas goed op jezelf.'

'Doe ik. Beloofd, liefje. Kom ons gauw eens opzoeken. Dag.'

'Dag.'

Annie keek op haar horloge. Even na tienen. Ze kon binnen een uur in Leeds zijn, daar haar boodschappen doen in plaats van in Harrogate, lunchen en dan een bezoekje brengen aan de kunstgalerie. Ze pakte haar autosleutels en schoudertas van het dressoir en liep door het labyrint naar haar auto, die nog steeds bij het wijkbureau stond geparkeerd. Ze vroeg zich af wat inspecteur Harmond daarvan zou denken. Waarschijnlijk helemaal niets, tenzij hij ook had opgemerkt dat Banks' auto de hele nacht op het plein was blijven staan. Het kon haar trouwens ook niets schelen.

En vriendinnen bleven we. We luidden samen het nieuwe jaar in en zongen arm in arm *Auld Lang Syne*. Op eerste kerstdag was Hongkong in handen van de Japanners gevallen en in Noord-Afrika en Rusland werd nog altijd zwaar gevochten. Het bleef de hele maand januari bitterkoud en de Britse troepen op het Maleisische schiereiland trokken zich in die tijd terug tot aan Singapore.

Hoewel ik vaak terugdacht aan wat ik had gezien, begreep ik nog steeds niet wat zich op kerstavond tegen die muur van het bijgebouw had afgespeeld; dat kwam pas veel later, en ook toen had ik geen flauw idee in hoeverre Gloria medeschuldig was geweest. Wat had Mark van haar gewild? Ik had indertijd de indruk gehad dat Gloria weerstand bood, tegenstribbelde, maar toen ik niet lang daarna zelf de geslachtsdaad uitprobeerde, besefte ik dat het in die zin ook heel misleidend kon zijn; het leek vaak net alsof iemand tegenstribbelde en weerstand bood, vooral tijdens de wat heftigere momenten. Nu ik erop terugkijk, zou ik het een poging tot verkrachting noemen, maar na al die tijd heeft mijn geheugen de neiging om herinneringen te veranderen.

Ik deed mijn best om het hele gebeuren uit mijn hoofd te zetten. Ik was het met Gloria eens dat Matthew hier beslist niet bij betrokken moest worden. Dat zou alleen maar tot een vechtpartij hebben geleid en iedereen van streek hebben gemaakt. Het was al erg genoeg dat hij binnenkort moest vertrekken; hij zou zich toch al zorgen om haar maken nu hij haar alleen moest achterlaten zonder dat dit er nog eens bij kwam.

Soms, wanneer ik 's nachts in bed naar de bommenwerpers lag te luisteren die brommend over Rowan Woods vlogen, dacht ik wel eens terug aan het tafereel, aan Gloria's blote witte bovenbenen die boven de rand van haar kousen uitstaken en de vreemde onderdrukte geluiden die ze had gemaakt en die het midden hadden gehouden tussen pijn en instemming, en dan voelde ik me zenuwachtig opgewonden, alsof ik op het punt stond om een geweldige ontdekking te doen, die zich echter nooit openbaarde.

Op 15 januari 1942 werd sergeant Matthew Shackleton verscheept. Hij wist niet waar hij naartoe ging, maar we gingen er allemaal van uit dat hij naar Noord-Afrika werd gestuurd om met het VIIIe leger mee te vechten.

De verrassing was daarom des te groter toen Gloria drie weken later een brief van Matthew kreeg vanuit Kaapstad, Zuid-Afrika. Ze konden natuurlijk moeilijk over de Middellandse Zee varen, maar toch, Kaapstad leek wel een erg lange omweg om in Noord-Afrika te komen. Toen ontvingen we een tweede brief uit Colombo, Ceylon, en een derde uit Calcutta, India. Wat een sukkel was ik toch ook! Ik kon me wel voor mijn kop slaan dat ik het niet eerder had geraden. In de woestijn hadden ze natuurlijk helemaal geen bruggen en wegen nodig, maar in de jungles in het Verre Oosten wel.

De rit naar Leeds nam minder tijd in beslag dan Annie had verwacht. Ze parkeerde haar auto aan de noordkant van het centrum en liep via New Briggate naar The Headrow. Het was er druk en de trottoirs waren tjokvol winkelende mensen die allemaal dunne, losse kleding droegen om het te kunnen uithouden in de verzengende hitte, die in de stad nog drukkender leek dan in Harkside. Op Dortmund Square vermaakte een jongleur kinderen met zijn kunsten. De zon weerkaatste tegen de etalageramen en verblindde Annie, zodat het moeilijk te zien was wat zich binnen in de winkel bevond. Annie zette haar zonnebril op en koerste door de mensenmassa heen naar Cookridge Street. Na haar gesprek met Ray had ze wat research gedaan waaruit was gebleken dat de Leeds City Art Gallery diverse werken van Michael Stanhope in zijn collectie had en Annie wilde ze graag bekijken.

Binnen bij de receptie pakte ze een foldertje. De Stanhopes hingen op de tweede verdieping. Vier stuks. Ze liep over de brede stenen trap naar boven. Annie had het nooit zo op kunstgaleries gehad vanwege de verheven sfeer, geüniformeerde bewakers en de verstikkende stilte die er heerste. Haar weerzin was ongetwijfeld grotendeels te danken aan haar vaders invloed. Hoewel hij de grote kunstenaars bewonderde, verachtte hij de kille omgeving waarin hun werken tentoon werden gesteld. Hij was van mening dat goede kunst via een soort roulatiesysteem permanent moest worden vertoond in pubs, kantoren, restaurantjes, cafés, kerken en bingozalen.

Hij had een grenzeloze bewondering voor de stukken van Henry Moore die in de openlucht op de Yorkshire Moors stonden; ook had hij veel waardering voor David Hockneys faxen, fotocollages en operadecors. Annie was opgegroeid in een wereld waar de gevestigde kunstwereld met zijn saaie galeries, geaffecteerde stemmen en opgeblazen prijzen met de nodige oneerbiedigheid werd bekeken. Daarom voelde ze zich ook altijd slecht op haar gemak in galeries, alsof ze een indringer was. Misschien was ze een tikje paranoïde, maar ze had altijd het idee dat de bewakers haar in de gaten hielden, haar van zaal naar zaal volgden en erop zaten te wachten dat ze haar hand zou uitstrekken om iets aan te raken, waardoor ze een alarm in werking zou stellen.

Toen ze de Stanhopes had gevonden, was ze in eerste instantie enigszins teleurgesteld. Twee ervan waren tamelijk saaie landschappen, niet van Hobb's End, maar van andere delen van de Dales. De derde was iets interessanter en bood vanuit de verte een uitzicht op Hobb's End, dat in zijn holletje genesteld lag, met rook die uit de schoorstenen omhoogkringelde en een lucht die was bezaaid met de felrode en -paarse tinten van de zonsondergang. Een fraai beeld, maar het vertelde Annie niets nieuws.

Het vierde schilderij was echter een openbaring.

Volgens de catalogus droeg het de titel *Liggend naakt* en het deed Annie aan Goya's *Naakte Maja* denken die ze met Ray had gezien toen het werk in 1990 korte tijd in de National Gallery had gehangen. Hoe Ray verder ook over galeries dacht, hij liet de gelegenheid om een groots werk te kunnen bekijken nooit aan zich voorbijgaan.

De vrouw op het bed lag in vrijwel dezelfde pose als Goya's Maja, leunend op een kussen met haar handen achter haar hoofd, en ze keek de schilder vanaf de verkreukelde lakens recht aan met een uiterst erotisch geladen uitdagende blik. Net als op het Maja-schilderij hingen haar volle borsten ver uit elkaar en waren haar benen een beetje gebogen, onhandig gepositioneerd omdat haar onderlichaam naar de kijker toe was gedraaid. Haar middel was smal, haar heupen waren fraai gevormd, en tussen haar tegen elkaar gedrukte benen was nog net een driehoekje haar zichtbaar, dat met haar navel verbonden was door een nauwelijks waarneembaar strookje lichte dons.

Er waren echter ook verschillen. Stanhopes model had goudblond haar gehad in plaats van zwart, haar neus was korter, haar enorme ogen waren opvallend blauw, en haar lippen waren voller en roder. Desondanks was de gelijkenis te opvallend om toeval te zijn, vooral ook door de openlijke erotiek in haar gezichtsuitdrukking en de gedachte aan zojuist genoten pleziertjes die door de verfrommelde lakens werd overgebracht. Stanhope was duidelijk sterk beïnvloed door Goya's werk en toen hij eenzelfde soort sensuele kracht in een model had aangetroffen, had hij er weer aan moeten denken en had hij dit geschilderd.

Stanhopes visie had echter meer te bieden. Annie herinnerde zich dat de achtergrond van de *Naakte Maja* donker en ondoordringbaar was, waardoor het leek alsof het bed in de ruimte zweefde en het enige voorwerp van belang in het heelal was.

Stanhope had zijn model evenmin een realistische achtergrond gegeven, maar als je goed keek, kon je de vormen van tanks, vliegtuigen, marcherende legertroepen, explosies en swastika's ontwaren. Met andere woorden: hij had op de achtergrond de oorlog geschilderd. Het was heel subtiel gedaan; de beelden speelden geen dominante rol en drongen zich niet aan je op, maar ze waren er wel, en wanneer je goed keek, kon je ze onmogelijk negeren: erotiek en massavernietigingswapens. Het stond iedereen vrij er zelf een interpretatie aan te geven.

Annie wierp een blik op de tekst die naast het schilderij aan de muur was bevestigd en deed toen met een onderdrukte kreet een stap achteruit, waarop een van de bewakers opkeek van zijn krant.

'Gaat het, mevrouw?' riep hij.

Annie legde een hand op haar hart. 'Hè? O. Ja, hoor. Sorry.'

Hij keek haar even achterdochtig aan, maar verdiepte zich toen weer in zijn krant.

Annie keek nog een keer. Het was niet in de catalogus vermeld, maar daar stond het, zwart op wit, onder *Liggend naakt*. Een ondertitel: *Gloria, herfst 1944*.

7

Het was maandagochtend en Banks wierp nogmaals een blik op de ansichtkaart met de afbeelding van *Liggend naakt: Gloria, herfst 1944* die op zijn bureau lag. Het was een griezelige en verontrustende ervaring om de impressie
van een kunstenaar voor zich te zien van het vlees dat waarschijnlijk ooit de
nu met vuil bedekte botten had bekleed die ze vorige week hadden gevonden
en om die aanblik prikkelend te vinden. Een opwindend schuldgevoel
stroomde door zijn lichaam, zoals hij als tiener ook had gehad toen hij voor
het eerst naar plaatjes van blote vrouwen had gegluurd in de *Swank* of *May-
fair*.

Annie had een aantal exemplaren van de kaart gekocht bij de kunstgalerie en
had hem opgetogen over haar ontdekking zaterdag aan het eind van de middag gebeld. Ze waren samen in Cockett's Hotel in Hawes gaan eten met de
bedoeling beiden na afloop hun eigen weg te gaan, aangezien ze hadden afgesproken dat ze het rustig aan zouden doen en ze het erover eens waren dat ze
ook tijd voor zichzelf nodig hadden. In plaats daarvan namen ze echter na de
tweede fles wijn een kamer en werden ze zondagochtend samen wakker van
het geluid van kerkklokken.

Na een rustig ontbijt vertrokken ze, vastbesloten om hun afspraakjes vanaf nu
tot de weekenden te beperken.

Eenmaal thuis had Banks het hele weekend geprobeerd om Brian te bereiken,
maar zonder succes. Hij besefte dat hij eigenlijk Sandra zou moeten bellen om
te vragen wat zij ervan vond, maar daar had hij geen zin in. Misschien had het
er iets mee te maken dat hij met Annie naar bed was geweest, misschien ook
niet. Hoe dan ook, hij was bang dat hij een gesprek met Sandra nu even niet
kon hebben. De rest van de zondag had hij besteed aan het lezen van de kranten en allerlei klusjes in de cottage.

Hij liep naar het open raam en bleef daar staan. De gouden wijzers tegen de
blauwe achtergrond van de kerkklok stonden op kwart voor elf. Op straat
werd luid getoeterd en de geur van vers brood uit de bakkerij vermengde zich
met de stank van uitlaatgassen. De woedende bestuurder van een bestelbusje
schold op een toerist. De toerist schold terug en liet zich vervolgens haastig
opslokken door de mensenmenigte. De zoveelste bus hield halt op het met

keien geplaveide marktplein en spuwde een stroom oude dametjes uit. Uit Worthing, zag Banks aan het embleem dat op de zijkant geschilderd stond. Worthing. Waarom konden die oude wijfies niet daar blijven en met opgetrokken rokken lekker pootjebaden of de geur van zeewier opsnuiven of zoiets? Waarom kwam iedereen in godsnaam toch altijd naar de Dales? In feite beschouwde hij James Herriot als de grote zondaar. Als ze die verdomde serie niet op televisie hadden uitgezonden, zou het hier heerlijk rustig zijn.

Banks stak een verboden sigaret op en vroeg zich voor de zoveelste keer dit jaar af waarom hij zich nog druk maakte over zijn werk. Er waren talloze gelegenheden geweest waarbij hij had gedacht dat hij het bijltje erbij neer moest gooien. In het begin had hij het niet gedaan omdat het hem eenvoudigweg te veel moeite was. Zolang iedereen hem maar met rust liet, maakte het hem niets uit. Hij wist donders goed dat hij ver beneden zijn kunnen functioneerde en zelfs het papierwerk liet versloffen, maar het kon hem geen zak meer schelen. Het kostte weinig moeite om te komen opdraven en zonder enig enthousiasme wat papierwerk af te handelen of computerspelletjes te spelen. De waarheid was echter dat Sandra's vertrek hem zo had aangegrepen dat alles verder zinloos leek.

Later, toen hij de cottage had gekocht en zichzelf streng had toegesproken, of er in elk geval in was geslaagd om afstand te scheppen tussen hemzelf en die pijn, had hij serieus overwogen om wat werk betreft een andere richting in te slaan, maar hij had niets kunnen bedenken waarvoor hij de benodigde kwalificaties bezat; bovendien was er ook geen enkele baan die hem echt aansprak. Hij was te jong om al met pensioen te gaan en had absoluut geen zin om in de beveiliging te gaan of voor een privé-detectivebureau te werken. Een te lage opleiding had alle andere mogelijkheden voor hem afgesloten.

Dus was hij hier blijven hangen. De zaak die door Jimmy Riddle ongetwijfeld als smerig, zinloos en onoplosbaar was ingeschat, had er echter mede voor gezorgd dat Banks eindelijk het oude gevoel weer had teruggekregen en zich weer herinnerde waarom hij indertijd bij de politie was gegaan. Wanneer iets een routineklus wordt, een mechanische handeling, en je werktuiglijk en zonder gevoel doet wat je moet doen, moet je heel diep in jezelf graven en weer naar boven zien te halen waarom je je vroeger tot het werk aangetrokken had gevoeld. Wat had je erin aangesproken? Waarom bleef het je altijd bezighouden? Dat gevoel is hetgeen waardoor je je moet laten leiden, en de rest kon de pot op.

Banks had de afgelopen maanden diep in zijn geheugen gegraven en veel over deze vragen nagedacht. Het ging niet alleen om de vraag waarom hij die dag het wervingsbureau was binnengelopen, om informatie had gevraagd en een week later de stap had gezet. Dat was deels geweest omdat hij na Jems dood teleurgesteld was geraakt in de bohémienwereld en deels ook om zich tegen zijn ouders af te zetten. Bovendien wisten Sandra en hij toen al dat ze serieus met elkaar verder wilden; ze wilden trouwen en een gezinnetje stichten, en daarvoor moest hij een vaste baan hebben.

Banks liet zich niet leiden door een abstract idee van gerechtigheid; voor hem was het geen kwestie van bij de 'goeien' willen horen en de 'slechteriken' achter de tralies kunnen zetten. Hij was om te beginnen niet zo naïef dat hij dacht dat de politie tot de 'goeien' moest worden gerekend en alle criminelen per se tot de 'slechteriken' behoorden. Sommige mensen werden tot de misdaad gedreven uit een soort wanhoop; andere waren vanbinnen zo beschadigd dat ze niet in staat waren om zelf een keuze te maken. Wanneer het erop aankwam, was Banks ervan overtuigd dat de meeste gewelddadige misdadigers bullebakken waren, en als kind al had hij een hekel gehad aan bullebakken. Op school had hij de zwakkere kinderen altijd tegen de pesterige bullebakken in bescherming genomen, ook al was hijzelf niet bijzonder groot of sterk geweest. Hij had regelmatig een blauw oog of een bloedneus opgelopen als dank voor zijn inspanningen.

Op een of andere manier was alles te herleiden tot Mick Slack, een bullebak uit de vijfde die twee jaar ouder was dan Banks en vijftien centimeter langer, en naar de bijnaam de Matter luisterde. Op een dag had Slack zonder enige aanleiding op het schoolplein een jongen die Graham Marshall heette lopen duwen en stompen. Marshall zat bij Banks in de klas en was een intelligente, rustige, verlegen jongen – het soort dat door anderen wordt uitgescholden voor mietje en flikker, maar meestal gewoon met rust wordt gelaten. Toen Banks tussenbeide kwam, begon Slack hem te duwen en er volgde een knokpartijtje. Door zijn snelheid en doortraptheid was Banks erin geslaagd om Slack uit te putten en hem tegen het asfalt te slaan voordat er een onderwijzer naar buiten kon komen en hem tegenhield. Slack had gezworen dat hij wraak zou nemen, maar had daar nooit de kans toe gekregen. Twee dagen later was hij op weg naar een rugbywedstrijd van het schoolteam waar hij in zat met zijn motorfiets tegen een bakstenen muur gereden en overleden.

Het vreemde was echter dat Graham Marshall een maand of zes later spoorloos verdween en nooit meer door iemand was gezien. Politieagenten waren iedereen in zijn klas komen ondervragen, hadden willen weten of ze onbekenden bij de school hadden zien rondhangen, gevraagd of Graham hun soms iets had verteld over verdachte figuren of iemand die hem misschien had lastiggevallen. Niemand had iets gezien of gehoord. Banks had zich bijzonder machteloos gevoeld omdat hij de politie niet kon helpen, en jaren later schoot datzelfde gevoel hem weer te binnen wanneer hij aan de andere kant van de verhoortafel zat en toekeek hoe getuigen zich hakkelend allerlei details probeerden te herinneren.

De gangbare theorie luidde dat Graham door een kinderlokker was ontvoerd en dat zijn lichaam kilometers ver weg in een bos was begraven. Dat waren dus drie sterfgevallen die Banks als tiener had meegemaakt, inclusief Phil Simpkins die slingerend aan een touw op de scherpe punten van een hekwerk was gevallen, maar het was uiteindelijk het mysterie van Graham Marshalls verdwijning geweest dat hem het meest was bijgebleven, tot Jems dood een paar jaar later, en op een of andere manier waren het zijn nieuwsgierigheid en het onverklaarbare schuldgevoel daarover die zoveel jaren later de achterliggende redenen waren geweest voor zijn besluit om bij de politie te gaan.

Afgezien van de vaste taken en details die deel uitmaakten van een baan als politieman was Banks vooral geobsedeerd geraakt door het in de kraag vatten van zo veel mogelijk bullebakken. Wanneer de slachtoffers al dood waren, kon hij hen natuurlijk niet meer verdedigen, maar hij kon wel uitzoeken wat er met hen was gebeurd en ervoor zorgen dat de schuldigen gestraft werden. Hij was niet onfeilbaar en het lukte niet altijd, maar het was het enige wat hij kon doen. Dat was ook het gevoel dat hij moest zien terug te vinden, want anders kon hij er maar beter de brui aan geven en voor een of ander privé-beveiligingsbedrijf gaan werken.

Hij liep terug naar zijn bureau en ging zitten. Hij keek nogmaals naar Gloria: beeldschoon, erotisch, sensueel, speels, maar tegelijkertijd uitdagend, spottend, alsof ze een of ander geheim van de kunstenaar kende of met hem deelde, en hij voelde dat zijn aanwezigheid bij deze zaak meer dan ooit tevoren noodzakelijk was. Hij was ervan overtuigd dat Gloria Shackleton het slachtoffer was dat in Hobb's End onder de grond begraven had gelegen en hij wilde weten wie ze was geweest, wat er met haar was gebeurd en waarom niemand haar als vermist had opgegeven. Was iedereen er soms van uitgegaan dat ze in het niets was opgelost, of door buitenaardse wezens was ontvoerd of zoiets? De bullebak die haar had vermoord was waarschijnlijk zelf ook allang dood, maar dat kon Banks geen zier schelen. Hij moest en zou het te weten komen.

Dr. Glendennings telefoontje onderbrak zijn gepeins.

'Ha, Banks,' zei hij. 'Blij je op kantoor aan te treffen. Je hebt geluk dat ik toevallig in Leeds moest zijn, weet je. Anders had je naar je lijkschouwing kunnen fluiten. Er zijn heel wat versere lijken die mijn aandacht als expert opeisen.'

'Dat neem ik direct aan. Mijn excuus. Ik beloof dat ik van nu af aan beter mijn best zal doen.'

'Dat mag ik wel hopen.'

'Wat hebt u voor me?'

'Niet veel meer dan wat dr. Williams je al heeft verteld, ben ik bang.'

'Ze is dus neergestoken?'

'Jazeker. En heel agressief ook.'

'Hoe vaak?'

'Een keer of veertien, vijftien, voorzover ik heb kunnen nagaan. Ik zou er

132

uiteraard geen eed op durven doen, gezien de staat waarin het geraamte ver-keert en de tijd die is verstreken sinds het tijdstip van overlijden.'

'Is ze aan die verwondingen overleden?'

'Wie denk je dat je voor je hebt, beste knul? Ik kan echt geen wonderen ver-richten, hoor. Het is niet mogelijk om te zeggen wat haar heeft gedood, ook al zouden die messteken meer dan afdoende zijn geweest. Afgaand op de hoek en de positie van de inkepingen moet het lemmet vrijwel zeker enkele vitale or-ganen hebben doorboord.'

'Hebt u ook sporen gevonden die duiden op andere verwondingen?'

'Even geduld, knul. Daar kom ik zo op, als je tenminste rustig aan doet en me een kans geeft. Het komt door al die cafeïne, weet je. Te veel koffie. Probeer voor de verandering eens een lekkere kop kruidenthee.'

'Dat zal ik zeker doen. Morgen. Vertel het me nu maar.'

'Ik heb mogelijke, met de nadruk op "mogelijke", sporen gevonden van wur-ging met de blote hand.'

'Wurging?'

'Dat zei ik, ja. En hou op met me na te praten. Als ik zo'n verrekte papegaai zou willen hebben, dan kocht ik er wel een. Ik ga af op het tongbeen in de keel. Welnu, dat zijn uiterst tere botjes, die vrijwel altijd breken tijdens wur-ging met de hand, maar ik zeg met klem "mogelijk", omdat de schade ook met het verstrijken van de tijd door andere oorzaken kan zijn ontstaan. Het gewicht van al die aarde en dat water, bijvoorbeeld. Ik moet daar echter wel bij zeggen dat het geraamte in opmerkelijk goede staat verkeert gezien de plek waar het al die tijd heeft gelegen.'

'Is het dan niet juister om te zeggen dat het waarschijnlijk is in plaats van mo-gelijk?'

'Wat is het verschil?'

'"Wanneer je het onmogelijke hebt geëlimineerd, moet datgene wat overblijft, hoe onwaarschijnlijk ook, wel de waarheid zijn." Sir Arthur Conan Doyle.'

Glendenning zuchtte theatraal. 'En dan te bedenken dat die vent arts was. Vooruit dan maar, we zullen het erop houden dat het beslist niet onmogelijk is, en zelfs tamelijk aannemelijk, dat die arme vrouw is gewurgd. Is dat duide-lijk genoeg naar jouw smaak?'

'Voordat ze werd neergestoken.'

'Hoe moet ik dat nu weten? Echt, Banks, ofwel je hebt een overdreven hoge dunk van de medische professie, ofwel je bent gewoon een enorme stijfkop. Jou kennende gok ik op dat laatste. Zullen we voor de verandering eens afspre-ken dat we redelijk blijven en enige logica op de zaak loslaten?'

'Ga uw gang. U bent trouwens wel erg mopperig vandaag, doc.'

'Aye. Dat krijg je ervan als mijn eigen dokter me opdraagt van de koffie af te blijven. En ik heb je al eerder gezegd dat je me geen doc moet noemen. Het getuigt niet van respect. Luister goed. Deze vrouw is zo agressief gestoken dat het maar weinig had gescheeld of ze was in mootjes gehakt. Naar mijn idee is het erg onaannemelijk – niet geheel onmogelijk, maar hoogst onwaarschijnlijk zo je wilt – dat de moordenaar zich genoodzaakt zag om haar ook nog te wurgen nadat hij dit had gedaan. Om te beginnen heeft de enorme razernij die daarbij een rol heeft gespeeld hem waarschijnlijk flink uitgeput, en datzelfde geldt voor zijn woede; verder voelen sommige moordenaars na het begaan van een extreem gewelddadige daad een welhaast postcoïtale ontspanning. Ik zou dus zeggen dat de wurgpoging eerst heeft plaatsgehad en de messteken om wat voor reden ook pas daarna. Iets dergelijks is statistisch gezien trouwens ook gebruikelijker.'

'Waarom dan die messteken? Om er zeker van te zijn dat ze dood was?'

'Dat betwijfel ik. Hoewel het waar is dat ze na die wurgpoging mogelijk nog in leven was en alleen het bewustzijn had verloren. Zoals ik net al zei: we hebben hier te maken met een enorme woede, razernij. Dat is de enige verklaring. Plat gezegd: degene die dit heeft gedaan, heeft zich laten meeslepen door het moment. Hij had letterlijk een rood waas voor ogen. En anders wist hij precies wat hij deed en genoot hij ervan.'

'Hij?'

'Ook dat is statistisch gezien het meest aannemelijk. Hoewel ik een sterke vrouw niet bij voorbaat als dader zou uitsluiten. Jij weet echter net zo goed als ik dat dit soort dingen meestal uit lust voortvloeien, Banks. Of uit een andere zeer sterke emotie, zoals jaloezie, wraak, obsessie, hebzucht en dergelijke. Het kan inderdaad ook een bedrogen echtgenote zijn geweest of een afgewezen vrouw, een lesbische relatie met fatale afloop. Volgens de statistieken wordt dit soort dingen echter door mannen gedaan. Ik ga je niet vertellen hoe je je werk moet doen, maar ik denk niet dat je hier te maken hebt met een doorsneemisdaad. Het ziet er niet uit als een moord die tijdens een beroving heeft plaatsgevonden of om een geheim te verbergen. Natuurlijk kunnen moordenaars bijzonder slim zijn en weten ze hun motief voor een misdaad soms op slinkse wijze te verbergen. Dat is de schuld van al die misdaadboeken, als je het mij vraagt.'

'Goed,' zei Banks, die het schrijfblok dat hij voor zich had neergelegd helemaal volpende. Dat was het probleem met computers: het was bijzonder onhandig om er aantekeningen op te maken wanneer je aan de telefoon zat. 'En die partussporen?'

'Dat is inderdaad precies wat ze zijn, naar mijn idee.'

'Dus ze kunnen niet door het mes zijn veroorzaakt, of door de tand des tijds?'

'Tja, er bestaat natuurlijk altijd een kans dat ze door iets anders zijn veroorzaakt: een dier, een steentje of kiezel die erlangs is geschuurd, zoiets, maar gezien de plek waar ze is gevonden zou ik zeggen dat we de mogelijkheid dat een

134

aaseter actief is geweest vrijwel volledig kunnen uitsluiten. Na al die tijd is het echter onmogelijk om ergens honderd procent zeker van te zijn. Afgaand op de plaats en de staat van de beenderen zou ik zeggen dat het inderdaad partussporen zijn. Die vrouw heeft een kind gebaard, Banks. Uiteraard kan ik je niet vertellen wanneer.'

'Oké,' zei Banks. 'Hartelijk bedankt, doc.'

Glendenning snoof afkeurend en hing op.

In de maanden februari en maart van 1942 volgde ik dag na dag aandachtig de nieuwsberichten. Ze werden natuurlijk gecensureerd en waren onvolledig, maar ik las over de geschatte zestigduizend Britten die bij Singapore gevangen waren genomen en over de gevechten vlak bij de rivier de Sittang, waarvandaan Matthew Gloria een brief stuurde waarin hij schreef dat alles vrij saai en eigenlijk heel veilig was, en dat ze zich geen zorgen moest maken. De overheid was in oorlogstijd blijkbaar niet de enige die loog.

Toen hoorden we op 8 maart dat Rangoon was gevallen. Ook bij ons thuis was het moreel vrij laag. In april deden de Duitsers niet langer alsof ze alleen militaire en industriële doelwitten bombardeerden en voerden ze ook bombardementen uit op steden met een bijzondere architectonische schoonheid, zoals Bath, Norwich en York, wat wel heel dicht bij ons in de buurt kwam.

Ik weet nog dat Leeds, dat slechts een kilometer of vijfenveertig bij ons vandaan lag, ongeveer een maand voordat Gloria in ons dorp kwam de ergste aanval van de oorlog te verduren had gehad. De dag erna zijn Matthew en ik er met de trein naartoe gegaan om te zien hoe het eruitzag. Het gemeentemuseum dat op de hoek van Park Row en Bond Street lag, was vol getroffen en de opgezette leeuwen en tijgers die ons in onze jeugd zoveel angst hadden aangejaagd, hingen in de elektriciteitskabels van de trams als wezens die uit een op hol geslagen draaimolen waren geworpen. Ik wilde ook de schade in York gaan bekijken, maar mevrouw Shipley, de stationschef, vertelde me dat het station in York was gebombardeerd en dat er geen treinen werden toegelaten. Ze kon me gelukkig wel verzekeren dat de kathedraal niet verwoest was.

Er volgde een miserabele lente, ook al hadden we de zonnigste aprilmaand in veertig jaar. We hadden te kampen met de gebruikelijke onvoorspelbare tekorten. Dingen verdwenen eenvoudigweg wekenlang van de planken. De ene week was er geen vis te krijgen, hoeveel je er ook voor over had; de week daarop was er nergens gevogelte voorradig. In februari ging zeep op de bon en kreeg je nog maar vierhonderdvijftig gram per vier weken; in maart werd het benzinerantsoen voor burgers volledig opgeschort, wat inhield dat er geen pleziertochtjes meer konden worden gemaakt. Wij slaagden er echter in toch nog een of twee bonnen te behouden, omdat we het bestelbusje nodig hadden om bestellingen op te halen bij de groothandel.

Ik hield het nieuws nog nauwkeuriger bij dan voorheen en pluisde alle kranten erop na, van de *Times* en de *News Chronicle* tot de *Daily Mirror*, zodra ze met de eerste trein binnenkwamen; ik knipte artikelen uit, plakte ze in een plakboek en was uren bezig met kronkelende rivieren en kartelige kusten op te zoeken in de atlas. Toch slaagde ik er nooit in om een goed beeld te krijgen van het leven dat Matthew daar moest leiden. Ik kon me enigszins een voorstelling maken door de boeken van Rudyard Kipling en Somerset Maugham die ik had gelezen, maar verder kwam ik niet.

Ik schreef hem elke dag, wat waarschijnlijk vaker was dan Gloria. Ze was nooit zo'n brievenschrijfster geweest. Matthew schreef niet zo vaak terug, maar wanneer hij schreef verzekerde hij ons altijd dat hij het goed maakte. Meestal klaagde hij over de moessons en de vochtige hitte in de jungle, de insecten en de verschrikkelijke omgeving. Hij vertelde nooit iets over de gevechten en de doden, dus we wisten heel lang niet eens of hij zelf had meegevochten. Eenmaal schreef hij echter dat verveling de grootste vijand leek te zijn: 'Lange periodes van verveling die slechts af en toe door een korte schermutseling worden onderbroken' – zo omschreef hij het. Ergens had ik het idee dat die 'korte schermutselingen' veel gevaarlijker en angstaanjagender waren dan de verveling.

De tijd verstreek, we raakten gewend aan Matthews afwezigheid en leerden genoegen te scheppen uit de brieven die hij ons stuurde. Gloria las vaak stukjes voor uit zijn brieven aan haar, waarbij ze ongetwijfeld de gênante suikerzoete verliefderigheden wegliet, en ik las voor uit zijn brieven aan mij. Soms meende ik te merken dat ze jaloers was, omdat hij mij vooral over zijn gedachten, boeken en filosofie schreef, en haar over alledaagse dingen als het eten, de muggen en de blaren.

In september van dat jaar werd *Pride and Prejudice* met Laurence Olivier en Greer Garson eindelijk in het Lyceum vertoond. Gloria had dagenlang last gehad van kiespijn en had net een kies laten trekken door de oude Granville. Ik zei tegen haar dat het een schande was dat hij zulke prijzen durfde te rekenen voor zulk broddelwerk, maar ze sputterde tegen dat Brenchley in Harkside, een beruchte rouwdouw, nog duurder was. Zoals gewoonlijk deed Granville meer goed dan kwaad en het gat in het tandvlees van die arme Gloria had een hele dag gebloed. Ze begon zich net weer wat beter te voelen en ik wist haar over te halen om met me mee te gaan naar de film. Na afloop moest ze toegeven dat ze van de film had genoten. Dat was voor mij niet echt een verrassing. Het was nu niet bepaald de gevatte, ironische Jane Austen geweest die ik uit de boeken kende; de film was veel romantischer. Toch was het een aangename afwisseling na al die domme komedies en musicals waar zij mij de laatste tijd mee naartoe had gesleept.

Door de dubbele zomertijd konden we de weg terug door de velden die avond gemakkelijk vinden. Het was een prachtige herfstavond en het late avondlicht was rokerig groen- en goudkleurig; het was het soort avond dat ik nog kende van voor de oorlog, zo'n avond waarop ik na zonsondergang vaak naar buiten was gegaan om te genieten van de brandende stoppels op de akkers, om de bittere, zoete rook die boven de velden in de lucht bleef hangen op te snuiven en naar de vuurtjes te kijken die zich kilometers ver langs de horizon uitstrekten. Helaas werden er in de oorlog geen akkers verbrand; we wilden niet dat de Duitsers zouden ontdekken waar onze lege velden lagen.

Die avond was bijna net zo mooi, zelfs zonder de rook en de vuurtjes. Ik zag hoe de paarse heide op de verre heideheuvels in het westen donkerder werd, hoorde de roep van de nachtvogels, rook de frisse, naar hooi geurende lucht en voelde het droge gras langs mijn benen strijken toen ik voorbijliep.

Ondanks de verwoestende gevolgen van de oorlog en het feit dat Matthew zo ver bij ons vandaan was, voelde ik op dat moment een diepe tevredenheid die ik nog niet eerder had gevoeld. Toen we in het toenemende duister naar beneden liepen en de elfenbrug naderden, voelde ik echter een kille huivering van angst; alsof er iemand over mijn graf was gelopen, zou moeder zeggen. Gloria, die met haar arm door de mijne gestoken aan één stuk door kletste over hoe knap Laurence Olivier was, had duidelijk niets gemerkt, dus ik hield het voor me.

De weken gingen voorbij en ik probeerde het gevoel van me af te zetten, maar op een of andere manier keerde het telkens stiekem terug. Er was genoeg om blij mee te zijn, hield ik mezelf voor: Matthew bleef ons trouw en regelmatig schrijven en verzekerde ons telkens weer dat hij het goed maakte; het Rode Leger leek vooruitgang te boeken bij Stalingrad en in Noord-Afrika was het tij gekeerd.

Toen ik in november na de overwinning bij El Alamein op mijn bed lag en voor het eerst in jaren weer het klokgelui hoorde, moest ik alleen maar huilen, omdat Matthew op zijn huwelijksdag geen klokgelui had gehad.

'Om te beginnen,' zei Annie later die dag via de telefoon tegen Banks, 'kan ik geen enkel officieel document vinden dat betrekking heeft op Gloria Shackleton en van na de huwelijksaankondiging uit 1941 stamt. Er bevindt zich geen melding van vermissing in onze dossiers en er is nergens een overlijdensbericht te vinden. Tussen twee haakjes, de *Harkside Chronicle* heeft tussen 1942 en 1946 de publicatie gestaakt vanwege het papiertekort, dus als bron hebben we daar niet veel aan. Dan heb je natuurlijk altijd nog de *Yorkshire Post*, als daarin tenminste aandacht werd besteed aan Harkside en omgeving. Hoe dan ook, ze lijkt wel van de aardbodem te zijn verdwenen.'

'Heb je navraag gedaan bij de immigratiedienst?' vroeg Banks.

'Ja. Helemaal niets.'

'Goed. Ga verder.'

'Ik ben wel iets meer over haar leven in Hobb's End te weten gekomen, voornamelijk uit berichten in het parochieblaadje. De eerste keer dat ze wordt vermeld, is in de uitgave van mei 1941, waarin ze welkom wordt geheten in de parochie als lid van de Women's Land Army en waarin staat dat ze tewerk zal worden gesteld op Top Hill Farm, net buiten het dorp.'

'Top Hill Farm? Heb je kunnen achterhalen wie de eigenaar was?'

'Ja. Een zekere Frederick Kilnsey en zijn vrouw Edith. Ze hadden één zoon, Joseph, die een oproep heeft ontvangen en in dienst is gegaan. Daarom kregen ze Gloria toegewezen. Blijkbaar was het geen grote boerderij: een paar koeien, wat pluimvee, schapen en een stukje land. Joseph is niet meer teruggekeerd. Om het leven gekomen bij El Alamein. Tegen die tijd woonde Gloria al in Bridge Cottage.'

'Werkte ze nog wel voor de Kilnseys?'

'Ja. Ik vermoed dat deze regeling beide partijen goed uitkwam. Ze hadden haar nodig, vooral toen Joseph was overleden, en zij kon in Bridge Cottage wonen en zo in de buurt blijven van de paar familieleden die ze in Hobb's End had.'

'Dit stond allemaal in dat parochieblaadje?'

'Nou ja, ik borduur er een beetje op voort. Maar het biedt een opmerkelijke schat aan informatie, vind je ook niet? Het ligt natuurlijk erg voor de hand om de draak te steken met de onbeduidende berichtjes die ze er indertijd in plaatsten, van het type: "Boer Jones raakt schapen kwijt in winterse storm", maar wanneer je op zoek bent naar informatie zoals wij, heb je er echt heel veel aan. Helaas is de publicatie hiervan begin 1942 ook gestaakt. Alweer vanwege de papierschaarste.'

'Jammer. Vertel verder.'

'Dat is het eigenlijk wel zo'n beetje. Gloria is met het oudste kind van de Shackletons getrouwd, Matthew. Hij was eenentwintig en zij negentien. Hij had een jonger zusje dat Gwynneth heette. Ik ga ervan uit dat zij dezelfde is die ook getuige was bij het huwelijk.'

'Wat is er van haar geworden?'

'Voorzover ik weet woonde ze er nog steeds toen de laatste editie in maart 1942 uitkwam. Ze heeft toen namelijk een stukje geschreven over het kweken van uien.'

'Hoogst fascinerend. En Matthew?'

'De laatste keer dat hij werd vermeld was toen hij naar het buitenland werd verscheept.'

'Waarnaartoe?'

'Staat er niet bij. Dat was waarschijnlijk geheim.'

'Enig idee waar deze mensen naartoe zijn gegaan toen ze Hobb's End moesten verlaten?'

'Nee. Ik heb wel Ruby Kettering gebeld. Ze kent twee mensen die tijdens de oorlog in Hobb's End hebben gewoond en nog in leven zijn. Een zekere Betty Goodall, die in Edinburgh woont, en Alice Poole in Scarborough. Volgens haar zullen ze ons maar al te graag te woord willen staan.'

'Mooi. Luister, ik heb besloten dat ik brigadier Hatchley morgen naar St. Catherine's House stuur. Wat heb je liever: Edinburgh of Scarborough?'

'Maakt mij niet uit. Alles is beter dan geboorte-, overlijdens- en huwelijksaktes na te trekken.'

'Ik gooi een muntje op. Kop of munt?'

'Ben je via de telefoon wel te vertrouwen?'

'Jazeker. Kop of munt?'

'Dit is krankzinnig. Kop.'

Annie zweeg even en hoorde het geluid van een muntje dat rinkelend op een metalen bureaublad terechtkwam. Ze glimlachte in zichzelf. Idioot. Banks kwam weer aan de lijn. 'Het was kop. Aan jou de keus.'

'Ik zei toch al dat het mij niet echt uitmaakt? Maar als je erop staat, neem ik Scarborough wel. Ik hou van de kust daar en het is iets minder ver rijden.'

'Uitstekend. Als ik morgen vroeg genoeg vertrek, kan ik in een dag op en neer rijden naar Edinburgh en ben ik aan het begin van de avond wel terug. Dan hebben we nog genoeg tijd om onze aantekeningen te vergelijken. Maar eerst wil ik vanavond nog iets in het journaal bekendmaken.'

'Wat dan?'

'Ik wil Gloria's naam vrijgeven en eens kijken of daar reacties op komen. Ik besef dat we misschien op de zaken vooruitlopen, maar je weet maar nooit. We hebben geen idee wat er van de Shackletons is geworden, en het is best mogelijk dat er nog familieleden van Gloria in Londen hebben gewoond, die nu nog in leven zijn. Misschien weten zij wat er met haar is gebeurd. En als we er echt helemaal naast zitten, komt ze misschien zelf wel even bij het bureau langs om ons te laten weten dat ze nog leeft.'

Annie lachte. 'Ja, hoor.'

'Goed, ik ga een poging wagen op de lokale televisie. Op die manier kan ik er tenminste voor zorgen dat ze die ansichtkaart laten zien.'

'Wat? Een naakt lichaam op het plaatselijke nieuws?'

'Ze kunnen toch een deel weglaten?'

'Laat me even weten wanneer je op televisie komt.'

'Waarom?'

'Dan kan ik mijn videorecorder instellen. Dag.'

'Dus Jimmy Riddle denkt dat hij u met een onmogelijke klus heeft opgezadeld?' vroeg brigadier Hatchley toen hij de eerste hap van zijn warme krentenbroodje had doorgeslikt.

'Inderdaad. Dat heb je keurig gezegd,' zei Banks. 'Volgens mij was hij er ook vrij zeker van dat deze zaak niet om interraciale betrekkingen zou gaan en dat geen van zijn rijke, invloedrijke vrienden van de loge erbij zou worden betrokken.'

'Och, dat weet ik zo net nog niet,' zei Hatchley. 'Ik stel me zo voor dat de meeste van die lui ook het nodige op hun kerfstok hebben.'

'Wat je zegt.'

Ze zaten in de Golden Grill, tegenover het regionale hoofdbureau in Eastvale. Market Street was vol toeristen die een jasje of vest om hun schouders hadden geslagen en een fototoestel om hun nek hadden hangen. Als schapen op wegen tussen niet-omheinde heidevelden slenterden ze kriskras door het smalle straatje. Bestelbusjes uit de buurt moesten zich stapvoets en met blèrende claxon een weg door de menigte banen.

De meeste tafeltjes waren al bezet, maar ze hadden er nog een helemaal achter in de zaak gevonden. Toen ze eenmaal zaten en hun bestelling hadden opgegeven aan de gehaaste serveerster, vertelde Banks Hatchley over het geraamte. Toen hij was uitverteld, werd hun bestelling gebracht.

Banks was op de hoogte van de reputatie die zijn brigadier genoot als luie donder en onbeschofte rouwdouw. Hij had zijn uiterlijk ook niet mee. Hatchley was lang, bewoog zich traag, was steviggebouwd, als een afgetakelde rugbyspeler, en had rossig haar, een roze huid, sproeten en een varkensneus. Zijn pakken glommen allemaal van ouderdom, zijn dassen zaten onder de eivlekken en hij zag er gewoonlijk uit alsof hij zojuist achterwaarts door een heg was gesleurd. Banks wist echter uit ervaring dat wanneer Hatchley zich eenmaal in iets had vastgebeten, hij koppig en vasthoudend was, en verdomd moeilijk af te schudden. Het probleem was alleen dat je hem eerst moest zien te motiveren.

'We denken inmiddels dat we weten wie het slachtoffer is, maar ik wil dat alle alternatieven worden nagetrokken. Ik zou graag willen dat jij morgen met agent Bridges naar Londen gaat. Hier is een lijst met de informatie die ik wil hebben.' Banks overhandigde hem een vel papier.

Hatchley wierp er een blik op en keek toen op. 'Mag ik agent Sexton niet meenemen?'

Banks grinnikte. 'Ellie Sexton? Jim, je bent een getrouwd man. Ik schaam me diep voor je.'

Hatchley gaf hem een knipoog. 'Spelbreker.'

Banks keek op zijn horloge. 'Voordat je gaat, kun je misschien eerst nog een landelijk verzoek indienen voor informatie over vergelijkbare misdaden in dezelfde periode. Dat wordt een beetje lastig, omdat het om een oude misdaad gaat en ze niet al te hard zullen lopen. Er bestaat echter een kans dat iemand een onopgeloste zaak in de dossiers heeft met dezelfde modus operandi. Ik zal ook iemand opdracht geven om onze eigen dossiers erop na te slaan.'

'Denkt u dat dit er een uit een reeks is geweest?'

'Ik weet het nog niet, Jim, maar wat dokter Glendenning me heeft verteld over de manier waarop ze is overleden, heeft me aan het denken gezet en ik wil die mogelijkheid nog niet helemaal afschrijven. Ik heb de technische recherche ook verzocht om hun onderzoek uit te breiden en het hele gebied rond Hobb's End uit te kammen. Na wat ik zojuist van dokter Glendenning heb gehoord over de wijze waarop ze om het leven is gekomen, wil ik beslist voorkomen dat we straks met een zaak à la Cromwell Street 25 blijken te zitten zonder dat we dat beseffen.'

'Ik weet zeker dat de media de tijd van hun leven zouden hebben,' zei Hatchley. 'Hobb's Ends eigen House of Horrors. Klinkt wel aardig.'

'Laten we hopen dat het niet zover komt.'

'Aye.' Hatchley zweeg en at zijn broodje op. 'Die brigadier Cabbot met wie u in Harkside samenwerkt,' zei hij, 'die heb ik volgens mij nog nooit ontmoet. Wat is dat voor een gozer?'

'Zíj werkt hier nog niet zo lang,' zei Banks, 'maar ze lijkt me een uitstekende agent.'

'Zij?' Hatchley trok vragend zijn wenkbrauwen op. 'Een leuk ding?'

'Dat hangt van je persoonlijke smaak af. Voor een man met vrouw en kind thuis toon je overigens gevaarlijk veel belangstelling voor dit soort zaken. Hoe gaat het trouwens met Carol en April?'

'Prima.'

'Tandjes al allemaal doorgebroken?'

'Een tijdje terug al. Leuk dat u ernaar vraagt.'

Banks slikte de laatste hap van zijn broodje door. 'Luister eens, Jim,' zei hij, 'het kan zijn dat ik de afgelopen tijd een beetje afstandelijk ben geweest. Je snapt wel wat ik bedoel: dat ik niet veel tijd of belangstelling heb gehad voor jou en je gezin. Dat komt dan gewoon doordat ik... Nou ja, ik heb wat problemen gehad. Er is het een en ander veranderd. Ik heb aan veel dingen moeten wennen.'

'Aye.'

Verdomme, dacht Banks. Aye. Dat ene woord met wel duizend betekenissen. Hij ging moeizaam verder. 'Als je daardoor de indruk hebt gekregen dat ik je met opzet heb genegeerd of je op een of andere manier heb buitengesloten, dan spijt dat me.'

Hatchley zweeg even en keek Banks niet aan. Ten slotte legde hij met zijn ogen nog steeds van Banks afgewend zijn kolenschoppen van handen gevouwen op het rood-wit geblokte tafelkleed. 'Laten we het allemaal maar zo snel mogelijk vergeten, inspecteur. Zand erover. We hebben de afgelopen maanden allemaal zo onze moeilijkheden gehad, u misschien net iets meer dan de rest. En over moeilijkheden gesproken: ik neem aan dat u al hebt gehoord dat ze onze naam gaan veranderen in Managementteam Misdaad?'

Banks knikte. 'Ja.'

Hatchley deed net alsof hij de hoorn van een telefoontoestel opnam. 'Goedemorgen, u spreekt met Managementteam Misdaad, mevrouw. Wat kunnen wij voor u betekenen? Niet genoeg misdaad bij u in de buurt. Ach, hemeltjelief. Nu ja, ik weet zeker dat we nog wel iets over hebben op de East Side Estate. Jawel, ik zal het zeker voor u uitzoeken en kijken of ik vanmiddag nog iets in uw buurt kan laten bezorgen. Goedendag, mevrouw.'

Banks lachte.

'Nee, serieus,' ging Hatchley verder. 'Als dit zo doorgaat, moeten we u straks nog met "misdaadconsulent" aanspreken in plaats van met "inspecteur".'

De deur werd geopend en agent Sexton kwam naar hen toelopen. Hatchley gaf Banks een por en wees. 'Daar is ze. De schoonheidskoningin van het regionale hoofdbureau in Eastvale.'

'Rot op, brigadier,' zei ze, en ze wendde zich tot Banks. 'We hebben zojuist een dringend bericht uit Harkside ontvangen van brigadier Cabbot. Ze wil dat u er zo snel mogelijk naartoe komt. Ze zei dat een jochie, een zekere Adam Kelly, u iets wil vertellen.'

Het telegram in de duidelijk herkenbare oranje envelop werd om een of andere reden bij de winkel bezorgd. Ik kan me de datum nog heel goed herinneren; het was Palmzondag, 18 april 1943, en moeder en ik waren net terug uit de kerk. Gloria werkte die dag, dus ik moest moeder alleen laten met haar verdriet en met een loodzwaar, bonzend hart naar Top Hill Farm rennen. Hoewel het een kille middag was, droop het zweet van mijn lichaam toen ik daar eindelijk aankwam.

Ik vond Gloria in het kippenhok, waar ze eieren aan het rapen was. Ze had er een in de palm van haar hand en stak het naar me uit om het te laten zien. 'Het is nog zo warm,' zei ze. 'Net gelegd. Waarom ben je hier eigenlijk, Gwen? Je lijkt wel buiten adem. En je ogen – heb je gehuild?'

Hijgend overhandigde ik haar het telegram. Ze las het, haar gezicht trok grauw weg en ze liet zich tegen het dunne houten wandje zakken. Een spijker in het hout protesteerde krakend en de kippen kakelden angstig. Het velletje papier dwarrelde uit haar hand op de aarden vloer. Ze begon niet onmiddellijk te huilen, maar kreunde zachtjes. 'O, nee,' zei ze. 'Nee.' Bijna alsof ze het al had verwacht. Toen begon ze over haar hele lichaam te beven. Ik wilde naar haar toe lopen, maar besefte intuïtief dat ik dat niet moest doen. Nog niet, pas wanneer ze de eerste klap van haar verdriet in haar eentje had doorstaan en de eerste pijnscheuten een beetje waren weggeëbd.

Ze balde de hand die langs haar zij hing tot een vuist en het ei brak. Felgele eierdooier stroomde over haar vieze vingers en lange draden kleverig eiwit druppelden traag op de met stro bedekte aarde.

Het huis van de Kelly's stond midden in een rijtje langs een smalle weg aan de oostkant van Harkside. Aan de overkant van de weg was een kleuterschool en daarnaast lag een parkeerplaats met betaald parkeren die moest voorkomen dat de dorpskern zou dichtslibben met auto's van toeristen. Achter de parkeerplaats liep een weide vol boterbloemen en klaver glooiend af in oostelijke richting naar de grens met West Yorkshire en de oevers van het Linwood-reservoir. Mevrouw Kelly deed de deur open en vroeg hun om binnen te komen. Banks voelde de spanning die in het huis hing onmiddellijk. De naweeën van een stevig standje; het was een bekend gevoel uit zijn eigen jeugd, en de standjes werden gewoonlijk door zijn moeder uitgedeeld. Hoewel het nooit openlijk was toegegeven, wist Banks dat zijn vader van mening was dat straf uitdelen binnen het gezin tot de taken van de vrouw behoorde. Pas wanneer Banks brutaal tegen haar was of probeerde zich te verzetten, greep zijn vader in en maakte hij met zijn broekriem een eind aan alle protesten.

'Hij wil niets zeggen,' zei mevrouw Kelly. Ze was een alledaags uitziende, zorgelijke vrouw van begin dertig, oud voor haar tijd, met slap, futloos haar en een bleek, vermoeid gezicht. 'Ik heb hem op het matje geroepen toen hij tussen de middag thuiskwam om te eten, en hij is meteen naar zijn kamer gerend. Hij wilde niet meer terug naar school en hij wil niet naar beneden komen.'

'Waar gaat het precies om, mevrouw Kelly?' vroeg Banks.

'Om dat ding dat hij heeft gestolen.'

'Gestolen?'

'Ja. Ik heb het gevonden toen ik zijn kamer schoonmaakte. Van dat... dat geraamte daarginds. Ik heb het laten liggen waar ik het heb gevonden. Ik wilde het niet aanraken. Straks denkt iedereen nog dat ik hem niet goed heb opgevoed. Het is echt niet gemakkelijk wanneer je er alleen voor staat.'

'Rustig maar, mevrouw Kelly,' zei Annie, en ze deed een pas naar voren en legde een hand op haar arm. 'Niemand zal met een beschuldigende vinger naar u wijzen. Of naar Adam. We willen alleen precies weten hoe het zit, meer niet.'

Het was warm in de kamer en op de televisie legde een vrouw uit hoe je een perfecte soufflé kon maken. Omdat het al aan het eind van de middag was en de kamer op het oosten lag, was er maar weinig licht. Een licht claustrofobisch gevoel bekroop Banks.

'Zou ik even naar boven mogen om met hem te praten?' vroeg hij.

'U krijgt toch niets uit hem. Gesloten als een oester, die jongen.'

'Vindt u het goed dat ik toch een poging waag?'

'Ga uw gang. Boven aan de trap links.'

Banks wierp een veelbetekenende blik op Annie, die mevrouw Kelly met zachte drang naar een leunstoel bracht, en klom langs de smalle, met tapijt bedekte trap naar boven. Hij klopte eerst aan op Adams deur, maar toen hij geen reactie kreeg, deed hij hem een stukje open en stak hij zijn hoofd om de hoek. 'Adam?' vroeg hij. 'Ik ben meneer Banks. Kun je je mij nog herinneren?'

Adam lag op zijn zij op het eenpersoonsbed. Hij draaide zich langzaam om, veegde met zijn onderarm over zijn ogen en zei: 'U komt me toch niet arresteren? Ik wil niet naar de gevangenis.'

'Niemand is van plan om je mee te nemen naar de gevangenis, Adam.'

'Het was niet mijn bedoeling, echt niet.'

'Rustig maar. Vertel me nu eerst eens wat er is gebeurd. Dan lossen we het samen wel op. Mag ik binnenkomen?'

Adam ging rechtop zitten. Hij was een blond jochie met dikke brillenglazen, sproeten en flaporen – het soort kind dat op school vaak wordt geplaagd en een levendige fantasie ontwikkelt om aan het getreiter te kunnen ontsnappen. Het soort kind ook dat Banks vroeger in bescherming had genomen tegen bullebakken. Zijn ogen waren rood van het huilen. 'Goed,' zei hij.

Banks ging de kleine slaapkamer binnen. Er waren geen stoelen, dus ging hij aan het voeteneind op de rand van het bed zitten. Aan de muren hingen posters van vervaarlijk met enorme slagzwaarden zwaaiende, gespierde helden uit een wereld waar zwaarden en tovenarij de dienst uitmaakten. Op het bureau stond een kleine computer en naast het bed lag een stapel oude stripboeken. Voor meer spullen was er geen ruimte. Banks liet de deur openstaan.

'Zou je me nu alles willen vertellen?' vroeg hij.

'Ik dacht dat het magie was,' zei Adam. 'De talisman. Daarom ben ik daarnaartoe gegaan.'

'Waarnaartoe?'

'Hobb's End. Dat is een magische plek. Het is verwoest in de strijd tussen goed en kwaad, maar er ligt daar nog steeds magie begraven. Ik dacht dat ik er onzichtbaar mee kon worden.'

'Hij heeft te veel stripboeken gelezen,' zei een stem op beschuldigende toon. Banks keek over zijn schouder en zag mevrouw Kelly in de deuropening staan. Annie dook naast haar op. 'Hij zit altijd met zijn hoofd in de wolken,' ging Adams moeder verder. 'Kerkers en draken, Conan de Barbaar. *Myst. Riven.* Stephen King en Clive Barker. Nou, deze keer is hij mooi te ver gegaan.'

Banks draaide zich om. 'Mevrouw Kelly,' zei hij, 'zou ik alleen met Adam mogen praten?'

Ze bleef even met over elkaar geslagen armen in de deuropening staan, snoof verachtelijk en verdween toen.

'Sorry,' gebaarde Annie naar Banks, en ze liep achter haar aan.

Banks keek Adam aan. 'Oké, Adam,' zei hij. 'Jij bent dus een magiër?'

144

Adam keek hem achterdochtig aan. 'Ik weet er wel iets van, ja.'

'Kun je me vertellen wat er die dag in Hobb's End is gebeurd, die dag dat je bent gevallen?'

'Dat heb ik u al verteld.'

'Maar nu het hele verhaal.'

Adam beet op zijn onderlip.

'Je hebt daar iets gevonden, geloof ik.'

Adam knikte.

'Zou je dat aan mij willen laten zien?'

De jongen bleef even zwijgend zitten, maar stak toen een hand onder zijn hoofdkussen en haalde een klein, rond voorwerp tevoorschijn. Hij aarzelde, maar gaf het toch aan Banks. Het was zo te zien een metalen knoop. Verroest, met een dikke korst vuil, maar beslist een soort knoop.

'Waar heb je dit gevonden, Adam?'

'Hij viel zomaar in mijn hand, echt waar.'

Banks keerde zich een beetje van hem af om zijn glimlach te verbergen. Als hij een penny had gekregen voor elke keer dat hij dit uit de mond van een in verband met diefstal opgepakte verdachte had moeten aanhoren, zou hij nu een rijk man zijn. 'Goed,' zei hij. 'Wat deed je op het moment dat hij in je hand viel?'

'Ik trok net die botjes naar boven.'

'Zat hij in de hand van dat geraamte?'

'Ja, dat moet bijna wel.'

'Alsof het slachtoffer hem in haar hand had vastgehouden?'

'Wat?'

'Laat maar. Waarom heb je ons hier niet eerder over verteld?'

'Ik dacht dat het dat ding was waarvoor ik daarnaartoe was gegaan. De talisman. Die is heel moeilijk te pakken te krijgen. Je moet eerst door de sluier naar het Zevende Niveau. Daarvoor moet je een offer brengen en je angst overwinnen.'

Banks had geen flauw idee waar de jongen het over had. In Adams fantasie had de knoop door de manier waarop hij hem in handen had gekregen blijkbaar een magische eigenschap gekregen. Niet dat het veel uitmaakte. Het punt was dat Adam de knoop uit Gloria Shackletons hand had gehaald.

'Je hebt het goed gedaan,' zei Banks, 'maar je had hem de eerste keer dat ik met je kwam praten aan mij moeten geven. Dit is niet het voorwerp waar jij naar op zoek was.'

Adam leek teleurgesteld. 'Niet?'

'Nee. Het is geen talisman, alleen maar een oude knoop.'

'Is hij belangrijk?'

'Dat weet ik nog niet. Het zou kunnen.'

'Wie was het? Weet u dat al? Dat geraamte?'

'Een jonge vrouw.'

Adam zweeg even om dit te laten bezinken. 'Was ze knap?'

'Ik denk het wel.'

'Heeft ze daar lang gelegen?'

'Sinds de oorlog.'

'Hebben de Duitsers haar vermoord?'

'We vermoeden van niet. We weten nog niet zeker wie haar heeft vermoord.' Hij stak de hand waarmee hij de knoop vasthield omhoog. 'Misschien dat deze ons helpt om daarachter te komen. Misschien kun jij ons daarbij helpen.'

'Maar degene die dit heeft gedaan, is toch zeker allang dood?'

'Waarschijnlijk wel,' zei Banks.

'Mijn opa is in de oorlog gestorven.'

'Het spijt me dat te moeten horen, Adam.' Banks stond op. 'Je kunt nu wel naar beneden komen, als je dat wilt. Niemand zal je iets doen.'

'Maar mijn moeder...'

'Ze was gewoon geschrokken, dat is alles.' Banks bleef even in de deuropening staan. 'Toen ik net zo oud was als jij nu heb ik eens een ring gestolen bij Woolworth's. Het was maar een plastic ringetje en het was niet veel waard, maar ik ben toen betrapt.' Banks kon het zich nog herinneren als de dag van gisteren: de adem van de warenhuisbewakers die naar sigaretten had geroken, de bazige houding waarmee ze boven hem hadden uitgetorend in het krappe driehoekige kantoortje dat onder de roltrap was weggestopt, de ruwe manier waarop ze hem hadden behandeld en zijn angst dat ze hem in elkaar zouden slaan of op een andere manier zouden mishandelen en dat iedereen zou denken dat het zijn verdiende loon was omdat hij een dief was. En dat alles vanwege een plastic ringetje. Misschien niet eens vanwege de ring zelf. Om stoer te doen.

'Wat is er toen gebeurd?' vroeg Adam.

'Ik moest mijn naam en adres opgeven, en toen moest mijn moeder langskomen voor een gesprek. Ze heeft mijn zakgeld ingehouden en ik mocht een maand lang niet buiten spelen.' Ze hadden hem ruw gefouilleerd en alles uit zijn zakken gehaald: touw, zakmes, cricketverzamelplaatjes, stompje potlood, toverbal, geld voor het buskaartje terug en zijn sigaretten. Dat was de reden waarom zijn moeder zijn zakgeld had ingehouden: omdat de bewakers van Woolworth's haar over die sigaretten hadden ingelicht. Die ze ongetwijfeld zelf hadden opgerookt. Hij had altijd gedacht dat dat bijzonder oneerlijk was geweest, dat de sigaretten er niets mee te maken hadden gehad. Straf voor het stelen van de ring, akkoord, maar van zijn sigaretten hadden ze moeten afblijven. In de daaropvolgende jaren was hij natuurlijk veel vaker in aanraking gekomen met situaties die aantoonden dat het leven niet eerlijk was, en niet zelden was hij daar zelf ook debet aan geweest. Hij moest toegeven dat hij wel eens iemand voor een verkeersovertreding in de kraag had gevat die een paar gram coke of hasj in zijn zak bleek te hebben en dan had hij een dergelijke overtreding rustig aan het proces-verbaal toegevoegd.

'Het heeft trouwens best lang geduurd voordat ik erachter kwam waarom ze zo van streek was over zoiets onbelangrijks als een plastic ringetje,' ging hij verder.

'Waarom dan?'

'Omdat ze zich schaamde. Ze vond het vernederend dat ze daarnaartoe moest komen en naar die mannen moest luisteren die haar vertelden dat haar zoon een dief was. Dat ze haar neerbuigend behandelden, alsof het haar schuld was, en dat ze hen moest bedanken omdat ze de politie er niet bij haalden. Wat ik had gedaan was helemaal niet zo erg, maar dat maakte niets uit. Ze schaamde zich ervoor dat een zoon van haar zoiets had gedaan. En ze was bang dat het slecht met me zou aflopen.'

'Maar nu bent u een smeris, geen dief.'

Banks glimlachte. 'Inderdaad, nu ben ik een smeris. Kom maar gauw mee naar beneden, dan gaan we kijken of we iets kunnen doen waardoor jouw moeder iets vergevingsgezinder wordt dan de mijne.'

Adam aarzelde, maar ten slotte sprong hij uit zijn bed. Banks deed een pas opzij en liet hem als eerste langs de smalle trap naar beneden lopen.

Adams moeder was thee aan het zetten in de keuken en Annie stond tegen het aanrecht geleund met haar te praten.

'Zo, heb je eindelijk besloten dat je toch maar beneden komt, schooier?' zei mevrouw Kelly.

'Het spijt me, mam.'

Ze woelde met een hand door zijn haar. 'Vooruit dan maar. Maar doe zoiets nooit meer, begrepen?'

'Mag ik een glas cola?'

'Staat in de koelkast.'

Adam liep naar de koelkast en Banks knipoogde naar hem. Adam bloosde en grijnsde.

147

8

Vivian Elmsley zat die avond met haar glas gin-tonic klaar voor het journaal. Nu ze geplaagd werd door haar herinneringen, dronk ze steeds vaker, had ze gemerkt. Hoewel dit de enige zwakke plek in haar ijzeren discipline vormde en ze gewoonlijk pas aan het eind van de dag toegaf aan haar verlangen naar een glaasje, was het desalniettemin een zorgelijk teken.

Naar het nieuws kijken was inmiddels een zware verplichting geworden, een morbide fascinatie. Wat ze die avond hoorde, schokte haar diep.

Tegen het einde van de uitzending, nadat het belangrijkste wereldnieuws en de overheidsschandalen waren afgehandeld, verscheen er een bekende plek in beeld. Op de voorgrond een jonge, blonde vrouw met een microfoon. Ze stond in Hobb's End, waar de technisch rechercheurs in hun witte pakken en laarzen nog steeds bezig waren met het opgraven van de oude gebouwen.

'Vandaag heeft zich opnieuw een bizarre wending voorgedaan in het verhaal dat zich in het noorden van Engeland ontvouwt,' begon de verslaggeefster. 'De politie die zich bezighoudt met het onderzoek naar het geraamte dat door een schooljongen hier in de omgeving is gevonden, is er vrijwel zeker van dat ze de identiteit van het slachtoffer heeft achterhaald. Iets meer dan een uur geleden heeft inspecteur Alan Banks, die de leiding heeft over dit onderzoek, gesproken met mijn collega in onze studio hier in het noorden.'

Het beeld verschoof naar een studio en de camera bleef rusten op een magere, donkerharige man met diepblauwe ogen.

'Kunt u ons vertellen hoe u dit hebt ontdekt?' vroeg de verslaggeefster.

'Jawel.' Banks keek recht in de camera terwijl hij sprak, zag ze, en liet zijn ogen niet afdwalen zoals zoveel amateurs deden wanneer ze op televisie verschenen. Hij had dit duidelijk al eens eerder gedaan. 'Toen we de identiteit hadden achterhaald van de mensen die tijdens de Tweede Wereldoorlog in de cottage woonden, ontdekten we dat er over een van hen, een vrouw die luisterde naar de naam Gloria Shackleton, geen enkele documentatie bestaat die na de oorlog is gedateerd,' vertelde hij.

'En dat maakte u achterdochtig?'

De politieman glimlachte. 'Uiteraard. Nu zouden daar verschillende redenen voor kunnen zijn, en we onderzoeken ook alle andere mogelijkheden, maar één ding waarmee we serieus rekening moeten houden is de mogelijkheid dat ze nergens wordt vermeld, omdat ze dood is.'

'Hoe lang hebben de overblijfselen van deze vrouw daar begraven gelegen?'

'Het is moeilijk om dat met enige zekerheid te zeggen, maar we vermoeden sinds de eerste helft van de jaren veertig.'

'Dat is erg lang.'

'Inderdaad.'

'Is het niet zo dat sporen en aanwijzingen hun waarde verliezen naarmate er meer tijd verstrijkt?'

'Dat klopt. Ik ben echter zeer tevreden met de vooruitgang die we tot nu toe hebben geboekt en ik ben ervan overtuigd dat we nog veel verder kunnen komen met dit onderzoek. De overblijfselen zijn pas afgelopen woensdag ontdekt en in minder dan een week tijd hebben we met aan zekerheid grenzende waarschijnlijkheid de identiteit van het slachtoffer weten vast te stellen. Ik zou zeggen dat dit in een dergelijke zaak een vrij goed resultaat is.'

'Wat is de volgende stap?'

'De identiteit van de moordenaar.'

'Ook al is hij of zij mogelijk al dood?'

'Totdat we dat met zekerheid kunnen zeggen, behandelen we dit als een lopende moordzaak. Zoals men in Amerika zegt: een moord verjaart nooit.'

'Kan het publiek u daarbij helpen?'

'Ja.' Banks verschoof op zijn stoel. Het volgende ogenblik verschenen het hoofd en de schouders van een vrouw in beeld. Dat kon toch niet waar zijn? Ook al was de gelijkenis minder treffend dan die op een foto zou zijn geweest, het leed geen twijfel wie dit was: Gloria.

Vivian hapte naar adem en greep naar haar borstkas.

Gloria.

Na al die jaren.

Het leek wel een deel van een schilderij. Afgaand op de vreemde houding van haar hoofd vermoedde Vivian dat Gloria tijdens het poseren had gelegen. Michael Stanhope? Het had veel weg van zijn stijl. Op de achtergrond ging Banks' stem verder: 'Als iemand deze vrouw herkent, die voorzover wij weten tussen 1921 en 1941 in Londen woonde en daarna in Hobb's End, als er nog een familielid in leven is dat ons iets over haar kan vertellen, neem dan alstublieft contact op met de politie van North Yorkshire.' Hij noemde een telefoonnummer. 'Er is nog heel veel wat we zouden willen weten,' vervolgde hij, 'en aangezien de gebeurtenissen zich zo lang geleden hebben afgespeeld, maakt dat het er voor ons alleen maar moeilijker op.'

Vivian luisterde niet meer. Het enige wat ze zag, was Gloria's gezicht: Stanhopes versie van Gloria's gezicht, met die vernuftige mengeling van naïviteit en losbandigheid, die verleidelijke glimlach en de belofte van geheime verrukkingen die erin besloten lag. Het was Gloria, maar het was haar ook niet. Toen huiverde ze even angstig: als ze Gloria nu al hadden opgespoord, hoe lang zou het dan nog duren voordat ze haar hadden gevonden?

'Er staat alleen maar dat hij wordt vermist,' zei Gloria twee maanden later koppig. Het was halverwege de zomer van 1943 en we stonden bij een van de stapelmuren van meneer Kilnsey; voor ons strekten zich de groengouden heuvels naar het noordwesten uit. Ze hield de meest recente brief van het ministerie onder mijn neus en wees de woorden aan. 'Kijk dan. "Vermist tijdens zware gevechten ten oosten van de rivier de Irrawaddy in Birma." Waar dat ook mag zijn. Toen meneer Kilnseys zoon bij El Alamein om het leven was gekomen, stond er echt "overleden," niet alleen "vermist".'

Wat ons voornamelijk gaande had gehouden sinds we het bericht over Matthews verdwijning hadden ontvangen, waren onze pogingen om zo veel mogelijk informatie te vergaren over wat er met hem kon zijn gebeurd. Eerst hadden we brieven geschreven en vervolgens hadden we het ministerie gebeld. Ze wilden zich echter nergens op vastleggen. 'Vermist' was het enige wat ze ons wilden vertellen, en niemand leek ook maar iets te weten over de precieze toedracht rond zijn verdwijning of waar hij zou kunnen zijn als hij nog in leven was. Als ze al iets wisten, dan vertelden ze het ons niet.

Het enige wat we wisten los te krijgen uit de man aan de telefoon was dat het gebied waar Matthew was verdwenen nu in handen was van de Japanners, dus er was geen sprake van dat er naar lichamen kon worden gezocht. Ja, gaf hij toe, er was een onbekend aantal dodelijke slachtoffers gemeld, maar Matthew bevond zich daar niet bij. Hij rondde zijn betoog af met de opmerking dat de kans weliswaar groot was dat hij om het leven was gekomen, maar dat er ook een kleine mogelijkheid bestond dat hij gevangen was genomen. Het was onmogelijk om verder nog iets uit hem los te krijgen. Na dat telefoongesprek had Gloria lopen piekeren over wat we verder moesten doen.

'Ik denk dat we ernaartoe moeten,' zei ze, en ze kneep de brief tot een prop samen.

'Waarnaartoe? Birma?'

'Nee, sufferd. Londen. We moeten ernaartoe en iemand in een hoek drijven. Antwoord halen op onze vragen.'

'Ze willen toch niet met ons praten,' wierp ik tegen. 'Bovendien zitten ze volgens mij niet meer in Londen. Alle overheidsmedewerkers zijn verhuisd naar een plaats op het platteland.'

'Er moet iemand zijn achtergebleven,' zei Gloria koppig. 'Dat kan niet anders. Een minimale bezetting misschien, maar toch. Een regering kan niet zomaar haar boeltje pakken en alles achterlaten. Vooral niet het ministerie van Oorlog. Bovendien heb ik het wel over Londen. Dat is nog steeds de hoofdstad van het land, hoor. Als we ergens antwoorden kunnen vinden, dan is het daar, dat durf ik te wedden.'

Tegen Gloria's gepassioneerde retoriek was geen argument bestand. 'Ik weet het zo net nog niet,' zei ik. 'Ik zou niet weten waar we moesten beginnen.'

'Whitehall,' zei ze nadrukkelijk knikkend. 'Daar beginnen we. Whitehall.'

Ze klonk zo beslist dat ik niet wist wat ik daarop moest antwoorden.

De rest van de maand probeerde ik Gloria de reis naar Londen uit haar hoofd te praten, maar ze was vastbesloten. Als ze eenmaal iets in haar hoofd had, was er geen enkele manier om te verhinderen dat ze haar zin doordreef, wist ik. Zelfs Cynthia, Alice en Michael Stanhope zeiden dat het tijdverspilling zou zijn. Meneer Stanhope had het helemaal niet op overheidsbureaucraten en verzekerde ons dat ze niets zouden loslaten.

Gloria beweerde dat het prima was als ik niet met haar mee wilde en dat ze dan alleen zou gaan. Ik had de moed niet om haar te vertellen dat ik nog nooit in Londen was geweest, ook niet toen het vrede was, en dat het vooruitzicht me doodsbang maakte. Londen leek wat mij betreft net zo onbereikbaar als de maan.

We kozen uiteindelijk een datum in september. Gloria besloot dat we het beste met de nachttrein konden gaan. Op die manier hoefde ze alleen maar te regelen dat ze haar wekelijkse anderhalve vrije dag doordeweeks mocht opnemen en hoefde ze meneer Kilnsey niet om extra vrije dagen te vragen in een tijd waarin het vrij druk was. Tot haar verbazing zei meneer Kilnsey dat ze wel langer vrij kon nemen als ze dat wilde. Sinds hij Joseph bij El Alamein had verloren, was hij veel inschikkelijker en aardiger geworden, en hij begreep haar verdriet. We besloten om ons toch aan het oorspronkelijke plan te houden, omdat ik moeder niet zo lang alleen wilde laten.

Cynthia Garmen beloofde dat ze op moeder en de winkel zou letten tijdens onze afwezigheid. Ze zei dat Norma Prentice haar nog een dag werk schuldig was bij de NAAFI, omdat zij de week daarvoor op haar kinderen had gepast, dus dat was geen enkel probleem. Moeder bood aan de treinkaartjes voor ons te betalen en gaf Gloria een paar van haar kledingbonnen voor het geval we tijd over hadden om de grote winkels te bezoeken. Hoewel ze de bonnen dankbaar aannam, waren kleren wel het laatste waar Gloria op dat moment aan dacht.

Rond een uur of tien bereikte de weg de top van de heuvel en zag Banks in de heiige verte de schoonheid van Edinburgh liggen: de trapsgewijs gebouwde torenflats; de donkere gotische spits van het monument voor sir Walter Scott, dat als een soort buitenaardse ruimteraket in de lucht priemde; de heuvel van Arthur's Seat; het kasteel op de rots; de glinstering van de zee daarachter. Afgezien van een of twee korte werkbezoeken was het jaren geleden dat Banks hier was geweest, besefte hij toen hij op zijn gemak de heuvel afdaalde onder begeleiding van Van Morrisons *Tupelo Honey*. Toen hij nog studeerde, reed hij regelmatig voor een weekend of vakantie op en neer om vrienden op te zoeken. Op een gegeven moment had hij hier zelfs een vriendin gehad, een jonge schoonheid met ravenzwart haar die naar de naam Alison had geluisterd en in St. Stephen Street had gewoond. Maar zoals het dergelijke langeafstandsrelaties gewoonlijk vergaat, werd het adagium 'tijdelijke afwezigheid versterkt de liefde' ook hier verslagen door 'uit het oog, uit het hart', en tijdens een van zijn bezoeken was ze eenvoudigweg met een ander aan haar zij in de pub opgedoken. Zo gewonnen, zo geronnen. Tegen die tijd had hijzelf zijn oog trouwens ook al op een andere vrouw laten vallen, een zekere Jo.

Banks probeerde zich te herinneren of hij Jem ooit had meegenomen naar Edinburgh, maar hoe hij ook zijn best deed, hij kon zich geen enkele herinnering voor de geest halen waarin Jem zich ergens anders bevond dan in zijn eigen kamer, ook al moest hij toch regelmatig naar buiten zijn gegaan om eten, elpees en drugs te kopen, en om zijn uitkering te innen. Banks had hem zelfs nooit op de gang gezien. Van tijd tot tijd zag hij wel mensen komen en gaan – onbekenden, op de vreemdste tijdstippen soms, ook 's nachts – maar Jem had het met hem nooit over andere vrienden gehad.

Banks' dagen in Edinburgh stamden allemaal uit de tijd van vóór *Trainspotting* en de stad zag er al veel minder romantisch uit toen hij vanaf de heuvel de met donkere stenen geplaveide straten van de bebouwde kom naderde met zijn rotondes en verkeerslichten, winkelcentra en zebrapaden. De route door Dalkeith was gemakkelijk te volgen, maar vlak daarna maakte hij een kleine fout, waardoor hij bijna vijf kilometer lang op de vierbaansweg richting Glasgow moest blijven rijden voordat hij de eerstvolgende afrit tegenkwam.

Elizabeth Goodall woonde in een zijstraatje van Dalkeith Road, niet ver bij het stadscentrum vandaan. Ze had hem de vorige avond aan de telefoon een uitgebreide routebeschrijving gegeven en na slechts een paar keer verkeerd te zijn gereden, had hij de smalle straat met de hoge flatgebouwen gevonden.

Mevrouw Goodall woonde op de begane grond. Toen Banks aanbelde, deed ze vrijwel direct de deur open en ze ging hem voor naar een woonkamer met een hoog plafond die naar lavendel en pepermunt rook. Alle ramen waren potdicht en er blies geen zuchtje wind door de warme, geurige lucht. Er drong slechts een klein beetje daglicht door in de kamer. Het behang was bezaaid met takjes rozemarijn en tijm. Of peterselie en salie. Banks had eigenlijk geen flauw idee. Mevrouw Goodall vroeg hem plaats te nemen in een robuuste, met damast beklede leunstoel. Net als bij alle andere stoelen in de kamer waren de arm- en rugleuningen bedekt met antimakassars van witte kant.

'Dus u hebt het gemakkelijk kunnen vinden?' vroeg ze.

'Ja, hoor,' loog Banks. 'Geen enkel probleem.'

'Ik rij zelf geen auto,' zei ze, en in haar stem klonk nog vaag haar oude Yorkshire-accent door. 'Ik ben afhankelijk van de bus en de trein als ik ergens naartoe wil, wat tegenwoordig maar zelden voorkomt.' Ze wreef haar kleine, gerimpelde handen over elkaar. 'Maar goed, u bent er. Thee?'

'Graag.'

Ze liep naar de keuken. Banks keek de kamer rond. Het was een onopvallende plek: schoon en netjes, maar met weinig karakter. Op een dressoir stonden een paar ingelijste foto's, maar geen een ervan was in Hobb's End genomen. Een kastje met glazen deurtjes bevatte een paar snuisterijen, waaronder trofeeën en zilveren en kristallen voorwerpen. Heel verleidelijk voor inbrekers, dacht Banks: een oude dame in een flat op de begane grond met een aardige verzameling zilverwerk die zo voor het grijpen lag. Hij had niets gezien wat op de aanwezigheid van een inbraakalarm duidde.

Mevrouw Goodall kwam langzaam de kamer ingelopen met een Chinees theeservies op een zilveren dienblad. Ze zette het blad op een kanten kleedje op het lage tafeltje voor de bank, ging met haar knieën tegen elkaar gedrukt zitten en streek haar rok glad.

Ze was een kleine, gezette vrouw in een grijze tweedrok, een witte blouse en een donkerblauw vest, ondanks de hitte. Haar pas gepermanente haar was bijna wit en de golven leken wel bevroren, messcherp als je ze aanraakte, à la Margaret Thatcher. Een hoog voorhoofd en met een roze randje omringde doffe, waterige ogen. Ze had een preuts mondje, dat met rode lippenstift op haar gezicht leek te zijn aangebracht.

'We zullen het maar even laten trekken, hè?' zei ze. 'We schenken straks wel in.'

'Uitstekend,' zei Banks, en hij zag al voor zich hoe ze samen het dunne handvat van de theepot zouden vasthouden en thee inschonken.

'Welnu,' zei ze, en ze vouwde haar handen op haar schoot, 'dan zullen we maar van wal steken. U hebt het aan de telefoon over Hobb's End gehad, maar meer hebt u me niet verteld. Wat wilt u precies weten?'

Banks boog zich voorover en leunde met zijn onderarmen op zijn bovenbenen. Er schoten hem verschillende algemene vragen te binnen, maar hij had iets specifieks nodig, iets wat haar in gedachten onmiddellijk naar die tijd zou terugvoeren. 'Herinnert u zich Gloria Shackleton nog?' vroeg hij. 'Ze woonde tijdens de oorlog in Bridge Cottage.'

Mevrouw Goodall keek alsof ze zojuist een mondvol azijn had doorgeslikt. 'Ja, natuurlijk kan ik me haar nog herinneren,' zei ze. 'Een afschuwelijk meisje.'

'O? In welk opzicht?'

'Ik zal er geen doekjes om winden, inspecteur: dat meisje was een schaamteloze sloerie. Het was overduidelijk. Haar voortdurende geflirt, de manier waarop ze haar hoofd schuin hield, die kokette glimlach van haar. Ik wist het vanaf het eerste moment dat ik haar zag.'

153

'Waar was dat?'

'Waar? Ach, in de kerk, natuurlijk. Mijn vader was de koster van St. Bartholomew's. Dat zo'n... zo'n opgeverfde lichtekooi zich zo durfde te vertonen voor het aangezicht van de Heer is mij echt een raadsel.'

'U hebt haar dus voor het eerst in de kerk ontmoet?'

'Ik heb niet gezegd dat ik haar daar heb ontmoet, alleen maar dat ik haar daar voor het eerst heb gezien. Toen heette ze natuurlijk nog Gloria Stringer.'

'Was ze gelovig?'

'Een ware christenvrouw zou nooit zo opzichtig rondparaderen als zij deed.'

'Waarom ging ze dan naar de kerk?'

'Omdat de Shackletons gingen, natuurlijk. Ze was er kind aan huis.'

'Kwam ze oorspronkelijk niet uit Londen?'

'Dat beweerde ze, ja.'

'Heeft ze u ooit iets verteld over haar achtergrond, haar familie?'

'Mij niet, maar ik herinner me vaag dat iemand me heeft verteld dat haar ouders waren omgekomen tijdens de Blitz.'

'En ze was met de Women's Land Army naar Hobb's End gekomen?'

'Dat klopt. Een land girl. Thee?'

'Alstublieft.'

Mevrouw Goodall zat keurig met kaarsrechte rug op haar stoel en schonk in. De theekopjes met bijpassende schoteltjes waren kleine, tere porseleinen gevalletjes met zowel aan de binnen- als aan de buitenkant roze roosjes, een gouden randje en een oortje waar hij met geen mogelijkheid een vinger doorheen kon wurmen. Het witte kanten kleedje was smetteloos. 'Melk? Suiker?'

'Nee, zwart graag, dank u wel.'

Ze fronste haar wenkbrauwen, alsof ze dat niet kon goedkeuren. Alles wat afweek van de standaardscheut melk met twee klontjes werd hier waarschijnlijk als onvaderlandslievend beschouwd. 'Natuurlijk,' vervolgde ze, 'hoopte men dat ze mettertijd moeite zou doen om erbij te horen, haar houding te wijzigen en haar uiterlijk aan te passen aan de maatstaven van de dorpsgemeenschap, maar...'

'Dat deed ze niet?'

'Dat deed ze niet. In geen enkel opzicht.'

'Kende u haar goed?'

'Inspecteur, denkt u nu echt dat dit het type vrouw was wier gezelschap ik op prijs zou stellen?'

'Het was een klein dorp. U moet ongeveer van dezelfde leeftijd zijn geweest.'

'Ik was een jaar ouder.'

'Maar toch.'

'Alice, dat wil zeggen Alice Poole, trok geregeld met haar op. Ook al had ik het haar afgeraden. Maar Alice was altijd al een beetje te los en nonchalant.'

'Had u helemaal geen contact met Gloria?'

Mevrouw Goodall zweeg, alsof haar zojuist een onprettige herinnering te binnen was geschoten. 'Ja, toch wel. Het was aan mij om haar te vertellen dat haar gedrag onaanvaardbaar was, evenals haar uiterlijk.'

'Uiterlijk?'

'Ja. De kleding die ze droeg, de manier waarop ze rondparadeerde en haar haren kapte, als een of ander goedkoop Amerikaans filmsterretje. Zo gedraagt een dame zich niet. Een echte dame, bedoel ik. En alsof dat nog niet erg genoeg was, rookte ze ook nog buiten op straat.'

'U zegt dat het aan u was om haar dat duidelijk te maken. Wie had u dat opgedragen? Heerste er in het algemeen een sterke antipathie jegens haar?'

'In mijn hoedanigheid als lid van de anglicaanse kerk.'

'Juist, ja. Verder gedroeg iedereen in Hobb's End zich wel als een dame?'

Ze kneep haar lippen weer op elkaar en gaf hem met een korte, scherpe blik te kennen dat zijn onbeschaamde toon haar niet was ontgaan. 'Ik beweer heus niet dat er geen personen uit de lagere klassen in ons dorp woonden, inspecteur. Begrijpt u me niet verkeerd. Natuurlijk waren die er wel. Zoals dat in elke dorpsgemeenschap het geval is. Maar zelfs degenen van lagere afkomst behoren te streven naar een niveau met op zijn minst goede manieren en fatsoenlijk gedrag. Denkt u ook niet?'

'Hoe reageerde Gloria toen u haar terechtwees?'

Mevrouw Goodall bloosde bij de herinnering. 'Ze lachte. Ik wees haar erop dat het haar zowel in moreel als in sociaal opzicht veel goed zou doen als ze zich zou inzetten voor de Vereniging van Plattelandsvrouwen en het werk van de missionarissen.'

'Wat was haar antwoord daarop?'

'Ze vond me bemoeizuchtig en opdringerig, en gaf aan dat er maar één missionarispositie was waarin ze geïnteresseerd was, en dat dat niet de kerkelijke was. Hoe vindt u nu zoiets? En dat taalgebruik van haar zou ik nog niet uit de mond van het eenvoudigste meisje van de vlasserij hebben verwacht. Ondanks haar geaffecteerde uitspraak denk ik dat ze toen haar ware gezicht heeft laten zien.'

'Hoe sprak ze dan gewoonlijk?'

'O, heel geaffecteerd. Ze aapte de mensen op de radio na. Niet zoals ze tegenwoordig praten, natuurlijk, maar zoals men dat toen deed, toen iedereen nog heel keurig sprak op de radio. Je kon echter duidelijk horen dat het was aangeleerd. Ze had beslist geoefend in het imiteren en bedriegen van mensen.'

'Ze was toch met Matthew Shackleton getrouwd?'

Mevrouw Goodall zuchtte afkeurend. 'Dat klopt. Ik ben op hun bruiloft geweest. En ik moet zeggen: hoewel Matthew maar de zoon van een winkelier was, is hij ver beneden zijn stand getrouwd toen hij dat meisje van Stringer huwde. Matthew was een heel bijzondere jongen. Ik had van hem veel beter verwacht.'

'Kunt u me iets over hun relatie vertellen?'

'Kort nadat ze zijn getrouwd, werd hij naar het buitenland gestuurd. Op een gegeven ogenblik werd hij als vermist opgegeven, die arme Matthew. Vermist en mogelijk overleden.'

Banks keek haar fronsend aan. 'Wanneer was dat?'

'Dat hij werd vermist?'

'Ja.'

'Ergens in 1943. Hij zat in het Verre Oosten. Gevangengenomen door de Japanners.' Ze huiverde even.

'Wat is er met hem gebeurd?'

'Ik heb geen idee. Ik neem aan dat hij daar is overleden.'

'U hebt geen contact gehouden?'

Ze speelde met haar trouwring. 'Nee. Mijn man William was betrokken bij zeer geheime werkzaamheden aan het thuisfront en werd begin 1944 naar Schotland gestuurd. Ik ben toen met hem meegegaan. Mijn ouders kwamen bij ons wonen en we hadden hoegenaamd geen contact meer met Hobb's End. Ik onderhoud nog wel contact met Ruby Kettering en Alice Poole, maar zij zijn de enigen met wie ik nog een band heb. Het is allemaal al zo lang geleden. Wij vrouwen blijven niet zo aan de oorlog hangen als mannen meestal doen, met hun legeronderdelen en regimentsreünies.'

'Weet u of Gloria naast Matthew ook met andere mannen een affaire heeft gehad?'

Mevrouw Goodall snoof. 'Daar twijfel ik niet aan.'

'Met wie dan?'

Ze zweeg even, alsof ze hem duidelijk wilde maken dat ze hem dit eigenlijk niet behoorde te vertellen, en zei toen één woord: 'Soldaten.'

'Wat voor soldaten?'

'Het was oorlog, inspecteur. In tegenstelling tot wat u misschien denkt, bevond niet iedere man zich daarginds om tegen de mof of de Jap te vechten. Helaas niet. Er waren overal soldaten. En ze waren lang niet allemaal Brits.'

'Wat voor soldaten waren dat dan?'

Voor het eerst tijdens hun gesprek speelde er een kleine glimlach rond haar lippen. Ze nam Banks hiermee enorm voor zich in. 'Oversekst, overbetaald en overal zeer nadrukkelijk aanwezig,' zei ze.

'Amerikanen, bedoelt u?'

'Ja. De RAF had Rowan Woods aan de Amerikaanse luchtmacht overgeleverd.'

'Had men in het dorp veel contact met die Amerikanen?'

'Jazeker. Ze kwamen vaak in de pubs in het dorp iets drinken of naar de dansfeestjes die af en toe in de zaal naast de kerk werden georganiseerd. Sommigen kwamen zelfs naar de zondagsdiensten. Ze hadden natuurlijk hun eigen kerkdiensten op de basis, maar St. Bartholomew's was een prachtig oud kerkje. Heel jammer dat het moest worden gesloopt.'

'En Gloria heeft Amerikaanse vriendjes gehad?'

'Dat klopt, ja. En ik hoef u natuurlijk niet te vertellen dat een uitgestrekt bosgebied als Rowan Woods talloze mogelijkheden biedt voor immoreel en onfatsoenlijk gedrag, nietwaar?'

Banks vroeg zich af of ze een 'nee' van zijn kant zou opvatten als een teken van persoonlijke ervaring. Hij besloot het risico niet te nemen. 'Was er iemand in het bijzonder?' vroeg hij.

'Ik weet het niet uit eerste hand. Ik heb mijn afstand tot hen bewaard. Volgens Cynthia Garmen had ze meer dan één speciale vriend. Niet dat Cynthia zelf zoveel beter was. Ze was op haar manier minstens even erg.'

'Hoe dat zo?'

'Ze is met een van die lui getrouwd en in Pennsylvania of zoiets gaan wonen.'

'Dus er was niet één speciale persoon met wie Gloria een serieuze relatie had?'

'O, ik twijfel er niet aan dat ze haar escapades serieus nam, voorzover een vrouw als Gloria Shackleton daartoe tenminste in staat was. Een getrouwde vrouw.'

'Zei u zojuist niet dat ze dacht dat haar man dood was?'

'Vermist, mogelijk overleden. Dat is niet hetzelfde. Bovendien is dat geen excuus.' Mevrouw Goodall zweeg even en vroeg toen: 'Mag ik u ook iets vragen, inspecteur?'

'Ga uw gang.'

'Waarom komt u me na al die jaren nog vragen stellen over dat meisje van Shackleton?'

'Kijkt u dan niet naar het journaal?'

'Ik lees liever historische biografieën.'

'Kranten?'

'Die lees ik een enkele keer wel. Maar dan alleen de overlijdensberichten. Wat probeert u me duidelijk te maken, inspecteur? Heb ik soms iets gemist?'

Banks vertelde haar over het drooggevallen reservoir en de ontdekking van het lichaam waarvan ze vermoedden dat het van Gloria was. Mevrouw Goodall trok wit weg en klemde haar vingers om het zilveren kruisje dat om haar nek hing. 'Ik spreek liever geen kwaad van de doden,' mompelde ze. 'U had me dit eerder moeten vertellen.'

'Zou u me dan iets anders hebben verteld?'

Ze dacht even na, zuchtte toen en zei: 'Waarschijnlijk niet. Ik heb de waarheid spreken altijd als een belangrijke deugd beschouwd. Het enige wat ik u echter kan zeggen is dat Gloria Shackleton gezond van lijf en leden was toen William en ik in mei 1944 uit Hobb's End vertrokken.'

'Dank u wel,' zei Banks. 'Daardoor kunnen we de periode waarin dit mogelijk heeft plaatsgehad weer iets nauwkeuriger vaststellen. Weet u of ze vijanden had?'

'Niet echt vijanden. Niemand die zou doen wat u zojuist hebt beschreven. Heel veel mensen, onder wie ook ikzelf, keurden haar gedrag af. Maar dat is iets heel anders. Je vermoordt niet zomaar een ander, omdat ze zich niet heeft aangesloten bij de Vereniging van Plattelandsvrouwen. Mag ik een suggestie doen?'

'Natuurlijk.'

'Zou u dit, gezien Gloria's grillige karakter, niet moeten behandelen als een crime passionnel?'

'Misschien.' Banks schoof heen en weer op zijn stoel, zette zijn ene been nu op de grond en sloeg het andere eroverheen. Mevrouw Goodall schonk nieuwe thee in. Hij was nu lauw. 'Wat kunt u me over Michael Stanhope vertellen?'

Ze trok haar wenkbrauwen op. 'Dat was precies zo'n type.'

'Hoe bedoelt u?'

'Lichtzinnig, verdorven. Ik kan nog wel even doorgaan. Van hetzelfde laken een pak, hij en Gloria Shackleton. Hebt u wel eens een van zijn zogenaamde schilderijen gezien?'

Banks knikte. 'Een daarvan lijkt een naaktschilderij te zijn van Gloria. Ik vroeg me af of u daar iets van weet.'

'Ik kan niet zeggen dat het me verbaast – maar nee. Geloof me, als er een dergelijk schilderij bestaat, dan was dat in Hobb's End niet algemeen bekend. Niet toen ik daar woonde, tenminste.'

'Denkt u dat Gloria mogelijk een verhouding heeft gehad met Michael Stanhope?'

'Ik zou het u niet durven zeggen. Aangezien ze hetzelfde soort karakter hadden en er dezelfde ideeën op na hielden, zou ik het niet bij voorbaat uitsluiten. Ze brachten wel veel tijd samen door. Dronken regelmatig samen wat. Voorzover ik me echter kan herinneren, was zelfs Gloria's smaak niet zo exotisch dat ze zich zou verlagen tot een gekwelde, aan alcohol verslaafde, verloederde kunstenaar.'

'Hadden Gloria en Matthew kinderen?'

'Niet dat ik weet.'

'Zou u het hebben geweten als het wel zo was?'

'Dat denk ik wel. Het is moeilijk om zoiets verborgen te houden in een klein dorp. Waarom vraagt u dat?'

'Er zijn bepaalde aanwijzingen gevonden tijdens de lijkschouwing, dat is alles.' Banks wreef over het kleine litteken naast zijn rechteroog. 'Niemand lijkt er echter iets vanaf te weten.'

'Ze zou een kind kunnen hebben gekregen nadat we in 1944 waren vertrokken.'

'Dat is mogelijk. Of misschien heeft ze een kind op de wereld gezet voordat ze naar Hobb's End kwam en met Matthew Shackleton trouwde. Ze was tenslotte negentien toen ze in het dorp kwam wonen. Misschien heeft ze de baby en de vader in Londen achtergelaten.'

'Maar dat... dat zou betekenen...'

'Wat, mevrouw Goodall?'

'Nu ja, ik ben er nooit van uitgegaan dat Matthew haar eerste verovering was – niet bij zo'n vrouw als zij. Maar een kind...? Dat zou er dan toch op duiden dat ze al getrouwd was en dat ze door haar huwelijk met Matthew bigamie pleegde?'

'Nog een zonde om aan haar lange lijst toe te voegen,' zei Banks. 'Maar het hoeft niet zo te zijn geweest. Ik kan me voorstellen dat er zelfs toen, in die goeie ouwe tijd, wel eens een kind buitenechtelijk ter wereld kwam.'

Mevrouw Goodall kneep even haar lippen samen tot een smalle rode streep en zei toen: 'Ik stel uw sarcasme niet op prijs, inspecteur, en uw lompe gedrag evenmin. Het was vroeger echt allemaal beter dan nu. Eenvoudiger. Duidelijker. Geordend. En het saamhorigheidsgevoel in oorlogstijd bracht mensen dichter bij elkaar. Mensen van alle rangen en standen. U kunt zeggen wat u wilt.'

'Het spijt me, mevrouw Goodall. Ik wil niet sarcastisch zijn, echt niet, maar ik probeer nu eenmaal om een bijzonder akelige moord op te helderen, een moord die ik naar alle waarschijnlijkheid niet zal kunnen oplossen omdat hij zo lang geleden is begaan. Ik ben van mening dat het slachtoffer mijn volledige inzet verdient, ongeacht wat u van haar vond.'

'Natuurlijk verdient ze uw volledige inzet. Ik neem mijn woorden terug. Gloria Shackleton heeft beslist niet verdiend wat haar volgens u is overkomen. Het spijt me, maar ik kan u helaas verder niet helpen.'

'Kende u Matthews zus Gwynneth?'

'Gwen? Jazeker. Gwen was altijd erg stil; ze zat vaak met haar neus in een boek. Ik dacht altijd dat ze lerares zou worden of iets dergelijks. Universitair docent misschien zelfs. Maar ze heeft de hele oorlog in de winkel gewerkt, daarnaast voor haar moeder gezorgd en 's avonds ook nog als brandwacht gefungeerd. Gwen liep niet weg voor haar verantwoordelijkheden.'

'Weet u wat er van haar is geworden? Leeft ze nog?'

'Ik ben bang dat we elkaar uit het oog zijn verloren toen William en ik naar Schotland verhuisden. We waren niet echt goed bevriend, ook al was ze een vaste kerkbezoekster en schreef ze stukjes voor het parochieblad.'

'Was ze wel goed bevriend met Gloria?'

'Ach, ze kwam er natuurlijk niet onderuit toen ze eenmaal familie van elkaar werden. Maar ze verschilden van elkaar als dag en nacht. Er werd wel gezegd dat Gloria Gwen op het verkeerde pad bracht. Ze gingen vaak samen dansen in Harkside, of naar de film. Gwen had zich vóór Gloria's komst over het algemeen buiten het sociale leven gehouden en was altijd graag alleen met een boek. Gwen was altijd een gemakkelijk te beïnvloeden meisje geweest. Hoewel ze in eerste instantie Gloria onder haar hoede nam, werd al snel duidelijk wie nu precies wie leidde.'

'Hoeveel verschilden ze in leeftijd?'

'Gwen was misschien twee of drie jaar jonger. Maar neemt u maar van mij aan dat dat op die leeftijd een wereld van verschil maakt.'

'Hoe zag ze eruit?'

'Gwen? Ze was niet echt mooi, afgezien van haar ogen. Opmerkelijke ogen had ze: een beetje scheef, oosters bijna. En ze was lang. Lang en onhandig. Een slungelig meisje.'

'En Matthew?'

'Een levendige, knappe jongeman. Heel volwassen. Begiftigd met een wijsheid die zijn leeftijd ver vooruit was.' Opnieuw liet ze een glimlachje over haar norse gelaatstrekken glijden. 'Als ik mijn William niet had ontmoet en dat meisje van Stringer niet was opgedoken... Tja, wie weet? Maar goed, ze sloeg haar klauwen in hem en dat was dat.'

Banks vulde de stilte die viel niet op. Op de achtergrond hoorde hij het tikken van een klok.

'Neemt u me niet kwalijk, inspecteur,' zei ze na een poosje, 'maar ik ben bijzonder moe. Al die herinneringen.'

Banks stond op. 'Nee, natuurlijk niet. Het spijt me dat ik zoveel van uw tijd in beslag heb genomen.'

'Graag gedaan. Ik ben bang dat u voor niets, of bijna voor niets, zo'n lange reis hebt gemaakt.'

Banks haalde zijn schouders op. 'Dat hoort bij het werk. Bovendien hebt u me juist enorm geholpen.'

'Als ik u verder nog ergens mee van dienst kan zijn, belt u me dan gerust.'

'Dank u wel.' Banks wierp een blik op zijn horloge. Tegen enen. Tijd voor een lunch voordat hij aan de lange rit naar huis begon.

We namen de nachttrein vanaf het station in Leeds, waar het perron bezaaid was met jonge soldaten. De trein kwam maar één uur te laat ratelend en stomend het station binnenrijden en we werden als kurken in een snelstromende rivier door de mensenmassa vooruitgesleurd en -geduwd. Ik was doodsbang dat we tussen de treinstellen zouden vallen en door de enorme ijzeren wielen zouden worden overreden, maar we klemden ons uit voorzorg stevig aan elkaar vast in de trekkende, duwende, golvende, met stoomwolken omgeven mensenzee en slaagden er ten slotte in om ons in een overvolle wagon min of meer op twee zitplaatsen te laten duwen, terwijl het om ons heen alleen maar drukker werd.

160

Er ging nog een uur voorbij voordat het gevaarte kreunend en stampend het station weer uit reed.

Ik was van jongs af aan dol geweest op treinreizen, op de zacht wiegende bewegingen, het hypnotiserende getik van de wielen op de rails en het landschap dat als beelden uit een droom voorbijgleed.

Dit keer was het anders.

Heel veel treinen waren beschadigd geraakt en de meeste werkplaatsen van de spoorwegen waar normaal gesproken reparaties werden uitgevoerd, werden nu gebruikt voor de productie van munitie. Het gevolg was dat de meeste treinstellen die in gebruik waren rijp zouden zijn geweest voor de sloop als het geen oorlog was geweest. De bewegingen waren schokkerig en we bereikten nooit de juiste snelheid voor het vertrouwde ritmische getik. Iedereen zat zo op elkaar geperst dat slapen onmogelijk was. Voor mij tenminste. Ik kon zelfs niet lezen. De gordijnen waren stevig dichtgetrokken en de hele wagon werd verlicht door een enkel spookachtig blauw speldenpuntje licht, dat zo vaag was dat je zelfs het gezicht van degene die tegenover je zat nauwelijks kon onderscheiden. Ook was er geen restauratiewagen.

We praatten een tijdje met twee jonge soldaten, die ons de ene na de andere Woodbine aanboden. Ik geloof dat ik toen uit pure verveling ben begonnen met roken. Hoewel ik me na de eerste trekjes misselijk en duizelig voelde, zette ik door. Zo had je tenminste iets te doen.

Toen Gloria hun over Matthew vertelde, leefden de soldaten met ons mee en ze wensten ons veel succes. Langzaam maar zeker werd het stil in de wagon en trok iedereen zich terug in zijn eigen wereldje. Voor mij was het een kwestie van kiezen op elkaar en de lange reis uitzitten; de veelvuldige, onverwachte vertragingen en het schokkend tot stilstand komen en weer optrekken zien te verdragen.

Gloria viel na een tijdje toch in slaap en haar hoofd gleed langzaam opzij, tot ze met haar wang op mijn schouder lag en ik haar warme adem in mijn hals voelde. Ik kon nog steeds niet slapen. Ik moest het stellen met mijn eigen sombere gedachten en het ronkende gesnurk van de soldaten als gezelschap. Op een gegeven moment bleven we twee uur lang ergens in de rimboe stilstaan. Zonder een verklaring.

Door de dubbele zomertijd werd het later licht dan normaal. Desondanks waren we pas zes of zeven uur op weg toen we de gordijnen al mochten openmaken en het matte zonlicht van de vroege ochtend over de velden zagen schijnen. Op sommige ongebruikte velden hadden mensen vreemde voorwerpen neergezet als oude wringers en kapotte auto's, die als obstakels moesten dienen tegen vijandige vliegtuigen die er mogelijk zouden willen landen. Eén veld was bezaaid met wegwijzers uit het hele land die in allerlei rare poses in de aarde waren gestoken. De wegwijzers waren aan het begin van de oorlog overal verwijderd, evenals de naamborden van stations, om de vijand in geval van een invasie in verwarring te brengen, en het verbaasde me om te zien waar sommige ervan uiteindelijk terecht waren gekomen.

Alles bij elkaar nam de treinreis tien uur in beslag en de laatste een of twee uren leken ons door de eindeloze voorsteden van Londen te voeren. Daar werd ik voor het eerst geconfronteerd met de aanblik van talloze straten vol platgebombardeerde huizenrijen, kapotgeschoten lantaarns, tot gruis geblazen stucwerk, verwrongen draagbalken en gekartelde muren. Op het puin hadden wilgenroosjes en kruiskruid wortel geschoten en ze staken tussen de scheuren in het gebombardeerde metselwerk en de bakstenen hun kop op.

Groepen kinderen trokken door de straten en speelden tussen de geruïneerde huizen. Een vindingrijk groepje had een stuk touw aan een lantaarnpaal bevestigd die vervaarlijk scheef hing, als de toren van Pisa, en om beurten slingerden ze heen en weer als een soort Tarzan.

Sommige huizen waren maar gedeeltelijk kapot en waren opengereten als een dwarsdoorsnede. Je kon het behang zien, de ingelijste schilderijen en foto's die aan de muren hingen, een bed dat half over de rand van een uiteengereten vloer bungelde. Hier en daar hadden mensen beschadigde stukken meubilair op straat gezet: een kledingkast zonder deuren, een doormidden gebroken dressoir en een kinderwagen met kromgetrokken wielen. Ik voelde me als een voyeur op de plek van een ramp, wat ik in feite ook was, veronderstel ik, maar ik kon het toch niet laten om te kijken. Ik weet niet zeker of ik me vóór die dag al bewust was van de volle omvang van de vernietigingen die de oorlog had aangericht, ook al had ik Leeds gezien na de luchtaanval.

Het was alsof op elk stukje grond dat niet door iemand werd bewoond een post met versperringsballonnen was geplaatst die de doorgang van laagvliegende vijandige vliegtuigen moest beletten. De dikke, zilverkleurige ballonnen glinsterden in de zon en zagen eruit als walvissen die probeerden te vliegen. In sommige groene gedeeltes van de stad wezen rijen luchtafweergeschut als stalen pijlen naar de hemel.

Natuurlijk stonden heel veel gebouwen nog fier overeind en sommige daarvan werden omgeven door zandzakken, vaak in een laag van drie meter hoog of nog meer. Ook zag ik veel posters hangen met tips voor het verzamelen van allerlei zaken; ze hielden ons voor dat we ons eigen voedsel konden kweken, kolen moesten besparen, oorlogsobligaties moesten aanschaffen, dat we moesten lopen wanneer dat kon en god weet wat nog meer.

Ik ging zo op in de dingen om ons heen dat ik nauwelijks doorhad dat de tijd verstreek, totdat we bij King's Cross aankwamen. Het was al over tienen in de ochtend toen we het station bereikten en ik had honger. Gloria wilde direct naar Whitehall gaan, maar ik haalde haar over om eerst iets te gaan eten, en we vonden een Lyons, waar we gelukkig een reep spek en een ei konden krijgen.

Na het ontbijt liepen we de straat weer op, en toen was ik eindelijk in staat om de omgeving in me op te nemen. Mijn eerste indruk was dat ik een heel klein, minuscuul, onbeduidend wezentje was dat volledig werd opgeslokt door de immense, uitgestrekte stad. Van alle kanten kwamen mensen op me afgelopen; hoge gebouwen torenden boven me uit.

De hele stad maakte een sjofele, futloze en enigszins verslagen indruk. Iedereen zag er armzalig en bleek uit, het soort uiterlijk dat wordt veroorzaakt door jarenlang moeten leven met voedselrantsoenen, bombardementen en onzekerheid. Toch leek het voor een plattelandsmeisje uit Yorkshire alsof ze zich op een andere planeet bevond. Voordat ik deze reis maakte, was Leeds de grootste plaats waar ik ooit was geweest, en ik ben ervan overtuigd dat Londen in vredestijd een nog veel overweldigender indruk op me zou hebben gemaakt.

Het begon te miezeren, maar de lucht voelde nog steeds warm aan en de vochtige zandzakken gaven een muskusachtige geur af. Er liepen zoveel gehaaste mensen rond, de meesten in uniform, dat ik door paniek en duizeligheid werd bevangen. Ik klemde me aan Gloria's arm vast, die me doelbewust naar een bushalte leidde. Vaak glimlachten mensen naar ons of begroetten ze ons toen we voorbijkwamen. Ik zag voor het eerst gewonde soldaten, treurig uitziende mannen met een verband om hun hoofd, geamputeerde ledematen of ooglappen, sommigen op krukken of met een arm in een mitella. Zij hadden allemaal geluk gehad; zij leefden nog.

Gloria voelde zich hier als een vis in het water. Nadat ze zich eerst even had moeten oriënteren, leek er iets op zijn plaats te vallen, alsof ze een logica had ontdekt in de stad die mij ten enenmale ontging. Ze aarzelde heel even welke bus we moesten nemen, maar één korte vraag aan de conductrice die probeerde er als Joan Crawford uit te zien was voldoende. We liepen naar boven, waar je mocht roken, en waren onderweg.

De rit verliep als in een wervelwind en ik was regelmatig bang dat de bus bij het omslaan van een hoek zou omvallen. Ik meende door het smerige, met regendruppels bespatte raampje heen tegen de grijze lucht in het oosten de enorme koepel van St. Paul's te zien staan. Ik was overweldigd door de afmetingen van de gebouwen die me aan alle kanten omringden. Witte en grijze steensoorten die door de regen donker werden gekleurd; golvende gevels uit de tijd van koning George of Edward van vijf of zes verdiepingen hoog, met timpanen, waterspuwers en puntige gevelspitsen. Enorme Ionische zuilen. Deze stad is beslist door reuzen gebouwd, dacht ik bij mezelf; dat kan niet anders.

Opeens bonsde mijn hart in mijn keel. Ik zag gebroken glas en puin op de straat liggen en daartussen lagen delen van een menselijk lichaam: een hoofd, een been, een romp. Toen ik echter beter keek, zag ik dat er geen bloed te zien was en de ledematen zagen er allemaal hard en onnatuurlijk uit. Ik begreep dat een bom een kledingzaak moest hebben getroffen en alle paspoppen in stukken op straat had gesmeten.

We reden langs Trafalgar Square, waar Nelsons Column stond, die in werkelijkheid veel hoger was dan hij ooit in mijn verbeelding was geweest. Je kon die arme lord Nelson helemaal bovenaan nauwelijks onderscheiden. De voet van het beeld was volledig bedekt met aanplakborden die ons aanspoorden om National War Savings Bonds te kopen. Aan de andere kant van het plein, vlak bij het Insurance Office en het gebouw van Canadian Pacific, stond een gigantisch reclamebord voor Famel-hoestsiroop.

Overal waar je keek liepen soldaten. Ik herkende niet alle petten en uniformen, die in alle mogelijke kleuren waren uitgevoerd, van zwart en felblauw tot kersenrood. Ook zag ik vanuit die bus op Trafalgar Square voor het eerst een neger. Ik wist natuurlijk wel dat ze bestonden, ik had wel eens iets over hen gelezen, maar ik had nog nooit in levenden lijve een zwarte man gezien. Ik herinner me nog dat ik tamelijk teleurgesteld was, omdat hij er, afgezien van het feit dat hij zwart was, niet eens zo heel anders uitzag dan andere mensen.

Gloria gaf me een zacht duwtje en we stapten uit in een brede straat met aan weerszijden nog meer hoge gebouwen.

Dat was waar onze zoektocht serieus van start ging. Ik voelde me als een klein kind dat door haar moeder wordt meegetroond toen Gloria met mij in haar kielzog van gebouw naar gebouw liep. We informeerden bij politieagenten, klopten op deuren, vroegen het aan soldaten, aan vreemden op straat, klopten op nog meer deuren.

Ten slotte voelde ik me, inmiddels doorweekt en uitgeput en op het punt om de zoektocht op te geven, enorm blij en opgelucht toen Gloria een lagere kantoorbediende vond die medelijden met ons kreeg. Ik geloof eerlijk gezegd niet dat hij iets over Matthew wist of wat er met hem was gebeurd, maar hij leek wel iets meer te weten over de oorlog in het Verre Oosten dan alle andere mensen die we tot dan toe hadden gesproken hadden willen toegeven. Bovendien leek hij zich tot Gloria aangetrokken te voelen.

Hij was een keurig net mannetje met een krijtstreeppak, een scheiding in het midden van zijn grijze haar en een nette, korte snor. Hij wierp een blik op zijn horloge, kneep zijn lippen op elkaar en fronste zijn wenkbrauwen, maar zei ons toen toe dat hij tien minuten voor ons had als we met hem mee zouden gaan naar het theehuis op de hoek. Hij had een vrij hoge piepstem en sprak met een chic, beschaafd accent. Op dat moment zou ik met alle liefde een moord hebben gepleegd in ruil voor een kop thee. We sleepten onszelf naar binnen, haalden aan de toonbank thee, en nog voordat we een slok hadden kunnen nemen, begon Gloria de arme man uit te horen.

'Hoe groot is de kans dat Matthew nog in leven is?' vroeg ze.

Dit was duidelijk niet het soort vraag waartoe de man, die ons had verteld dat hij Arthur Winchester heette, was opgeleid. Hij schraapte zijn keel, kuchte wat en woog toen zijn woorden net zo zorgvuldig af als het rantsoen suikerklontjes dat in het schaaltje voor ons lag. 'Ik ben bang dat ik die vraag niet echt kan beantwoorden,' zei hij. 'Ik heb u al verteld dat ik geen directe kennis bezit over de specifieke zaak waarover u spreekt en u slechts wat algemene informatie kan verschaffen over de situatie in het oosten.'

'Ook goed,' zei Gloria, die zich hierdoor niet uit het veld liet slaan. 'Vertelt u me dan maar wat er in Irridaddy of hoe het daar ook heet is gebeurd. Als dat tenminste geen geheime informatie is.'

Arthur Winchester snoof even en glimlachte minzaam. 'Irrawaddy. Dat is een halfjaar geleden gebeurd en valt niet langer onder de geheimhouding,' zei hij. Hij zweeg even, nam een slokje thee en wreef met de rug van zijn hand over de borstelige haren van zijn snor. Ik wierp een blik op het raam en zag de regen naar beneden striemen, waardoor de figuurtjes van voorbijgangers op Victoria Street werden vervormd.

'Zoals u waarschijnlijk wel weet,' ging hij verder, 'ligt Birma tussen India en China; het zou van onschatbare waarde zijn als onze troepen de Birma-weg weer zouden kunnen heropenen en de weg naar China konden vrijmaken, dat dan als directe basis zou kunnen worden gebruikt voor acties tegen Japan. Zoals ik al zei: dit is algemeen bekend.'

'Niet bij mij.' Gloria stak een Craven A op. 'Ga verder,' zei ze uitnodigend, en ze blies een lange rookpluim de lucht in.

Arthur Winchester schraapte zijn keel. 'Om kort te gaan: we zijn sinds de val van Birma continu bezig geweest om het te heroveren. Een van de offensieven die hierop waren gericht, was operatie Chindit, die in februari van start ging. Die begon ten oosten van de Irrawaddy, een rivier in Midden-Birma. Terwijl de Britten daar waren, begonnen de Japanners een grootschalig offensief op het Arakan-front en we moesten ons terugtrekken. Kunt u me nog volgen?'

We knikten beiden.

'Mooi.' Arthur Winchester dronk zijn kopje leeg. 'Welnu, de Chindits zaten vast achter de vijandige troepen, waren van de rest afgesneden en doken langzaam een voor een in wanordelijke toestand weer op bij hun legereenheid.' Hij keek Gloria aan. 'Dit is ongetwijfeld de reden waarom niemand u specifieke informatie over uw man heeft kunnen geven. Hij is ingenieur, zei u?'

'Ja.'

'Hmm.'

'Wat is er toen gebeurd?'

'Toen? Tja, de Chindits hebben het zwaar te verduren gekregen. Zware klap-

pen gehad. Heel zwaar. Kort daarna kregen ze opdracht om Birma te verlaten.'
'Maar we proberen wel nog steeds om Birma weer in handen te krijgen?'
'Jazeker. Het land is van immens strategisch belang.'
'Dus er bestaat nog een kansje?'
'Een kansje waarop?'
'Dat iemand Matthew vindt. Zodra de Britten Birma hebben heroverd.'
Arthur Winchester keek uit het raam. 'Ik zou er niet al te veel op rekenen als ik u was, jongedame. Het kan lang duren voordat dat gebeurt.'
'Zijn er zware verliezen geleden?' vroeg ik.
Arthur Winchester staarde even in mijn richting, maar hij zag me niet. 'Wat? O, ja. Veel erger dan we hadden gehoopt.'
'Hoe weet u dit allemaal?' vroeg Gloria.
Arthur Winchester boog bescheiden zijn hoofd. 'Ik weet helemaal niet zoveel, ben ik bang. Voor de oorlog, voordat ik voor de overheid ging werken, was ik geschiedenisleraar. Het Verre Oosten heeft me altijd gefascineerd.'
'Dus eigenlijk kunt u ons helemaal niets vertellen?' zei Gloria.
'Ach, ik hoop dat u het niet erg vindt wanneer ik zeg dat ik elk excuus aangrijp om met een knappe jongedame thee te kunnen drinken.'
Gloria stond woedend op en wilde zonder mij naar buiten stormen, maar een beschaamde Arthur Winchester greep haar onderdanig bij haar mouw. 'Ach, jongedame, het spijt me verschrikkelijk. Dat was helemaal niet netjes van me. Het was echt niet mijn bedoeling om u te beledigen. Een complimentje, meer niet. Ik wilde u heus geen scabreus voorstel doen.'
Als Gloria niet wist wat 'scabreus' betekende, liet ze het niet merken. Ze ging langzaam weer zitten, met een harde, achterdochtige blik in haar ogen, en zei: 'Wat kunt u ons dan wel vertellen, meneer Winchester?'
'Het enige wat ik u kan vertellen, jongedame,' vervolgde hij op ernstige toon, 'is dat er tijdens de terugtocht veel gewonden achter de vijandelijke linies moesten worden achtergelaten. Ze konden eenvoudigweg niet worden ver- voerd. Ze kregen wat geld en uiteraard een wapen, maar wat er verder met hen is gebeurd kan ik helaas niet zeggen.'
Gloria trok wit weg. Ik merkte dat ik de stof van mijn jurk zo strak in de vuist klemde die op mijn schoot lag dat mijn knokkels wit zagen. 'Wilt u beweren dat dat ook met Matthew is gebeurd?' vroeg ze, haar stem een zachte fluistering.
'Ik wil alleen maar zeggen dat dit zou kunnen zijn gebeurd, als hij inderdaad alleen als vermist en mogelijk overleden is opgegeven.'
'En als dat het geval is?'
Arthur Winchester zweeg even en veegde een denkbeeldig stofje van zijn re- vers. 'Welnu,' zei hij, 'de Japanners nemen niet graag gewonden gevangen. Het hangt er natuurlijk helemaal van af hoe zwaar hij gewond was en of hij nog kon werken – dat soort dingen.'

'U wilt dus zeggen dat ze hem misschien gewoon hebben vermoord, terwijl hij gewond en hulpeloos op de grond lag?'

'Ik zeg alleen dat dat mogelijk is. Of...'

'Of wat?'

Hij keek haar niet aan. 'Zoals ik al zei: de gewonden die werden achtergelaten kregen een wapen.'

Het duurde een paar tellen voordat de betekenis van zijn woorden tot ons doordrong. Ik geloof dat ik de eerste was die reageerde. 'Bedoelt u dat Matthew misschien zelfmoord heeft gepleegd?'

'Als gevangenname door de vijand onvermijdelijk was en hij erg zwaargewond was geraakt, dan zou ik inderdaad zeggen dat dat tot de mogelijkheden behoort.' Zijn stem klonk iets opgewekter toen hij verderging. 'Dit is echter allemaal louter hypothetisch, dat begrijpt u. Ik weet helemaal niets over de omstandigheden. Misschien is hij gewoon gevangengenomen door de vijand en zal hij de rest van de oorlog in de relatief veilige omgeving van een gevangenenkamp doorbrengen. En u hebt toch wel gezien hoe goed we hier voor de Duitsers en Italianen zorgen?'

Dat was waar. De Italianen in Yorkshire werkten tijdens het zaaien en oogsten zelfs op de boerderijen. Gloria en ik hadden een enkele keer met hen gepraat en voor krijgsgevangenen leken ze tamelijk vrolijk. Ze zongen graag operaliederen tijdens het werk en enkelen van hen hadden echt prachtige stemmen.

'Maar u zei net dat Japanners niet graag gevangenen meenamen.'

'Het klopt dat ze zwakke en verslagen soldaten verachten. Maar als ze gezonde mannen te pakken krijgen, kunnen ze die aan het werk zetten aan spoorwegen en bruggen en dergelijke. Ze zijn niet dom. U hebt me zelf verteld dat uw man ingenieur is, dus hij zal hun zeker van nut kunnen zijn.'

'Als hij tenminste meewerkt.'

'Inderdaad. Het grootste probleem is dat we maar weinig over Japanners weten en dat onze communicatielijnen slecht zijn, eigenlijk vrijwel nauwelijks bestaan. Het kost het Rode Kruis de grootste moeite om pakketten afgeleverd te krijgen en informatie te vergaren. De Japanners zijn berucht om de moeilijkheden die de omgang met hen met zich meebrengt.'

'Het zou dus kunnen dat hij krijgsgevangene is en dat niemand de moeite heeft genomen om dat door te geven? Bedoelt u dat?'

'Dat is beslist mogelijk. Ja. Er zijn waarschijnlijk honderden, zo niet duizenden anderen, die zich ook in die positie bevinden.'

'U zei toch dat u leraar bent? Dan weet u dus wel degelijk iets over Japanners.'

Arthur Winchester lachte nerveus. 'Ik weet een beetje over hun geografie en geschiedenis, maar de Japanners hebben altijd in grote afzondering geleefd. Dat komt er wellicht van als je op een eiland woont.'

'Wij wonen ook op een eiland,' hield ik hem voor.

167

'Jawel. Nu ja, ik bedoelde eigenlijk dat ze zichzelf bewust afzijdig hebben gehouden van de rest van de wereld en contact met het Westen expres zo veel mogelijk hebben vermeden. Tot het begin van de twintigste eeuw wisten we praktisch niets over hen, over hun gewoonten en gebruiken, en ook nu weten we niet veel.'

'Wat weet u dan wel? Wat kunt u ons dan wel vertellen?' vroeg Gloria.

Hij zweeg weer even. 'Goed dan,' zei hij ten slotte. 'Ik wil u niet van streek maken, maar u hebt me gevraagd om eerlijk tegen u te zijn. Ik zou zeggen dat u maar het beste kunt hopen dat hij dood is. Dat is echt beter.' Hij wachtte even. 'Hoort u eens, het is oorlogstijd. Alles is anders. U moet het verleden loslaten. Uw man is waarschijnlijk dood. En als hij niet dood is, zou hij dat maar beter wel kunnen zijn. Als dit eenmaal allemaal voorbij is, zal niets meer hetzelfde zijn. Overal in de stad leeft men alsof er geen morgen meer zal zijn. Hoe lang blijft u in Londen?'

Gloria keek hem achterdochtig aan. 'Tot vanavond. Hoezo?'

'Ik weet een plekje. Erg aardig. Zeer discreet. Misschien kan ik...'

Gloria stond zo snel op dat ze met haar bovenbenen tegen de tafel stootte en het restje van haar thee in Arthur Winchesters schoot morste. Hij bleef niet zitten om het op te deppen. In plaats daarvan rende hij naar de deur en zei hij: 'Lieve help, is het al zo laat? Ik moet er echt vandoor.'

En met die woorden glipte hij naar buiten voordat Gloria iets kon oppakken om naar zijn hoofd te gooien. Ze keek hem even na, streek toen haar krullen naar achteren en ging weer zitten. Het serveerstertje keek ons afkeurend aan, maar draaide zich toen om. Ik dacht dat we geluk hadden dat we er niet uit werden gezet.

We treuzelden met onze thee en Gloria kalmeerde, stak nog een sigaret op en staarde door de beslagen ramen naar de spookachtige vormen die buiten voorbijdreven. In het theehuis was het een komen en gaan van soldaten en hun meisjes. Ik kon de regen op hun uniformen ruiken.

'Wat bedoelde hij daarmee, dat het beter zou zijn?' vroeg Gloria.

'Ik weet het niet,' zei ik. 'Ik denk dat hij duidelijk wilde maken dat de Japanners hun gevangenen niet zo goed behandelen als wij.'

'Wat doen ze dan met hen? Martelen ze hen? Slaan ze hen? Hongeren ze hen uit?'

'Ik weet het niet, Gloria,' zei ik, en ik legde mijn hand op de hare. 'Ik weet het gewoon niet. Het enige wat ik kan zeggen is dat het volgens mij net klonk alsof hij bedoelde dat Matthew beter af zou zijn als hij dood was.'

9

Annie parkeerde haar auto aan de achterkant van het kasteel in een van de straten op de heuvels rond St. Mary's en ging op zoek naar de cottage van Alice Poole. De lucht was strakblauw, met slechts een paar strookjes witte wolken die op de zeebries meedreven. Jammer dat ze moest werken. Ze had haar emmer en schep moeten meenemen. Als kind had ze zich urenlang vermaakt op het strand. Een van de weinige herinneringen die ze aan haar moeder had, speelde zich af op het strand van St. Ives: samen zandkastelen bouwen, elkaar in het zand begraven zodat alleen hun hoofd en misschien ook hun voeten zichtbaar waren, de hoge golven tegemoet rennen en ondersteboven worden gegooid. In Annies herinneringen was haar moeder een intelligente, levendige vrouw geweest, ondeugend, zorgeloos en altijd vrolijk. Hoewel haar vader naar buiten toe gemakkelijk in de omgang was en ook intelligent, grappig en zorgzaam was, was er iets duisters in zijn kunst dat haar buitensloot, vond ze; ze wist niet waar het vandaan kwam of hoe hij dit met de rest van zijn leven in overeenstemming kon brengen. Leed hij misschien in stilte verschrikkelijk en hield hij zich groot voor de buitenwereld, zelfs voor zijn eigen dochter? Ze wist eigenlijk nauwelijks wat er in hem omging.

Ze volgde de routebeschrijving die ze via de telefoon had gekregen en vond de cottage vrij gemakkelijk. Hij stond in een wat hoger gelegen, rustig gedeelte van de stad, ver uit de buurt van de pubs en winkelcentra, die stampvol vakantiegangers uit Leeds en Bradford zaten. Vanuit de tuin kon ze onder zich aan de andere kant van Marine Drive een stukje van de Noordzee zien liggen, die vandaag zo grijsblauw als staal zag en bespikkeld was met bootjes. Zwermen zeemeeuwen verzamelden zich krijsend boven een school vissen.

De vrouw die de deur opendeed, was lang en had dun, plukkerig haar, als een suikerspin. Ze had een lange, wijde paarse jurk aan met goudkleurig borduursel rond de kraag, zoom en manchetten, en gouden oorbellen van aan elkaar geregen ringen die bijna tot op haar schouders hingen. Het deed Annie denken aan het soort sieraden die hippies altijd droegen. Een bril met een zwart hoornen montuur hing aan een ketting om haar nek.

'Kom binnen, meisje.' Ze ging haar voor naar een lichte, rommelige kamer. Stofdeeltjes dansten in de straaltjes zonlicht die door het glas van het door verticale stijlen in stukken verdeelde raam naar binnen schenen. 'Wil je misschien iets drinken?' vroeg ze toen Annie had plaatsgenomen in een leunstoel die zo zacht en diep was dat ze zich afvroeg hoe ze hier ooit uit zou moeten opstaan. 'Ik drink zelf namelijk altijd koffie rond deze tijd. Met een KitKat. Oploskoffie, trouwens.'

Annie glimlachte. 'Dat klinkt goed. Graag, mevrouw Poole.'

'Alice. Noem me alsjeblieft Alice. Waarom blader je hier niet even doorheen terwijl ik in de keuken bezig ben? Je telefoontje heeft me aan het denken gezet over die tijd en ik besefte opeens dat ik dat ding in geen jaren meer heb ingekeken.'

Ze overhandigde Annie een dik, in leer gebonden fotoalbum en liep naar de keuken. De meeste van de met een kartelrand omzoomde zwartwitfoto's waren familieportretten van, zo vermoedde Annie, Alice, haar ouders, tantes, broers en zussen, maar er waren er ook een paar van het dorpsleven: vrouwen die op straat waren blijven staan om een praatje te maken, met manden over hun arm en een sjaal om hun hoofd geknoopt, en kinderen die op de oever van de rivier stonden te vissen. Er waren ook enkele foto's van de kerk, die kleiner en mooier was dan ze zich naar aanleiding van Stanhopes schilderij had voorgesteld, met een lage, vierkante toren, en van de donkere, sombere vlasserij, die als een schedel op de heuveltop lag.

Alice Poole kwam terug met in elke hand een mok koffie en tussen haar tanden een nog in de verpakking gehulde KitKat. Zodra ze haar handen vrij had, nam ze de chocoladereep uit haar mond en legde ze hem op een bijzettafeltje naast haar stoel. 'Een klein verwennerijtje voor mezelf,' zei ze. 'Wil je er ook een? Dat had ik natuurlijk eerder moeten vragen.'

'Nee,' zei Annie. 'Bedankt.' Ze pakte haar koffie aan. Veel melk en suiker, precies zoals ze het het lekkerst vond.

'Wat vind je van de foto's?'

'Heel interessant.'

'Je bent hier zeker vanwege die arme Gloria, hè?'

'Je hebt het al gehoord?'

'Jazeker. Je baas was gisteren op de televisie. Ik zie niet zo heel goed meer, maar met mijn oren is niets mis. Ik kijk niet vaak naar de televisie, maar het plaatselijke nieuws hou ik wel bij. Vooral zoiets als dit. Wat vreselijk. Hebben jullie al verdachten?'

'Niet echt,' zei Annie. 'We proberen nog steeds zo veel mogelijk over Gloria te weten te komen. Dat is echter vrij moeilijk, omdat het natuurlijk al zo lang geleden is.'

'Dat zal best. Ik ben laatst vijfenzeventig geworden. Moeilijk te geloven.'

'Als ik eerlijk ben, dan is dat inderdaad moeilijk te geloven, mevrouw – ach, sorry, Alice.' Ze was inderdaad opmerkelijk kwiek voor een vrouw van haar leeftijd. Afgezien van een paar levervlekken op haar handen en rimpels in haar gezicht was het enige wat erop duidde dat haar leeftijd zijn verwoestende sporen had nagelaten haar dunne, futloze haar, en Annie raakte er nu van overtuigd dat dit waarschijnlijk ten prooi was gevallen aan chemotherapie en gewoon nog niet helemaal was aangegroeid.

'Kijk,' wees Alice, 'dit is Gloria.' Ze had een foto opgeslagen van vier meisjes die voor een jeep stonden en wees naar een tengere blondine met lange krullen, een smal middeltje en een uitdagende glimlach. Dit was zonder enige twijfel hetzelfde meisje als dat op het schilderij van Stanhope. Onder de foto stond in kleine witte letters geschreven: 'juli 1944.' 'En dit is Gwen, haar schoonzus.' Gwen was het langste meisje. Ze glimlachte niet en had zich half van de camera afgewend, alsof ze zich schaamde voor haar uiterlijk. 'Dit is Cynthia Garmen. De vier musketiers waren we. O ja, en dat ben ik.' Alice was zelf ook een slanke blondine geweest. Op de foto stonden ook vier jongemannen in uniform, die in de jeep achter de meisjes stonden.

'Wie zijn dat?' vroeg Annie.

'Amerikanen. Dat is Charlie en dit is Brad. We zagen hen regelmatig. De namen van die andere twee kan ik me niet herinneren. Ze waren er toevallig bij.'

'Als je het niet erg vindt, zou ik graag een kopie laten maken van deze foto. We sturen hem uiteraard terug.'

'Geen probleem.' Alice trok de foto aan de hoeken los. 'Pas er alsjeblieft wel goed op.'

'Dat beloof ik.' Annie liet de foto in haar koffertje glijden. 'Kende je Gloria goed?' ging ze verder.

'Vrij goed. Ze is met Matthew Shackleton getrouwd, maar dat wist je waarschijnlijk al, en toen hij tijdens de oorlog werd uitgezonden, werden Gloria en Gwen, Matthews zus, bijna onafscheidelijk. Maar we trokken er ook heel vaak met een hele groep op uit. Ik kan niet zeggen dat we erg goed bevriend waren met elkaar, maar ik kende haar wel. En ik mocht haar graag.'

'Wat was ze voor iemand?'

'Gloria?' Alice trok de wikkel rond de KitKat los en nam een hap. Toen ze die had doorgeslikt, zei ze: 'Ik zou zeggen dat ze een goed mens was. Vrolijk. Je kon veel plezier met haar beleven. Vriendelijk. Gul. Ze zou je zo haar laatste hemd geven. Of er een voor je maken.'

'Sorry?'

'Ze kon toveren met haar vingers. Gloria kon zo goed naaien dat ze van een paar vodden een baljurk voor je kon maken. Nu ja, dat is misschien een beetje overdreven, maar ik denk dat je wel begrijpt wat ik bedoel. Die vaardigheid was in die tijd erg populair, dat kan ik je wel vertellen. Er was in de winkels nauwelijks iets te krijgen en met de kledingbonnen kwam je ook niet ver.'

'Ze werkte toch op Top Hill Farm?'

'Dat klopt. Voor Kilnsey. Die geile ouwe bok.'

'Denk je dat er iets gaande was tussen hem en Gloria?'

Alice lachte. 'Kilnsey en Gloria? Misschien in zijn stoutste dromen, ja. Als hij ook maar twee keer naar dezelfde vrouw keek, zou zijn vrouw hem aan zijn ballen ophangen. En Gloria... Ze mag dan misschien in een aantal opzichten gul zijn geweest, maar niet zó gul. De oude Kilnsey? Nee. Daarmee zit je echt op het verkeerde spoor, meid. Hij was een diepgelovig type, maar ik heb dat soort mannen altijd maar verdachte viezeriken gevonden. Ze hebben hun geloof waarschijnlijk heel hard nodig om hun onnatuurlijke driften te kunnen beteugelen.'

Annie schreef de naam op. Ervaring had haar geleerd dat dergelijke types veel eerder dan anderen geneigd waren om de controle over zichzelf kwijt te raken en iemand te vermoorden. 'Wat voor soort dingen deden jullie met die groep?'

'Heel gewone dingen. Gloria was vrij impulsief. Ze kon bijvoorbeeld ineens voorstellen om aan de oever van Harksmere te gaan picknicken. Of naar de film gaan in het Lyceum in Harkside. De laatste keer dat ik er was, was die omgebouwd tot een Kwiksave, maar indertijd was het een populaire ontmoetingsplek voor jongens en meisjes. Of een wandeling maken door de velden tijdens de verduistering. En zwemmen.' Ze praatte nu iets zachter en boog zich wat naar Annie toe. 'Geloof het of niet, meid, maar één keer hebben we zelfs in het donker en zonder badpakken in Harksmere gezwommen. En een plezier dat we hadden! Dat was ook een ideetje van Gloria. Een spontane inval. Ze vond het maar niets om alles van tevoren uit te stippelen, maar ze vond het heerlijk om iets te doen te hebben of om naar iets te kunnen uitkijken.'

'Heeft ze je ooit iets over haar verleden verteld?'

'Daar had ze het bijna nooit over. Uit het weinige dat ik heb gehoord, maakte ik op dat het erg pijnlijk voor haar moet zijn geweest, dus ik dacht: als zij er niet over wil praten, dan begrijp ik dat best. Het enige wat ze had verteld was dat ze haar familie was kwijtgeraakt in de Blitz. Soms leek ze wel een beetje afwezig. Ze kon van die zware, zwijgzame, treurige buien hebben die haar vanuit het niets overvielen, midden in een picknick, tijdens een dansfeest, noem maar op. Maar dat gebeurde niet vaak.'

'Kon ze een beetje wennen aan het dorpsleven?'

'Ach,' zei Alice, 'dat hangt ervan af van welke kant je het bekijkt. In het begin kwam ze er niet zo vaak. Land girls maakten lange dagen. Toen ze eenmaal met Matthew was getrouwd en naar Bridge Cottage was verhuisd, zagen we haar wat vaker.'

'Had ze vijanden? Mensen die haar om een of andere reden niet mochten?'

'Er waren nogal wat mensen die haar gedrag afkeurden. Jaloers, als je het mij vraagt. Gloria maakte zich niet druk om wat anderen van haar dachten. Ze ging in haar eentje naar pubs en ze rookte buiten op straat. Ik weet dat dat tegenwoordig niets voorstelt, hoor, en dat de straat soms de enige plek is waar je wel mag roken, maar toen was het... Nu ja, voor sommige mensen hield het in dat je zo ongeveer een prostituee was. Mensen hielden er in die tijd maar rare ideeën op na.' Ze schudde langzaam haar hoofd. 'Ze noemen het wel die goeie ouwe tijd, maar ik weet het zo net nog niet. Er was ook heel veel hypocrisie en onverdraagzaamheid. En snobisme. Gloria was gewoon net iets te brutaal en te wispelturig naar de smaak van sommige bewoners.'

'Iemand in het bijzonder?'

'Betty Goodall heeft haar nooit kunnen uitstaan. Betty is altijd een beetje een snob geweest en een net iets te fanatieke aanhanger van de kerk, als je het mij vraagt, maar begrijp me goed: in wezen was ze een goed mens. Het hart op de juiste plek. Ze stond alleen altijd net even te snel met haar morele oordeel klaar. Ik vermoed dat ze Matthew Shackleton voor zichzelf had gereserveerd en dat het huwelijk van Matthew en Gloria haar plannen dwarsboomde. Zoals ik al zei: Gloria was spontaan en gemakkelijk in de omgang, en bovendien ook een lekker ding, zoals ze dat tegenwoordig zeggen. Ik denk dat een heleboel vrouwen gewoon jaloers op haar waren.'

Annie glimlachte. Na deze beschrijving van Alice kon ze zich voostellen hoe moeilijk Banks het op dat moment in Edinburgh moest hebben. 'Betty Goodall staat niet op die foto,' merkte ze op.

'Nee. Betty en William waren toen al vertrokken. Hij was een soort duvelstoejager bij de Home Guard en ze stuurden hem van de ene gemeente naar de andere. Hij was blijkbaar niet geschikt voor het echte oorlogswerk en niemand wist wat ze precies met hem aan moesten.'

'Weet je of Gloria die afkeuring ook echt had verdiend of kwam het gewoon door haar karakter, door haar persoonlijkheid?'

'Ach, lieve schat, wil je nu dat ik uit de school klap?'

Annie lachte. 'Niet als je dat zelf niet wilt. Maar het is al zo lang geleden, en misschien helpt het ons om de moordenaar op te sporen.'

'O, dat weet ik ook wel. Dat weet ik ook wel.' Alice hield haar hand op. 'Ik ga even mijn sigaretten halen. Ik mag er altijd een na de koffie, na de lunch en na het avondeten. En soms eentje bij mijn slaapmutsje, voordat ik naar bed ga. Nooit meer dan vijf per dag.' Ze stond op en haalde haar handtas, zocht naar een pakje Dunhill en stak een sigaret op met een smalle gouden aansteker. 'Zo, waar was ik gebleven?'

'Ik wilde weten of Gloria verhoudingen had, of ze met andere mannen naar bed ging.'

'In elk geval niet vaker dan een heleboel anderen in die tijd, anderen die over het algemeen voor "fatsoenlijk" doorgingen. Maar mensen hadden vrij veel vooroordelen over Gloria, juist omdat ze zo'n ruimdenkende vrouw was en zei wat ze op haar hart had. Ze was beslist een beetje een flirt, dat zal ik niet

ontkennen. Maar dat zegt toch helemaal niets? Dat was gewoon voor de lol.'
'Dat ligt eraan met wie je flirt.'
'Ja, dat is natuurlijk wel zo. Misschien was ik een beetje naïef, maar volgens mij was er meer rook dan vuur. Meestal, tenminste.'
'Wat vond je van Matthew?'
'Ik had niet echt een hoge pet van hem op, om je de waarheid te zeggen. Ik vond hem altijd net iets te gladjes en verwaand. O, naar buiten toe was hij altijd heel vriendelijk, daar niet van – knap en charmant ook, en iedereen vond het vreselijk wat er met hem in de oorlog is gebeurd.'
'Wat is er dan precies gebeurd?'
'Gedood door Japanners. In Birma. Maar goed, Matthew was een praatjesmaker. Ik heb ook gehoord dat hij voordat Gloria ten tonele verscheen tijdens zijn studietijd in Leeds verschillende meisjes zwanger heeft gemaakt. Dus hij was beslist geen heilige, die Matthew Shackleton, maar als je sommige mensen hoort zou je bijna denken dat hij de onschuld zelve was. Sommige mensen beweerden wel dat ze alleen maar met hem was getrouwd omdat hij een slimme, knappe jongen was met een briljante toekomst in het vooruitzicht, wat mij overigens een bijzonder goede reden lijkt om met iemand te trouwen. Ik weet zeker dat hij haar allerlei dingen heeft beloofd over een fantastische toekomst samen. Hij vulde haar hoofd met dromen over alle dingen die hij zou bouwen en de verre, exotische landen waar ze naartoe zouden gaan, en meer van die onzin. Diep in haar hart was Gloria een romantica. Ik denk dat ze verliefd is geworden op die nieuwe wereld die Matthew haar voorhield. Al die bruggen en kathedralen die hij zou bouwen, met haar aan zijn zijde. Ze kon bijna niet wachten.'
'Hoe reageerde Gloria op zijn dood?'
'Haar hart brak. Ze was er helemaal kapot van. Ik maakte me zorgen over haar en heb er zelfs een of twee keer iets over tegen Gwen gezegd. Gwen zei dat ze wel snel weer helemaal de oude zou zijn; maar ja, Gwen zag er zelf ook niet best uit. Heel innig waren ze geweest, zij en Matthew. Maar goed, toen Gloria zich weer in het openbaar ging vertonen, was ze enorm roekeloos, alsof ze het gevoel had dat ze niets meer te verliezen had. Dat gold toen trouwens voor een heleboel mensen.' Ze zweeg even, nam een trekje van haar sigaret en speelde wat met het kettinkje rond haar hals.
'Dus Gloria ging op een bepaald moment weer uit, naar dansfeesten en dergelijke?'
'Ja, na een paar maanden.'
'Van wanneer stamt haar relatie met Michael Stanhope, die kunstenaar?'
'O, hij had al een hele tijd om haar heen gehangen. Hij is ook op hun bruiloft geweest. Gloria trok vrij veel met hem op. Ze zat vaak samen met hem te drinken in de Shoulder of Mutton. Dat is nog een reden waarom die religieuze fanaten haar zo afkeurend bejegenden.'

174

'Kende jij Stanhope ook?'

'We groetten elkaar, meer niet. Michael Stanhope. Ik heb in geen jaren aan hem gedacht. Hij was een excentriekeling. Liep altijd met die slappe hoed van hem op zijn hoofd. En een wandelstok. Heel geaffecteerd. Het was voor iedereen overduidelijk dat hij een kunstenaar met een hoofdletter K was, als je begrijpt wat ik bedoel. Ik kan niet zeggen dat ik veel tijd aan hem verspilde, maar hij was in wezen geen slechte vent. En trouwens, hij zou nooit iets met Gloria zijn begonnen. Het was allemaal puur voor de show.'

'Wat bedoel je daarmee?'

'Hij was homoseksueel, meid. Van de verkeerde kant. En zoals je waarschijnlijk wel weet, was dat in die tijd wettelijk verboden.'

'Aha, op die manier. Zou het je verbazen dat er inderdaad een schilderij van Michael Stanhope is opgedoken waarvoor Gloria heeft geposeerd?' vroeg Annie.

'Is dat zo?'

'Ja. Een naaktschilderij. In de kunstgalerie in Leeds.'

Alice sloeg haar hand voor haar mond en lachte. 'Goeie genade. Echt waar? Een naaktschilderij? Van Gloria? Niet dat het me verbaast, hoor. Gloria schaamde zich niet voor haar lichaam. Ik heb je toch al over die zwempartij verteld? Ik heb zelf niets met kunstgaleries, maar de volgende keer dat ik in Leeds ben, ga ik er beslist even naartoe.'

'Wat voor relatie hadden ze dan wel?'

'Ik denk dat ze elkaar gewoon graag mochten. Ze waren bevriend. Ze waren allebei buitenstaanders, vrijdenkers. Op een of andere manier begrepen ze elkaar. En ik geloof dat ze hem echt graag mocht en respect voor hem had als schilder. Niet dat ze een intellectueel was of zo, maar ze voelde zich tot zijn werk aangetrokken. Het raakte een gevoelige snaar in haar.'

Annie wist precies wat ze bedoelde. Jarenlang had haar vader talloze vriendinnen in zijn vriendenkring gehad die oprechte bewondering hadden getoond voor zijn werk. Ongetwijfeld was hij ook met sommigen van hen naar bed geweest, maar Ray was dan ook geen homoseksueel en het hoefde niet te betekenen dat de vrouwen hem daarnaast als schilder niet respecteerden. 'Had ze met iemand in het bijzonder een band na de dood van haar man?' vroeg ze.

'Ze had een korte verhouding met een yank uit Rowan Woods die Billy Joe heette. Ik heb hem nooit gemogen. Ik vertrouwde hem en die zwoele blik van hem voor geen meter. Ze kreeg een beetje de reputatie dat ze steeds in de buurt van Amerikaanse vliegers rondhing, 's avonds laat in het bos verdween, dat soort dingen.' Alice knipoogde. 'Ze was heus niet de enige.'

'Denk je dat de geruchten waar waren?'

'Het zou me verbazen als ze geen kern van waarheid bevatten. Volgens mij was ze eenzaam. En ze was ook beeldschoon. We hebben er heel wat ontmoet, Betty, Cynthia, Gloria, Gwen en ik. We gingen altijd naar alle dansfeestjes,

175

vaak op de basis of in Harkside. Er werd er ook wel eens een gehouden in de zaal naast de kerk in Hobb's End, maar dat waren vrij saaie aangelegenheden. De organisatie daarvan was meestal in handen van Betty Goodall, en ik ben ervan overtuigd dat je je wel kunt voorstellen dat er dan weinig leuks te beleven viel. Betty was verzot op dansen – o, ze danste heel graag, maar het was een en al walsen en foxtrots wat de klok sloeg, al die ouderwetse dansen. Geen jitterbugs. Ze was wel heel goed. Billy en zij hebben het na de oorlog nog heel ver geschopt met ballroomdansen. Trofeeën gewonnen en dergelijke. Maar waar was ik gebleven?'

'Dansfeesten. Amerikanen.'

'Ach, ja. Nu, laten we wel wezen, de meeste jongens uit het dorp en de omgeving waren onder de wapenen, behalve dan diegenen die niet in staat waren om in dienst te gaan of die vanwege hun werk waren vrijgesteld van dienst. En die zaten alleen maar de hele tijd in de Shoulder of Mutton te klagen. De Amerikanen waren anders. Ze praatten anders, spraken over plaatsen die wij alleen maar kenden uit onze dromen of van foto's. Ze waren exotisch. Opwindend. Ze hadden ook altijd allerlei dingen die wij niet konden krijgen omdat ze op de bon waren. Je kent dat wel: kousen, sigaretten, dat soort zaken. We waren vrij goed bevriend met PX, dat was de bijnaam van die knul die hun voorraden beheerde, een soort kwartiermeester denk ik, en hij gaf ons altijd van alles. Vooral Gloria. Zij was duidelijk zijn favoriet. Maar ja, ze was altijd ieders favoriet. Gloria was net een prachtige, exotische vlinder; ze oefende aantrekkingskracht uit op iedere man die ze tegenkwam. Ze had iets speciaals. Ze sprankelde en gloeide. Ze straalde echt iets bijzonders uit.'

'Wat was de echte naam van die PX?'

'Het spijt me, dat kan ik me niet meer herinneren. Nu ik erover nadenk, kan ik niet eens met zekerheid zeggen of ik dat vroeger wel heb geweten. We noemden hem altijd PX.'

'Was er nog iemand anders die eruit sprong?'

'Na Billy Joe nam Brad een speciaal plekje in haar hart in, maar na wat er met Matthew was gebeurd, wilde ze zich niet meer serieus binden.'

'En die Brad? Waar was hij op uit?'

'Hij was een aardige vent. En het leed geen twijfel dat hij smoorverliefd was.'

'Weet je zijn achternaam nog?'

'Het spijt me, lieverd.'

'Het geeft niet,' zei Annie. 'Hoe lang heeft ze iets met hem gehad?'

'Daar vraag je me wat. Een groot deel van 1944, geloof ik. Toen ik rond Kerstmis vertrok, waren ze nog bij elkaar.'

'Kerstmis 1944?'

'Ja.' Ze glunderde. 'De fijnste kerst die ik ooit heb gehad. Mijn Eric was gewond geraakt bij het Ardennenoffensief, die sukkel. Niet ernstig gelukkig, maar hij werd wel vervroegd uit dienst ontslagen en met kerst was hij thuis. De dokter had zeelucht aangeraden, dus zijn we hiernaartoe gekomen, en omdat we helemaal verliefd werden op dit plekje, zijn we maar gebleven. We zijn op tweede kerstdag 1944 uit Hobb's End weggegaan.'

'Waar is Eric nu?'

'O, die zwerft ergens buiten rond. Maakt elke ochtend trouw zijn ommetje over de boulevard, rust daarna wat uit in de pub en speelt domino met zijn vriendjes.'

'Heeft Gloria ooit gezegd dat ze een baby had gehad?'

Alice keek verwonderd op. 'Nee, niet tegen mij. En ik heb nooit iets gezien wat op kinderen duidde. Ik weet niet eens zeker of ze wel van kinderen hield. Maar wacht eens even...'

'Wat is er?'

'Ik heb wel eens iets gezien toen ik een keer over de elfenbrug kwam aangelopen. Het was vreemd. Er was een kerel opgedoken in een soldatenuniform, met een klein jochie in zijn kielzog, een ventje van een jaar of zes, zeven dat zijn hand vasthield. Ik had hen nog nooit eerder gezien. Ze gingen naar binnen om met Gloria te praten, bleven maar heel even binnen en vertrokken toen weer. Ik hoorde opgewonden stemmen.'

'Wanneer was dat?'

'Het spijt me, liefje, dat weet ik niet meer. Matthew was toen al weg. Dat weet ik nog wel.'

'En dat was alles, verder is er niets gebeurd?'

'Nee.'

'Heb je gehoord waar ze het over hadden?'

'Nee.'

'Weet je ook wie hij was?'

'Sorry, meid, ik heb geen idee.'

'Heb je Gloria ooit naar hem gevraagd?'

'Ja. Ze werd muisstil. Dat deed ze soms. Het enige wat ze wilde zeggen was dat het familieleden van haar waren die uit het zuiden kwamen. Ik dacht toen dat het misschien haar broer en neefje waren of iets dergelijks. Je denkt toch niet...?'

'Het zou kunnen,' zei Annie. 'Zijn ze ooit nog teruggekomen, die man en dat kind?'

'Voorzover ik weet niet.'

'Wat is er van Gwen en Gloria geworden nadat je was verhuisd?'

'Dat weet ik niet. Ik heb Gloria nog een kaart gestuurd – dat moet in maart of april 1945 zijn geweest, om haar te vertellen dat Eric inmiddels was hersteld en dat we in Scarborough zouden blijven wonen, en dat ze maar eens bij ons op bezoek moest komen.'

'Wat gebeurde er toen?'

'Niets. Ze heeft nooit gereageerd.'

'Vond je dat niet vreemd?'

'Jawel, maar ik kon er weinig aan doen. Het leven gaat verder. Een paar maanden later heb ik nog een keer geschreven, maar weer geen reactie. Daarna heb ik het opgegeven. Ik heb gemerkt dat gedurende je leven het contact met heel veel mensen verwatert. Zo ging het ook met Gwen. Ik wil niet beweren dat we nou zo close waren, daarvoor was ze net iets te teruggetrokken en te veel een boekenwurm, maar we hebben toch een paar keer veel lol gehad samen. Toen we echter eenmaal hierheen waren verhuisd, heb ik nooit meer iets van haar gehoord.'

'Ben je wel eens terug geweest naar Hobb's End?'

'Daar was geen reden toe. Na de oorlog hadden we een heel nieuw leven, behalve dan dat alles nog steeds op de bon was. Je leerde ermee leven en probeerde niet te lang bij het verleden stil te staan. Ik vond het jammer dat ik Gloria nooit meer zag, ze was toch een frisse wind; maar zoals ik al zei: wanneer je zo oud wordt als ik, besef je dat mensen elkaar wel vaker uit het oog verliezen.'

Annie wist uit ervaring dat dat maar al te waar was; ze herkende het uit haar eigen leven. Schoolvrienden, medestudenten, geliefden, collega's: er waren zoveel mensen met wie ze geen contact meer had. Misschien waren ze wel dood. Zoals Rob.

Ze liet een lange stilte vallen en schoof toen naar het puntje van haar stoel. 'Ik denk dat ik voorlopig wel genoeg heb, Alice. Ik zal ervoor zorgen dat ik je de foto binnen enkele dagen weer kan terugsturen. Als ik nog iets bedenk, neem ik contact met je op.' Ze wist zich uit de diepe, gemakkelijke leunstoel omhoog te werken door zich met haar handen tegen de armleuningen af te zetten. 'Doe dat.' Alice stond op. 'Ik heb genoten van ons gesprek, hoewel ik niet zie hoe jij er iets aan kunt hebben dat ik zo over het verleden heb zitten kwekken.'

'Je hebt me echt enorm geholpen.'

'Het is aardig van je dat je dat zegt, liefje. Ik moet toegeven dat ik het heerlijk vind om even lekker te kletsen. Het is jaren geleden dat ik voor het laatst aan al die dingen heb gedacht. Hobb's End. Gloria. Gwen. Matthew. De oorlog. Ik hoop dat je erachter komt wie haar dit heeft aangedaan. Ook als hij al dood is, zou ik graag willen weten of hij de langzame, pijnlijke dood is gestorven die hij verdient.'

We verlieten het theehuis treurig en verbijsterd, met nog uren te gaan voordat onze trein terug naar huis zou vertrekken. Om de waarheid te zeggen denk ik niet dat een van ons op dat moment nog hoop had dat Matthew in leven was. Ik vroeg Gloria of ze me wilde laten zien waar ze vroeger had gewoond, maar ze weigerde. Ze zei dat ze dat niet zou kunnen verdragen en ik vond het wreed van mezelf dat ik het had gevraagd.

Het hield op met regenen en de zon probeerde zich een weg te banen door het rafelige wolkendek. We liepen door St. James' Park, langs de post met versper-ringsballonnen en langs het afweergeschut, in de richting van Oxford Street. Hoewel ons hoofd er niet echt naar stond, winkelden we wat. Het leidde onze gedachten in elk geval een beetje van Matthew af. In Charing Cross Road kocht ik Graham Greenes nieuwste amusante verhaal, *Heerschappij van de angst*, de laatste twee edities van de *Penguin New Writing*, de meest recente *Horizon* en een paar tweedehands exemplaren van Trollope en Dickens uit de World's Classics-reeks voor de uitleenbibliotheek.

Gloria kocht bij John Lewis's een zwart-rood-wit geruite Dorville-jurk. Die kostte haar drie pond en vijftien shilling en elf kledingbonnen. Ze wist mij zover te krijgen dat ik in een winkel daar dicht in de buurt een Utility-ontwerp van Norman Hartnell kocht voor slechts drie pond en negen bonnen.

Nadat we bij een British Restaurant fish and chips hadden gegeten, gingen we naar het Carlton aan Haymarket om Gary Cooper en Ingrid Bergman te zien in *For Whom the Bell Tolls*. Het was een van de eerste films die ik in kleur zag, aangezien kleurenfilms op dat moment nog niet echt tot Harkside waren doorgedrongen. Ik had het boek van Hemingway niet gelezen en kon dus niet beoordelen hoe getrouw de filmversie was.

Toen we na afloop Haymarket opliepen, werd het al donker en Gloria stelde voor om de ondergrondse te nemen naar King's Cross.

Het is moeilijk om de impact van de verduistering op Londen te beschrijven, vooral op een brede, drukke straat als Haymarket. Zoals het er nooit echt hele-maal stil was, was het er evenmin ooit echt helemaal donker. Je zag de hoekige dakranden en daklijsten scherp afgetekend tegen de in verschillende gradaties van duisternis gehulde nachtelijke hemel. Wanneer het halve maantje vanach-ter de wolken tevoorschijn kroop, glansde alles even in het bleke licht en ver-dween dan weer.

Wat mij het meeste opviel was het lawaai, alsof ik als een blinde van al mijn zintuigen het gehoor het scherpst had ontwikkeld. Geschreeuw en gefluit in de verte, machines, gelach en gezang uit een pub, een enkele hond die in de verte blafte of een kat die in een steegje zat te miauwen: al deze geluiden leken in het duister van de verduistering verder te dragen en langer na te echoën. Ze klonken allemaal ook veel onheilspellender.

'Onnatuurlijk' was het woord dat zich aan me opdrong. Terwijl de duisternis juist iets heel natuurlijks is. Misschien is het afhankelijk van de context. In een stad, vooral zo'n uitgestrekte, drukke stad als Londen, was de duisternis onna-tuurlijk.

Op Piccadilly Circus kon ik nog net het standbeeld van Eros onderscheiden, dat door zandzakken was ingekapseld. Er klonk ook muziek, een deuntje waarvan ik pas veel later hoorde dat het *Take the 'A' Train* van Glenn Miller was. Overal zwermden soldaten rond, velen van hen dronken, en meer dan eens werden we door mannen aangesproken die ons beetpakten of geld boden in ruil voor seks.

Op een bepaald moment hoorde ik iets in een smal zijstraatje en ik kon nog net de vorm ontwaren van een man die zich kreunend tegen een vrouw aan drukte die met haar rug tegen de muur stond. Het deed me denken aan die ijskoude kerst van 1941, toen ik Gloria en die Canadese vlieger, Mark, in precies dezelfde houding had aangetroffen.

Op de perrons van de ondergrondse, waar mensen kwamen schuilen tijdens luchtaanvallen, was het heel erg druk en ik meende de stank van zweet, ongewassen kleding en urine te ruiken die zich vermengde met de roetachtige geur die de wagons verspreidden. Alles was smerig en sjofel. De trein kwam al snel en we moesten de hele weg staan. Niemand stond op om ons zijn zitplaats aan te bieden.

Ik was blij dat onze trein naar huis op tijd vertrok, en hoewel ik wist dat ik nog wekenlang over deze reis zou dromen, kan ik niet zeggen dat ik het jammer vond dat we na een saaie en kalme reis die een uur of zeven duurde, overstapten op de ochtendtrein van Leeds naar Harrogate, waar we het stoptreintje naar Hobb's End namen.

Tegen de tijd dat Banks en Annie elkaar die avond spraken was het al na zevenen. Op de terugreis vanuit Edinburgh had Banks halverwege de middag vastgezeten in het verkeer rond Newcastle en daarna was hij eerst bij het bureau langsgegaan om te kijken of er tijdens zijn afwezigheid nog nieuwe ontwikkelingen hadden plaatsgevonden.

Er had een stapel van wel twintig telefonische boodschappen op hem liggen wachten als gevolg van zijn verschijning in het journaal op maandagavond. Hij had een uur uitgetrokken om mensen terug te bellen, maar het enige wat dat hem had opgeleverd was dat iemand meende te weten dat de Shackletons na VE-day naar Leeds waren verhuisd en dat iemand anders zich herinnerde dat hij tegen het eind van de oorlog in Hobb's End wel eens het glas had geheven met Matthew Shackleton. De meeste mensen wilden echter slechts herinneringen aan de oorlog ophalen en hadden geen enkele bruikbare informatie voor hem.

Er was een boodschap van John Webb, die meldde dat hij de knoop had schoongemaakt die Adam Kelly van het geraamte had afgepakt. Hij was waarschijnlijk van koper, met een doorsnede van ongeveer anderhalve centimeter, en had een reliëfversiering aan de voorkant die mogelijk aan vleugels deed denken. De expert die hem had onderzocht, had geopperd dat het misschien een soort vogel moest voorstellen. Gezien de periode waar hun aandacht naar uitging, zo had hij eraan toegevoegd, was het niet meer dan logisch dat men uitkwam bij het leger of wellicht de RAF.

Toen Banks klaar was op het bureau, belde hij Annie en hij vroeg haar of ze het vervelend zou vinden om naar Gratly te komen, omdat hij al de hele dag op de weg had gezeten. Ze zei dat ze dat helemaal niet vervelend zou vinden. Hij ging naar huis, waar hij uitgebreid onder de douche ging en wat opruimde. Dat was zo gebeurd. Vervolgens probeerde hij nogmaals om Brian in Wimbledon te bellen. Nog steeds geen succes. Wat moest hij daar verdorie nu weer mee aan? Er was al bijna een week verstreken sinds hun ruzie. Hij kon er natuurlijk naartoe rijden, bedacht hij peinzend, maar pas wanneer deze zaak was afgerond. Hij besloot om het de volgende dag opnieuw te proberen.

Hij vroeg zich af of hij iets voor Annie zou koken, maar besloot dat niet te doen. Hij had zich dan wel voorgenomen om van koken zijn volgende project te maken wanneer de cottage helemaal af was, maar voorlopig was hij niet zover. Bovendien lag er niets in de koelkast, op een paar blikjes bier, een halve tomaat en een stukje beschimmelde cheddar na. Hij zou haar meenemen naar de Dog and Gun in Helmthorpe, waar ze met een heleboel geluk misschien iets vegetarisch op het menu hadden staan.

Toen Annie aankwam, liet ze hem eerst de foto zien van Gloria en haar vriendinnen met de Amerikaanse vliegers. Na een bliksemsnelle rondleiding door het huis, dat ze nuffig als 'heel snoezig' omschreef, waren ze het erover eens dat het een geschikte avond was voor een korte wandeling. Ze lieten hun auto staan op het grindpad voor Banks' huis en liepen in de avondschemering naar Helmthorpe; tijdens de wandeling wisselden ze de informatie uit die ze die dag hadden vergaard.

Op de aflopende stukjes weidegrond langs de drooggevallen beek graasden schapen. Sommige dieren waren erin geslaagd om zich door het hek aan de achterkant van de kerk te wringen en stonden nu te grazen tussen de met mos bespikkelde grafstenen.

'Nog tijd gehad voor een wandeling langs de boulevard in Scarborough?' vroeg Banks.

'Ja, natuurlijk. Ik moest toch wat eten? Ik kan je trouwens wel vertellen dat er in Scarborough bar weinig keus is voor een vegetariër. Uiteindelijk heb ik patat gekocht die in plantaardige olie was gebakken – dat beweerde die vrouw tenminste – en die heb ik op een bankje aan de haven zitten opeten vlak bij een man die zijn vissersboot aan het schilderen was. Hij heeft nog geprobeerd me te versieren.'

'O?'

'Hij kwam niet erg ver. Ik ben er wel aan gewend dat vissers proberen me te versieren. Er is meer voor nodig dan een heroïsch verhaal over schelvis- of heilbotvangsten om mij het bed in te krijgen, dat kan ik je wel vertellen.'

Banks begon te lachen. 'St. Ives?'

'Inderdaad. Ik heb al die verhalen al eerder gehoord. En de foto's gezien. Maar goed, daarna ben ik even een kijkje gaan nemen bij het graf van Anne Brontë, en toen ben ik teruggegaan naar het bureau om een rapport te schrijven over het gesprek.'

'Hou je van de boeken van Anne Brontë?'

'Ik heb ze niet gelezen. Maar als je toch in de buurt bent, doe je dat natuurlijk. Even kijken waar de beroemdheden begraven liggen. Ik heb *The Tenant of Wildfell Hall* op televisie gezien. Niet slecht, als je van dat soort dingen houdt.'

'Dat soort dingen?'

'Gouvernantes, keurslijfjes, strakke korsetten, al die onderdrukte Victoriaanse seksualiteit.'

'Maar dat is allemaal niets voor jou?'

Annie hield haar hoofd schuin. 'Dat heb ik niet gezegd.'

Het was inmiddels begin september en het werd steeds vroeger donker. Toen ze bij de High Street aankwamen, hing de zon al laag boven de horizon in het westen, een rode bal die als een smeulend vuur door de optrekkende nevel heen gloeide, en de schaduwen werden alweer langer. Door de openstaande pubdeuren golfde het geluid van gelach en muziek naar buiten. Dagjesmensen die na een lange dag in de buitenlucht en een stevig maal doodop waren, stapten in hun auto en reden terug naar hun woonplaats.

Annie en Banks liepen door de drukke bar naar achteren en wisten een tafeltje te bemachtigen in de tuin aan de achterkant. Tussen de bomen kleurde het langzaam wegstervende zonlicht de ondiepe riviergedeeltes oranje- en donker-rood. Annie ging vast zitten, terwijl Banks hun bier ging halen en hun bestelling doorgaf. Gelukkig zei Annie dat ze niet echt trek had en dat een broodje kaas met ingelegde ui voor haar voldoende was. Hij was net op tijd; ze stonden op het punt om de keuken te sluiten.

'Het is hier buiten heerlijk,' zei Annie toen hij terugkwam met hun drankjes. 'Dank je wel.'

'Proost.' Banks nam een slok. Hoewel er nog een paar andere mensen buiten zaten, leken alle gesprekken te zijn verstomd. 'Wie blijft er dus over?' vroeg hij. 'Nu we weten dat Matthew is overleden voordat Gloria werd vermoord?'

Annie leunde achterover in haar stoel, strekte haar lange benen voor zich uit en legde ze op de derde witte plastic stoel bij de tafel. 'Het vriendje misschien?' opperde ze. 'Die Amerikaan?'

'Brad? De moordenaar van Gloria? Waarom?'

'Waarom niet? Of anders een van zijn vrienden. Misschien heeft ze hen tegen elkaar uitgespeeld. Ik heb de indruk dat Gloria het soort vrouw was dat een enorme macht had over mannen. Misschien had Brad op meer gehoopt dan

182

hij kreeg. Alice vertelde dat ze dacht dat hij gekker op Gloria was dan zij op hem. Misschien heeft ze geprobeerd om van hem af te komen en wilde hij niet weg. Rowan Woods was dichtbij. Hij had via de achterdeur gemakkelijk naar binnen kunnen sluipen en weer naar buiten, zou ik zo denken.'

'We moeten beslist meer te weten zien te komen over die Amerikanen in Hobb's End,' zei Banks.

'Hoe pakken we dat aan?'

'Je zou kunnen beginnen bij de Amerikaanse ambassade. Misschien kunnen ze je daar op het juiste spoor zetten.'

'Dat subtiele gebruik van het persoonlijke voornaamwoord "je" is me niet ontgaan. Ik neem aan dat je niet van plan bent om zelf een hele dag aan de telefoon te hangen?'

Banks lachte. 'Een hogere rang heeft zo zijn privileges. Bovendien kun jij het zo goed.'

Annie trok een lang gezicht en spatte wat bier in zijn richting.

'Wat ik ga doen is echt niet veel leuker,' vervolgde hij. 'Ik ga een poging wagen om meer informatie over Matthew Shackleton los te krijgen van onze eigen militaire instanties.'

Hun eten werd gebracht en ze aten beiden even in stilte. De rivier zag er nu uit als een langgerekte olievlek. Er was geen bewolking, maar de lucht was overdag vochtiger geworden en de ondergaande zon kleurde de hemel in het westen diep rood en paars. Boven het stilstaande, ondiepe water hingen roerloze zwermpjes kleine, gonzende insecten, muggen of iets dergelijks.

'En Michael Stanhope?' opperde Banks.

'Wat zou hij voor motief kunnen hebben gehad? Ze waren goed bevriend.'

'Allesoverheersende lust? Drank? Daardoor kan iemand gemakkelijk de normale grenzen overschrijden, en het is heel waarschijnlijk dat Stanhope zich toch al een beetje aan de verkeerde kant van die grens bevond. Als hij zich heel sterk tot Gloria aangetrokken voelde, maar zij op seksueel gebied niet in hem geïnteresseerd was, dan is het best mogelijk dat hij een rood waas voor ogen kreeg toen ze wél naakt voor hem poseerde. Geef toe: een naakte Gloria Shackleton voor zijn neus in het atelier kan een man als Stanhope onmogelijk de hele tijd onberoerd hebben gelaten.'

Annie keek hem vragend aan. 'Hoezo? Je bedoelt zeker dat het jou niet onberoerd zou hebben gelaten? Je zou er versteld van staan hoe emotieloos en afstandelijk een kunstenaar kan zijn. Trouwens, Alice Poole zei dat ze er zeker van was dat ze geen geliefden waren, en ik geloof haar. De indruk die ik heb gekregen is dat een heleboel dorpsbewoners, onder wie ook die vrouw die jij hebt gesproken, negatieve gevoelens op Gloria projecteerden. Ik denk dat ze in wezen een fatsoenlijke vrouw en een toegewijde echtgenote was, maar dat haar knappe uiterlijk en haar losse, spontane houding haar een hele trits pro-

183

blemen hebben opgeleverd, met name met mannen. En uiteindelijk is er iemand door het lint gegaan.'

'Kennelijk spreek je uit eigen ervaring.'

Annie wendde haar gezicht van hem af en staarde naar de donkere rivier. Het was maar een plagende, nonchalante opmerking geweest, maar Banks had het gevoel dat hij zich op verboden, te persoonlijk terrein had begeven en dat nu alle stekels verdedigend overeind stonden. Ze moesten elkaar nog steeds met de nodige voorzichtigheid benaderen, besefte hij. Een paar nachten van ongeremde passie en het gevoel dat ze als buitenbeentjes iets met elkaar gemeen hadden waren niet voldoende om hen veilig door de emotionele mijnenvelden te loodsen die zich tussen hen uitstrekten. Voorzichtig te werk gaan, hield hij zichzelf waarschuwend voor.

Na een korte stilte ging Annie verder: 'Ik denk dat Gloria een van de weinige mensen in Hobb's End was die Michael Stanhope begrepen en hem serieus namen. Volgens Alice was hij trouwens homoseksueel.'

'Dat kan ze nooit helemaal zeker weten. Misschien was hij wel biseksueel.'

'Ik denk dat je er te veel achter zoekt, dat is alles.'

'Je hebt waarschijnlijk wel gelijk. Bovendien zit er duidelijk een zwakke plek in de Stanhope-theorie.'

'En dat is?'

Banks schoof zijn lege bord aan de kant. 'Waar denk je dat Gloria is vermoord?'

'In of vlak bij Bridge Cottage. Ik dacht dat we het daar al over eens waren, vanwege de plek waar ze is begraven. O ja,' – Annie keek in haar opschrijfboekje – 'dat was ik nog vergeten je te vertellen, maar de verduistering is officieel geëindigd op 17 september 1944. Niet dat dat nog iets uitmaakt nu we weten dat Gloria rond de kerst van dat jaar nog leefde.'

'Alle kleine beetjes helpen.'

'Wat bedoelde je trouwens met die vraag?'

'Meestal ging Gloria naar Stanhopes atelier. Als hij haar in die herfst heeft geschilderd, was dat zeker het geval. Als er al iets tussen hen is voorgevallen, dan is het waarschijnlijker dat het daar is gebeurd. Dat is waar ze naakt voor hem poseerde. Als hij haar heeft vermoord, denk ik niet dat hij het risico zou hebben genomen om haar lichaam helemaal naar Bridge Cottage te verslepen. Dan zou hij een andere manier hebben bedacht om zich van haar lichaam te ontdoen, ergens dichterbij.'

'Tenzij ze een verhouding hadden, zoals jij net opperde. In dat geval is de kans dat hij haar in haar eigen huis bezocht natuurlijk vrij groot.'

'Zou ze dat risico hebben durven nemen, met Gwen zo dicht in de buurt?'

'Misschien wel. Alles wat ik over haar heb gehoord, duidt erop dat Gloria een erg onconventionele en onvoorspelbare vrouw was. Dat ze naar zijn atelier

ging, was natuurlijk op zich al schandalig, gezien zijn reputatie in het dorp.'
'Goed opgemerkt. Elizabeth Goodall was in elk geval van mening dat hun relatie een schandaal was. Nog iets drinken?'
'Beter van niet,' zei Annie, en ze legde haar hand op haar glas. 'Een is voor mij het maximum wanneer ik nog naar huis moet rijden.'
Banks antwoordde niet direct, omdat zijn stem ergens diep in zijn borst bleef hangen. 'Je hóéft niet naar huis te rijden,' zei hij ten slotte, ervan overtuigd dat hij schor klonk.
Annie glimlachte en legde haar hand op zijn arm. Door haar aanraking begon zijn hart sneller te kloppen. 'Nee, maar ik denk dat het beter is, aangezien het een doordeweekse dag is en zo. Ik heb morgen een drukke dag voor de boeg. Bovendien hebben we het zo afgesproken.'
'Je kunt het een man niet kwalijk nemen dat hij het toch probeert. Vind je het vervelend als ik er nog een neem?'
Ze lachte. 'Natuurlijk niet.'
Banks liep naar binnen. Hij had eigenlijk ook niet verwacht dat Annie op zijn aanbod zou ingaan, maar toch was hij teleurgesteld. Hij wist dat ze hadden afgesproken om het bij de weekenden te houden, maar hield dat dan per se in dat ze nooit eens iets spontaan konden doen? Hij vroeg zich af of hij er ooit in zou slagen dit relatiegedoe te doorgronden. Het was veel gemakkelijker wanneer je getrouwd was; dan hoefde je tenminste geen afspraak te maken om elkaar te kunnen zien. Aan de andere kant hadden Sandra en hij ook niet zo vaak tijd met elkaar doorgebracht, en ze waren toch meer dan twintig jaar getrouwd geweest. Als ze meer tijd voor elkaar hadden vrijgemaakt, waren ze nu misschien nog wel bij elkaar geweest.
De bezoekers die in de pub hadden gegeten, waren al grotendeels vertrokken en de voor gezinnen bestemde ruimte van de pub was bijna verlaten; de laatste aanwezigen, voornamelijk buurtbewoners, bevonden zich in de bar, waar ze domino speelden of dartten. In een hoek zat een groep jongeren en een van hen zette het nummer *Concrete and Clay* op de jukebox aan. Jezus christus, dacht Banks. Unit 4+2. Dat nummer was opgenomen voordat zij waren geboren.
Hij kocht een glas bier voor zichzelf en ging weer naar buiten. Annie was nu nog slechts een silhouet – een heel mooi silhouet overigens, met haar gracieuze hals en krachtige profiel – en ze staarde naar de rivier op die ontspannen en geconcentreerde manier die haar zo eigen was.
Hij ging zitten en de betovering was verbroken. Annie bewoog zich loom. Haar glas was nog halfvol en ze liet het bier er even in ronddraaien voordat ze een slok nam.
'Wat weten we over haar familie?' vroeg Banks.
'Familie? Wiens familie?'

'Gloria Shackleton.'

'Haar familie is tijdens de Blitz om het leven gekomen.'

'Allemaal?'

'Dat is wat ze Alice Poole heeft verteld.'

'En die geheimzinnige vreemdeling en dat kind die haar kwamen opzoeken? Je zei dat ze tegen Alice had gezegd dat dat familie van haar was.'

'Dat klopt.' Annie schudde langzaam haar hoofd. 'Dat begrijp ik ook niet. Het klinkt raar, hè?'

'Als ze ervandoor is gegaan en haar kind heeft achtergelaten bij haar man of vriendje, dan heeft hij misschien ook een goede reden gehad om kwaad op haar te zijn. Misschien heeft híj haar wel opgespoord en vermoord.'

'Misschien. Maar het zou ook kunnen dat die man, wie hij ook was, het niet erg vond om voor het kind te moeten zorgen. Misschien hield hij wel van dat jochie. Bovendien doen mannen dat soort dingen wel vaker en zij worden ook niet door hun vrouw of vriendin vermoord.'

Banks ging daar niet op in. 'De vraag is of deze ene man zulke sterke gevoelens had dat hij zijn vrouw of vriendin, de moeder van zijn kind en de vrouw die hem in de steek had gelaten, wilde opsporen. Uit wat Alice Poole je heeft verteld, blijkt dat ze ruzie hadden.'

'Maar Gloria leefde nog toen hij weer vertrok.'

'Hij kan een tijdje hebben zitten broeden en een paar weken of maanden later zijn teruggekomen.'

'Dat is mogelijk,' gaf Annie toe. 'Ik zou ook wel eens willen weten wat er van die schoonzus is terechtgekomen, die Gwynneth. Ondanks jouw oproep op televisie is er nog niemand met bruikbare aanwijzingen gekomen.'

'Misschien is ze dood.'

'Zou kunnen, ja.'

'Beschouw je haar als een verdachte?'

Annie fronste haar wenkbrauwen. 'Op die foto zag ze eruit als een lange, sterke vrouw. Wellicht is er iets tussen hen voorgevallen.'

'Laten we hopen dat brigadier Hatchley iets heeft gevonden in Londen. We zullen het morgen wel horen. Het is een lange dag geweest.'

Aan de overkant van de rivier sneed het gekrijs van een nachtvogel door de stilte. Toen koos iemand op de jukebox een nummer van Oasis. 'Het type misdaad zou ons ook iets duidelijk moeten maken,' zei Annie na een korte stilte.

'Iets wat we nog niet de revue hebben laten passeren?'

'Het was in elk geval een gewelddadige, gepassioneerde daad. Iemand had zulke sterke gevoelens jegens Gloria Shackleton dat hij haar heel vaak heeft kunnen steken. Nadat hij haar eerst had gewurgd.'

'Je zei het net zelf al: Gloria was een vrouw die een heftige passie opwekte in mannen, het soort passie dat heel sterke gevoelens kan oproepen. Maar er zijn waarschijnlijk nog een heleboel factoren die hierbij een rol hebben gespeeld en die we nog niet hebben achterhaald.'

'Sorry, ik kan je even niet volgen.'

'Het is een oude plaats delict, Annie. Het enige wat we tot nu toe hebben gevonden, zijn botten, een kleine hoeveelheid ditjes en datjes, wat verroeste sieraden. We weten niet of ze eerst is verkracht of op een andere manier seksueel is misbruikt. Of mogelijk ook erna. Het zou heel goed kunnen dat het hier een ongecompliceerde, seksueel getinte misdaad betreft, meer niet.'

'De technische recherche heeft geen andere slachtoffers gevonden die in de omgeving begraven lagen.'

'Nog niet. Bovendien houdt een seksueel misdrijf niet altijd in dat er verscheidene slachtoffers zijn.'

'Maar vaak wel. Je kunt mij niet wijsmaken dat iemand Gloria Shackleton op die manier heeft kunnen verkrachten en vermoorden, en het bij die ene keer heeft kunnen laten.'

'Dat is nu juist het punt,' zei Banks. 'Denk eens goed na. Het lichaam is begraven in het bijgebouw van de cottage van Gloria en Matthew. Het feit dat we in de directe omgeving geen andere lichamen hebben gevonden, wil niet zeggen dat ze niet ergens anders begraven kunnen liggen. Het wil ook niet zeggen dat degene die dit op zijn geweten heeft ergens anders niet al eerder iemand op precies dezelfde manier heeft vermoord.'

'Een seriemoordenaar, dus? Iemand die niet uit de omgeving komt?'

'Het is een optie. Brigadier Hatchley heeft al een verzoek uitgezonden voor informatie over misdaden met een vergelijkbare modus operandi. Het kan echter wel even duren, als er al iemand is die de moeite neemt om te reageren. Mensen kunnen erg lui zijn, vooral wanneer datgene waarnaar ze op zoek zijn niet in de computer staat. Laten we wel wezen: we staan hiermee bij niemand hoog op de prioriteitenlijst. Laten we maar hopen dat een nieuwsgierige of ijverige agent actie onderneemt en iets ontdekt. Ik zal Jim vragen om een herinnering rond te sturen.'

Annie dacht even na. 'Je beseft zeker wel dat we er misschien nooit achter komen wie haar heeft vermoord?'

Banks dronk zijn glas leeg en knikte. 'Als het daarop uitdraait, schrijven we een definitief verslag op basis van al het bewijsmateriaal dat we hebben verzameld en geven we daarin aan wat volgens ons de meest waarschijnlijke oplossing is.'

'Hoe denk je dat je je dan zou voelen?'

'Wat bedoel je?'

'Het is erg belangrijk voor je geworden, of zie ik dat verkeerd? Niet dat het mij niets kan schelen, hoor. Maar voor jou is het anders. Het gaat dieper. Je hebt een soort onstuitbare drang.'

Banks stak een sigaret op. Tegelijkertijd drong het tot hem door dat hij zich vaak achter de rook van zijn sigaret verschuilde. 'Iemand moet zich er toch druk om maken?'

'Wat klinkt dat melodramatisch. Weet je heel zeker dat er niet meer achter zit?'

'Er zit altijd meer achter.'

'Hoezo?'

Banks zweeg en probeerde zijn wazige gedachten in woorden om te zetten. 'Gloria Shackleton. Ik weet hoe ze eruitzag. Ik heb een aardig beeld van haar karakter en haar ambities, ik weet wie haar vrienden waren en wat ze graag deed om zich te vermaken en zichzelf bezig te houden.' Hij tikte tegen de zijkant van zijn hoofd. 'Hier, waar het er het meest toe doet, is ze voor mij maar al te reëel. Iemand heeft haar dat alles afgenomen. Iemand heeft haar gewurgd en vervolgens vijftien of zestien keer gestoken, haar lichaam in verduisterings-gordijnen gewikkeld en in het bijgebouwtje begraven.'

'Maar het is jaren geleden gebeurd. De oorlog is al ik weet niet hoe lang voorbij. Er worden regelmatig mensen vermoord. Waarom is deze moord dan anders?'

Banks schudde zijn hoofd. 'Ik weet het niet. Er is niet echt een reden voor. Deels komt het door de oorlog zelf. Ik ben ouder dan jij. Ik ben in de schaduw ervan opgegroeid, en die schaduw heeft nog lang nadat de oorlog was afgelopen invloed op het dagelijks leven gehad. Ik kreeg bij mijn geboorte een bonnenboekje en een persoonsbewijs.' Hij lachte. 'Weet je, het is grappig dat iedereen zich er tegenwoordig zo fel tegen verzet dat hij wordt geregistreerd en geteld; toen ik een kind was, was ik trots op die kaart. Hij gaf me letterlijk een identiteit, vertelde me wie ik was. Misschien oefende ik toen al voor mijn latere politiepas. Hoe dan ook, overal in de stad waar ik woonde waren puinhopen en bouwvallen. Ik speelde er vroeger vaak in, net als Adam Kelly. En ik sloop ook vaak stiekem naar de zolder om met de verzameling aandenkens te spelen die mijn vader daar bewaarde: een SS-dolk, een riem van een nazi-uniform. Er waren foto's die ik vaak bekeek, van collaborateurs die in Brussel aan balustrades waren opgehangen. Het was een ander tijdperk, voor mijn tijd, maar ergens toch ook weer niet; het was nog steeds heel dichtbij. We speelden vaak dat we commando's waren. We groeven zelfs tunnels en deden dan net of we uit gevangenenkampen moesten ontsnappen. Ik kocht elk boek over gevechtsvliegtuigen en bommenwerpers dat ik te pakken kon krijgen. De oorlog speelde in mijn jeugd en tienerjaren nog steeds een belangrijke rol. Op een bepaalde manier maakt de gedachte dat er een laaghartige moord als deze werd gepleegd, terwijl er elders in de wereld een ware slachting gaande was, duidelijk dat de rest alleen maar een karikatuur was, als je begrijpt wat ik bedoel.'

'Ik denk het wel. Wat zit je nog meer dwars?'

'Dat is gemakkelijker uit te leggen. Voorzover we hebben kunnen nagaan, heeft niemand Gloria als vermist opgegeven; er is geen grootscheeps alarm geslagen. Het lijkt wel alsof het niemand iets kon schelen. Ik heb ooit een vriend gehad... Ik zal je nog wel eens over hem vertellen. Toen kon het ook niemand iets schelen. Er moet iemand zijn die zich er druk om maakt. Blijkbaar ben ik daar erg goed in, ben ik behept met een enorm medelijden, een natuurtalent.'

Banks glimlachte. 'Kun je me nog volgen?'

Annie liet haar vingers zachtjes over zijn mouw glijden. 'Ik kan me hier ook over opwinden,' zei ze. 'Misschien niet om dezelfde redenen als jij, of op dezelfde manier, maar het doet me wel degelijk wat.'

Banks keek haar aan. Hij zag dat ze meende wat ze zei. Hij knikte. 'Dat weet ik wel. Zullen we maar op huis aan gaan?'

Annie stond op.

Ze liepen de straat op, die veel rustiger was nu de avond was gevallen. De fish and chips-winkel was nog steeds open en twee van de jongeren die ook in de pub waren geweest stonden nu tegen de muur geleund uit stukken krant te eten. Er dreef een azijnwalm voorbij.

Aan het eind van het steegje dat langs de heuvel omhoogklom en langs de begraafplaats voerde, was een draaihekje dat toegang gaf tot het smalle, betegelde voetgangerspad dat met de steile oevers van de Gratly Beck meekronkelde en ongeveer een kilometer lang langs de heuvelflank omhoogleidde tot aan het dorp zelf. Gelukkig was er een maan, want verder was er geen verlichting langs het pad. Schapen gingen er op een drafje vandoor en blaatten. Weer werd Banks aan de verduistering herinnerd. Zijn moeder had hem eens een verhaal verteld over een vriendin van haar, die vanaf haar werk bij de munitiefabriek de weg naar huis altijd vond door langs het kanaal 176 relingstukken af te tellen, dan links afsloeg en daarna tot aan de vijfde straatlantaarn in de straat liep. Dat moet helemaal in het begin zijn geweest, dacht Banks, voordat lord Beaverbrook opdracht had gegeven om alle relings in te zamelen ten behoeve van de oorlog. Zijn moeder had hem ook verteld over de enorme berg potten en pannen op het cricketveld, waarvan vliegtuigen zouden worden gemaakt.

Na het smalle poortje aan het uiteinde van het pad sloegen Banks en Annie links af en liepen ze langs de nieuwbouwhuizen. De stoep was hier breder en Annie stak haar arm door de zijne. Dit kleine, maar intieme gebaar voelde heel vertrouwd aan. Ze staken de stenen brug over, volgden het laantje en stonden al snel voor Banks' voordeur.

'Koffie?' vroeg Banks.

Annie glimlachte. 'Nee, maar als je iets kouds te drinken hebt, dan graag. Zonder alcohol.'

Hij liet haar alleen in de woonkamer, waar ze nieuwsgierig in zijn cd-verzameling snuffelde, en liep naar de koelkast. Griezelig dat de keuken hem altijd een gevoel van rust gaf, het gevoel dat hij hier thuishoorde, ook 's avonds wanneer de zon niet scheen. Hij vroeg zich af of hij Annie ooit over deze vreemde gewaarwording zou durven vertellen.

Hij haalde een pak sinaasappelsap tevoorschijn en schonk voor hen beiden een glas in. In de woonkamer klonken de eerste klanken van een oude Etta James-cd. Funky en onstuimig. Hij had hem in geen jaren gedraaid. Annie kwam de keuken ingelopen, overduidelijk blij met haar vondst.

'Je hebt een geweldige cd-verzameling,' zei ze. 'Het lijkt me erg moeilijk om hieruit telkens een keuze te moeten maken.'

'Dat levert inderdaad nog wel eens problemen op. Het hangt van mijn stemming af.' Hij overhandigde haar een glas en ze liepen terug naar de woonkamer.

Al snel zette Etta galmend *Jump Into My Fire* in, gevolgd door *Shaky Ground*. 'Weet je heel zeker dat je geen slaapmutsje wilt?' vroeg Banks toen Annie haar sinaasappelsap op had.

'Heel zeker. Ik zei toch dat ik nog terug moet rijden? Ik wil niet worden aangehouden door een overijverige plattelandsdiender.'

'Jammer,' zei Banks. 'Ik had gehoopt dat je nog van gedachten zou veranderen.' Zijn mond voelde kurkdroog aan.

Come To Mama klonk nu door de kamer, en de langzame, ritmische sensualiteit van de muziek kreeg hem in zijn greep. Hij hield zichzelf voortdurend voor dat Annie een brigadier was, iemand met wie hij aan een zaak werkte, en dat hij dergelijke gedachten helemaal niet hoorde te hebben. Het probleem was echter dat Annie Cabbot zo heel anders was dan alle andere brigadiers die hij kende. Daarnaast was ze, afgezien van zijn dochter Tracy, de eerste vrouw die hij in zijn nieuwe woning had ontvangen.

'Ik heb toch ook niet gezegd dat ik er nu al vandoor moet, of wel? Je hoeft me heus niet eerst dronken te voeren om me in bed te krijgen, hoor,' zei Annie glimlachend. Toen stond ze op, sloeg haar armen voor haar lichaam over elkaar en trok haar T-shirt langzaam omhoog over haar hoofd. Ze bleef even met het shirtje in haar hand staan, hield haar hoofd schuin, glimlachte, stak haar hand uit en zei: 'Kom maar bij mama.'

In Californië groeien reusachtige sequoia's, zeggen ze, die een nieuwe laag kunnen laten groeien om hun dode en geblakerde hout wanneer ze bij een bosbrand zijn verbrand. Na Matthews verdwijning was ik vanbinnen ook zo verbrand en uitgehold, en na een tijdje groeide er bij mij ook een nieuwe huid omheen, een hardere huid, maar vanbinnen bleef een deel van me altijd zwartgeblakerd en doods. Dat deel zit er nog steeds, hoewel die nieuwe huid met het verstrijken der jaren zo dik is geworden dat mensen denken dat dit mijn echte ik is. Ergens is dat ook wel zo, denk ik, maar het is niet mijn oorspronkelijke ik.

Het leven ging uiteraard verder. Zo gaat dat altijd. Na verloop van tijd glimlachten en lachten we weer, bespraken we op de elfenbrug de Italiaanse campagne, treurden we over alle tekorten en beklaagden we ons over de Woolton Pie en de National Wholemeal Loaf.

Gloria stortte zich op haar werk op de boerderij en zorgde ervoor dat ze onmisbaar werd, nu de overheid nog meer druk uitoefende op vrouwen om in de vliegtuig- en munitiefabrieken te gaan werken, wat haar enorm beangstigde. Het gerucht ging dat er overal spionnen rondliepen van arbeidsbureaus die op zoek waren naar vrouwen die niets om handen hadden. Als die spionnen al bestonden, dan lieten ze mij ook met rust, want ik had het druk genoeg met de zorg voor een zieke moeder en de winkel die moest worden gerund, plus het werk voor de brandwacht en de wvs, waarvoor ik taarten en snacks naar de veldarbeiders in de omgeving bracht.

In oktober liet Gloria haar haar knippen in de stijl van Veronica Lake, met een scheiding opzij en naar binnen vallende krullen over haar schouders. Ik koos voor het nieuwe Liberty-kapsel, omdat dat gemakkelijk in model te brengen was en mijn haar gewoon niet wilde doen wat Gloria's haar wel deed, zelfs niet wanneer ik suikerwater gebruikte.

In die maand kwam ook *Gejaagd door de wind* eindelijk naar Harkside, en Gloria en meneer Stanhope sleurden me letterlijk mee om hem te gaan zien. Ik genoot van de film en vond dat hij des te schrijnender was door de dood van Leslie Howard, wiens vliegtuig in juni door nazi-geschut was neergehaald. Meneer Stanhope, met zijn verfomfaaide hoed op zijn hoofd en de met een slangenkop getooide wandelstok die ons tikkend vergezelde tijdens de tocht terug naar huis, was enthousiast over het gebruik van kleuren, en het behoeft geen betoog dat Gloria helemaal weg was van Clark Gable.

De herfstnevel had inmiddels onze ondiepe vallei gevonden, en daardoor konden de vliegtuigen vaak dagenlang niet landen of opstijgen. In september hoorden we dat de luchthaven in Rowan Woods was gesloten en dat de RAF naar elders was vertrokken. Het was in die dagen moeilijk om een duidelijk antwoord te krijgen op onze vragen, maar iemand van het grondpersoneel vertelde me dat de tweemotorige bommenwerpers waarmee ze hadden gevlogen verouderd waren en geleidelijk aan uit de roulatie werden genomen. De start- en landingsbanen in Rowan Woods moesten worden aangepast voor viermotorige bommenwerpers. Hij wist niet of zijn eskader nog terug zou komen of niet; alles was heel onzeker en mensen kwamen en vertrokken telkens geheel onverwacht.

Wat de achterliggende reden ook was, de RAF was vertrokken en een nieuwe ploeg arbeiders, grotendeels van Ierse afkomst, nam hun plek in. Tijdens de daaropvolgende maanden werden er tonnen cement, grind en asfalt aangeleverd om de start- en landingsbanen in de gewenste staat te brengen. Ook zetten ze er nissenhutten neer. Natuurlijk veranderde het karakter van het dorpsleven in deze tijd wel iets: in de Shoulder of Mutton braken zo nu en dan gevechten uit tussen de Ieren en de soldaten, en we raakten gewend aan de geur van teer die door de bossen kwam aanwaaien wanneer de wind in onze richting stond.

Begin december waren de arbeiders klaar met hun werk en vlak voor Kerstmis werd Rowan Woods de nieuwe thuisbasis voor de 448ste Bomber Group van de United States Eight Air Force.

Alsof het niets was.

De yanks waren gearriveerd.

Banks kon na Annies vertrek lange tijd de slaap niet vatten, ondanks hun vrijpartij en de lange rit die hij die dag had gemaakt. Hij bleef een tijd in het donker liggen en er tuimelden allerlei gedachten door zijn hoofd: beelden van vroeger uit Edinburgh, van Alison en Jo. En Jem. En Annie. En Sandra. En Brian. Tijdens de eerste nacht die Banks in de cottage had doorgebracht, was er een vleermuis door het openstaande raam naar binnen gevlogen en het had hem een halfuur gekost om het beest weer naar buiten te lokken. Zo voelde zijn ziel nu ook aan: als een misvormde zwarte lap die wild binnen in zijn hoofd wapperde. Hij voelde een overweldigende bezorgdheid in zich opwellen, niet jegens iets specifieks, maar wel zodanig dat hij begon te zweten en zijn hart sneller begon te kloppen.

Hij trok zijn spijkerbroek aan en liep naar beneden om een klein glas whisky voor zichzelf in te schenken. Sinds hij zich zorgen was gaan maken over zijn drankgebruik in de sombere maanden na Sandra's vertrek, had hij er een gewoonte van gemaakt om de dagelijks genuttigde hoeveelheid bij te houden, net als hij nu ook met zijn sigaretten deed. Een glas bier bij de lunch, twee glazen bier met Annie in de Dog and Gun en nu tegen middernacht een klein glas Laphroaig. Niet gek. Hij had ook maar zeven sigaretten gerookt, iets waar hij bijzonder trots op was.

Hij nam zijn glas mee naar de muur buiten, ging zitten en liet zijn benen boven de drooggevallen waterval bungelen. Het was een warme avond, maar een zacht briesje waaide ritselend door de bladeren en koelde het zweet op zijn voorhoofd af. Een diertje, waarschijnlijk een eekhoorn of konijn, schoot knisperend tussen de lage begroeiing door. Banks tuurde naar het donkere bos en de woorden van Robert Frost die hij onlangs in zijn bloemlezing had gelezen, schoten hem weer te binnen: 'En mijlen te gaan voordat ik slaap.' Het was de herhaling van die ene regel die het gedicht zo opmerkelijk maakte en die tinteling langs je ruggengraat deed gaan, mijmerde hij. Hij beeldde zich niet in dat hij het begreep, zou in de klas in elk geval niet kunnen opstaan om te beschrijven waar het over ging, maar het deed hem wel iets.

Hij herinnerde zich wat hij eerder tegen Annie had gezegd: iemand moet zich er toch druk om maken? Hij had haar niet kunnen vertellen dat dit deels kwam door Jem. Banks had Jems lichaam gevonden op de kale, stoffige vloer van zijn eenkamerflat, met de naald nog in zijn arm, die hier en daar, waar de muizen eraan hadden geknaagd, vreemd verkleurd was.

Hij was misselijk geworden, net als die keer toen Phil Simpkins tollend uit de boom was gesprongen en langzaam en onvermijdelijk op de punten van het hekwerk was terechtgekomen. Phils ongeluk kon de mensen wel degelijk iets schelen; er was op school een minuut stilte gehouden en ze hadden een ochtend vrij gekregen voor de begrafenis. Om Jem had echter niemand zich druk gemaakt, net zoals blijkbaar niemand zich druk had gemaakt om Gloria's verdwijning.

Door de jaren heen was Banks gehard geworden door de aanblik van lijken, net als iedere agent die een flink aantal moorden heeft onderzocht. Hij had een beschermend pantser ontwikkeld; hij kon op de plaats delict grappen maken terwijl iemands ingewanden over zijn schoenen hingen of stukjes hersenen aan zijn zolen plakten. Hoe hard dat pantser echter ook was, Banks had altijd wel iets gevoeld, ongeacht hoe laag het slachtoffer zich ook in de voedselketen had bevonden. Hij voelde altijd een bepaalde band met datgene wat ooit een levend mens was geweest.

Na Jems dood had Banks de behoefte gehad om meer over hem te weten te komen: wie hij was, waar hij vandaan kwam, waarom niemand zich iets van zijn dood leek aan te trekken. Hij had toen pas in de gaten gekregen hoe weinig hij eigenlijk van hem wist, ook al was Jem zijn eerste en beste vriend geweest in een nieuwe, overrompelende stad. Hij was zo naïef geweest dat hij niet eens had vermoed dat Jem verslaafd was aan heroïne. Ze hadden een enkele keer samen hasj en marihuana gerookt, meer niet.

De politiemensen zelf hadden geen goede indruk gemaakt en waren geen reclame geweest voor een rekruteringsbureau. Ze hadden Banks ondervraagd, die de man had beschreven die hij de vorige avond Jems flat had zien binnengaan, maar het leek hen niet te interesseren. Banks herinnerde zich dat een van hen, een zekere agent Carter, de rol van bezorgde ouder had gespeeld en zich zogenaamd bedroefd had getoond over Jems dood, en Banks een preek had gegeven over de bij drugs behorende subcultuur, terwijl de ander, brigadier Fallon, een man met een pokdalig gezicht en een cynische grijns om zijn smalle, wrede lippen, Banks' kasten en lades had doorzocht op zoek naar drugs.

Later hoorde Banks dat er die week in Notting Hill drie junks waren overleden, omdat een lading ongebruikelijk zuivere heroïne niet goed was versneden. Er werden geen arrestaties verricht.

Ontgoocheld door zijn studie en de door de jaren zestig ingegeven navelstaarderij was Banks ondanks Jems advies bij de politie gegaan om het sys-

193

teem van binnenuit te veranderen, en toen hij erachter kwam dat dat hem niet lukte, had hij genoegen genomen met de adrenalinestoot die hoorde bij het onderzoek, de achtervolging, de onthulling, de vreemde band met het slachtoffer van een moord dat niet voor zichzelf kon opkomen. Deze band was even sterk in het geval van Gloria Shackletons schilferende, smerige botten als met een lijk dat zo vers was dat je de blos nog op zijn wangen kon zien.

Vermoeid door alle herinneringen drukte Banks zijn sigaret uit, en hij dronk zijn whisky op en ging terug naar binnen. Annies geur hing nog in zijn bed, en dat was tenminste iets, want hij viel niet direct in slaap, maar bleef nog lang liggen woelen en draaien.

Sinds ze Gloria's portret op televisie had gezien en haar naam had gehoord, zat Vivian Elmsley te wachten op het moment waarop de politie op haar deur klopte. Ze had nu niet bepaald veel moeite gedaan om haar sporen uit te wissen. Ze had nooit bewust geprobeerd haar verleden en identiteit verborgen te houden, hoewel ze er ook nooit rond voor was uitgekomen. Misschien wees het leven dat ze had geleid wel enigszins in de richting van een opzettelijke ontsnappingspoging. In elk stadium had ze zich een andere rol moeten aanmeten: de onzelfzuchtige verzorgster, de echtgenote van de diplomaat, de hippe jonge weduwe met haar rode sportauto, de worstelende schrijver, de succesvolle, bekende vrouw met een ijssplinter in haar hart. Zou dat de laatste zijn? Wie was de echte Vivian? Ze wist het zelf niet. Ze wist niet eens of er wel een echte bestond.

Hoewel bezorgdheid en angst sinds die televisie-uitzending aan haar hadden geknaagd, probeerde Vivian een normaal leven te leiden: ze wandelde 's ochtends naar Hampstead; las de krant; zat overdag in haar werkkamer, of ze nu iets schreef dat de moeite van het bewaren waard was of niet; ze sprak met haar agent en haar uitgever; ze beantwoordde haar correspondentie. En al die tijd wachtte ze op de klop op de deur, vroeg ze zich af wat ze zou zeggen, hoe ze hen ervan zou kunnen overtuigen dat ze niets wist – of dacht ze juist dat ze hun misschien gewoon alles moest vertellen wat ze wist en dan maar moest afwachten wat ervan zou komen? Zou het na al die tijd nog wel iets uitmaken? Jazeker, besloot ze; het zou wel degelijk iets uitmaken.

Toen de schok kwam, kwam hij echter in een vorm die ze absoluut niet had verwacht.

Die dinsdagavond ging de telefoon toen ze net was ingedommeld. Toen ze de hoorn oppakte, hoorde ze alleen maar een diepe stilte, voorzover je natuurlijk aan de telefoon een diepe stilte kon opvangen.

'Met wie spreek ik?' vroeg ze, en ze greep de hoorn nog steviger beet. 'Praat u alstublieft wat harder.'

194

Weer stilte.

Ze wilde net ophangen toen ze iets hoorde wat klonk alsof iemand plotseling zijn adem inhield. Toen fluisterde een stem die ze niet herkende: 'Gwen? Gwen Shackleton?'

'Ik ben Vivian Elmsley. Ik denk dat u zich hebt vergist.'

'Ik heb me niet vergist. Ik weet wie u bent. Weet u ook wie ik ben?'

'Ik heb geen idee waar u het over hebt.'

'Nu misschien niet. Binnenkort wel.'

Toen hing de beller op.

10

Kerstmis 1943. De eerste keer dat het 448ste een dansavond hield in Rowan Woods, was het een sombere, kille, maanloze avond. Gloria, Cynthia, Alice en ik liepen er samen naartoe over het smalle paadje door het bos, waar onze adem als mistwolkjes in de lucht bleef hangen. We hadden onze pumps aan en hielden onze dansschoenen in de hand, omdat ze veel te waardevol en kwetsbaar waren om op te lopen. Gelukkig was de grond niet al te modderig, want niemand van ons zou ook maar hebben overwogen om laarzen aan te trekken naar een dansfeest, al hadden we in een storm door Rowan Woods moeten lopen.

'Hoeveel denk je dat er zullen zijn?' vroeg Cynthia.

'Geen idee,' zei Gloria. 'Het is natuurlijk wel een enorme vliegbasis. Waarschijnlijk enkele honderden. Misschien wel duizenden.'

Alice maakte een paar danspassen. 'O, denk je eens in: al die yanks met hun zakken vol geld. Ze krijgen meer betaald dan onze jongens, wisten jullie dat? Ellen Barstow heeft me dat verteld. Toen ze in die fabriek bij Liverpool werkte, heeft ze een tijdje iets gehad met een GI, en ze had nog nooit zoveel geld gezien.'

'Maak jezelf maar niet wijs dat ze er niets voor terug hoeven, Alice Poole,' zei Gloria. 'En vergeet die arme Eric van je niet, die ergens heel ver weg voor zijn land vecht.'

Toen zwegen we allemaal. Ik weet niet hoe het de anderen verging, maar ik moest aan Matthew denken. Een vos of das schoot plotseling over het pad en joeg ons de stuipen op het lijf, maar de adrenalinestoot die dit veroorzaakte, verbrak tenminste wel de stilte. We waren nog steeds opgewonden en legden de rest van de weg giechelend als onnozele schoolmeisjes af.

De meeste dorpsbewoners hadden de nieuwkomers al eens gezien, en ik had een paar van hen zelfs al eens bediend in de winkel, waar ze verbijsterd naar het magere aanbod hadden gestaard, verward door de onbekende merken. Sommige mensen, onder wie natuurlijk ook Betty Goodall, keurden hun komst af en waren bang dat ze de heersende normen en waarden zouden verlagen, maar de meesten van ons beschouwden hen al snel als een vast onderdeel van de omgeving. Ik hielp de plaatselijke wvs zelfs om een welkomstclub voor hen op te richten in Harkside. Tot dusverre waren Amerikanen in mijn beperkte ervaring altijd heel vriendelijk en beleefd geweest, ook al kan ik niet zeggen dat ik het ooit prettig heb gevonden dat ze me met 'mevrouw' aanspraken. Dan voelde ik me stokoud.

Hun gedrag was beslist losser en zelfverzekerder dan dat van onze jongens, en ze hadden ook mooiere uniformen. Ze droegen zelfs schoenen in plaats van die enorme lompe laarzen waarmee het ministerie onze arme troepen had opgezadeld. Natuurlijk was ons beeld van de Amerikanen vrijwel volledig gevormd door de glamour van Hollywood-films, tijdschriften en bekende liedjes. Volgens sommigen waren het allemaal cowboys en gangsters; volgens anderen waren de mannen knappe helden en de vrouwen beeldschone, vrij ordinaire spionnen.

Toen we die avond door het bos ploeterden, hadden we beslist geen waarheidsgetrouw beeld van wat we konden verwachten. We hadden ons allemaal dagenlang druk gemaakt over wat we moesten aantrekken en hadden extra veel zorg aan ons uiterlijk besteed; zelfs ik, die zich over het algemeen weinig gelegen liet liggen aan dergelijke oppervlakkige zaken. Onder de overjas die we aanhadden tegen de kilte, droegen we allemaal onze beste jurk. Gloria zag er natuurlijk fantastisch uit in haar zwartfluwelen jurk met V-hals, pofmouwen en brede schouders met schoudervullingen. Aan de linkerkant van de halslijn had ze een roos van rood vilt gespeld. Ik zag er iets minder frivool uit in de Utility-jurk die ik in Londen had gekocht.

Het grootste probleem was dat we allemaal zonder modieuze kousen zaten en ofwel niet voldoende bonnen hadden om nieuwe te kopen, ofwel nergens nieuwe konden krijgen. Toen Gloria me kwam ophalen, was het eerste wat ze zei nadat ik de winkel had gesloten dat ik op een stoel moest gaan staan.

'Waarom?' vroeg ik.

'Toe nu maar. Dat zul je zo wel zien.'

Ik had natuurlijk kunnen weigeren, maar ik was nieuwsgierig en klom dus op een stoel. Voordat ik wist wat er gebeurde, had Gloria mijn rok opgetrokken en smeerde ze een koud, vettig goedje op mijn benen.

Ik wrong me in allerlei bochten om te kunnen kijken wat ze deed. 'Wat is dat voor spul?'

'Mond dicht en stil blijven staan. Dat is Miner's Liquid Make-Up Foundation. Heeft me twee pond, sevenpence en halfpenny gekost.'

Ik bleef stilstaan. Toen de dikke laag van het goedje dat ze op mijn benen had gesmeerd eindelijk opgedroogd was, moest ik van Gloria opnieuw op de stoel gaan staan en tekende ze met een speciaal soort potlood aan de achterkant van mijn benen voorzichtig een naad. Het kietelde en opnieuw moest ze me vermanen om stil te staan.

'Ziezo.' Ze beet op haar lip en deed een stap naar achteren om haar werk te bewonderen. Staande op de stoel met mijn rok hoog rond mijn bovenbenen opgetrokken voelde ik me voor schut staan. 'Het kan ermee door,' verklaarde ze ten slotte. 'Nu ik.'

Toen ik haar onder handen nam en de foundation op haar zachte, bleke huid smeerde, begon ze te lachen. 'Wat een geweldig spul is dit, zeg,' zei ze. 'Ik was helemaal ten einde raad vorig jaar zomer, voordat Matthew... Nou ja, ik was in elk geval zo wanhopig dat ik zelfs een keer een mengsel van oplosjus en water heb uitgeprobeerd.'

'Hoe is dat afgelopen?'

'Die stomme vliegen! Ze zijn me helemaal vanuit Harkside hiernaartoe gevolgd, en die stomme beesten bleven zelfs binnen om mijn benen heen gonzen. Ik had net het gevoel alsof ik een stuk vlees was dat bij de slager in de etalage lag.' Ze zweeg. 'O, Gwen, weet je nog hoe dat er altijd uitzag? Al die heerlijke stukken vlees bij de slager?'

'Niet doen,' zei ik. 'Dan gaan we ons alleen maar rot voelen.'

Bij de elfenbrug ontmoetten we de anderen. Cynthia Garmen was voor de Dorothy Lamour-look gegaan. Ze droeg haar zwarte haar in een pagekopje en had heel veel make-up op. Ze had zelfs mascara op haar wimpers aangebracht, wat er heel vreemd uitzag, omdat vrouwen in die tijd niet echt veel oogmake-up gebruikten. De mascara was niet echt van goede kwaliteit. Toen ze het later die avond tijdens het dansen warm kreeg, begon het spul te smelten en zag ze eruit alsof ze had gehuild. Ze vertelde dat ze hem op de zwarte markt in Leeds had gekocht en er dus moeilijk mee terug kon om erover te klagen.

Alice was in haar Marlene Dietrich-fase: geëpileerde wenkbrauwen die met potlood in een hoge boog waren getekend en golvend blond haar tot op haar schouders met een scheiding in het midden. Ze droeg een bordeauxrode Princess-jurk met lange, strakke mouwen en aan de voorkant een lange trits knopen. Bij haar middel was hij ingenomen om te laten zien hoe slank ze was: bijna net zo slank als Marlene Dietrich.

Het feest werd gehouden in de kantine. Al voordat we er waren, konden we de muziek horen. Het was een lied dat ik een paar maanden eerder ook op Piccadilly Circus had gehoord: *Take the 'A' Train*. Bij de deur bleven we even staan om ons haar te fatsoeneren en ons uiterlijk nog een keer te controleren in het spiegeltje van onze poederdoosjes. Omdat we niet in onze dikke winterjassen naar binnen wilden, trokken we ze uit, propten we onze pumps in de zakken en trokken we onze dansschoenen aan. Ten slotte waren we er klaar voor en maakten we onze grootse entree.

De muziek ging gewoon door, hoewel ik zou hebben durven zweren dat het geluid even haperde, zoals platen doen wanneer ze zijn kromgetrokken. Het was een sextet dat op een geïmproviseerd podiumpje tegenover de bar speelde en de leden droegen allemaal een Amerikaans luchtmachtuniform. Als je zoveel verschillende soorten mensen bij elkaar hebt, zijn er natuurlijk altijd wel genoeg muzikanten te vinden voor een bandje.

Het was er al stampvol met vliegers en meisjes uit de omgeving, voornamelijk uit Harkside. Het was druk op de dansvloer en bij de bar stond een groep mensen te lachen en te drinken. Aan wankele tafeltjes zaten anderen te roken en te praten. Ik had verwacht dat het koud zou zijn in de oude nissenhut, maar in een hoek stond een merkwaardig plomp ding waar hitte van afstraalde en dat, zo ontdekte ik later, een 'potkachel' werd genoemd, een zeer toepasselijke omschrijving, vond ik. Blijkbaar had de luchtmacht het ding helemaal vanuit Amerika meegezeuld, omdat ze hadden gehoord dat de Engelse winters erg koud en nat waren, en de zomers ook.

Die avond was de kachel eigenlijk overbodig, want door de drukte en het dansen kreeg je het toch wel warm genoeg. De mannen hadden de muren al behangen met foto's uit tijdschriften: landschappen met uitgestrekte, onder een dik pak sneeuw bedekte gebergtes; lange, vlakke gras- en korenvelden op de prairies; woestijnen die vol stonden met enorme, kronkelende cactussen; en stadsstraten die deden denken aan scènes uit Hollywood-films. Kleine stukjes Amerika die ze hadden meegebracht om het idee te krijgen dat hun thuis minder ver weg was dan het leek. In een hoek stond een kerstboom, die bedekt was met engelenhaar en kleine lichtjes, en aan het plafond hingen slingers van papier.

'Zal ik uw jassen aannemen, dames?'

'O, heel graag,' zei Gloria.

Gloria was uiteraard degene naar wie alle hoofden zich omdraaiden. Ondanks de aanwezigheid van Dorothy Lamour en Marlene Dietrich trok zij nog altijd de meeste aandacht.

We overhandigden onze jassen aan een jonge vlieger, die lang en mager was en een donkere huidskleur had. Hij sprak langzaam en lijzig, en bewoog zich met een behendige, ongehaaste gratie. Hij had bruine ogen, kort zwart haar en de witste tanden die ik ooit had gezien.

'Hierheen.' Hij ging ons voor naar de andere kant van de zaal, waar naast de bar de jassen van alle anderen hingen. 'Hier zijn ze helemaal veilig, dus hoeven jullie dames je daar geen zorgen over te maken.' Toen hij zich omdraaide, keek Gloria me aan met een goedkeurend opgetrokken wenkbrauw.

We liepen achter hem aan en hielden onze handtas stevig vast. Het was altijd wat onhandig dat we niet wisten wat we met onze handtas moesten doen tijdens het dansen. Gewoonlijk lieten we ze onder een tafel staan, totdat Cynthia's tas een keer was gestolen tijdens een dansfeest in Harkside.

'Zou ik u dan nu om de eerste dans mogen verzoeken, dame?' zei hij, en hij keek daarbij onmiddellijk naar Gloria.

Gloria boog lichtjes haar hoofd, gaf mij haar handtas, pakte zijn hand en ging ervandoor. Niet lang daarna had iemand anders ook Cynthia ingepikt en stond ik met drie handtassen in mijn handen. Maar toen vroeg een vrij knappe jonge navigator uit Hackensack, New Jersey, die Bernard heette – wat hijzelf uitsprak met de klemtoon op de tweede lettergreep – me ten dans nog voordat zijn vriend Alice vroeg. Ik gaf haar snel de drie handtassen, waarna ze met open mond achterbleef, iets wat Marlene Dietrich beslist nooit zou hebben gedaan.

'Om te beginnen moet u eens een vraag voor me beantwoorden,' zei ik voordat ik hem liet leiden, om te laten zien dat ik heel dapper kon zijn wanneer ik dat wilde, ook al was ik in stilte doodsbenauwd voor al die zelfverzekerde, knappe jongemannen om me heen.

Bernard krabde op zijn hoofd. 'En hoe luidt die vraag, mevrouw?'

'Wat is een "A" Train precies?'

'Sorry?'

'De muziek die werd gespeeld toen we binnenkwamen – *Take the 'A' Train*. Wat is een 'A' Train? Dat heb ik me altijd afgevraagd. Is het bijvoorbeeld beter dan een 'B' Train?'

Hij grinnikte. 'Nou, nee, mevrouw. Het is gewoon een trein van de metro.'

'De metro? De ondergrondse, bedoelt u?'

'Jawel, mevrouw. In New York City. De 'A' Train is de metro die de snelste verbinding vormt met Harlem.'

'Aha,' zei ik toen ik het eindelijk doorhad. 'Wie had dat kunnen denken? Vooruit dan maar, laten we nu maar dansen.'

Na *Kalamazoo*, *Stardust* en *April in Paris* verzamelden we ons bij de bar en bestelde de lange vlieger die onze jassen had aangepakt voor ons allemaal een glas bourbon, dat we meenamen naar een tafeltje. Hij heette Billy Joe Farrell. Hij kwam uit Tennessee en werkte bij het grondpersoneel. Hij stelde ons voor aan zijn vriend, Edgar Konig, die door iedereen met PX werd aangesproken, wat op de Amerikaanse bases stond voor de voorraden die werden beheerd door de kwartiermeester, en dat was precies wat hij was.

PX was een slungelige jonge man uit Iowa met een babyface, en zijn lichte haar was tot bijna op zijn schedel afgeschoren. Hij was lang en had typisch Scandinavische jukbeenderen, een pruilmondje en korenbloemblauwe ogen met heel lange wimpers. Hij was ook heel verlegen, veel te verlegen om met een van ons te dansen. Hij keek nooit iemand recht aan. Hij was het type dat altijd in de buurt is maar nooit opvalt, en ik denk dat hij zo gul voor ons allemaal was omdat hij daardoor het gevoel kreeg dat hij onmisbaar was.

Als ik nu, in het licht van alles wat er sinds die tijd is gebeurd, terugkijk op die avond die meer dan vijfentwintig jaar geleden plaatsvond, dan is die voor mijn gevoel opgegaan in een wervelstorm van dansen, praten en drinken, en was hij voorbij voordat hij goed en wel was begonnen. Ik herinner me nog de vreemde accenten en de onbekende plaatsnamen en uitdrukkingen die we daar hoorden, de jonge gezichten, de stof van een uniform die verrassend zacht aanvoelde onder mijn hand, de scherpe en tegelijkertijd zoete smaak van de bourbon, de kussen, de gefluisterde plannen om elkaar snel weer te zien.

Toen we met ons vieren aangeschoten door het bos terugwandelden, arm in arm met onze galante begeleiders, beseften we niet dat we binnen de kortste keren typisch Amerikaanse woorden als *lousy*, *bum* en *creep* in onze dagelijkse gesprekken zouden gebruiken, op kauwgom zouden kauwen en Lucky's zouden roken. Tijdens de wandeling zongen we *Shenandoah* en na de afscheidskussen spraken we af dat we hen de volgende week weer zouden ontmoeten in Harkside.

Banks was voor het eerst in enkele maanden weer in de Queen's Arms voor de lunch. Hij had geprobeerd te voorkomen dat hij overdag te veel dronk, deels omdat het soms moeilijk was om ermee op te houden en deels ook omdat het te veel deel had uitgemaakt van zijn oude leven.

Niet dat hij er met Sandra zo vaak was geweest, ook al kwamen ze regelmatig langs voor een glas of wat wanneer ze samen in de stad naar een film of toneelstuk waren geweest, maar de Queen's Arms haalde herinneringen naar boven aan de tijd waarin zijn leven en werk nog harmonieus naast elkaar bestonden; de tijd van vóór Jimmy Riddle; de tijd waarin hij onder het genot van een *steak and kidney pie* en een glas Theakston's bitter lange brainstormsessies had gehad met Gristhorpe, Hatchley, Phil Richmond en Susan Gay; de tijd waarin Sandra gelukkig was geweest met haar huwelijk en haar werk bij de galerie.

Dat had hij tenminste gedacht.

Zoals zoveel dingen die hij had gedacht, was dat alles een illusie geweest, en alleen maar waar omdat hij zo goedgelovig was geweest en erin had geloofd. In werkelijkheid was het allemaal zo dun en vluchtig geweest als een optische illusie; alles hing af van het gezichtspunt waaruit je het bekeek. In de werkelijkheid lag die tijd wellicht nog niet zo heel ver achter hen, maar in zijn geheugen leek het soms net alsof hij zich in een droom had afgespeeld die iemand anders in een andere eeuw had gedroomd.

Al voordat hij de cottage kocht, in de periode waarop hij vrijwel elke avond zijn verdriet in Eastvale verdronk, had hij de Queen's Arms gemeden. In plaats daarvan had hij zijn heil gezocht in moderne, anonieme pubs die waren weggestopt in woonwijken, plaatsen waar de vaste klanten vrolijk deelnamen aan de kennisquiz op quizavondjes of de karaoke, en geen aandacht schonken aan de treurige figuur in de hoek die wanneer hij naar de wc moest elke keer net iets harder tegen tafeltjes aan bonsde.

Hij was maar één keer bij een vechtpartij betrokken geweest, met een dikbuikige schreeuwlelijk die dacht dat Banks naar zijn vriendin had zitten gluren, een bleek delletje met futloos haar. Het maakte niet uit dat Banks haar niet de moeite waard vond om over te vechten; haar vriendje was wel in voor een robbertje vechten. Gelukkig was Banks nooit zo ladderzat dat hij de regels van pubgevechten helemaal vergat: als eerste toeslaan en als eerste de tegenstander keihard raken. Terwijl het vriendje nog steeds verbaal stoom afblies om zichzelf op te fokken, had Banks hem al in zijn maag geraakt en met zijn knie tegen zijn neus geramd. Bloed, snot en kots waren op zijn broek gespetterd. Het was muisstil geworden en niemand had een poging gedaan om hem tegen te houden toen hij wegliep.

Banks had altijd een gewelddadig trekje gehad; dat had hij al geweten toen hij nog met Jem over liefde en vrede zat te praten. Dat was ook een van de redenen die hem ervan hadden weerhouden om zich volledig over te geven aan het jarenzestiggebeuren, waardoor hij slechts vanaf de zijkant had kunnen toekijken. De muziek was uitstekend geweest, de hasj fantastisch en de meisjes bereidwillig, maar die hele filosofie over de ander je andere wang toekeren was belachelijk.

Vandaag wilde hij zichzelf eens lekker verwennen in de Queen's Arms. Cyril, de pubbaas, verwelkomde hem terug als een oude vriend en zei niets over zijn afwezigheid, en Glenys, Cyrils vrouw, schonk hem haar gebruikelijke verlegen glimlach. Hij bestelde een glas bier en een Yorkie met rosbief en uienjus. Het was druk in de pub, de gebruikelijke mengeling van toeristen, kantoormedewerkers uit de buurt en winkeliers die lunchpauze hadden, maar Banks wist in een hoekje tussen de open haard en de ruitvormige geel-met-groene ramen een kleine, met koper beslagen tafel te bemachtigen.

Hij had het dossier meegenomen dat Hatchley zojuist op zijn bureau had gegooid: informatie die hij uit het landelijke register van geboortes, huwelijken en overlijden had verzameld. Met een beetje geluk zou dit hem antwoord verschaffen op een aantal vragen. Die ochtend had hij al naar het legerarchief gebeld en naar Matthew Shackletons dienstjaren geïnformeerd. Ze hadden gezegd dat ze zijn identiteit zouden natrekken en hem terug zouden bellen. Uit ervaring wist hij dat het leger weinig op had met mensen die hun neus in legerzaken staken, zelfs als het politiemensen waren, maar dit keer verwachtte hij geen problemen; Matthew Shackleton was tenslotte al jaren geleden overleden.

Hatchleys aantekeningen bevestigden dat Gloria op 17 september 1921 was geboren, zoals ze in het register van St. Bartholomew's had laten optekenen. In plaats van een eenvoudige vermelding van Londen als haar geboorteplaats bevatte het officiële dossier de omschrijving 'London Hospital, Mile End'. Jezus, dacht Banks, dat was echt midden in de East End – tegenwoordig een vrijstaat voor schurken, waar het een komen en gaan was van allerlei gespuis.

Dan was ze een echte cockney, met een accent dat ze, als hij Elizabeth Goodall tenminste mocht geloven, slechts met veel moeite was kwijtgeraakt.

Haar vader was Jack Stringer; zijn onleesbare handtekening en hun adres aan Mile End stonden in de kolom 'Handtekening, woonplaats en beroep ondergetekende' gekrabbeld. Haar moeder heette Patricia McPhee. De rang of het beroep van de vader stond omschreven als 'havenarbeider'. Er was geen ruimte op het formulier voor het beroep van de moeder.

Vervolgens had Hatchley gecontroleerd of Gloria's ouders inderdaad tijdens de Blitz om het leven waren gekomen en hij had hun overlijdensaktes gevonden, die op 15 september 1940 waren gedateerd, hetzelfde Mile End-adres vermeldden en als doodsoorzaak 'verwondingen opgelopen tijdens de bombardementen' gaven.

Een serie zwartwitbeelden schoot door Banks' hoofd: uitgestrekte stukken puin en kraters; bijtende rook die door de nachtelijke lucht zweefde; het geschreeuw van kinderen, vlammen die aan zwartgeblakerde muren likten, het gillende geluid van bommen dat voorafging aan oorverdovende explosies; huizen die nog half overeind stonden, zodat je in de kamers kon kijken: onbruikbare stukken meubilair, ingelijste foto's die scheef aan de muren hingen, afbladderend behang; hele gezinnen die in de stations van de ondergrondse onder een deken bij elkaar gekropen zaten, met een paar gekoesterde bezittingen naast hen.

Die beelden waren grotendeels afkomstig uit films en documentaires over de Blitz die hij had gezien. Zijn ouders hadden het daadwerkelijk meegemaakt en waren pas na de oorlog van Hammersmith naar Peterborough verhuisd. Ze spraken er vrijwel nooit over, zoals de meeste mensen die het hadden meegemaakt, maar zijn moeder had hem wel een of twee grappige verhalen over de oorlogsjaren verteld.

Sommige beelden van door de oorlog veroorzaakte verwoestingen had Banks met eigen ogen gezien toen hij nog een kind was, een tijd waarin de allang afgelopen oorlog nog steeds zijn sporen had nagelaten. Zoals hij Annie had verteld, bleven de woestenijen vol puin en halfvernietigde gebouwen op sommige plekken jarenlang liggen. Hij herinnerde zich nog hoe hij als kind eens in Londen was geweest en verbaasd was geweest toen zijn vader hem vertelde dat het uitgestrekte gebied met platgegooide straten in de East End nog uit de oorlog stamde.

Hatchley was er niet in geslaagd om een overlijdensakte voor Gloria Kathleen Shackleton op te sporen, maar had er wel een voor Matthew Shackleton, en toen hij de informatie las die deze bevatte, verslikte Banks zich bijna in zijn bier.

Volgens deze akte was Matthew Shackleton op 15 maart 1950 door eigen toedoen in het ziekenhuis in Leeds overleden. De doodsoorzaak stond omschre-

203

ven als 'zelf toegebrachte schotwond'. Op dat moment was hij eenendertig geweest, had hij geen beroep gehad en had hij op een adres in Bramley, Leeds, gewoond. Degene die zijn overlijden had aangemeld, was Gwynneth Vivian Shackleton geweest, woonachtig op hetzelfde adres. Banks las alles nogmaals door, maar Hatchley had zich niet vergist.

Hij stak een sigaret op en dacht even na. Matthew Shackleton zou in Birma om het leven zijn gekomen, maar dat was blijkbaar niet waar. Van de drie voormalige bewoners uit Hobb's End die nog in leven waren en die Banks en Annie de afgelopen dagen te woord hadden gestaan, was de eerste in 1940 uit het dorp weggetrokken, nog voordat Gloria daar was gearriveerd, de tweede in mei 1944 en de derde rond kerst 1944. Elizabeth Goodall en Alice Poole hadden geen van beiden gerept over de terugkeer van Matthew Shackleton, dus moest hij zijn teruggekeerd nadat zij waren vertrokken.

Waardoor hij in de zaak rond de moord op zijn vrouw beslist een verdachte was. Opnieuw.

Wat had hij bij zijn terugkeer aangetroffen?

En waarom had hij vijf jaar later de hand aan zichzelf geslagen?

Banks sloeg een blad om en las verder. Er bestond een trouwakte van Gwynneth Vivian Shackleton en Ronald Maurice Bingham. Ze waren op 21 augustus 1954 in Christ Church, Hampstead getrouwd. Het beroep van de bruidegom stond omschreven als 'rijksambtenaar'. Ronald was op 18 juli 1967 thuis overleden aan leverkanker.

Van Gwynneth was er geen overlijdensakte.

Hatchley had nog verder gegraven en had ook ontdekt dat er wel een geboorteakte bestond voor een kind waaraan Gloria Kathleen Stringer kort na haar zestiende verjaardag op 5 november 1937 op het thuisadres van haar ouders in Mile End, Londen, het leven had geschonken.

5 november. Guy Fawkes-Night.

Banks stelde zich voor hoe Gloria met de barensweeën had geworsteld, terwijl buiten op straat vuurpijlen, voetzoekers en knalvuurwerk ontploften, siervuurwerk donkerrood vuur uitspuwde dat via groen naar wit verkleurde, en raketten het duister achter de ramen van de slaapkamer met felle kleuren verlichtten. Had ze tijdens de pijn deze feestelijkheden gadegeslagen? Hadden het lawaai en de kleuren haar afgeleid van wat ze op dat moment doormaakte?

De jongen had de achternaam van zijn vader gekregen en werd Francis Paul Henderson genoemd. Net als Jack Shackleton stond George Henderson omschreven als 'havenarbeider'.

Er was geen spoor van een trouwakte.

Dus Gloria had meer dan drie jaar voordat ze in Hobb's End opdook het leven geschonken aan een kind. Wat was er met het kind en de vader gebeurd? Had ze de zorg voor de jongen helemaal aan George Henderson overgelaten? Daar leek het wel op. Ze had in elk geval aan niemand van haar nieuwe vrienden verteld dat ze een zoon had. Was George Henderson de man geweest die tijdens de oorlog met een kind bij Bridge Cottage was langsgekomen? Degene met wie Gloria ruzie had gehad?

Glenys kwam Banks' Yorkie brengen. Hij viel hongerig op de enorme gevulde Yorkshire-pastei aan en spoelde elke hap weg met een slok Theakston's.

Volgens het laatste stukje informatie die Hatchleys speurtocht had opgeleverd, was George Henderson vijf maanden geleden overleden aan een hartaanval. Van zijn zoon Francis bestond geen overlijdens- of trouwakte. Dat betekende dat er drie personen waren van wie geen overlijdensakte te vinden was. Naar alle waarschijnlijkheid had Gloria begraven gelegen onder het bijgebouw, maar dan bleven nog altijd Gwynneth Shackleton en Francis Henderson over. Waarom hadden zij niets van zich laten horen? Eén mogelijkheid was natuurlijk dat ze beiden dood waren, ook al zou Gwynneth pas begin zeventig zijn geweest en Francis tegen de zestig, wat tegenwoordig nauwelijks oud meer te noemen is. Een tweede mogelijkheid was dat geen van beiden doorhad wat zich momenteel afspeelde, maar dat was net iets te toevallig naar Banks' idee. Of misschien hadden ze iets te verbergen. Maar wat?

Francis zou Banks niet veel kunnen vertellen. Alle gebeurtenissen die in Hobb's End hadden plaatsgehad, hadden zich afgespeeld voordat hij acht was, dus hij kon nauwelijks als verdachte van de moord op Gloria Shackleton worden beschouwd. Toen het dorp onder water werd gezet en het Thornfieldreservoir werd gevormd, was hij een jaar of zestien geweest, en Banks betwijfelde of die gebeurtenis iets voor hem had betekend.

Niettemin was het interessant om erachter te komen wat er van hem was geworden. Francis Hendersons DNA kon hen in elk geval helpen om definitief vast te stellen of het skelet inderdaad dat van Gloria Shackleton was.

En dan was er nog iets: iemand zou Gloria's lichaam te ruste moeten leggen, haar een passende begrafenis moeten geven, dit keer op een kerkhof. Twee mensen die intiem met haar waren omgegaan, leefden mogelijk nog: haar schoonzus, Gwynneth Bingham, en haar zoon, Francis Henderson. Zij zouden degenen moeten zijn die dit deden, die hun doden begroeven.

Banks zuchtte, stopte de dossiers weer in zijn attachékoffertje en liep door de mensenmassa op Market Street terug naar het bureau. Bij de receptie lag een bericht op hem te wachten van de afdeling Personeelszaken van het leger, dat hem vertelde dat Matthew Shackleton in 1943 als 'vermist, mogelijk omgekomen' was opgegeven en dat dat alles was wat ze over hem hadden. Het werd steeds vreemder. Eenmaal terug in zijn kantoortje greep Banks naar de telefoon om inspecteur Ken Blackstone van bureau Millgarth in Leeds te bellen.

'Alan,' zei Blackstone. 'Dat is lang geleden.'

Zijn stem klonk kil en afstandelijk. Ze hadden het afgelopen jaar vrijwel geen contact gehad en Banks realiseerde zich dat hij Ken, net als vrijwel iedereen die in die duistere periode had geprobeerd hem als vriend tot steun te zijn, van zich had vervreemd. Ken had verschillende keren een bericht achtergelaten op zijn antwoordapparaat en voorgesteld om iets af te spreken en te praten, maar Banks had geen enkele keer gereageerd. Hij had geen zin gehad om uit te moeten leggen dat hij er gewoon niet tegen kon om in het gezelschap te verkeren van mensen die hem wilden helpen of aanmoedigen, die medelijden met hem hadden, omdat hij meer dan genoeg medelijden met zichzelf had, en hij had er in plaats daarvan de voorkeur aan gegeven om zich te verschuilen in de anonimiteit die een enorme mensenmenigte hem had geboden. 'Ach, je weet hoe dat gaat,' zei hij.

'Natuurlijk. Wat kan ik voor je doen? Je kunt mij niet wijsmaken dat je alleen maar belt om een gezellig babbeltje te maken.'

'Niet echt, nee.'

'Dat dacht ik al.' Er viel een korte stilte, en daarna klonk Blackstones stem iets toeschietelijker. 'Zijn er nog nieuwe ontwikkelingen tussen Sandra en jou?'

'Niets. Behalve dan dat ik heb gehoord dat ze een vriend heeft.'

'Dat spijt me, Alan.'

'Dat soort dingen gebeurt nu eenmaal.'

'Vertel mij wat. Ik heb het zelf allemaal meegemaakt.'

'Dan begrijp je wat ik bedoel.'

'Jazeker. Heb je zin om eens flink door te zakken en erover te praten?'

Banks lachte. 'Met alle plezier.'

'Mooi. Maar goed, wat kan ik nu voor je doen?'

'Nou, als dit ideetje iets oplevert, kunnen we die dronkemansorgie misschien eerder houden dan je denkt. Ik ben op zoek naar details over een zelfmoord. Leeds. Bramley. Schotwond. De naam is Matthew Shackleton. Overleden op 15 maart 1950. Het wijkbureau zou er een soort dossier over moeten hebben, aangezien er een vuurwapen bij betrokken was.'

'En mag ik misschien ook vragen waarom je dit wilt weten?'

'Dat is een lang verhaal, Ken. Heb jij trouwens in het roddelcircuit wel eens iets gehoord over een zekere brigadier Cabbot? Annie Cabbot?'

'Dat zou ik je niet zo een-twee-drie kunnen zeggen. Maar ik heb de laatste tijd ook niet echt aandacht besteed aan de roddels. Waarom wil je dat weten? Ach nee, laat ook maar. Zeker ook een lang verhaal? Goed, wat betreft die zelfmoord. Dat kan wel even duren.'

'Je bedoelt een paar minuten in plaats van seconden?'

Blackstone lachte. 'Een paar uren in plaats van minuten, zou ik eerder denken. Ik zal agent Collins eens wat laten rondbellen, als ik hem tenminste kan losrukken van zijn krantje. Ik bel je wel terug.'

Banks hoorde op de achtergrond wat onbestemd gegrom en het geritsel van een kant. 'Bedankt, Ken,' zei hij. 'Dat waardeer ik.'

'Dat is je geraden. En het gaat je een curry kosten.'

'Afgesproken.'

'Alan?'

'Ja.'

'Ik weet zo'n beetje wat je hebt meegemaakt, maar zorg wel dat we elkaar niet uit het oog verliezen.'

'Ik weet het, ik weet het. Ik zei toch afgesproken? Curry en een avond lekker zuipen en over meiden praten. Als een stel pubers. Zodra je die info voor me hebt.'

Blackstone grinnikte. 'Oké. Ik spreek je binnenkort.'

Billy Joe en Gloria vormden al snel een stelletje. Iemand had gezien dat Billy Joe in zijn eentje naar Bridge Cottage ging, en de dorpsmondjes kletsten onophoudelijk. Vooral ook omdat PX de cottage de volgende dag ook al alleen bezocht. Ook hij leek zich op zijn eigen schuchtere manier tot Gloria aangetrokken te voelen en speelde graag haar slaafje, gaf haar alles wat haar hartje begeerde. Ik vroeg aan Gloria of ze hun niet kon vragen om via de achterdeur binnen te komen, zodat ze niet vanuit de High Street konden worden gezien, maar ze lachte alleen maar en haalde nonchalant haar schouders op.

De bezoekjes hadden niets raadselachtigs. Gloria vertelde me dat het haar om de seks te doen was en dat ze Billy Joe had uitgekozen om in die behoefte te voorzien. Ze zei dat hij er goed in was. Ik begreep nog steeds niet waarom er zoveel drukte over werd gemaakt. Toen ik haar vroeg of ik eerst verliefd moest worden voordat ik een man toestond zich die vrijheden met mij te veroorloven, verviel ze in een van haar geheimzinnige stiltes, maar ten slotte zei ze: 'Gwen, je hebt liefde en je hebt seks. Dat hoeven niet per se dezelfde dingen te zijn. Vooral in deze tijd niet. Niet zolang het oorlog is. Je moet ze alleen niet met elkaar verwarren.' Toen glimlachte ze. 'Maar het is altijd fijn om een beetje verliefd te zijn.' Ik was na dat antwoord verwarder dan ooit, maar ik liet het onderwerp rusten.

Gloria had ook behoefte aan Lucky's, panty's, lippenstift, rouge en geparfumeerde zeep. Bovendien dronk ze enorm veel, dus ze had regelmatig een nieuwe voorraad whisky nodig; verder was ze dol op kauwgom, en ze maakte er een gewoonte van om in de kerk te kauwen, alleen maar omdat Betty Goodall zich daaraan ergerde. Ze hoefde maar met haar wimpers naar PX te knipperen of hij bezorgde haar al deze dingen in een oogwenk. Ik kan niet met zekerheid zeggen of ze hem in ruil daarvoor ook bepaalde gunsten verleende, maar ik betwijfel het. Wat ze verder ook was, Gloria was geen hoer, en ik kon me niet voorstellen dat PX ooit op die manier met een vrouw kon omgaan. Hij leek nog jonger, verlegener en onhandiger dan ik. Om gezondheidsredenen was hij niet in staat te dienen in een meer actieve tak van het leger, ook al zag hij er jong en sterk genoeg uit om te vechten, maar hij had aan niemand verteld wat die redenen precies inhielden.

PX verrichtte voor ons allemaal hand- en spandiensten: voor mij, Cynthia, Alice – zelfs voor moeder, vooral wanneer het aankwam op panty's en make-up. Eén ding waarover ik me al snel verbaasde was de vraag waarom het Amerikaanse leger, dat onbetwistbaar grotendeels uit mannen bestond, voorraadkamers vol damesondergoed en cosmetica bezat. Was dit bedoeld om hen in staat te stellen een wit voetje te halen bij de vrouwen onder de plaatselijke bevolking, of omdat ze bepaalde geheime neigingen hadden die ze met succes verborgen wisten te houden voor de buitenwereld?

Hoe dan ook, gelukkig voor ons was PX bereid en in staat om ongeveer alles waar wij om vroegen voor ons in handen te krijgen. Als we ons bijvoorbeeld beklaagden over het gebrek aan lekker vlees, wist hij op geheimzinnige wijze aan spek te komen en een enkele keer zelfs aan een stuk rundvlees. Eén keer lukte het hem zelfs op wonderbaarlijke wijze om ergens sinaasappels voor ons op te duiken! Ik had toen in geen jaren een sinaasappel gezien.

Ik denk dat hij zich ook niet beperkte tot de inhoud van de voorraadkamers in Rowan Woods. Soms, wanneer hij weekendverlof had, bleef hij de hele tijd weg. Hij vertelde nooit waar hij naartoe ging of waarom, maar ik vermoed dat hij contacten had op de zwarte markt in Leeds. Ik geloof dat ik hem wel mocht, ook al leek hij nog zo jong, en als hij me had gevraagd, zou ik waarschijnlijk wel met hem zijn uitgegaan. Hij heeft me echter nooit gevraagd en ik was te verlegen om hem te vragen. We zagen elkaar alleen maar in de groep. Bovendien had ik wel door dat hij de voorkeur gaf aan Gloria.

Billy Joe was ook op andere terreinen nuttig. Hij was eigenlijk vliegtuigbouwkundige, maar kon in feite alles wat wielen had repareren. Dat kwam goed van pas toen ons Morris-bestelbusje de geest gaf. 's Avonds kwam Billy Joe langs, met PX en een paar anderen in zijn kielzog, en hij repareerde het in een oogwenk, waarna we met het hele gezelschap Gloria afhaalden voor een drankje in de Shoulder of Mutton. Die avond vond er een merkwaardig incident plaats, waardoor ik Billy Joe een tijdlang met andere ogen heb bekeken.

Ze waren de enige Amerikanen in de pub en wij de enige vrouwen. Behalve een flink aantal achterdochtige en afkeurende blikken, zelfs van mensen die ik al jaren kende en die ik vaak in de winkel hielp, vielen ons ook enkele luidruchtige, stekelige opmerkingen ten deel. Van de aanwezigen waren de meeste mannen te oud om in het leger te dienen, of ze waren niet door de medische keuring gekomen. Enkelen van hen hadden een baan die hen vrijstelde van de dienstplicht.

'Moet je dat nou zien, Bert,' zei een dorpsbewoner toen we onze eerste drankjes bestelden. 'Onze jongens vechten daarginds tegen de nazi's en die verdomde yanks lopen hier om onze vrouwen heen te snuffelen als hitsige katers.' We negeerden hen, kozen een tafeltje in een stille hoek en bemoeiden ons niet met de anderen.

Toen we aan nieuwe drankjes toe waren, ging Billy Joe naar de bar. Hij dronk waterig bier en ik had hem gezegd dat hij zijn glas bij zich moest houden, omdat er een tekort aan was. De meeste buurtbewoners brachten hun eigen glazen mee en een enkeling gebruikte zelfs een jampotje, maar als je vroeg op de avond een glas wist te bemachtigen, moest je dat de hele avond bij je houden. Toen hij terugkwam, riep een potige boerenknecht die niet voor dienst was opgeroepen vanwege een soort allergie voor ingeblikt voedsel, als ik me niet vergis, hem na: 'Hé, yank. Je hebt mijn glas meegenomen.'

Billy Joe probeerde hem te negeren, maar de man, die Seth heette, had al zoveel gedronken dat hij overmoedig was geworden. Hij kwam van de bar op ons af gesjokt en bleef achter Billy Joe staan, die inmiddels weer bij onze tafel stond. Er viel een diepe stilte in de pub.

'Ik zei dat dat glas waarin jouw bier zit van mij is, yank.'

Billy Joe zette het blad op de tafel, wierp een korte blik op het glas en haalde zijn schouders op. 'Dat is hetzelfde glas dat ik al de hele avond gebruik, meneer,' zei hij met zijn trage, lijzige zuidelijke accent.

'"Hetzelfde glas dat ik al de hele avond gebruik, meneer,"' aapte Seth hem spottend na, maar het was een armzalige imitatie. 'Nou, maar het is van mij, manneke.'

Billy Joe pakte het glas bier op, draaide zich langzaam om om Seth aan te kijken en schudde zijn hoofd. 'Dat dacht ik niet, meneer.'

Seth stak zijn kin vooruit. 'Ik wel, verdomme. Geef hier.'

'Zeker weten, meneer?'

'Aye, yank.'

Billy Joe knikte langzaam, een voor hem heel kenmerkend gebaar, goot vervolgens het bier over Seths voeten en hield hem toen het glas voor. 'U kunt het glas meenemen,' zei hij. 'Maar dat bier was van mij. Ik heb ervoor betaald. En trouwens, meneer, ik ben geen yankee.'

Zelfs Seths vrienden brulden op dat moment van het lachen. Het was een keerpunt, zo'n moment waarop alles op het randje balanceert en het kleinste duwtje in de verkeerde richting ervoor zorgt dat alles naar beneden tuimelt. Ik voelde dat mijn hart hard en snel bonsde.

Seth maakte een verkeerde beweging. Hij deed een stap achteruit en hief zijn vuist op. Hij was echter erg langzaam. Billy Joe bewoog zich dan misschien met een overdreven langzame gratie, maar zijn snelheid verraste me. Voordat iemand doorhad wat er gebeurde, klonk het geluid van brekend glas en lag

Seth kermend op zijn knieën, met zijn handen voor zijn gezicht geslagen; het bloed gutste tussen zijn vingers door.

'Ik ben geen yankee, meneer,' herhaalde Billy Joe, en hij draaide hem zijn rug toe en ging zitten. De stemming was verpest, niemand wilde meer iets drinken, en kort daarna vertrokken we.

Vivian Elmsley stond om een uur of een op, deed het nachtlampje aan en nam een slaappil in. Ze hield er niet van, hield niet van het wollige gevoel in haar hoofd waarmee ze door die dingen de volgende ochtend zou opstaan, maar dit was gewoon belachelijk. Er werd wel beweerd dat oude mensen niet zoveel slaap nodig hebben, maar het was erg vermoeiend om de hele nacht te liggen draaien en woelen, en je voortdurend in te beelden dat er iemand tegen het raam tikte of op de deur klopte. Het was waarschijnlijk de wind, hield ze zichzelf voor toen ze het licht weer uitdeed en zich in de kussens liet zakken.

Er was echter geen wind.

Langzaam maar zeker baande de chemische Morpheus zich een weg door haar lichaam. Ze voelde zich loom; haar bloed woog zwaar als lood en drukte haar tegen het matras. Al snel bevond ze zich op de drempel tussen waken en slapen, waar gedachten de eigenschappen van dromen aannemen en een beeld dat je je bewust voor de geest roept plotseling wordt weggegraaid voor improvisaties in het onderbewuste, als variaties op een muzikaal thema.

In het begin zag ze Gloria's schuin gehouden hoofd voor zich zoals het op televisie was getoond, een detail van het schilderij van Stanhope, als een tekenfilm-Gloria.

Toen begon de tekenfilm-Gloria te praten over een avond in Rio de Janeiro waarop Vivian te veel had gedronken en, voor het eerst en ook voor het laatst, tijdens een cocktailparty in een groot hotel was ingegaan op seksuele avances, een gefluisterd kamernummer had onthouden, had gewacht tot Ronald diep in slaap was en de gang op was geglipt.

De monoloog van de tekenfilm-Gloria was doorspekt met beelden van die avond, die schokkerig voorbijflitsten als een reeks dia's in een verouderde projector.

Vivian had zich altijd afgevraagd hoe het zou zijn. Ze deden het maar één keer. Haar minnares was een zachtaardige, gevoelige vrouw van de Franse ambassade, die zich ervan bewust was dat het Vivians eerste keer was, maar uiteindelijk toch gefrustreerd raakte toen bleek dat Vivian niet in staat was om zich helemaal te laten gaan. Niet omdat ze het niet had geprobeerd, wist Vivian. Ze kon zich tijdens seks met een man ook niet helemaal laten gaan, dus had ze gehoopt dat ze zich wel volledig zou kunnen overgeven aan de liefkozingen van een andere vrouw en zo het genot zou leren kennen waarover schrijvers schreven en waarvoor mensen alles op het spel zetten.

Ze kon het echter niet. Ze zou het nooit zelf ervaren.

Ten slotte trok ze snel haar ochtendjas aan en rende ze weg, terug naar haar eigen kamer. Ronald lag nog steeds te snurken. Ze lag in haar eigen bed en staarde naar het donkere plafond, met betraande ogen en een kloppende pijn in haar lendenen.

Nu de tekenfilm-Gloria opnieuw het verhaal vertelde van Vivians mislukte poging tot seks en ontrouw, was het alsof de televisiecamera zich van haar verwijderde, waardoor de rest van Gloria, een groter deel van haar lichaam, in beeld verscheen, en al snel realiseerde Vivian zich dat Gloria helemaal geen rode jurk aanhad; ze was bedekt met bloed dat uit de wonden die diep in het kraakbeen waren aangebracht over haar vlees sijpelde.

Toch bleef ze praten.

Praten over iets wat jaren na haar dood had plaatsgehad.

Vivian probeerde haar tegen te houden, maar het voelde net alsof ze door het gewicht van haar eigen bloed omlaag werd gedrukt, een anker dat diep in het duister en de gruwelijkheden lag vastgehaakt. Te zwaar.

Ze worstelde om wakker te worden en toen ze daarmee bezig was, ging de telefoon. De banden werden plotseling verbroken en ze schoot overeind, naar adem snakkend alsof ze bijna was verdronken.

Zonder na te denken pakte ze de hoorn op. Een reddingsboei.

Na een korte stilte fluisterde de eentonige stem: 'Gwen. Gwen Shackleton.'

'Ga weg,' mompelde ze, haar tong dik en beslagen.

De stem lachte. 'Binnenkort, Gwen,' zei de man. 'Binnenkort.'

11

Banks en Annie reden van hoofdbureau Millgarth naar het adres dat ze hadden opgekregen. Toen Annie Banks vroeg waarom hij altijd zelf wilde rijden, had hij daar eigenlijk geen antwoord op. Zich door iemand anders laten rijden was een van de privileges die bij zijn rang hoorden, maar hij had er nooit gebruik van gemaakt. Dat kwam deels doordat hij altijd liever zijn eigen auto gebruikte in plaats van een dienstauto te gebruiken, omdat hij geen zin had in een asbak vol peuken van andere agenten of chocoladewikkels, gebruikte zakdoekjes en god weet wat nog meer op de vloer, en evenmin in de bacteriën en geuren die altijd bleven hangen. De belangrijkste reden was echter dat hij zelf de controle wilde behouden, met zijn eigen voeten op de pedalen en zijn eigen handen aan het stuur.

Ook wilde hij de muziek kunnen uitkiezen. Sandra was daar altijd boos om geworden: om de vanzelfsprekende manier waarop hij de cd opzette die híj wilde horen, een programma op televisie koos dat híj wilde zien. Ze beweerde dat hij egoïstisch was. Hij antwoordde dat hij altijd wist wat hij wilde zien of horen, en zij niet; en trouwens, waarom zou hij naar muziek moeten luisteren of naar films moeten kijken die hij maar niks vond? De zoveelste impasse.

Banks parkeerde zijn auto voor de rij winkels die op enige afstand stonden van de hoofdweg die naar Bramley Town End leidde, en Annie en hij wandelden langs de heuvel omlaag naar de straat waar Gwen en Matthew Shackleton hadden gewoond. Ze droegen allebei vrijetijdskleding; geen van beiden zag eruit als een politieagent. Soms werd er in dergelijke wijken vrij heftig gereageerd op allerlei vormen van autoriteit. Mensen hadden toch al vrij snel door wanneer er vreemden in de buurt waren en koesterden bovendien een automatische achterdocht tegen alles wat een pak droeg. Wat nauwelijks verbazing wekte: wanneer je in een wijk als deze iemand die je kende in een pak zag, ging je er meteen van uit dat hij zich bij de rechtbank moest melden; en als je een onbekende in een pak zag, was het zonder enige twijfel een smeris of maatschappelijk werker.

Banks was zelf in een dergelijke wijk in Peterborough opgegroeid. Iets moderner dan deze, maar in wezen dezelfde mengeling van grauwe, smerige rijtjeshuizen en nieuwere maisonnettes en torenflats van rode baksteen, en alles besmeurd met graffiti. Toen hij klein was, was de straat geplaveid met keitjes en op Guy Fawkes Night werden er altijd vreugdevuurtjes gestookt. De hele wijk kwam dan naar buiten en iedereen deelde zijn vuurwerk en eten met anderen. Aan de buitenste rand van de vuurtjes werden aardappels in folie gepoft, en mensen gaven schalen door met zelfgemaakte peperkoek en kleverige toffees. Buren maakten van de gelegenheid gebruik om hun oude meubelstukken op het vuur gooien, iets wat volgens Banks' moeder erg opschepperig was. Toen mevrouw Green van nummer 16 haar versleten leunstoel op het vreugdevuur wierp, was dat omdat ze aan iedereen wilde laten weten dat ze zich een nieuwe kon veroorloven.

Uiteindelijk had de gemeente de straat laten asfalteren en werd er een eind gemaakt aan de feestelijkheden. Voortaan moesten ze hun vreugdevuur bijna een kilometer verderop op een veldje stoken; onbekenden uit andere wijken, belust op knokpartijtjes, drongen zich op en oudere mensen bleven een voor een thuis met hun deur op slot.

'Hoe gaan we dit aanpakken?' vroeg Annie.

'We zullen moeten improviseren. Ik wil alleen maar weten wat de stand van zaken hier precies is.'

Het was weer een bloedhete dag; mensen zaten buiten op de drempel van hun voordeur of hadden gestreepte ligstoelen naar buiten gesleept en in de piepkleine voortuintjes gezet, waar het gras tot een lichtbruine kleur was verdord door het gebrek aan regen. Banks was zich duidelijk bewust van de achterdochtige blikken waarmee hun komst werd gadegeslagen. Uit een tuin floten een paar halfnaakte tienerjongens Annie na en ze spanden hun getatoeëerde spierbundels. Banks keek naar haar en zag dat ze achter haar rug haar hand opstak en het grove tweevingergebaar naar hen maakte. Ze lachten.

Ze liepen langs twee meisjes die geen van beiden ouder waren dan vijftien. Ze duwden allebei met één hand een kinderwagen voort en hielden in de andere een sigaret. Een van hen had kort, roze en wit geverfd haar, groene nagellak, zwarte lippenstift en een knopje door haar neus; de ander had gitzwart haar, een enorme tatoeage van een vlinder op haar schouder en een rode stip midden op haar voorhoofd. Ze hadden allebei hooggehakte sandalen aan, een korte broek en een shirtje dat hun middenrif bloot liet; het meisje met de rode stip had ook een ring door haar navel.

'Moet je die zien,' merkte een van hen geringschattend op toen Banks en Annie voorbijkwamen. 'Wat een arrogante trut.'

'Ik begin te vermoeden dat dit bij nader inzien toch niet zo'n goed idee was,' zei Annie toen de meisjes waren doorgelopen.

'Hoezo? Wat is er dan?'

'Jij hebt makkelijk praten. Niemand heeft jou nog beledigd.'

'Ze zijn gewoon jaloers.'

'Waarop? Mijn knappe gezichtje soms?'

'Nee. Die designerspijkerbroek van je. Ha, we zijn er.'

Het adres bleek aan een van de smallere zijstraten te zijn. De meeste deuren hadden een afbladderende, verweerde verflaag en de hele straat bood een sjofele aanblik. Alle ramen van het voormalige Shackleton-huis stonden wijd open en van binnenuit klonk keiharde muziek.

Voor het huis ernaast zaten twee mannen met een enorme bierbuik te roken en Carlsberg Special Brew te drinken. Schuin naast hen zat een gigantische vrouw op een klein stoeltje en haar heupen en dijen puilden uit over de rand. Ze zag eruit alsof ze hun moeder zou kunnen zijn. Beide mannen waren naakt tot op hun middel en hun huid was ondanks de zon zo bleek als spekvet; de vrouw droeg een bikinitopje en een opzichtige roze korte broek. Ze hielden Banks en Annie alle drie met hun priemende varkensoogjes in de gaten, maar niemand zei iets.

Banks klopte op de deur. Binnen in het huis gromde een hond. De mensen van het huis ernaast lachten. Ten slotte werd de deur opengegooid en stak een jonge skinhead in een rood T-shirt en een gescheurde spijkerbroek zijn hoofd om de hoek, met een hand op de met nagels versierde halsband van de blaffende hond. Banks dacht dat het een rottweiler was.

Banks slikte even en deed een paar stappen achteruit. Hij was normaal gesproken niet bang voor honden, maar deze had gemeen uitziende tanden. Misschien had Annie wel gelijk: wat zouden ze hier nu nog ontdekken, bijna vijftig jaar na dato?

'Wie zijn jullie, verdomme? Wat moeten jullie van me?' vroeg de skinhead. Dikke pezen stonden gespannen in zijn hals. Hij kon onmogelijk ouder zijn dan een jaar of achttien, negentien. Banks meende dat hij door de muziek heen ergens achter in het huis een baby hoorde huilen.

'Zijn je vader en moeder thuis?' vroeg hij.

De jongen lachte. 'Vast wel,' zei hij. 'Die gaan nooit ergens naartoe. Probleem is dat je een teringlange reis zult moeten maken. Ze wonen in Nottingham.'

'Dus jij woont hier?'

'Ja, natuurlijk, godverdomme. Hoor eens, ik heb niet de hele dag de tijd.' De hond rukte nog steeds aan zijn halsband en het speeksel droop van zijn kaken, maar hij was iets rustiger en leek zich erbij neer te leggen, gromde alleen nog maar en was opgehouden met blaffen en happen.

'Ik wil graag wat informatie,' zei Banks.

'Waarover?'

'Hoor eens, kunnen we misschien even binnenkomen?'

'Je maakt zeker een geintje, man? Eén voet over deze drempel, en voordat je er erg in hebt zorgt Gazza ervoor dat je in het vervolg als sopraan kunt meezingen in de kerk.'

214

Banks wierp een blik op Gazza. Dat geloofde hij onmiddellijk. Hij overwoog welke opties hij had. Hij kon de dierenbescherming bellen. Een asiel. 'Ook goed,' zei hij. 'Misschien kun je ons dan hier buiten vertellen wat we willen weten?'

'Hangt ervan af.'

'Het gaat me om het huis.'

De knul nam Annie van top tot teen op en richtte zijn blik toen weer op Banks. 'Op zoek naar een huis? Ik zou zo denken dat jullie tweeën wel iets beters willen hebben dan dit armzalige krot.'

'Nee, we zijn niet op zoek naar een huis.'

'Wie is daar, Kev?' klonk een vrouwenstem binnen in het huis.

Kev draaide zich om en riep terug: 'Bemoei je met je eigen zaken, stomme trut! Anders mag je straks een week lang je eten door een rietje naar binnen slurpen.'

Banks merkte dat Annie naast hem verstijfde. Hij raakte zachtjes haar onderarm aan. Het trio voor het buurhuis brulde van het lachen. De knul stak zijn hoofd iets verder om de hoek van de deur zodat ze hem konden zien en grijnsde zelfvoldaan naar hen. Hij stak zijn duim naar hen op.

'Hoe lang woon je hier al?' vroeg Banks.

'Twee jaar. Waarom moet je dat weten?'

'Ik ben geïnteresseerd in iets wat zich hier vijftig jaar geleden heeft afgespeeld. Een zelfmoord.'

'Zelfmoord? Vijftig jaar geleden? Wat, spookt het soms hiero?' Hij boog zich weer iets verder door het deurgat naar buiten om met de mensen van het buurhuis te praten. 'Horen jullie dat, mannen? Dit is mooi een spookhuis. Misschien moesten we maar eens toegangsgeld gaan vragen, net als al die klotelandhuizen.'

Iedereen lachte. Ook Banks.

De knul leek zo opgetogen met de respons van zijn publiek dat hij de opmerking nog eens herhaalde. Toen liet hij de hond los, die ongeïnteresseerd naar Banks en Annie keek en diep in het binnenste van het huis verdween, ongetwijfeld op zoek naar een bak eten. Misschien was het toch geen rottweiler. Banks wist net zoveel over honden als over veldbloemen, sterrenconstellaties en bomen. Over een groot deel van de natuur, trouwens. Nu hij echter een cottage had aan de rand van een bos, zou dat wel beter worden. Hij kon inmiddels al enkele vogelsoorten herkennen: boomklevers, heggenmussen en pimpelmeesjes, en hij had al een paar keer een specht tegen de boomstam van een es horen tikken.

'Weet je wie hier voor jou heeft gewoond?' vroeg hij.

'Geen flauw idee, man. Dat kun je beter aan die rimpelkoppen aan de overkant vragen. Die wonen hier al zo'n beetje sinds de ijstijd.' Hij wees naar het middelste rijtjeshuis recht tegenover het zijne. Eenzelfde huis, maar dan in spiegelbeeld. Banks had al gezien dat er iemand achter de mottige vitrage stond te gluren.

'Bedankt,' zei hij. Annie volgde hem naar de overkant.

'Ik ruik een juut,' zei een van het trio op de drempel toen ze wegliepen. De anderen lachten. Iemand maakte een rochelend geluid en spuugde luidruchtig.

Toen Banks en Annie hun politiepas bij de brievenbus hadden gehouden voor inspectie, werden het schuifslot en de ketting van de deur gehaald, en deed een gebochelde man van een jaar of zeventig de deur open. Hij had een holle borstkas, diep weggezonken ogen, een mager, gerimpeld gezicht en dun zwart-met-grijs haar dat met flinke kloddcrs brillantine naar achteren was gestreken. Het kwaadaardige lichtje vol zelfmedelijden dat zo kenmerkend is voor mensen die te vaak door het leven onderuit zijn gehaald, was nog niet helemaal gedoofd in zijn tranende ogen en diep in zijn binnenste vonkte er nog steeds een verontwaardigde woede.

Nadat hij zich ervan had vergewist dat hij de deur weer op slot had gedaan, ging hij hun voor het huis in. De ramen waren allemaal stevig gesloten en de meeste gordijnen waren dichtgetrokken. De woonkamer straalde de sfeer uit van een oververhitte, bedompte rouwkamer; het rook er naar sigaretten en vuile sokken.

'Waar gaat het allemaal over?' De oude man liet zich op een doorgezakte bank van bruin corduroy zakken.

'Het verleden,' zei Banks.

Vanuit de keuken kwam een vrouw de kamer in gelopen. Ze was ongeveer even oud als de man, maar had de jaren blijkbaar iets beter doorstaan. Ze had in elk geval iets meer vlees op haar botten.

De oude man greep zijn sigaretten en aansteker, die op de versleten armleuning van de bank balanceerden, en hoestte toen hij er een opstak. Dat is wat de toekomst voor ons rokers in petto heeft als we niet stoppen, bedacht Banks somber, en hij besloot nog even te wachten voordat hij er zelf ook een opstak.

'Politie, Elsie,' zei de man.

'Komen ze om iets tegen die hooligans te doen?' vroeg ze.

'Nee,' zei de man, en er verscheen een peinzende frons op zijn voorhoofd. 'Ze zeggen dat het over vroeger gaat.'

'Aye, nou, daar kunnen we allebei wel over meepraten,' zei ze. 'Zin in een kopje thee?'

'Graag,' zei Banks. Annie knikte.

'Gaat u toch zitten. Ik ben trouwens mevrouw Patterson. Zegt u maar Elsie. En dit is mijn Stanley.'

Stanley boog zich voorover en stak zijn hand uit. 'Zeg maar Stan,' zei hij met een knipoog. Elsie ging thee zetten. 'Ik zag dat u die lui aan de overkant al hebt gesproken?' zei Stan, en hij gebaarde met zijn hoofd.

'Dat klopt,' zei Banks.

'Hij dreigde dat hij zijn vrouw zou slaan,' zei Annie. 'Hebt u daar wel eens bewijzen van gezien, meneer Patterson? Verwondingen of blauwe plekken?'

'Nay, meidje,' zei Stan. 'Grote bek, maar een klein hartje, die Kev. Als hij ook maar één vinger naar haar uitsteekt, helpt Colleen hem waarschijnlijk zo om zeep. En ze is zijn vrouw niet. Niet dat dat tegenwoordig nog iets uitmaakt. Het is ook zijn kind niet, trouwens.' Hij nam een trek van zijn sigaret – zonder filter, had Banks opgemerkt – en werd overvallen door een stevige hoestbui. Toen hij zich eindelijk had hersteld, was zijn gezicht vuurrood en ging zijn borstkas hijgend op en neer. 'Sorry,' zei hij, en hij klopte op zijn borst. 'Overgehouden aan jaren keihard buffelen in die smerige fabriek. Ik zou ze voor het gerecht moeten slepen, verdomme.'

'Hoe lang woont u hier al?' vroeg Banks.

'Een eeuwigheid. Zo lijkt het tenminste wel,' zei Stan. 'Het is altijd een beetje een ruige buurt geweest, ook vroeger al, maar toen we hier net waren komen wonen, was het nog niet zo erg. We hadden geluk dat we dit kregen.' Hij nam weer een trekje en hoestte eveneens.

Elsie kwam terug met de thee. Een koel drankje had waarschijnlijk meer voor de hand gelegen, dacht Banks, maar je zegt geen nee wanneer je iets krijgt aangeboden.

'Stan vertelde net dat u hier al heel lang woont,' zei Banks tegen haar.

Ze schonk de thee in stevige witte mokken. 'Sinds ons trouwen,' zei ze. 'Nou ja, we hebben eerst een paar maanden bij Stans vader en moeder in Pontefract gewoond – is het niet, schat? – maar dit was ons eerste eigen huis samen.' Ze ging naast haar man zitten.

'En ons laatste, zo te zien,' zei Stan.

'En wie zijn schuld is dat?'

'Niet de mijne, mens.'

'Je wist toch dat ik wilde verhuizen naar die nieuwe wijk Raynville toen die net was gebouwd?'

'Aye,' zei Stan. 'En wanneer was dat? In 1963? En waar is die wijk nu? Daar was het zo erg dat ze die hele klotewijk weer hebben platgegooid.'

'We hadden ook ergens anders naartoe kunnen verhuizen. Poplars. Wythers.'

'Wythers! In Wythers is het nog erger dan hier.'

'In welk jaar was dat precies?' kwam Banks tussenbeide. 'In welk jaar bent u hier komen wonen?'

De Pattersons keken elkaar even dreigend aan, maar toen roerde Elsie in haar thee. Ze ging kaarsrecht zitten, met haar knieën tegen elkaar gedrukt en haar handen om de mok gevouwen die op haar schoot stond. In de verte kon Banks de muziek horen die uit het huis van de skinhead afkomstig was: jankende gitaren, een zware bas en een van hormonen gierende stem die rauw over passie en haat gromde. Jezus, hij hoopte maar dat Brians band beter was.

'In 1949,' zei Elsie. 'Oktober 1949. Dat weet ik nog omdat ik indertijd drie maanden zwanger was van Derek. Hij is onze oudste. Weet je nog, Stan?' zei ze. 'Jij had net die baan bij de gieterij van Blakey gekregen.'

'Aye,' zei Stan, en hij richtte zich tot Banks. 'Ik was pas twintig en Elsie was achttien.'

Banks was toen nog niet eens geboren. De oorlog was vier jaar eerder afgelopen en het land was overspoeld met veranderingen: de verzorgingsstaat werd opgericht als gevolg van het Beveridge Report, en het systeem waardoor Banks zoveel meer mogelijkheden en kansen had gekregen om zichzelf te verbeteren dan de vorige generaties zag het daglicht. En tot ontzetting van zijn ouders was hij agent geworden in plaats van directeur of manager, het soort positie waar zijn vader altijd tegen op had gekeken. Nu hij het afgelopen jaar grotendeels een witteboordenbaan had vervuld, was hij echter tot zijn vreugde tot de ontdekking gekomen dat hij nog steeds vond dat hij de juiste keuze had gemaakt. Banks probeerde zich de Pattersons als jong stel voor te stellen, hoopvol gestemd en met een veelbelovende toekomst voor zich, terwijl ze hier de drempel van hun eerste gezamenlijke eigen huis over stapten. Het beeld verscheen in zwart-wit voor zijn geestesoog, met op de achtergrond een fabrieksschoorsteen.

'Kunt u zich nog iets herinneren van de buren aan de overkant?' vroeg Annie.

'Hier recht tegenover, waar Kev nu met zijn gezin woont.'

Elsie reageerde als eerste. 'Woonden daar niet die... je weet wel, die... Ach, hoe heetten ze toch ook alweer, Stan? Een beetje uit de hoogte. Er zijn toen wat problemen geweest.'

'Een zelfmoord,' hielp Banks haar op weg.

'Aye, inderdaad. Weet je dat niet meer, Stan? Hij heeft zichzelf doodgeschoten. Die lange, magere jonge vent; hij liep altijd met een stok en zei geen boe of bah. Hoe heette hij ook alweer?'

'Matthew Shackleton.'

'Ah, ja. Overal was politie. Ze zijn zelfs met ons komen praten. Jeetje, dat is een tijd geleden. Matthew Shackleton. Weet je dat niet meer, Stan?'

'Aye,' zei Stan aarzelend. 'Ik geloof het wel, ja.' Hij stak een nieuwe sigaret op en hoestte. Toen keek hij op zijn horloge. De pubs gingen open.

'Kende u de Shackletons?' vroeg Banks.

'Niet echt goed,' zei Elsie. 'Ze gedroegen zich alsof ze een paar treetjes waren gezakt op de maatschappelijke ladder en het zwaar hadden gehad. Ze kwamen van ergens op het platteland, maar ik ben erachter gekomen dat zij ook maar een winkeliersdochter was. Niet dat daar iets mis mee is, helemaal niet. Ik ben

218

heus geen snob. Ik ben aardig tegen haar geweest – u kent dat wel, dat doe je nu eenmaal als je ergens nieuw bent. Maar niemand liet zich veel aan hen gelegen liggen. Die een of twee keer dat ik haar heb gesproken, vertelde ze helemaal niets over waar ze vandaan kwamen; ze zei alleen maar dat alles in het dorp anders was geweest. Wat een kouwe kak, dacht ik.'

Inderdaad, dacht Banks in zichzelf, de overgang van Hobb's End naar deze socialewoningbouwwijk in Leeds moest zeker een angstaanjagende reis naar het vagevuur hebben geleken voor Gwen en Matthew, tenzij ze zich natuurlijk al in een vagevuur van eigen makelij bevonden.

'Met hoeveel mensen woonden ze daar?'

'Alleen zij tweeën,' antwoordde Elsie. 'Ik weet nog dat ze vertelde dat hun moeder altijd bij hen had gewoond, maar dat ze een jaar voordat wij daar kwamen wonen was overleden.'

'Aye,' zei Stan instemmend. 'Nu weet ik het weer. Ze waren maar met zijn tweetjes, toch? Hij en zijn vrouw. Een lang, slungelig meisje.'

'Nay,' zei Elsie. 'Ze was zijn vrouw helemaal niet. Hij was niet goed in zijn hoofd.'

'Wie was zij dan?'

'Dat weet ik niet, maar niet zijn vrouw.'

'Hoe weet u dat?' vroeg Banks aan Elsie.

'Ze gedroegen zich niet als man en vrouw. Dat zag ik zo.'

'Doe toch niet zo dom, mens,' zei Stan. Hij keek Banks aan en rolde met zijn ogen. 'Ze was zijn vrouw. Neem dat maar van mij aan.'

'Hoe heette ze?' vroeg Banks.

'Het ligt op het puntje van mijn tong,' zei Elsie.

'Blodwyn,' zei Stan. 'Iets Welsh, in elk geval.'

'Nee, dat was het niet. Gwynneth, dat was het. Gwynneth Shackleton.'

'Hoe zag ze eruit?'

'Heel gewoontjes, hoor, afgezien van die prachtige ogen van haar dan,' zei Elsie. 'Zoals Stanley net al zei: ze was wat langer dan gemiddeld en een beetje onhandig ook; dat zijn lange mensen wel vaker. Ze was bijna net zo lang als Matthew.'

'Hoe oud, denkt u?'

'Zo oud kan ze niet zijn geweest, maar ze zag er wel uit alsof ze het heel moeilijk had gehad. Ik weet eigenlijk niet goed hoe ik het moet zeggen. Vroegoud. Uitgeput, eigenlijk.'

'Dat kwam natuurlijk doordat ze voor haar man moest zorgen. Hij was invalide. Oorlogsneurose. Gewond geraakt in de oorlog.'

'Hij was haar man niet.'

Stan draaide zich om en keek haar aan. 'Heb je haar dan ooit zien uitgaan met een andere jongeman?'

'Nee, nu ik erover nadenk, kan ik me dat inderdaad niet herinneren.'

'Zie je nou wel? Zo klaar als een klontje.'

'Wat is zo klaar als een klontje?'

'Je zou toch denken dat ze, als ze niet was getrouwd, wel een vriendje of twee had gehad, zo'n meid als zij. Ik geef toe: ze was geen schoonheid, maar alles zat erop en eraan, en ze was niet lelijk.'

'Kregen ze vaak bezoek?' vroeg Banks.

'Dat is me niet opgevallen,' antwoordde Elsie. 'Maar ik sta ook niet de hele dag voor het raam.'

'Een knappe jonge vrouw met blond haar misschien?' vroeg Annie, en ze richtte zich tot Stanley. 'Ze zag er misschien ongeveer zo uit.' Ze gaf hem de kopie van Alice Pooles foto en wees op Gloria.

'Nee,' zei Stan. 'Ik heb nooit iemand gezien die op haar leek. En dat zou ik me heus wel herinneren.' Hij knipoogde naar Annie. 'Zo oud ben ik nu ook weer niet. Maar dat andere meisje is beslist Gwynneth.' Hij wees op de vrouw die Alice had aangewezen als Gwen Shackleton. 'Volgens mij kregen ze helemaal nooit bezoek, nu ik erover nadenk.'

'Aye, je hebt helemaal gelijk, Stanley,' zei ze. 'Ze waren erg op zichzelf.'

'Wat is er na die zelfmoord gebeurd?' vroeg Banks.

'Toen is ze vertrokken.'

'Weet u ook waarnaartoe?'

'Nee. Ze heeft niet eens afscheid genomen. De ene dag was ze er nog en de volgende was ze vertrokken. Maar ik zal u eens wat vertellen.'

'Ja?' vroeg Banks.

Een ondeugende glimlach verwrong haar gelaatstrekken. 'Ik weet wie ze is.'

'Hoe bedoelt u dat?'

'Zij. Die Gwynneth Shackleton. Zo heet ze nu natuurlijk niet meer, maar ze is het wel. Zeker weten. Ze heeft het heel goed gedaan.'

'Wie is ze dan?'

'Ik heb haar op de televisie gezien en haar foto heeft in *Women's Own* gestaan.'

'Je bent zot, mens,' merkte Stan op.

'Ik zeg je, Stanley: ze is het heus. Die ogen. Die lengte. Die stem. Dat soort dingen vergeet ik niet. Ik snap niet dat je dat zelf niet ziet.'

Banks deed zijn uiterste best om zijn geduld te bewaren, maar begon te vrezen dat hij de strijd al had verloren. 'Mevrouw Patterson – Elsie,' zei hij ten slotte. 'Denkt u dat u me kunt vertellen wie Gwen Shackleton volgens u is?'

'Het is die vrouw die die boeken schrijft. Ze wordt vaak geïnterviewd op de televisie. En ze heeft die documentaire gemaakt over dat kerkje in Londen, u weet wel, net als Alan Bennett er eentje over Westminster Abbey heeft gemaakt. Hij woonde vroeger hier verderop in de straat, Alan Bennett. Zijn vader was slager. Maar goed, je kon zo zien dat zij het was doordat ze zo lang was.

En die ogen, natuurlijk.'

'Wat voor boeken?' vroeg Banks.

'Die detectives. Zijn geregeld op televisie. Met die knappe dinges, hoe heet hij ook alweer, als inspecteur. Goed zijn ze, hoor. Ik heb haar boeken uit de bibliotheek gehaald. Ik lees wel tien boeken per week. Ik weet zeker dat zij het is.'

'Ze denkt dat het die Vivian Elmsley is,' zei Stan met een zucht. 'Dat beweerde ze de eerste keer al dat ze een interview met haar zag, door die vent die zo door zijn neus praat...'

'Melvyn Bragg.'

'Aye, die ja. Ze hield bij hoog en bij laag vol dat het Gwen Shackleton was.'

'U bent het niet met haar eens?' vroeg Annie.

'Nay, ik weet het niet, meidje. Ik ben niet zo goed met gezichten, niet zo goed als Elsie hier. Ze ziet altijd meteen of een baby op zijn vader of zijn moeder lijkt, maar ik zie dat nou nooit. Ik vind ze allemaal op Winston Churchill lijken. Of Edward G. Robinson. Ze doet ergens wel aan haar denken, maar...' Hij schudde zijn hoofd. 'Het is al zo lang geleden. Mensen veranderen. En dat soort dingen overkomt mensen als ons toch nooit, mensen uit zo'n buurt als deze? Dat iemand uit onze straat beroemd wordt en boeken schrijft die op televisie komen en zo? Zo zit het echte leven toch niet in elkaar? Niet hier. Niet voor ons soort mensen.'

'En Alan Bennett dan?' sputterde Elsie tegen. 'En ze had heel veel gelezen. Dat kon je zo merken.'

In de korte stilte die volgde, ving Banks nog meer muziek en gelach op van de overkant.

'Hoort u dat nou?' zei Stan. 'Nooit een seconde rust. Dag en nacht, nacht en dag, altijd maar die gruwelijke herrie. We houden de ramen en gordijnen dicht. Je weet nooit wat er gaat gebeuren. Vorige week hadden we hier een moord. Een kerel verderop in de straat zat te kaarten met een paar klotezigeuners. Vinnie en Derek – onze jongens – maken zich enorm zorgen om ons. Ze willen graag dat we naar een aanleunwoning verhuizen. Misschien moesten we dat maar doen ook. Op dit moment zou ik al genoegen nemen met drie goeie maaltijden per dag en een beetje stilte en rust.'

'Nog even terug naar die vrouw,' zei Banks tegen Elsie. 'Gwen Shackleton.'

'Aye?'

'Hoe lang is ze na die zelfmoord nog in de wijk blijven wonen?'

'O, niet lang. Ik zou zeggen zo lang als nodig was om hem te begraven en alles met de autoriteiten te regelen.'

'Koesterde de politie achterdocht over de gebeurtenissen?'

'Koestert de politie niet altijd achterdocht?' vroeg Stan. 'Dat hoort nu eenmaal bij hun werk.' Hij lachte en hoestte. 'Nay, jongen, dat zou jij toch moeten weten?'

221

Banks glimlachte. 'Was Gwen op het tijdstip waarop de zelfmoord plaatsvond in het huis aanwezig?' vroeg hij.

Elsie zweeg even en boog haar hoofd. 'Dat hebben ze ons toen ook al gevraagd,' zei ze. 'Ik heb er sinds die tijd heel vaak over nagedacht, maar ik weet het nog steeds niet. Ik dacht dat ik haar had zien terugkomen van de winkels, daar was ze namelijk geweest: ze had gewinkeld in Town Street, vóórdat ik de knal hoorde.' Ze fronste haar wenkbrauwen. 'Maar ik stond op het punt om te bevallen van onze Derek en ik zag toen niet altijd alles even goed. Ik kan het best mis hebben.'

'Hebt u dit indertijd ook aan de politie verteld?'

'Jazeker. Maar dat heeft tot niets geleid. Anders zouden ze haar immers wel in de gevangenis hebben gestopt?'

Nu wist Banks heel zeker dat hij het dossier van Matthew Shackleton wilde lezen. 'We kunnen wel gaan,' zei hij tegen Annie, en toen keerde hij zich weer naar Stan en Elsie. 'Heel hartelijk bedankt. U hebt ons geweldig geholpen.'

'Vertelt u me eens,' zei Stan. 'Ik weet dat het net zo moeilijk is om informatie uit jullie los te peuteren als een penny uit de kont van een Schot, maar ik ben nieuwsgierig: die Gwen, was zij nou zijn vrouw?'

Banks glimlachte. 'Zijn zus. Dat denken we tenminste.'

Elsie gaf haar man een harde por tussen zijn ribben. Hij begon te hoesten. 'Zie je nou wel, Stanley? Dat heb ik je toch gezegd, sukkel die je bent.'

Banks zei heel beslist dat ze niet hoefden op te staan om hen uit te laten, en algauw liepen Annie en hij genietend in de frisse buitenlucht. De mensen aan de overkant van de straat vierden nog steeds feest en hadden inmiddels gezelschap gekregen van Kev en zijn hond, die woest over de kleine gazonnetjes denderde, aan deuren krabbelde en het onkruid uitrukte dat tot nu toe bestand was geweest tegen de zomer. Een andere vrouw, van wie Banks aannam dat ze Colleen was, was er ook bij, met een baby op de arm. Ze was een mager meisje van een jaar of zeventien, met een glimlach en zonder blauwe plekken, maar tegelijkertijd straalde ze iets hards en verslagens uit.

Toen Banks en Annie bijna het eind van de straat hadden bereikt, rolde achter hen een leeg bierblikje kletterend over het asfalt.

'Wat vind jij van dat gedoe over Vivian Elmsley?' vroeg Annie.

'Ik weet het niet. Het verbaast me dat Elizabeth en Alice er allebei niets over hebben gezegd.'

'Misschien wisten ze het niet. Alice zei dat ze erg slecht ziet en Elizabeth Goodall wist niet eens waarom je bij haar kwam, omdat ze zo weinig aandacht schenkt aan recente nieuwsberichten.'

'Dat klopt,' zei Banks. 'En Ruby Kettering is in 1940 uit Hobb's End vertrokken, toen Gwen pas een jaar of vijftien was. Het is beslist de moeite waard om ons hier eens in te verdiepen.'

'Dus wat doen we nu?' zei Annie toen ze weer in de auto zaten.

'De plaatselijke bajes. Ik wil het dossier over Matthew Shackleton inzien.'

'Dat dacht ik al. En daarna?'

'Terug naar Millgarth.'

'Hebben we later even tijd om iets te drinken en te eten?'

'Sorry. Ik heb een afspraak.'

Ze gaf hem een vriendschappelijk duwtje. 'Meen je dat nou?'

'Jazeker. Met een inspecteur. Een mannelijke inspecteur, Ken Blackstone genaamd. Je hebt hem heel even ontmoet. Hij heeft ons het adres gegeven.'

'Ik herinner me hem wel. Die zo chic gekleed was. Een schatje.' Als Annie al teleurgesteld was, liet ze het niet merken. Banks vertelde haar over zijn broze vriendschap met Ken en gaf toe dat hij in de stemming was om de banden weer aan te halen. Hij had het gevoel dat hij weer op het juiste spoor zat, met de cottage, een actief onderzoek en Annie, en hij besefte dat hij zijn vrienden te lang had verwaarloosd.

'Ik snap het al,' zei Annie. 'Een avondje lekker met de jongens onder elkaar.'

'Zo kun je het wel stellen, ja.'

Ze lachte. 'Wat zou ik vanavond graag een vlieg op jullie muur zijn, zeg.'

Billy Joe moest een paar weken lang op de basis blijven. Er werd beweerd dat de straf veel zwaarder zou zijn geweest als niet alle getuigen, inclusief Seths vrienden, hadden verklaard dat hij het gevecht niet was begonnen. Met Seth ging het ook goed. Aanvankelijk dacht ik dat Billy Joe het glas op zijn gezicht had stukgeslagen, maar het was gewoon van de tafelrand gevallen toen hij probeerde het terug te zetten voordat hij zichzelf ging verdedigen. Het enige wat Billy Joe had gedaan, was Seth een mep op zijn neus geven, en iedereen was het erover eens dat hij die had verdiend.

Gloria zei het nooit met zoveel woorden, maar ik vermoed dat ze Billy Joe door het incident niet echt meer zag zitten. Ze had een hekel aan geweld. Sommige meisjes vinden het leuk wanneer er om hen wordt gevochten. Ik zal het nooit vergeten: de bloeddorstige oerdrift die uit Cynthia Garmens ogen straalde toen twee soldaten tijdens een van de dansfeesten in Harkside om haar gunsten vochten. Het kon haar niet schelen wie nu wie sloeg, zolang er maar iemand werd geraakt en er bloed vloeide. Zo was Gloria echter niet. Ze raakte door geweld altijd van streek.

In die periode waarin Billy Joe de basis niet mocht verlaten, ontmoetten we Brad en Charlie.

We kwamen net het Lyceum uitgelopen. Het was een gure winterse avond in februari 1944 en hoewel het niet sneeuwde, vroor het dat het kraakte, en aan de dakrand van de bioscoop hingen enorme ijspegels. We waren een paar dagen niet weg geweest en Gloria werd somber van de kou en de zware arbeidsomstandigheden op de boerderij. Ze had een verzetje nodig.

We hadden net Bette Davis en Paul Henreid gezien in *Now, Voyager* en stonden in de foyer om onze jas aan te trekken voordat we de bitterkoude avond weer in moesten, ondertussen het titelnummer neuriënd.

Voordat Gloria haar eigen sigaretten tevoorschijn kon halen, kwam er een jongeman in een gevoerd leren jack naar haar toe lopen; hij stopte twee sigaretten in zijn mond, stak ze aan en overhandigde er een aan haar. Het was precies hetzelfde als ze in de film hadden gedaan. We sloegen dubbel van het lachen. 'Brad,' zei de jongeman. 'Brad Szikorski. En dit is mijn vriend Charlie Markleson.'

Gloria maakte een overdreven buiginkje. 'Aangenaam kennis met u te maken.'

'We horen bij het 448ste? In Rowan Woods?' Hoewel het twee informatieve opmerkingen waren, klonken ze net als vragen. Dit was me al vaker opgevallen bij Amerikanen en Canadezen. 'Ik wil niet brutaal zijn,' zei Brad, 'maar zouden jullie dames ons de eer willen gunnen om iets met ons te gaan drinken?'

We wisselden een blik. Ik merkte dat Gloria graag met hen mee wilde. Brad was lang en knap, had lichtjes in zijn ogen en een klein Clark Gable-snorretje. Ik keek naar Charlie, die waarschijnlijk voorbestemd was om die avond mijn partner te zijn en moest toegeven dat de aanblik me wel aansprak: ongeveer even oud als Brad, met intelligente ogen, hoewel ze net iets te veel van hondenogen weg hadden, en een vrij bleek, smal gezicht. Zijn neus was te groot en in het midden zat een knobbel, maar de mijne was ook niet echt om over naar huis te schrijven. Hij leek ook gereserveerd en ernstig. Alles bij elkaar was hij wel oké. Om iets mee te drinken dan.

We liepen naar de Black Swan. Het plein was verlaten en het ijs kraakte onder onze voeten. Aan de takken en twijgjes van de kastanjebomen hingen ijspegels en de bast was bedekt met een laagje ijs. Als het niet zo koud was geweest, had ik me kunnen voorstellen dat het meibloesem was geweest. Achter ons werd het verlichte uithangbord van het Lyceum uitgezet. Zelfs tijdens de verduistering was het bioscopen, winkels en enkele andere etablissementen toegestaan om wat verlichting aan te hebben, tenzij het luchtalarm afging natuurlijk. Voor ons stond de deels verlichte St. Jude's en daar vlak bij was de Black Swan, met zijn vertrouwde witte betimmering en witte stuc, en het doorgezakte dak. We konden het gepraat en gelach dat van binnen kwam duidelijk horen, maar dikke verduisteringsgordijnen bedekten de ramen met hun verticale raamstijlen.

Het was druk in de pub en we hadden geluk dat we nog een tafeltje konden vinden. Brad ging naar de bar om drankjes te halen en wij trokken onze jas uit. In de haard brandde een iel vuurtje, maar door de warmte van alle lichamen in de pub was het net warm genoeg. Overigens waren Brad en Charlie niet de enige Amerikanen in de Black Swan; het was blijkbaar een populaire plek voor de mannen van Rowan Woods, en er waren zelfs een paar soldaten van de legerbasis vlak bij Otley. Ze waren luidruchtig en gebaarden veel met hun handen; ook leken ze elkaar vaak te duwen – vriendschappelijk, zoals kinderen dat doen.

Brad kwam terug met een blad met zes drankjes. We vroegen ons af wie er bij ons zou komen zitten. Gloria en ik dronken allebei gin, en toen Brad en Charlie hun bierglazen oppakten en de kleine glazen whisky erin leeggoten, was onze niet hardop uitgesproken vraag beantwoord: niemand. Gewoon weer zoiets typisch Amerikaans.

We proostten en namen een slok, waarna Brad het trucje met de sigaretten herhaalde en Charlie hetzelfde deed voor mij.

'Wat doen jullie?' vroeg Gloria.

'Ik ben piloot,' zei Brad, 'en Charlie is mijn navigator.'

'Een piloot! Wat opwindend. Waar komen jullie vandaan?'

'Californië.'

Gloria klapte in haar handen. 'Hollywood!'

'Nou ja, niet helemaal. Een klein stadje dat Pasadena heet. Je hebt er waarschijnlijk nog nooit van gehoord.'

'Maar jullie kennen Hollywood wel?'

Brad glimlachte en toonde zijn rechte witte tanden. Ze moesten wel heel goede tandartsen hebben in Amerika, dacht ik, en mensen moesten genoeg geld hebben om zich die te kunnen veroorloven. 'Eigenlijk wel, ja,' zei hij. 'Ik ben stuntvlieger geweest voor de film voordat ik hiernaartoe kwam.'

'Je bedoelt dat je echt in films hebt meegespeeld?'

'Nou ja, je kunt niet echt zien dat ik het ben, maar inderdaad.' Hij somde een paar titels op; ze kwamen ons geen van alle bekend voor. 'Dat wil ik weer gaan doen wanneer dit allemaal voorbij is,' ging hij verder. 'Terug naar Hollywood en de filmwereld in. Mijn vader handelt in olie en hij wil dat ik bij hem kom werken. Ik snap ook wel dat daar veel geld te verdienen is, maar dat is niet waar het mij om te doen is. Ik wil proberen als stuntman aan de slag te komen.'

Als Gloria teleurgesteld was dat Brad geen oliemiljonair of filmster wilde worden, dan liet ze dat niet merken. Terwijl ze opgewonden over films en Hollywood doorpraatten, probeerden Charlie en ik aarzelend ons eigen gesprek op gang te houden.

Het bier en de whisky hadden blijkbaar iets van zijn gereserveerdheid doen smelten, want hij vroeg uit zichzelf wat ik deed. Hij bestudeerde me ernstig toen ik het hem vertelde; zijn gezichtsuitdrukking bleef onveranderd, maar hij knikte af en toe. Daarna vertelde hij me dat zijn vader professor was aan Harvard, dat hij vlak voor het uitbreken van de oorlog was afgestudeerd in Engels en dat hij na zijn terugkeer ook naar Harvard wilde om rechten te studeren. Hij vond vliegen leuk, vertelde hij, maar niet als carrière.

Hoe langer we met elkaar praatten, hoe meer we gemeen bleken te hebben, zoals Jane Austen en Thomas Hardy, en de poëzie van T.S. Eliot. En Robert Frost en Edward Thomas. Hij had nog nooit van de meeste van onze jongere dichters gehoord, dus ik bood aan hem een paar exemplaren van de *Penguin New Writing* te lenen, met gedichten van MacNeice, Auden en Day Lewis, en hij zei dat hij mij zijn Tate en Bishops *American Harvest*-bloemlezing zou lenen als ik er heel voorzichtig mee zou zijn. Ik vertelde hem dat ik een boek evenmin iets kwaads kon aandoen als een levend wezen, en voor het eerst glimlachte hij.

'Ben je getrouwd?' hoorde ik Brad aan Gloria vragen. 'Ik bedoel er niets mee, maar... Nou ja, je snapt het wel...'

'Het geeft niet. Ik ben getrouwd geweest, ja. Maar hij is dood. Gesneuveld in Birma. Dat hoop ik tenminste maar voor hem.'

Ik keek Charlie niet aan. Het was waar dat we hadden geprobeerd onszelf ervan te overtuigen dat Matthew dood was, maar er gloorde nog altijd een sprankje hoop, in mijn hoofd tenminste, en ik vond het verschrikkelijk dat ze dat zei. Dat vertelde ik haar ook.

Ze keek me fel aan. 'Uitgerekend jij zou toch moeten weten dat ik gelijk heb, Gwen! Jij bent tenslotte degene die de kranten leest en naar het nieuws luistert. Of niet soms?'

'Ja.'

'Het spijt me ontzettend,' kwam Brad tussenbeide, maar Gloria negeerde hem en bleef me aanstaren.

'Je weet dus ook wat ze zeggen over de Japanners en de manier waarop zij hun gevangenen behandelen?' ging ze verder.

Ik moest toegeven dat ik een paar verhalen had gelezen waarin werd beweerd dat de Japanners hun gevangenen mishandelden en van honger lieten omkomen, en dat volgens Anthony Eden martelingen en onthoofdingen favoriete vrijetijdsbestedingen waren in de kampen met krijgsgevangenen. De *Daily Mail* noemde hen 'aapmannen', beweerde dat ze slechts 'half menselijk' waren en vogelvrij moesten worden verklaard nadat ze naar hun eigen 'onbeschaafde land' waren teruggedreven. Ik wist niet wat ik moest geloven. Als de verhalen waar waren, zou ik er waarschijnlijk net zo over moeten denken als Gloria en God moeten smeken dat Matthew dood was.

'Vrienden van mij vechten in het gebied rond de Grote Oceaan,' zei Charlie. 'Ik heb gehoord dat het er vrij ruig aan toegaat. Veel van die verhalen zijn waar.'

'Hij is in elk geval dood,' zei Gloria. 'Dus niets kan hem nu nog deren. Hoor eens, dit is veel te deprimerend. Kunnen we een nieuw rondje krijgen, alsjeblieft?'

Brad en Charlie brachten ons thuis in hun jeep. Charlie leek zich enigszins te generen toen Brad en Gloria elkaar hartstochtelijk zoenden bij de elfenbrug, maar hij wist genoeg moed bij elkaar te schrapen om zijn arm om me heen te slaan. We kusten elkaar plichtmatig en spraken af om elkaar snel weer te ontmoeten, zodat we de boeken konden uitwisselen. Brad zei tegen Charlie dat hij kon doorrijden en dat hijzelf later wel alleen naar de basis zou teruglopen, waarna hij achter Gloria aan Bridge Cottage in liep.

Het Indiase restaurant dat Ken Blackstone had uitgekozen, was een eettentje aan Burley Road met rode tafellakens en een kralengordijn dat de afscheiding vormde met de keuken. Telkens wanneer er iemand van de bediening doorheen liep, klikten de kralen tegen elkaar. Uit de luidsprekers die hoog aan de muren hingen, klonk eentonige sitarmuziek en de lucht was doordesemd met de geur van komijn en koriander.

'Heb je gevonden wat je zocht in dat dossier?' vroeg Blackstone toen ze een schaal *papadams, samosa's* en *pakora's* deelden.

'Ik was niet naar iets speciaals op zoek,' zei Banks. 'Elsie Patterson wist niet zeker of ze Gwen Shackleton met haar boodschappen het huis in had zien gaan voordat of nadat ze het schot hoorde. Ze dacht zelfs dat het misschien de knal van een uitlaat van een auto was geweest. En zij was de enige getuige. Verder heeft niemand Gwen of Matthew die dag gezien. De andere buren waren op hun werk en de kinderen uit de buurt zaten op school.'

'Wat heeft Gwen in haar verklaring gezegd?'

Banks slikte een grote hap samosa door. Tot dusver was het eten heerlijk, zoals Ken had beloofd; het was niet te vet of onnodig heet, zoals in veel Indiase restaurants het geval was, omdat men het gebruik van rode peper en cayenne vaak aanzag voor creatief omgaan met kruiden. Banks bedacht dat hij graag eens een Indiase maaltijd zou willen klaarmaken en dan Annie zou uitnodigen voor een vegetarische curryschotel. 'Ze heeft alleen maar gezegd dat ze Matthew dood in zijn leunstoel had aangetroffen toen ze terugkwam van het boodschappen doen.'

'Bestond er enige twijfel? Is ze ooit als verdachte aangemerkt?'

'Ik kreeg niet die indruk. Matthew Shackleton stond sinds de oorlog te boek als een geesteszieke. Bovendien was hij alcoholist. Hij functioneerde nog enigszins normaal, maar was desalniettemin alcoholist. Volgens het dossier had hij al eens eerder geprobeerd zichzelf van het leven te beroven door zijn hoofd in een gasoven te steken. Een buurvrouw had het gas geroken en had hem gered. In het ziekenhuis werd voorgesteld om hem een tijd onder psychiatrische observatie te houden, wat ook is gebeurd, maar daarna hebben ze hem weer naar huis gestuurd.'

'Waarom heeft hij toen niet zijn pistool gebruikt?'

'Geen idee.'

'Het bleek uiteindelijk slechts een kwestie van tijd.'

'Daar lijkt het wel op.'

'Ben je het er niet mee eens?'

'Jawel. Hoewel er natuurlijk altijd een mogelijkheid bestaat dat hij een handje werd geholpen, dat hij een ondraaglijke last was geworden voor zijn zus. Bedenk wel dat Gwen de zorg op zich had genomen voor zowel haar moeder als haar broer. Geen vrolijk leven voor een jonge vrouw, zou ik zeggen. En als Elsie Patterson Gwen inderdaad het huis had zien binnengaan voordat het schot was gelost, dan is het heel goed mogelijk dat Gwen niet heeft ingegrepen en hem zijn gang heeft laten gaan.'

'Dat is ook een misdaad.'

'Jawel, maar het is meer dan veertig jaar geleden gebeurd, Ken. En we kunnen het nooit bewijzen.'

'Tenzij Gwen Shackleton bekent.'

'Waarom zou ze dat doen?'

'Een schuldgevoel dat met de jaren is toegenomen? De behoefte om het op te biechten vóór de laatste confrontatie met de Almachtige? Ik weet het niet. Wie weet waarom mensen bekennen? En toch gebeurt het.'

De hoofdgerechten werden gebracht: *aloo gobi, rogan josh* en *king prawn*, met *pilao*-rijst, *lime chutney* en *chapati's*. Ze bestelden meer bier.

Banks keek naar Blackstone. Een schatje, had Annie gezegd. Schattig was wel het laatste wat in Banks' hoofd opkwam. Elegant, dat wel ja. Een tikje pedant zelfs. Maar een schatje? Ongeacht waar Blackstone zich bevond, of het nu een studentenstamkroeg, een pub in een achterafsteegje, een vijfsterrenrestaurant of het politiebureau was, hij ging altijd onberispelijk gekleed in zijn fraaiste krijtstreep- of visgraatpak van Burton's, met een zijden pochet met monogram die net boven de rand van zijn borstzak uitstak, de vouwen zo esthetisch en verfijnd dat ze net zo goed door een Japanse bloemiste kon zijn gevouwen. Brandschoon wit overhemd en een keurige Windsor-knoop in zijn beschaafde das. Zijn dunner wordende zandkleurige haar krulde rond zijn oren en zijn bril met metalen montuur balanceerde op de brug van zijn rechte neus.

'Forensisch onderzoek?' vroeg Blackstone.

'Een enkel schot in de mond. Heeft zijn hersens als blanc-manger over de muren gespetterd. Geen sporen van een worsteling. Lege whiskyfles naast de stoel. De hoek waaronder de verwonding was toegebracht, kwam eveneens overeen met de zelfmoordtheorie.'

'Briefje?'

'Ja. Volgens het forensisch onderzoek echt.'

'Wat zit je dan dwars?'

Banks nam een hap curry en spoelde deze weg voordat hij antwoord gaf. Een aangenaam gloeiend gevoel verspreidde zich al door zijn mond en maag naar de rest van zijn lichaam. De curry was heet genoeg om kleine zweetdruppels te veroorzaken, maar niet zo heet dat zijn smaakpapillen verdoofd raakten. 'Niets, eigenlijk. Afgezien van de gebruikelijke nieuwsgierigheid interesseert het me niet of Gwen Shackleton haar broer heeft geholpen om zelfmoord te plegen of niet. Wat ik echter wel graag zou willen weten, is of hij Gloria Shackleton heeft vermoord.'

'Misschien kon hij niet leven met het schuldgevoel?'

'Dat dacht ik in eerste instantie ook.'

'En nu?'

'O, het is nog steeds de meest waarschijnlijke verklaring. De enige die ons dit kan vertellen, is Gwen Shackleton.'

'Wat is er van haar geworden? Leeft ze nog?'

'Dat is ook zoiets interessants: Elsie Patterson zweert dat ze Vivian Elmsley is.' Blackstone floot en trok zijn smalle, gebogen wenkbrauwen op. 'Die schrijfster?'

'Precies.'

'Wat denk jij?'

'Ik weet het niet. Het is natuurlijk mogelijk. Volgens de Pattersons kon je heel goed merken dat Gwen veel had gelezen en iedereen die zich haar nog herinnert, zegt dat ze altijd met haar neus in de boeken zat. Annie gaat navraag doen, maar er is maar één manier om erachter te komen of het echt zo is. We zullen met haar moeten gaan praten. Ze heeft in elk geval niet zelf contact met ons opgenomen, evenmin als Gloria's zoon, als die tenminste nog in leven is, hoewel we uit het hele land telefoontjes hebben gekregen met informatie. Het is moeilijk je voor te stellen dat zoveel mensen niet op de hoogte zijn van het verhaal.'

'Wat mogelijk betekent dat ze, als ze het echt is, een reden heeft om niet te willen worden gevonden.'

'Precies. Een geheim dat haar een schuldgevoel bezorgt.'

'Heeft ze niet eens een boek over dat onderwerp geschreven?'

Banks lachte. 'O ja? Ik moet bekennen dat ik nooit een boek van haar heb gelezen.'

'Ik wel,' zei Blackstone. 'Ik heb ze ook op televisie gezien. Ze is eigenlijk een heel goede schrijfster. Ze heeft natuurlijk geen flauw idee hoe het er werkelijk bij ons aan toegaat, maar dat hebben ze nooit.'

'Als ze dat wel hadden, zouden de boeken er vast niet leuker op worden.'

'Dat is maar al te waar.'

Blackstone bestelde nog een paar glazen bier. Hij keek op zijn horloge. 'Zullen we hierna de stad in gaan?' vroeg hij.

'Uitstekend.'

'Hoe gaat het met de kinderen?'

'Goed, zou ik zo zeggen. Met Tracy in elk geval.'

'En Brian?'

'Die sukkel heeft net zijn laatste tentamens verknald en gemiddeld slechts een zesje gehaald.'

Blackstone, die zelf kunstgeschiedenis had gestudeerd, keek hem fronsend aan. 'Een bepaalde reden? Je geeft toch hoop ik niet jezelf de schuld? De scheiding? Spanning?'

Banks schudde zijn hoofd. 'Nee, niet echt. Ik vermoed dat hij gewoon zijn belangstelling heeft verloren en iets heeft gevonden waar hij veel meer in is geïnteresseerd.'

'Muziek?'

'Mm-mm. Hij zit in een band. Ze gaan serieus proberen om er wat van te maken.'

'Goeie keus,' zei Blackstone. 'Ik zou verwachten dat je dat zou toejuichen.'

'Dat is nu juist het probleem, verdomme; dat doe ik ook, Ken. Maar toen hij het me net had verteld, heb ik een paar dingen gezegd waar ik nu spijt van heb. Alleen krijg ik hem niet te pakken en kan ik het hem niet uitleggen. Ze zijn op dit ogenblik bezig met een reeks optredens in het land.'

'Blijven proberen. Dat is het enige wat je kunt doen.'

'Ik klonk precies zoals mijn ouders. Dat heeft heel wat naar boven gehaald, dingen waar ik in geen jaren aan had gedacht, waarom ik bijvoorbeeld bepaalde keuzes heb gemaakt.'

'Heb je daar inmiddels antwoord op?'

Banks glimlachte. 'Stuur je oplossing maar in.'

'Een grote verandering in je leefomstandigheden leidt vaak tot de nodige introspectie. Het is een van de stadia waar je doorheen moet.'

'Heb je weer in die zelfhulpboeken zitten snuffelen, Ken?'

Blackstone glimlachte. 'Door ervaring wijzer geworden, vriend. Die brigadier waarover je me aan de telefoon iets vroeg, die ene die je ook bij je had in Millgarth, hoe heet ze ook alweer?'

'Annie. Annie Cabbot.'

'Mooie vrouw.'

'Als jij het zegt.'

'Heb je iets met haar?'

Banks dacht na. Als hij Ken Blackstone de waarheid vertelde, was dat net iemand te veel die van hun relatie op de hoogte was. Waarom zou hij het echter geheimhouden? Waarom zou hij liegen? Ken was een vriend van hem. Hij knikte kort.

'Is het serieus?'

'Ach jezus, Ken, ik ken haar pas een week.'

230

Blackstone stak verontschuldigend zijn hand op. 'Oké, oké. Is zij de eerste sinds Sandra?'

'Ja. Nou ja, afgezien van een fout die ik één keer heb gemaakt. Ja. Hoezo?'

'Wees maar voorzichtig.'

'Hoezo?'

Blackstone liet zich wat dieper in zijn stoel zakken. 'Je bent nog steeds heel kwetsbaar. Het duurt een hele tijd voordat je over een relatie heen bent die zo lang heeft geduurd en zo intens is geweest als die van jou en Sandra.'

'Ik weet zelf niet eens hoe intens het is geweest, Ken. Ik begin zo langzamerhand te denken dat ik geloofde wat ik wilde geloven en al die tijd de wegwijzers naar de echte wereld volslagen over het hoofd heb gezien.'

'Ook goed. Ik probeer alleen maar duidelijk te maken dat wanneer iemand doormaakt wat jij op dit moment doormaakt, hij ofwel heel lang kwaad blijft op alle vrouwen, ofwel mist wat hij heeft gehad. Of allebei. Als hij kwaad is, naait hij ze en gaat hij ervandoor. Als hij de relatie mist, dan gaat hij op zoek naar een andere om haar te vervangen, en in dat geval is zijn beoordelingsvermogen niet bepaald in optimale conditie. Als hij én kwaad is én de relatie mist, dan begint hij een nieuwe relatie, die hij grandioos verpest, en dan vraagt hij zich af waarom iedereen zich gekwetst voelt.'

Banks schoof zijn stoel achteruit en stond op. 'Tja, nou, bedankt voor dat staaltje amateurpsychologie, Ken, maar als ik behoefte had aan die trut van een Claire Rayner, dan...'

Blackstone greep Banks' mouw vast. 'Alan. Ga zitten. Alsjeblieft. Ik wil je niets opdringen, ik wijs je alleen maar op de valstrikken die je moet vermijden.' Hij glimlachte. 'Trouwens, je bent koppig genoeg om te doen wat jou goeddunkt, in elke situatie, dat besef ik heus wel. Ik vraag je alleen maar om goed na te denken over wat je wilt en waarom je dat wilt. Hou in de gaten wat er gaande is. Dat is de enige wijsheid die ik je te bieden heb. Ik heb altijd gedacht dat je diep vanbinnen eigenlijk een beetje een romanticus bent.'

Banks aarzelde, wilde ergens nog steeds het liefst vertrekken of Blackstone een dreun verkopen. 'Wat bedoel je daarmee?'

'Het soort agent dat zich net iets te veel begaan voelt met ieder slachtoffer. Het soort man dat een beetje verliefd wordt op iedere vrouw met wie hij het bed in duikt.'

Banks staarde Blackstone met tot spleetjes geknepen ogen aan. 'Met zoveel vrouwen ben ik niet het bed in gedoken,' zei hij. 'En wat betreft...'

'Ga zitten, Alan. Alsjeblieft.'

Banks bleef even zwijgend staan. Toen hij voelde dat zijn boosheid wegvloeide, ging hij weer zitten.

'Hoe voelt zij zich hieronder?'

Banks pakte een sigaret. Hij voelde zich slecht op zijn gemak, alsof hij in de stoel bij de tandarts zat en Blackstone een bijzonder gevoelige zenuw had geraakt. Hij had altijd al slecht over zijn gevoelens kunnen praten, zelfs bij Jenny Fuller, die nog wel een echte psychologe was. Het was iets wat hij gemeen had met de meeste van zijn mannelijke vrienden en het gaf hem een speciale band met de mannen van Yorkshire. Hij had eerder moeten bedenken dat Ken Blackstone een wat kunstzinniger type was, Freud las en dat soort zaken. 'Dat weet ik niet,' gaf hij toe. 'Ik heb het haar niet gevraagd. We hebben het er eigenlijk niet over gehad.'

Blackstone zweeg. Banks stak zijn sigaret op. Nu de avond deze wending leek te nemen, zou hij wel eens over zijn toegestane aantal heen kunnen gaan. 'Alan,' vervolgde Blackstone, 'tien maanden geleden dacht je nog dat je een stabiel huwelijk van meer dan twintig jaar had, een huis, kinderen, de hele mikmak. Toen werd plotseling het kleed onder je voeten vandaan gerukt en kwam je tot de ontdekking dat dat allemaal een zinsbegoocheling was. De emotionele impact van een dergelijke schok verdwijnt niet van de ene dag op de andere, jongen, dat kan ik je zo vertellen. En neem maar van mij aan dat ik uit ervaring spreek. Het duurt jaren voordat je er helemaal overheen bent. Geniet ervan. Maar maak er niet meer van dan het is. Daar ben je nog niet aan toe. Verwar seks niet met liefde.' Hij sloeg op de tafel. 'Shit, nu begin ik echt als Claire Rayner te klinken. Ik had hier helemaal niet over willen beginnen.'

'Waarom heb je dat dan toch gedaan?'

Blackstone lachte. 'God mag het weten. Misschien omdat ik het zelf ook heb meegemaakt? Een beetje persoonlijke therapie? Waarschijnlijk gaat het net als altijd meer over mij dan over jou. Misschien ben ik gewoon jaloers. Misschien zou ik zelf ook wel graag met een knappe jonge brigadier het bed in duiken. God weet dat het al veel te lang geleden is. Let maar niet op mij.'

Banks dronk zijn glas leeg en zette het langzaam neer. 'Oké, ik begrijp waar je naartoe wilt, Ken, echt, maar om eerlijk te zijn is dit voor het eerst sinds Sandra's vertrek dat ik me op mijn gemak voel bij een vrouw. Of misschien niet zozeer op mijn gemak, dat is niet juiste woord. Annie is niet direct een vrouw bij wie je je op je gemak voelt. Ze is een beetje vreemd. Een vrije ziel. Heel erg op haar privacy gesteld. Jezus, man, het is voor het eerst dat ik me zo vrij heb gevoeld dat ik aan iets durfde te beginnen en durfde te zeggen: na mij de zondvloed.'

Blackstone lachte en schudde langzaam zijn hoofd. 'Dat klinkt alsof je het zwaar te pakken hebt.' Hij wierp een blik op zijn horloge. 'Wat zou je ervan zeggen als we ons eens op de vleespotten van Leeds storten en ons onherroepelijk gaan bezatten?'

Banks glimlachte. 'Dat is wel het verstandigste wat je de hele avond heb gezegd. We gaan meteen.'

'En na afloop heb ik thuis nog een prachtige malt staan.'
'Klinkt goed. Jij weet de weg.'

De winter maakte eindelijk plaats voor een trage lente, die sneeuwklokjes meebracht in Rowan Woods, gevolgd door wilde hyacinten, krokussen en narcissen. Brad en Charlie werden onze vaste 'vriendjes' en we zagen Billy Joe, die erg chagrijnig reageerde toen hij merkte dat hij Gloria was kwijtgeraakt aan een piloot, steeds minder vaak.

De Amerikanen leken zich veel minder druk te maken over rangen en standen dan wij Engelsen. Ik denk dat dat kwam doordat ons klassensysteem ons al vanaf de geboorte met de paplepel wordt ingegoten, terwijl alle Amerikanen gelijk zijn bij hun geboorte; dat beweren ze tenminste. Dat moet erg fijn voor hen zijn; ik denk dat wij er alleen maar van in verwarring zouden raken. Dat officieren en dienstplichtigen samen eten, drinken en ingekwartierd zijn, is echter één ding; dat een tweede luitenant het meisje van een sergeantje inpikt, is natuurlijk iets heel anders.

Ik was bang dat Billy Joe, gezien zijn gewelddadige karaktertrekje, ruzie zou zoeken, maar hij kreeg al snel een nieuw vriendinnetje en praatte zelfs weer tegen ons wanneer we elkaar op dansfeestjes of in pubs tegenkwamen. Af en toe zeurde hij tegen Gloria dat ze bij hem moest terugkomen, of op zijn minst weer eens met hem naar bed ging, maar ze wist hem op afstand te houden, zelfs wanneer ze had gedronken.

PX bleef natuurlijk van essentieel belang, dus we zorgden ervoor dat we hem niet verwaarloosden. Omdat geen van ons ooit echt met hem uit was geweest, hadden we geen enkele reden om aan te nemen dat onze nieuwe vriendschap met Brad en Charlie enig effect zou hebben op die vriendschap, en dat bleek ook zo te zijn.

Ik wil niet beweren dat mijn verhouding met Charlie een hartstochtelijke passie kende, maar mettertijd wisten we steeds beter om te gaan met de fysieke kant van het geheel, en hij was de eerste man met wie ik naar bed ging. Hij was zachtaardig, geduldig en gevoelig, wat precies was wat ik nodig had, en ik ging uitkijken naar de keren die we samen in bed doorbrachten in Bridge Cottage, met dank aan Gloria.

Onze relatie bleef tamelijk intellectueel; we bleven enthousiast boeken uitwisselen: Forster, Proust, Dostojevski. Maar Charlie was geen saaie piet; hij was gek op dansen en een enorme Humphrey Bogart-fan. Hij nam me mee naar *Casablanca* en *The Maltese Falcon*, ook al had hij beide films al eerder gezien. Hij was zelfs een ferventere liefhebber van klassieke muziek dan ik en soms bezochten we ook een concert. Ik weet nog dat we een keer helemaal naar Huddersfield zijn gegaan om Benjamin Britten te zien die zijn eigen *Hymn to St. Cecilia* dirigeerde.

In al onze opwinding verwaarloosden we waarschijnlijk al die mensen die zo goed voor ons waren geweest tijdens de moeilijkste dagen na Matthews verdwijning, met name Michael Stanhope. We maakten het een beetje goed toen hij een expositie had in Leeds. Charlie en ik maakten er een weekendje uit van en logeerden in het Metropole Hotel.

Charlie, die veel meer over schilderkunst wist dan ik, prees de expositie de hemel in, en ik denk dat meneer Stanhope hem wel graag mocht. Zelfs Gloria zocht meneer Stanhope die zomer en herfst veel vaker op in zijn atelier dan ze voorheen had gedaan.

Ik probeerde niet al te lang stil te staan bij de gevaren die bij Charlies baan hoorden en hij leek er zelf ook nooit over te willen praten. Tijdens die uren waarin we samen lazen of vrijden, verdween de oorlog naar de achtergrond, hoewel het de rest van de tijd veel moeilijker was om hem te negeren. De Amerikanen voerden overdag precisiebombardementen uit boven Duitsland, vaak zonder dekking door gevechtsvliegtuigen, en hun dodenaantal was echt afschuwelijk. In plaats van in het donker te liggen luisteren naar het geronk van opstijgende vliegtuigen, hoorde ik ze nu voornamelijk 's ochtends. De Vliegende Forten maakten veel meer lawaai dan de RAF-vliegtuigen die eerder boven het dorp hadden gevlogen. Om een uur of vijf, een tijdstip waarop ik meestal toch al wakker werd, lieten ze de motoren warmdraaien en ik bleef dan stiekem een paar minuten langer liggen in de warmte en zag dan voor me hoe Charlie zijn kaarten controleerde en zich voorbereidde op een nieuwe aanval.

Charlie vertelde me dat ze op ongeveer zesduizend meter hoogte bij temperaturen vlogen tussen de -30 en -40 graden Celsius. Ik kon me niet voorstellen hoe koud dat was. Hij moest lange wollen onderbroeken en een elektrisch verwarmd vliegpak dragen onder zijn gevoerde leren jack. Ik moest hard lachen toen hij vertelde dat het hem een halfuur zou kosten om zich uit te kleden en bij mij in bed te springen.

En zo kabbelde het leven verder. Boeken. Bed. Bioscoop. Dansfeesten. Concerten. Gesprekken. De dubbele zomertijd begon dat jaar op 2 april, waardoor we lange lenteavonden kregen waarop we wandelingen maakten om wilde bloemen te plukken in Rowan Woods of bij de rivier te luieren. In mei, toen het warmer was, zaten we vaak aan de oever van Harksmere en lazen we elkaar Coleridge en Wordsworth voor. We hielden picknicks met sandwiches met gekookte ham uit blik of ingemaakte garnalen op de rivierterrassen langs de Edge.

Moeder mocht Charlie graag, dat kon ik merken, ook al zei ze niet veel. Dat deed ze nooit. Matthews verdwijning had haar alle wind uit de zeilen genomen. Charlie nam echter Lifesavers en Hershey-repen voor haar mee, en ze bedankte hem daarvoor en at altijd alles op.

Na de opwinding over de invasie van Normandië keerden we al snel terug in de realiteit: de zomer van de vliegende bommen. In Hobb's End viel maar één V1-raket, die erg van zijn koers was afgeweken.

Ik stond met Cynthia Garmen te praten op de elfenbrug. Het was een typische julidag: drukkend, met enorme, loodkleurige wolken en een dreigende storm. We spraken over de Japanse nederlaag bij Imphal en wilden maar dat Matthew daarbij had kunnen zijn om het mee te maken, toen we een afgrijselijk lawaai in de lucht hoorden, als een motorfiets zonder geluiddemper. Geheel onverwacht hield het sputterend weer op. Er hing een vreselijke stilte. En toen zagen we het: een donker, spits voorwerp dat in een zwijgende boog zijn afdaling inzette.

Gelukkig kwam het zonder te ontploffen terecht in een van de velden tussen Hobb's End en Harkside, en tegen de tijd dat we naar beneden waren gerend om te kijken wat er aan de hand was, hadden de plaatselijke ARP-leden het terrein al afgezet en stonden ze te wachten op de opruimingsploeg van de UXB.

De opmars zette door en langzaam maar zeker werd alles iets beter. De strenge regels rond de verduistering werden in september versoepeld, maar de meeste mensen lieten de gordijnen toch hangen en waren pas het jaar daarop zover dat ze ze verwijderden. We hadden die herfst goede hoop op een overwinning en hadden geen flauw vermoeden van de meedogenloze winter die ons nog te wachten stond.

Om tien uur die avond voelde Annie zich zo rusteloos dat zelfs een glas wijn niet hielp om haar te kalmeren.

Ze wist dat het probleem deels werd veroorzaakt door Banks. Toen hij haar had verteld dat hij met een vriend ging stappen in plaats van uit eten met haar, was ze flink nijdig op hem geweest. Ze was teleurgesteld, omdat hij liever ging borrelen met iemand anders dan tijd met haar door te brengen, vooral in een zo vroeg en breekbaar stadium in hun relatie. Oké, zij was degene geweest die had voorgesteld om hun samenzijn te beperken tot de weekenden, maar zij was eveneens degene geweest die deze regel een paar avonden terug had gebroken. Waarom kon hij vanavond dan niet hetzelfde doen?

Gelukkig had ze haar tijd die avond nuttig besteed.

De aanwijzing die ze op woensdag telefonisch was begonnen na te trekken, had eindelijk iets opgeleverd.

Aanvankelijk was ze tot de conclusie gekomen dat het gemakkelijker was om een volledig aangeklede vrouw te vinden in *The Sunday Sport* dan informatie los te krijgen van de Amerikaanse ambassade. De mensen daar waren beleefd, op het ondraaglijke af bijna, maar ze was bijna een uur lang van de ene onbeduidende persoon naar de andere doorverbonden en het had haar uiteindelijk, behalve oorpijn en een groeiende weerzin tegen neerbuigende, achterdochtige

Amerikaanse mannen die haar met 'mevrouw' aanspraken, verder niets opgeleverd.

Aan het eind van de dag was ze erin geslaagd te achterhalen dat het personeel
in Rowan Woods aan het eind van 1943 had bestaan uit leden van de United
States Eight Air Force, en het was erg onwaarschijnlijk dat zich in Engeland
zelf nog informatie in de lokale archieven zou bevinden over hun identiteit.
Een van de wat meer behulpzame medewerkers had geopperd dat ze kon proberen contact op te nemen met de USAFE-basis in Ramstein en had haar het
nummer gegeven.

Toen ze aan het begin van de avond terugkwam uit de socialewoningbouwwijk in Leeds, had ze ondanks het late tijdstip Ramstein gebeld, waar men
haar vertelde dat alle dossiers van het luchtmachtpersoneel werden bewaard
in het National Personnel Records Center, het archief in St. Louis, Missouri.
Ze zocht uit wat het tijdsverschil was en ontdekte dat het in St. Louis zes uur
vroeger was dan in Harkside. Wat betekende dat het daar ergens in de middag
moest zijn.

Na nog een paar keer te zijn doorverbonden en een paar abrupte verzoeken
om 'even te blijven hangen' kreeg ze een vrouw aan de lijn die naar de naam
Mattie luisterde en helemaal weg was van haar accent. Ze kletsten even over de
verschillende weerstypen, zodat Annie te horen kreeg dat het in St. Louis goot
van de regen, en een aantal andere zaken, maar toen vatte Annie eindelijk
moed en vroeg ze om de informatie waar het haar om te doen was.

Omdat ze eigenlijk een soort militair rookgordijn had verwacht, was ze aangenaam verrast toen Mattie zei dat dat geen probleem zou opleveren; de dossiers
mochten door iedereen worden ingekeken en ze zou eens kijken wat ze kon
doen. Toen Annie de initialen 'PX' liet vallen, lachte Mattie en ze zei dat dit
de man was die verantwoordelijk was voor de voorraden. Ze waarschuwde Annie ook dat een aantal van hun dossiers een paar jaar terug door een brand was
verwoest, maar als ze die van Rowan Woods nog had, zou ze die 's avonds nog
op de fax zetten. Dan zou Annie de informatie de volgende ochtend hebben.
Annie bedankte haar uitbundig en was enorm tevreden met zichzelf toen ze
naar huis ging.

Dat duurde helaas niet lang.

Wanneer ze zich zo prikkelbaar en rusteloos voelde als nu, maakte ze soms een
ritje met de auto, en dat deed ze nu ook. Zonder bewust een beslissing te nemen koos ze de route die in westelijke richting Harkside uit voerde, en toen ze
de afslag voor het Thornfield-reservoir naderde, sloeg ze rechts af.

Tegen die tijd had ze zich al gerealiseerd dat Banks helemaal niet het probleem
was; dat was zijzelf. Ze was kwaad op zichzelf omdat ze had toegelaten dat hij
door haar pantser heen was gedrongen. Ze gedroeg zich als een dom, van ver-
liefdheid smachtend schoolmeisje. Kwetsbaar. Verdrietig. Eerlijk is eerlijk,

Annie, hield ze zichzelf voor, het leven is de laatste tijd heel eenvoudig en keurig geordend geweest. Zonder echte hoogtepunten, zonder echte dieptepunten. Je hebt alleen rekening met jezelf hoeven houden. Alles gemakkelijk onder controle, maar ook onbeduidend.

Ze had zich in een afgelegen hoekje in Yorkshire verborgen gehouden voor het leven en haar gevoelens afgeschermd voor de harde buitenwereld die ze 'daar buiten' had meegemaakt. Wanneer je jezelf weer blootstelt aan dat leven, kan dat soms verwarrend en pijnlijk zijn, alsof je je ogen openslaat en tegen het felle licht inkijkt. Je gevoelens zijn breekbaar en rauw, gevoeliger dan gebruikelijk voor alle nuances, alle kleine pijntjes en vernederingen. Dus dat was wat er nu gebeurde. Nou ja, dat wist ze dan ook weer. Die koele, afstandelijke houding van je stelde dus niet echt veel voor, Annie.

In het westen hing een misvormde volle maan laag aan de hemel, opgezwollen en geplet tot de vorm van een roodkleurig worstje door de opkomende nevel. Verder was de weg onverlicht en aan beide kanten omgeven door hoge, donkere bomen. In het licht van de koplampen zag ze tientallen konijnen.

Ze reed de parkeerplaats op en zette de motor uit. Stilte. Toen ze was uitgestapt en in de warme avondlucht stond, daalde er een vredig gevoel over haar neer. Haar problemen leken op te lossen in het niets; ze wist dat ze er hoe dan ook wel uit zou komen.

Annie vond het heerlijk om 's nachts alleen buiten te zijn op het platteland, waar je misschien alleen het geluid van een in de verte rijdende auto opving, het geritsel van kleine dieren, alleen de duistere vormen zag van de bomen en de heuvels, en heel misschien een paar speldenpuntjes licht van boerderijen op de verafgelegen heuvelflanken. Ze hield nog meer van de zee bij nacht, het meedogenloze ritme van de golven, het in- en uitstromen van het ruisende water, en de weerspiegeling van het maanlicht, die op de golven van het water slingert en kronkelt en op de toppen van de golven valt. De zee was echter meer dan vijfenzeventig kilometer hiervandaan. Voorlopig moest ze genoegen nemen met het bos. Een primitief deel van haar diep in haar binnenste voelde zich ook daar enorm door aangetrokken.

Ze liep voorzichtig over het smalle wandelpad dat in de richting van Hobb's End voerde, omdat hier en daar knoestige boomwortels of stenen boven de aarde uitstaken. Er drong vrijwel geen maanlicht door het dichte bladerdak heen, maar af en toe ving ze een paar stralen zilverrood licht op tussen de takken. Ze kon de leem- en aardeachtige geur van de bomen en struiken ruiken. Een zacht briesje kuste vlinderlicht de bovenste blaadjes.

Toen Annie de helling bereikte, bleef ze even staan en keek ze neer op de ruïneachtige overblijfselen van Hobb's End. Het was in het donker gemakkelijk te onderscheiden, de vorm van een skelet met een ruggengraat en ribben, maar op een of andere manier deden de ruïnes langs de glooiende bocht van de High

Street en de droge rivierbedding vanavond eerder denken aan de verrotte stompjes van een gebit in een hatelijk grijnzende mond.

Annie klauterde langs de helling omlaag en liep naar de elfenbrug. Daarvandaan keek ze uit over de rivier en zag ze de weerspiegeling van de bloedrode maan in een paar kleine waterplassen die op de modderige bedding waren achtergebleven. Ze liep langs het bijgebouw waar Gloria's skelet was gevonden en de resten van Bridge Cottage. De grond eromheen was volledig omgespit en was nu uit veiligheidsoverwegingen met tape afgezet. De technische recherche van het hoofdbureau had zijn eigen afzettape meegebracht. Ze liep in de richting van wat ooit de High Street was geweest.

Tijdens de wandeling probeerde Annie zich de scène op Michael Stanhopes schilderij voor de geest te halen: kinderen die lachend in de ondiepe gedeelten van de rivier rondplasten, groepjes dorpsvrouwen die buiten voor een winkel stonden te roddelen, de slagersknecht die in zijn bebloede schort zo snel als de wind voorbijfietste, de lange jonge vrouw die kranten schikte op een rek. Gwynneth Shackleton. Zij was het natuurlijk. Waarom had ze dat niet eerder beseft? Ergens wond de ontdekking dat Stanhope Gwen Shackleton ook had geschilderd haar op.

Ze tuurde naar de ruïnes rechts van haar en herkende de plek waar ooit een vrijstaande cottage was geweest met een kleine tuin of waar ooit een rij huizen had gestaan die met hun voorgevel direct aan de stoep hadden gegrensd. Daar was het steegje geweest dat naar de binnenplaats van de leerlooier had geleid; hier had de tijdschriftenwinkel van de Shackletons gestaan, even verderop de slagerij en weer iets verderop de Shoulder of Mutton, waar het uithangbord krakend en piepend in de wind heen en weer had gezwaaid.

Het leek allemaal zo echt toen ze naar de vlasserij liep dat ze zich inbeeldde dat ze zelfs stemmen opving die inmiddels al vele jaren niet meer hadden geklonken, maar nu fluisterend hun geheimen prijsgaven. Ze passeerde de zijstraat die naar de oude kerk leidde en bleef aan de westelijke rand van het dorp stilstaan op het kale stukje waar de huizen ophielden en de grond omhoogliep in de richting van de vlasserij.

Toen ze daar zo stond en de lucht diep inademde, drong het tot haar door dat ze heel graag wilde weten wat zich hier had afgespeeld, net zo graag als Banks. Zonder dat ze het had gewild of erom had gevraagd, hadden Hobb's End en zijn geschiedenis zich aan haar bewustzijn opgedrongen en waren ze deel gaan uitmaken van haar leven. Dat was op hetzelfde moment gebeurd waarop ook Banks een deel van haar leven was geworden. Hoe het verder ook met hen zou gaan, ze wist dat die twee gebeurtenissen in haar herinnering altijd met elkaar verbonden zouden blijven.

Toen ze hem een paar avonden geleden had voorgehouden dat hij erdoor geobsedeerd was, had ze niet geprobeerd haar eigen obsessie te verklaren. Voor haar had het niets met de oorlog te maken, maar kwam het doordat ze zich met Gloria identificeerde. Dit was een vrouw die had geworsteld en die het had aangedurfd om een beetje anders te zijn dan de rest in een tijd waarin dergelijk gedrag niet werd getolereerd. Ze had haar ouders verloren, had vervolgens de vader van haar kind in de steek gelaten of was door hem op straat gezet, was naar een afgelegen dorp gekomen, had een zware baan geaccepteerd en was verliefd geworden. Toen was ze haar man in de oorlog kwijtgeraakt; dat had ze tenminste gedacht. Als Gloria nog steeds leefde toen Matthew was teruggekomen, had ze waarschijnlijk een volslagen onbekende man tegenover zich gevonden. Wat er verder ook was gebeurd, iemand had haar gewurgd, haar bijna twintig keer met een mes gestoken en haar onder een bijgebouw begraven. En niemand had geprobeerd erachter te komen wat er met haar was gebeurd.

Plotseling zag Annie iets bewegen en zag ze een gedaante over de elfenbrug naar de parkeerplaats rennen. Haar bloed stolde in haar aderen. Op dat moment was ze weer een klein meisje dat bang was in het donker en geloofde ze dat er in Hobb's End heksen, demonen en kobolden rondspookten. Ze stond helemaal aan de andere kant van het dorp, dus ze ving niet meer op dan een glimp van een silhouet.

Ze vond haar stem terug en riep iets. Er kwam geen antwoord. De gedaante verdween langs de helling omhoog het bos in. Annie zette de achtervolging in. Met elke stap wist de politieagente in haar het bange, bijgelovige meisje verder terug te dringen.

Net toen ze de top van de helling had bereikt en naar het bos rende, hoorde ze dat er ergens voor haar een automotor werd gestart. Er waren twee kleine parkeerplaatsen, van elkaar gescheiden door een hoge heg, en degene die ze had gezien moest zijn auto op de andere parkeerplaats hebben gezet, want anders had Annie hem eerder wel gezien.

Ze versnelde haar pas, maar toen ze bij de weg aankwam, zag ze alleen nog de achterlichten die door het donker werden opgeslokt. Ondanks het maanlicht kon ze alleen nog zien dat de auto een donkere kleur had. Ze bleef voorovergebogen staan met haar handen op haar knieën om weer op adem te komen en vroeg zich af wie er verdomme zoveel haast kon hebben gehad om aan ontdekking te ontsnappen.

12

'Hij heeft me ten huwelijk gevraagd,' herhaalde Gloria.

'Ik geloof je nog steeds niet,' zei ik.

'Nou, vraag het hem dan zelf maar. Het is echt waar.'

Het nieuwe jaar, 1945, was net begonnen en ik was op een avond bij Bridge Cottage langsgegaan om te zien hoe Gloria het maakte. Ze was tijdens de kerstdagen verschrikkelijk verkouden geweest, had daardoor zelfs het afscheidsfeestje van Alice Poole gemist, en de dokter had gezegd dat ze bijna een longontsteking had gehad. Hoewel ze zwak en bleekjes was, en wat was afgevallen, leek ze aan de beterende hand.

'Je had mijn neus eens moeten zien toen hij me vroeg. Die was knalrood en schilferde.'

Ik lachte. Het was goed om ergens om te kunnen lachen. Kerstmis was dat jaar een armzalige gebeurtenis geweest, niet alleen omdat het de koudste kerst was die ik me kon herinneren, maar ook omdat de opmars van onze troepen, die eerder zo voorspoedig was verlopen, in de Ardennen was vastgelopen. Voor Alice maakte het niets uit. Haar Eric was daar gewond geraakt en naar huis verscheept. Hoe lang zou deze oorlog zich nog blijven voortslepen? Iedereen kon toch zien dat we er allemaal genoeg van hadden? Soms had ik het gevoel dat ik het leven in vredestijd helemaal nooit had gekend.

'Wat heb je gezegd?' vroeg ik.

'Ik heb hem verteld dat ik erover zou nadenken, maar dat hij moest wachten tot de oorlog voorbij is en we zeker weten wat er met Matt is gebeurd.'

'Hou je van hem?'

'Ja, best wel. Niet... Ach, ik denk niet dat ik ooit op dezelfde manier van iemand anders zou kunnen houden als ik van Matt heb gehouden, maar Brad en ik kunnen het goed samen vinden, in bed, maar ook daarbuiten. Ik geniet van zijn gezelschap. En hij behandelt me goed. Wanneer de oorlog voorbij is, wil hij me meenemen naar Hollywood.'

'Dan begint er een heel nieuw leven voor je.'

'Ja.'

'En ik ken dan iemand die ik daar kan opzoeken.'

'Inderdaad.'

'Maar?'

'Wat bedoel je?'

'Ik voel dat er een "maar" aan vastzit. Je hebt hem alleen gezegd dat je erover zou nadenken.'

'Ach, ik weet het niet, Gwen. Je weet dat ik om te beginnen pas kan overwegen om te hertrouwen als de oorlog is afgelopen. O, ik denk er heus wel over na. Zeg, kijk eens wat PX me heeft gegeven toen ik ziek was. Is hij niet lief?'

Het was een doos chocolaatjes. Een hele doos maar liefst! Ik had in geen jaren ook maar één chocolaatje gezien. Gloria hield me de doos voor. 'Hier, neem er alsjeblieft een. Neem ze trouwens allemaal maar. Ik word er alleen maar dik van.'

'En ik dan?' vroeg ik, en ik koos er een met karamelvulling uit.

'Jij mag best wat meer vlees op je botten krijgen.'

Ik gooide het verfrommelde papiertje naar haar hoofd. 'Brutaaltje.'

'Het is toch zo? Hoe is het met Charlie?'

'O, hij zit nog steeds in de put omdat Glenn Miller is verdwenen.'

'Dat bedoelde ik niet, en dat weet jij ook wel. Heeft hij je al gevraagd?'

Ik weet zeker dat ik toen heb gebloosd. 'Nee,' zei ik. 'We hebben het helemaal niet over trouwen gehad.'

'Boeken, dat is het enige waar jullie ooit over praten.'

'Dat is niet waar.'

Ze glimlachte. 'Ik plaag je maar, Gwen. Ik vind het fijn dat je zo gelukkig bent. Dat meen ik echt.'

'Toch hebben we het nooit over trouwen gehad.'

'Ach, er is ook geen haast bij. Maar je zou het een stuk slechter kunnen treffen. Een advocaat! Hij wordt beslist rijk, wacht maar af.'

'Geld is ook niet alles.'

'Maar het helpt wel. Bovendien kun jij dan ook naar Amerika komen en daar de vrouw van de rijke advocaat spelen. Dan kunnen we elkaar heel vaak zien. Samen lunchen.'

'Gloria, Boston is ik weet niet hoeveel kilometer bij Los Angeles vandaan.'

'O ja? Nou, dan zijn we in elk geval toch in hetzelfde land.'

Zo kletsten we door over de liefde en trouwen en wat de toekomst voor ons in petto zou kunnen hebben. Gloria was al snel volledig hersteld en de reeks dansfeestjes, films en pubbezoeken begon weer van voren af aan. Februari bracht het vooruitzicht van de overwinning dichterbij en ik durfde eindelijk voorzichtig te geloven dat we de laatste lente van de oorlog beleefden.

Op een grauwe middag in maart veranderde dat allemaal, toen een lange, broodmagere vreemdeling tegen de wind in worstelend langs de High Street naar me toe kwam lopen.

Banks moest echt een avond flink aan de zwier zijn geweest, dacht Annie met op elkaar geperste lippen, en ze tikte met haar pen tegen de zijkant van haar bovenbeen. Het was al na negenen en hij was nog niet op kantoor. Was hij nog steeds in Leeds? Hadden zijn vriend en hij soms een paar vrouwen opgepikt? Ze verdrong de zure, brandende aanval van jaloezie die als een dikke klont in haar maag lag. Jaloezie en achterdocht hadden al eerder relaties voor haar verknald. Vlak voordat Rob om het leven was gekomen, had ze ook vermoed dat hij er een ander op na hield en hem daarom slecht behandeld. Ze dacht dat ze haar gevoelens inmiddels wel onder controle had; ze dacht dat ze geleerd had om afstand te bewaren, maar misschien had ze sinds haar overplaatsing naar Noord-Yorkshire haar onzekerheid alleen maar in de mottenballen gelegd, net als de rest. Dat was een beangstigende gedachte. Tot ze Banks ontmoette, had ze zich ingebeeld dat ze alles onder controle had en het uitstekend deed.

Het schoot haar te binnen dat ze eigenlijk de connectie tussen Gwen Shackleton en Vivian Elmsley zou gaan uitspitten. Ze belde eerst Ruby Kettering, die, zoals ze al had verwacht, zei dat het al zo lang geleden was dat ze zich echt niet meer kon herinneren hoe Gwen eruit had gezien of hoe haar stem had geklonken. Bovendien was Gwen toen pas een jaar of vijftien geweest. Elizabeth Goodall vertelde Annie dat ze geen idee had wie Vivian Elmsley was en Alice Poole antwoordde dat ze vanwege haar slechte ogen koningin Elizabeth en prins Charles niet eens uit elkaar kon houden.

Daarna belde Annie Millgarth en vroeg ze of ze inspecteur Blackstone kon spreken. Hij vertelde haar dat Banks onderweg was naar Eastvale. Ze had durven zweren dat hij een lachbui moest onderdrukken toen hij dit zei. Ze hadden het waarschijnlijk ook over haar gehad; het beeld van Banks die zijn makker na een paar glazen in geuren en kleuren alle details onthulde, zorgde ervoor dat haar gezicht brandde van schaamte en haar keel werd dichtgeknepen. Plotseling was al haar plezier over het succes met USAFE waarover ze hem had willen vertellen verdwenen.

Mannen, dacht Annie. Als het erop aankwam waren het niet meer dan grote kinderen. En dan was ze nog heel vriendelijk.

Het faxapparaat begon te zoemen. Annie liep er snel naartoe om te kijken of het de informatie was van Mattie uit St. Louis. Dat was het inderdaad: een uitsplitsing van het personeel van de 448ste Bomber Group dat zich tussen 19 december 1943 en 17 mei 1945, toen iedereen was vertrokken, op de RAF-basis in Rowan Woods had bevonden. Het waren veel namen. Te veel.

Annie liet haar blik over de lijst gaan en dacht terug aan het incident van de vorige avond in Hobb's End. Het had haar meer geraakt dan ze aanvankelijk had gedacht en ze had er moeite mee gehad om in slaap te vallen. Ze wist niet waarom het haar zoveel had gedaan, afgezien van de misvormde rode maan, de griezelige sfeer en de manier waarop de ruïnes haar hadden verleid om te geloven in het bestaan van spoken, kobolden en dingen die 's nachts tevoorschijn kruipen. Spoken en kobolden rennen niet weg en gaan er evenmin als een speer vandoor in een auto. Wat haar nu, in het volle daglicht, nog het meeste dwarszat, was de vraag waarom iemand zich voor haar zou willen verbergen en waarom die persoon er zo snel vandoor ging toen ze de achtervolging inzette.

Er kon natuurlijk een heel eenvoudige verklaring voor zijn. Misschien was die persoon wel banger voor haar geweest dan zij voor hem: een kind wellicht, dat uit was op kattenkwaad. Gezien alle zaken die aan het licht waren gekomen sinds Adam Kelly het skelet in Hobb's End had ontdekt, was Annie echter geneigd om enige achterdocht te koesteren.

Het antwoord liet zich helaas niet zo gemakkelijk grijpen. Op de plek zelf was niets meer over; die had de technische recherche volledig uitgekamd. Misschien dacht iemand wel dat er nog iets te vinden was. Maar dan nog: hoe kon iets wat daar begraven lag belastend zijn voor iemand die in het heden leefde? Op grond van wat Annie de vorige avond van die onbekende persoon had gezien, had ze geconcludeerd dat die niet oud genoeg kon zijn om Gloria Shackleton meer dan vijftig jaar geleden te hebben vermoord. Mensen van in de zeventig of tachtig bewegen zich over het algemeen niet zo snel voort.

Dat bleef dus voorlopig een mysterie. Ze wilde het met Banks bespreken, maar hij was er als een dom joch vandoor gegaan om zich te bezatten met zijn vriendjes, stoer te doen over haar seksuele honger en op te scheppen over zijn vermogen om haar tevreden te stellen. Ze hoopte dat hij een kater had van hier tot Tokyo.

Debussy's kamermuziek voor harp en blaasinstrumenten bracht Banks veilig en wel via trage kleine wegen terug tot aan Gratly. Hij had overwogen om onderweg Harkside aan te doen om te zien hoe het Annie verging, maar besloot om door te rijden. Hij wilde haar niet onder ogen komen voordat hij zich in elk geval had omgekleed. De kleren die hij nu aanhad, stonken naar rook en verschaald bier.

Zijn hoofd deed pijn, ondanks de paracetamol die hij die ochtend in Kens flat had geslikt, en zijn mond smaakte naar het zaagsel op de bodem van een vogelkooi. Toen hij wakker werd en zijn blik door Kens woonkamer liet dwalen, had hij gekreund bij de aanblik van de brokstukken van een wilde, dwaze nacht: een lege fles Glenmorangie op de salontafel, naast een lege fles rode wijn en een overvolle asbak. Hij dacht niet dat de whiskyfles vol was geweest toen ze eraan begonnen, maar zelfs een vijftienjarige zou beter hebben geweten en geen bier, wijn en whisky door elkaar hebben gedronken zoals zij hadden gedaan.

Toch had hij genoten van wat hij zich nog kon herinneren van hun onsamenhangende gesprekken over vrouwen, trouwen, scheiden, seks en eenzaamheid. En dat alles omlijst door geweldige muziek. Ken was een groot liefhebber van jazzzangeressen en daarbij een verwoed verzamelaar van elpees; de elpeehoezen die over de vloer slingerden, waren daar het bewijs van: Ella Fitzgerald, June Christy, Dinah Washington, Helen Forrest, Anita O'Day, Keely Smith, Peggy Lee.

Het laatste wat Banks zich kon herinneren was dat hij was ingedut tijdens een nummer van Billy Holiday uit haar latere periode, *Ill Wind*, waarin haar rokerige-honingstem zich prachtig mengde met Ben Websters tenorsax. En toen de vergetelheid.

Hij kreunde en wreef over de stoppels op zijn gezicht. Alle clichés over katers vlogen door zijn hoofd, de een na de ander: je wordt hier te oud voor; het is tijd dat je eens volwassen wordt; ik drink nooit meer een druppel, zo lang als ik leef. De gebruikelijke litanie van schuldgevoel en zelfverachting. Gisteravond moest een uitzondering blijven, een korte terugval, een noodzakelijk offer omwille van de vriendschap.

Toen Banks zijn zakken leeghaalde voordat hij zijn spijkerbroek in de wasmand mikte, waarbij het hem opviel dat die wel erg vol begon te raken, vond hij een briefje. Er stond een naam op: 'Maria,' met een telefoonnummer in Leeds.

Hij pijnigde zijn hersens, maar kon zich niet herinneren wie van de twee meisjes met wie ze in de Adelphi aan de praat waren geraakt Maria was. Was het die tengere blondine of die slanke roodharige met sproeten en een brede spleet tussen haar voortanden? Hij dacht dat de blondine meer in Ken geïnteresseerd was geweest en hij herinnerde zich vaag dat ze het over de prerafaëlieten hadden gehad. Als Maria inderdaad die roodharige was geweest, dan had zij er ook tamelijk prerafaëlitisch uit gezien. Misschien was het onderwerp daarom ook wel ter sprake gekomen. Nee. Hij kon het zich echt niet meer herinneren. Zo'n nacht was het nu eenmaal geweest. Hij verfrommelde het briefje tot een prop en wilde die in de vuilnisbak mikken, maar hield zijn hand toen in, streek het briefje weer glad en legde het in het bovenste laatje van zijn nachtkastje. Je wist maar nooit.

Nadat hij zich had geschoren, gedoucht en omgekleed, reed Banks naar Eastvale, waar hij even na tienen in zijn kantoor aankwam. Hij had nauwelijks tijd gehad om zijn computer aan te zetten toen zijn deur openging en hoofdcommissaris Jeremiah 'Jimmy' Riddle, die blijkbaar een van zijn zeldzame invallen in Eastvale uitvoerde, in hoogsteigen persoon naar binnen beende. Banks vloekte zachtjes. Dat was net wat hij nodig had, in zijn verzwakte staat.

Banks keek op. 'Hoofdcommissaris Riddle.'

'Banks, je ziet er niet uit,' zei Riddle. 'Wat heb je in vredesnaam uitgespookt, kerel? Jezelf helemaal lam gezopen?'

'Een beetje griep.'

'Griep, m'n reet. Maar goed, als jij je lever wilt vergiftigen, dan is dat jouw probleem.'

'Wat kan ik voor u doen, hoofdcommissaris?'

'Het gaat om die skeletzaak waar ik je op heb gezet. Die is de laatste tijd voortdurend in het nieuws. Krijgt een hoop publiciteit. Ik hoop dat je erbovenop zit?'

'Jazeker.'

'Mooi. Ik wil dat je me volledig op de hoogte brengt. Ik moet vandaag naar Londen om een interview op te nemen voor *Panorama*. Ze maken een speciaal item over het onderzoeken van oude zaken, hoe DNA daarbij kan helpen – dat soort dingen.' Hij veegde een denkbeeldig stofje van de voorkant van zijn uniform en wierp een blik op zijn horloge. 'Ik heb een invalshoek nodig. En een beetje snel, graag. Mijn trein vertrekt over anderhalf uur.'

Dankbaar zijn voor alle kleine zegeningen, hield Banks zichzelf voor. 'Waar zal ik beginnen, hoofdcommissaris?' vroeg hij.

'Bij het begin natuurlijk, man – waar anders?'

Banks vertelde hem wat Annie en hij tot nu toe bij elkaar hadden geschraapt uit hun gesprekken met de technische recherche, met Elizabeth Goodall en Alice Poole, en het bezoek aan Leeds. Toen hij was uitgesproken, liet Riddle zijn hand over zijn kale, glimmende schedel glijden en hij zei: 'Dat is ook niet veel, hé? Het geheugen van een paar oude besjes?'

'Het is niet waarschijnlijk dat we veel verder zullen komen,' zei Banks. 'Op dit moment tenminste niet. Er is te veel tijd verstreken. U zou als thema kunnen gebruiken hoe onbetrouwbaar het geheugen van mensen na verloop der jaren wordt.'

Riddle knikte en maakte een aantekening.

'Het is wel zo dat we nog op informatie zitten te wachten. We hebben een rapport van dokter Williams over zijn fysisch onderzoek naar de botten, maar wachten nog op de resultaten van andere tests die hij en onze forensisch odontoloog hebben uitgevoerd. Die dingen nemen veel tijd in beslag.'

'En kosten klauwen met geld. Ik hoop dat het dat waard is, Banks. Denk maar niet dat ik het kostenplaatje in deze zaak niet in de gaten hou.'

'We hebben vlak bij het lichaam ook een knoop gevonden, mogelijk een militaire. Die zou ze in haar hand kunnen hebben gehad toen ze werd vermoord. Er is nog heel veel wat we niet weten.'

Riddle wreef over zijn kin. 'Goed,' zei hij, 'er zit een aardige invalshoek in wat je me tot dusver hebt verteld. Naaktschilderijen. Dorpsschandaaltjes. Vrouwen die met yanks rotzooiden. Jawel. Dat is prachtig materiaal. Daar kan ik wel iets mee. Geef me een kopie van het rapport van die forensisch antropoloog, dan kan ik dat onderweg lezen. Ik wil wel dat het klinkt alsof ik weet waar ik het over heb.'

Dat probeer je al jaren en er is vrijwel geen hond die daarin trapt, wilde Banks zeggen, maar hij slikte zijn woorden in en belde naar de afdeling Dataverwerking voor een kopie. Aangezien Riddle haast had, zou hij die op weg naar buiten kunnen afhalen. 'U had het net over DNA,' zei hij. 'Misschien zou u kunnen melden dat we vermoeden dat haar zoon nog leeft en dat het ons enorm zou helpen als hij contact met ons opnam. Zo kunnen we de identiteit van de vrouw eens en voor altijd vaststellen.'

Riddle stond op. 'Als ik daar tijd voor heb, Banks. Als ik daar tijd voor heb.' Hij bleef met een hand op de deurknop staan en draaide zich nog even om. 'Hoe staat het eigenlijk met die brigadier Cabbot?' vroeg hij. 'Werkt ze een beetje mee?'

Ze. Dus hij wist het wel. 'Uitstekend,' antwoordde Banks. 'Ze is een prima agent. Veel te goed voor een plaats als Harkside.'

Er vloog een kwaadaardig lachje over Riddles gezicht. 'Ach, ja. Jammer, eigenlijk. Ik heb begrepen dat er wat problemen waren bij haar vorige standplaats. Knap meisje om te zien, wel, heb ik gehoord?'

'Problemen, hoofdcommissaris?'

'Het zou jou bekend in de oren moeten klinken, Banks. Insubordinatie, gebrek aan respect voor mensen met een hogere rang.'

'Ik heb respect voor de rang,' zei Banks. 'Maar niet altijd voor degene die die rang draagt.'

Riddle verstijfde. 'Welnu, ik hoop voor jou dat je je een beetje vermaakt, Banks, want meer hoef je hier echt niet te verwachten.'

Met die woorden liep hij het kantoor uit en hij sloeg de deur met een harde klap dicht.

Banks dacht na over wat hij zojuist had gehoord. Dus Jimmy Riddle wist wie Annie Cabbot was en had hem desondanks op pad gestuurd om met haar samen te werken. Waarom? Riddle was toch al van mening dat Banks een onstuitbare seksmaniak was die tijdens werkuren afspraakjes maakte met exotische Aziatische dames in Leeds en met vrijwel alles wat een rok droeg het bed in dook. Riddle had gezegd dat er wat problemen waren geweest. Wat had dat allemaal te betekenen?

En het belangrijkste was: waarom dacht Riddle dat de samenwerking met Annie Cabbot voor Banks een hel zou zijn? Want als er één ding zeker was, dan was het wel dat Riddle Banks' leven tot een ware hel wilde maken.

Op weg naar het koffiezetapparaat liep Banks brigadier Hatchley tegen het lijf en hij vroeg hem eens te kijken wat hij kon vinden over Francis Henderson, Gloria's buitenechtelijke kind. Het was waarschijnlijk een zinloze onderneming, maar het was een losse draad die hem bleef dwarszitten.

Banks moest nog steeds wennen aan het nieuwe voicemailsysteem waar het bureau nu mee werkte en vergat geregeld het af te luisteren of wiste alle berichten die voor hem waren ingesproken, maar die ochtend drong Annies bericht luid en duidelijk tot hem door. Haar stem klonk zo kil dat zijn trommelvlies er bijna door bevroor. Ook was er een bericht van een zekere majoor Gargrave, van de afdeling Personeelszaken van het leger. Banks belde hem eerst, zodat hij nog even respijt had en de moed bij elkaar kon schrapen om Annie terug te bellen.

'Het betreft de inlichtingen waar u recent over hebt gebeld,' zei majoor Gargrave. 'Omtrent Matthew Shackleton.'

'Ja?'

'Tja, het is allemaal nogal gênant.'

'Hij is teruggekomen, toch? We hebben een overlijdensakte gevonden die op 1950 was gedateerd. Daar wilde ik u nog naar vragen.'

'Ja, welnu, dit soort dingen gebeurt nu eenmaal een enkele keer. Toen mijn assistent het dossier weer wilde opbergen, zag hij dat er een aantal vellen papier tussen twee mappen waren geschoven. Het was hem niet eerder opgevallen, ziet u.'

'Een foutje bij het opbergen.'

'Inderdaad.'

'Wanneer is hij teruggekeerd?' vroeg Banks.

'Het was in feite zijn zus die zijn terugkeer heeft gemeld. Maart 1945. In een dorpje dat Hobb's End heette. Zegt dat u iets?'

'Jazeker,' zei Banks. 'Gaat u verder.'

'Ik ben bang dat er verder eigenlijk niet zo heel veel te vertellen is. Sergeant Shackleton heeft zichzelf eenvoudigweg uit een ziekenhuis in Londen ontslagen en is teruggegaan naar huis. Het ziekenhuis zei dat hij was bevrijd uit een Japans kamp voor krijgsgevangenen in de Filippijnen en dat hij in tamelijk slechte staat naar huis is verscheept. Zonder te zijn geïdentificeerd, overigens.'

'En dat is alles?'

'Ja. Daar lijkt het wel op. Heel vreemd.'

'Goed,' zei Banks. 'Hartelijk dank voor uw telefoontje, majoor.'

'Graag gedaan.'

Nadat hij had opgehangen, zette Banks het raam open en hij liet het zonlicht naar binnen stromen. Hij overwoog of hij een sigaret zou opsteken, maar realiseerde zich dat hij daar eigenlijk helemaal geen behoefte aan had. Gisteravond te veel gerookt. Zijn keel en longen voelden nog steeds rauw aan. Er klopte iets niet aan wat de majoor hem zojuist had verteld; het bevond zich aan de rand van zijn bewustzijn, maar hij kon het niet te pakken krijgen. Er zaten te veel dode hersencellen in de weg.

Toen hij weer achter zijn bureau zat, dwong Banks zichzelf om de hoorn van de haak te nemen. Beter dan nu kon hij zich toch niet op Annie voorbereiden. Nadat het toestel drie keer was overgegaan, nam ze op.

'Je bent dus terug,' zei ze.

'Ja.'

'Veel plezier gehad?'

'Ja hoor, dank je wel.'

'Mooi. Daar ben ik blij om.'

'Deze ochtend vergeet ik echter het liefst zo snel mogelijk.'

'Eigen schuld, denk ik.'

'Waarschijnlijk wel.'

'Ik heb de info over het personeel in Rowan Woods.'

'Geweldig.'

'Het is een lange lijst. Het zal wel even duren voordat die iets is uitgedund. Om te beginnen werkten er verschillende mensen in de PX.'

Banks hoorde dat haar stem iets toeschietelijker klonk. Moest hij tegen haar zeggen dat hij haar gisteravond had gemist? Of haar vragen of er iets was? Misschien was het beter om daar nog even mee te wachten. Hij vroeg voorzichtig: 'Is er verder nog iets?'

Annie vertelde hem wat haar bij Hobb's End was overkomen.

'Wat deed je daar?' vroeg hij.

'Wat doet dat er nou toe? Misschien wilde ik gewoon zien hoe het er in het donker uitzag.'

'En?'

'Griezelig.'

'Waarschijnlijk was het een kind.'

'Dat dacht ik eerst ook. Maar het zag er niet uit als een kind. En hij is in een auto weggereden.'

'Ik ken tienjarigen die dat kunnen. Maar goed, ik begrijp wat je bedoelt. Alleen kunnen we er momenteel niet veel aan doen, ben ik bang.'

'Ik wilde alleen maar dat je het wist. Het officieel melden. Ik vond het intrigerend, dat is alles.'

'Dat is het zeker. Verder nog iets?'

Annie vertelde hem dat Ruby, Betty en Alice Vivian Elmsleys identiteit niet hadden kunnen bevestigen.

'Dan moeten we haar toch maar opsporen,' zei Banks.

'Dat heb ik al gedaan.'

'Nu ben ik pas echt onder de indruk.'

'Dat mag ook wel. Terwijl jij herstellende was van je zelftoegebrachte schade, heb ik aan de telefoon gezeten.' Klonk er wellicht een vergevingsgezinde toon door in haar stem? Dat hing af van hoe hij het verder zou aanpakken: hij moest de juiste balans zien te vinden tussen wroeging en lof, schuldgevoel en complimentjes.

'En?'

'Nou, in haar geval was dat gemakkelijk. Ze staat gewoon in de telefoongids van Londen.'

'Je hebt haar toch niet gebeld, hè?'

'Alsjeblieft, zeg. Waar zie je me voor aan? Zo onnozel ben ik niet. Maar ik heb wel haar adres. Wat wil je daarmee doen?'

'We moeten haar zo snel mogelijk te spreken zien te krijgen. Als ze echt degene is naar wie we op zoek zijn, dan houdt ze iets verborgen. Misschien weet ze ook de namen wel die we proberen te achterhalen. Er zat me daarnet iets dwars en nu ben ik erachter wat het is.'

'Afgezien van die kater, bedoel je?'

'Ja.'

'Oké. Wat dan?'

Banks vertelde haar over het telefoontje van majoor Gargrave. 'Het gaat om dat pistool,' zei hij.

'Welk pistool?'

'Dat pistool waarmee Matthew Shackleton zichzelf overhoop zou hebben geschoten.'

'Wat is daar dan mee? Handwapens waren na de oorlog waarschijnlijk schering en inslag. Honderdduizenden mannen hadden kort daarvoor tot de tanden gewapend in het wild rondgezworven om elkaar te vermoorden, weet je nog?'

'Jawel, maar waarom zou Matthew een pistool hebben?'

'Ik snap niet... O, wacht eens even, ik geloof dat ik begrijp wat je bedoelt.'

'Als hij een bevrijde krijgsgevangene was, kon hij onmogelijk zijn dienstwapen nog bij zich hebben. Ik zou zo denken dat de Japanners alle wapens in beslag namen van de mensen die ze gevangennamen, denk je ook niet?'

'Misschien hebben zijn bevrijders hem er een gegeven?'

'Ik geef toe dat er een heel kleine kans bestaat dat dat is gebeurd. Vooral als het Amerikanen waren. Amerikanen voelen zich naakt zonder wapen.'

'Maar jij denkt niet dat dat het geval is geweest?'

'Volgens mij is die kans heel klein,' zei Banks. 'Waarom zouden ze dat doen? En waarom zou hij het nog steeds bij zich hebben gehad toen hij vanuit het ziekenhuis naar Hobb's End terugkeerde? Maar goed, het is niet belangrijk, het heeft waarschijnlijk niets te betekenen.'

'Als hij inderdaad een pistool had, waarom zou hij dat dan niet hebben gebruikt om Gloria te vermoorden, in plaats van haar te wurgen en met een mes te steken?'

'Als Matthew inderdaad degene was die haar heeft vermoord.'

'Beschouw je Gwen als een serieuze verdachte?' vroeg Annie.

'Jazeker. Alles wat we hebben gehoord wijst erop dat zij en haar broer erg goed met elkaar konden opschieten. Als Gloria hem had gekwetst omdat ze het met andere mannen aanlegde, zou het best eens kunnen dat Gwen wraak wilde nemen namens haar broer. Ze kan ons in elk geval meer vertellen over de relatie tussen Matthew en Gloria na zijn terugkeer, ervan uitgaande dat Gloria toen nog leefde. Heb je zin om morgen mee te gaan naar Londen?'

'Wie rijdt?'

'We nemen de trein. Dat is sneller, en bovendien is het verkeer in Londen een chaos. Als ik me goed herinner gaat er om ongeveer kwart voor negen vanuit York een trein, die om tien over halfelf op King's Cross aankomt. Red je dat?'

'Geen probleem. Intussen zal ik eens kijken of ik meer informatie kan opdiepen over die vliegers.'

Toen Annie had opgehangen, liep Banks weer naar het raam en hij keek uit over het plein met zijn oeroude marktkruis en de vierkante kerktoren, die goudgrijs in het zonlicht lag. Hij dacht na over Vivian Elmsley. Zou zij werkelijk Gwen Shackleton zijn? Het leek een absurde gedachte, maar hij had wel vreemdere dingen meegemaakt. Hij besloot dat het geen gek idee was om een of twee van Vivian Elmsleys boeken door te bladeren voordat hij op pad ging om haar te ondervragen. Haar boeken konden hem wellicht inzicht verschaffen in haar karakter.

Hij belde het nummer van Brian in Wimbledon nog maar eens. Weer geen gehoor. Ken Blackstone had echter gelijk: het was het enige wat hij op dit moment kon doen. Als hij morgen toch naar Londen ging, zou hij misschien iets met Brian kunnen afspreken, met hem kunnen praten en dingen op een rijtje kunnen zetten. Hij wilde niet dat Brian bleef denken dat zijn vader teleurgesteld in hem was om wat hij deed, zoals Banks' eigen vader bij elke ontmoeting altijd duidelijk had laten blijken dat hij Banks' carrièrekeuze verafschuwde, ook nu nog.

Banks liep terug naar zijn bureau. Voor de derde keer sinds deze zaak was geopend spreidde hij de voorwerpen die bij Gloria Shackletons lichaam waren aangetroffen voor zich uit. Als de overblijfselen van een leven of de weggeworpen puinhopen van de dood stelde het niet veel voor: een medaillon waarvan de oorspronkelijk hartvormige ronding was geplet en vervormd; een verroeste trouwring; haakjes afkomstig van een beha of jarretelgordel; een paar kleine, misvormde leren schoenen die hem deden denken aan de exemplaren die hij ooit in de pastorie van de Brontës had gezien; een paar voddige stukjes verduisteringsstof; en de knoop van Adam Kelly, van blauwgroen uitgeslagen koper. Misschien kon hoofdinspecteur Gristhorpe hem iets meer vertellen over de knoop, dacht hij. Gristhorpe was aardig thuis op het gebied van militaire geschiedenis, met name de Tweede Wereldoorlog.

Banks greep zijn jasje en stond op het punt om zijn kantoortje uit te lopen toen de telefoon overging.

'Hallo, Alan.'

Een vrouwenstem.

'Ja?'

'Ik ben het. Jenny. Jenny Fuller. Herken je mijn stem niet?'

'Jenny. Dat is lang geleden. Waar ben je?'

'Thuis. Ik ben gisteren aangekomen. Luister eens...'

'Je bent dus eerder teruggekomen?'

'Het is een lang verhaal.'

'Ik ben blij dat je belt. Ik heb je advies nodig.'

'Als het iets persoonlijks is, ben ik wel de laatste aan wie je het moet vragen – echt.'

'En in professioneel opzicht?'

'Dan moet wel lukken. Ik weet dat ik je niet tijdens je werk moet lastigvallen, maar de reden waarom ik je nu bel, is dat ik in de stad ben, en ik vroeg me af of je tijd hebt om samen te lunchen.'

Banks was eigenlijk van plan geweest om naar Lyndgarth te rijden en Gristhorpe te pakken te krijgen, die zijn jaarlijkse vakantie thuis doorbracht, maar dat kon ook tot later wachten. 'De Queen's Arms, halfeen?'

'Fantastisch. Dan zie ik je daar.'

Banks legde de hoorn met een glimlach neer. Hij had Jenny Fuller bijna een jaar niet gezien, niet meer sinds ze had besloten om verlof te nemen van de universiteit van York om in Californië les te gaan geven. Dat was rond dezelfde tijd geweest dat Sandra en hij uit elkaar waren gegaan. Hij had een paar ansichtkaarten gehad met de vraag hoe het met hem ging, maar dat was alles geweest. Jenny was een van de twee vrouwen met wie hij volgens zijn collega's na Sandra's vertrek het bed had gedeeld. Wellicht zou hij inderdaad met haar naar bed zijn gegaan, als ze in de buurt was geweest. De timing was echter helemaal verkeerd geweest. Jenny zat tegenwoordig de meeste tijd in Californië en de reden daarvoor was een man. De andere vrouw, Pamela Jeffries, had zich rusteloos en opgesloten gevoeld, en was ervandoor gegaan om bij een orkest, helemaal in Australië nota bene, te gaan spelen en ook haar had hij in geen maanden gezien. Van haar ontving hij eveneens af en toe een ansichtkaart uit exotische bestemmingen als Sydney, Melbourne, Adelaide en Perth. Hij kreeg zin om zelf ook vaker te reizen.

En nu zouden Jenny en hij over ongeveer een uur samen lunchen. Hij had nog maar net genoeg tijd om zijn vragen over Matthew Shackleton voor te bereiden en even bij Waterstone's aan te wippen voor een paar boeken van Vivian Elmsley.

Om een of andere reden stond ik buiten op straat om de indeling van de etalage te controleren, alles bij elkaar een treurig boeltje, en toen ik naar links keek, zag ik hem over de elfenbrug aankomen. Ik had gehoord dat de trein zojuist was binnengekomen, dus ik ging ervan uit dat hij van het station kwam. De wind huilde rond de schoorstenen en wolken zo zwart als een nazi-hart besmeurden als vetvlekken de hemel. Verder was er niemand te zien. Dat is ook waarom hij me opviel. Dat en het feit dat hij een veel te groot, slobberig bruin pak aanhad en geen bagage bij zich had.

Hij was lang, maar liep krom, alsof hij een of andere rugkwaal had, en hij had een stevige wandelstok in de hand. Hij bewoog zich traag, bijna als iemand in een droom, alsof hij wist waar hij naartoe liep, maar geen haast had om er te komen. Zijn lichaam was zo mager dat hij bijna uitgemergeld leek. Toen hij dichterbij kwam, besefte ik dat hij lang niet zo oud was als ik aanvankelijk had gedacht, hoewel zijn slappe, futloze haar hier en daar met grijs of wit was doorspikkeld.

De wind trok aan mijn haren en kleding, en ik was tot op het bot verkleumd, maar hij had iets waardoor ik als in trance bleef staan kijken. Toen hij de winkel tot op een paar meter genaderd was, zag ik zijn ogen. Diepe, holle, gejaagde ogen die volledig naar binnen waren gericht, alsof hij zichzelf aan een diepgaand en ongenadig onderzoek onderwierp.

Hij zag me echter wel en bleef staan.

Ik weet niet meer wanneer de waarheid tot me doordrong: misschien binnen enkele seconden, misschien ook pas na een paar minuten. Plotseling trilde ik als een espenblad, en dat kwam niet door de kou. Ik rende naar hem toe en sloeg mijn armen om hem heen, maar zijn lichaam was zo stijf en onbuigzaam als een boom. Ik streelde zijn wang met mijn hand en voelde het gerimpelde witte litteken dat vanaf zijn mondhoek omhoogkrulde als een parodie van een gemene grijns. De tranen stroomden over mijn wangen.

'Matthew!' riep ik. 'O, mijn god. Matthew!' Ik pakte zijn arm en trok hem mee naar binnen, naar moeder.

Een paar minuten voor halfeen liep Banks de Queen's Arms binnen met twee boeken van Vivian Elmsley in een tasje van Waterstone's in zijn hand. Hij bestelde een glas bier en nam plaats aan een tafeltje bij de lege open haard. Jenny kwam altijd te laat, herinnerde hij zich, dus hij maakte de tas open en bekeek de boeken.

Het ene was een thriller met de titel *Vermoorde onschuld,* beslist een interessante titel vanuit Banks' optiek, en had citaten op het omslag afkomstig uit de *Sunday Times, Scotland on Sunday,* de *Yorkshire Post* en de *Manchester Evening News,* die om het hardst beweerden dat het een 'wonderbaarlijk' en 'verontrustend' werk was van een van onze beste thrillerauteurs, een ware concurrente voor P.D. James en Ruth Rendell.

Het andere was getiteld *De schaduw des doods* en was een titel uit de reeks rond haar vaste hoofdpersoon, inspecteur Niven. In dit boek moest hij de moord onderzoeken op een chique restaurateur uit Shepherd's Bush. Banks wist niet eens of er wel een dergelijk wezen bestond. Voorzover hij zich kon herinneren waren er helemaal geen chique restaurants in Shepherd's Bush. Het was echter al tamelijk lang geleden dat hij er voor het laatst was geweest, dus hij gunde haar deze keer het voordeel van de twijfel. Het boek werd geroemd vanwege zijn 'invoelende realisme in de beschrijving van gewone mensen' en zijn 'geloofwaardige voorstelling van het leven van politiemensen en de procedures op het bureau'. Banks moest glimlachen. Dat zou hij dan nog wel eens zien. Op het omslag stond een foto van een knappe, onverzettelijk uitziende jonge acteur die, zo vernam Banks uit een citaat, inspecteur Niven speelde in de televisieserie. En ongetwijfeld veel meer betaald kreeg dan een echte agent.

Hij was pas op pagina tien toen Jenny binnen kwam rennen, snakkend naar adem en met verward rood haar dat vlammend om haar gezicht deinde toen ze om zich heen keek. Toen ze hem zag, wuifde ze even, waarna ze op haar borst klopte en snel naar hem toe kwam lopen. Ze boog zich voorover en gaf hem een luchtige zoen op zijn wang. 'Het spijt me dat ik zo laat ben. Grote god, je ziet er verschrikkelijk uit.'

Banks glimlachte en hief zijn glas op. 'Een glaasje tegen de nadorst.'

Jenny pakte de paperback op die hij op de tafel had gelegd en trok een vies gezicht. 'Ik had niet gedacht dat dit jouw smaak was.'

'Werk.'

'Aha.' Ze trok haar wenkbrauwen op. Haar bruine kleur van de Californische zon stond haar goed, vond Banks. Ze was niet verbrand, zoals de meeste roodharigen overkwam, maar de natuurlijke lichtbruine en -rode tinten van haar huid waren slechts verdiept en de sproeten staken scherper af, vooral op haar neus. Haar figuur was nog steeds welgevormd en was in een strakke zwarte spijkerbroek met een wijd, jadegroen shirt gestoken.

'Mooi,' zei Banks toen Jenny was gaan zitten en haar enorme schoudertas naast zich op de vloer had gedeponeerd. 'Kan ik iets te drinken voor je halen?'

'Campari en soda, alsjeblieft.'

'En iets te eten?'

'Scampi met friet. Ik verlang al een maand hevig naar een portie scampi met friet.'

'Scampi met friet komt eraan.' Banks baande zich een weg naar de bar, haalde voor hen beiden een drankje en bestelde de maaltijden. Er stonden tegenwoordig ook enkele wat meer exotische gerechten op het menu, zoals *fajitas* en Thai-noedels, maar Banks liet zijn keuze ten slotte vallen op schol met friet. Niet dat hij iets tegen exotische gerechten had, maar ervaring had hem geleerd een gezond wantrouwen te koesteren tegen de variant die in pubs werd geserveerd. Bovendien proefde hij nog steeds de curry die hij gisteravond in Leeds had gegeten.

253

Hij bracht de drankjes naar hun tafel en zag dat Jenny met één hand haar haar uit haar ogen hield en verdiept was in *De schaduw des doods*. Toen hij dichterbij kwam, vloog er een snelle grijns over haar gezicht en klapte ze het boek dicht. 'Volgens mij heb ik deze in Amerika al op televisie gezien,' zei ze en ze tikte op het omslag. 'Op PBS. Na afloop zonden ze een interview met haar uit. Vivian Elmsley. Ze is in de Verenigde Staten heel populair. Een zeer opmerkelijke vrouw.'

Banks bracht haar in het kort op de hoogte van de zaak zoals die er nu voor stond, inclusief de mogelijkheid dat Vivian Elmsley een rol had gespeeld in het geheel. Toen hij uitgesproken was, werd hun eten gebracht.

'Is het net zo lekker als je je herinnerde?' vroeg hij toen ze een paar happen had genomen.

'Dat is het nooit,' zei Jenny. Er lag een nieuwe treurigheid en vermoeidheid in haar ogen, zag hij. 'Maar het is wel lekker, hoor.'

'Wat is er in Californië gebeurd?'

'Hoe bedoel je?' Ze wierp hem een onderzoekende blik toe, maar keek toen snel een andere kant op. Te snel. Hij zag aan haar ogen dat ze bang was.

Hij dacht terug aan de eerste keer dat hij haar in Gristhorpes kantoor had ontmoet, kort nadat hijzelf in Eastvale was gearriveerd; behalve uiteraard haar natuurlijke schoonheid, met het vlammend rode haar, de volle lippen en de door aantrekkelijke lachrimpeltjes omringde ogen waren hem ook haar scherpe intelligentie en vlotte gevoel voor humor opgevallen.

Toen was Jenny Fuller eenendertig geweest; nu was ze bijna achtendertig. De rimpeltjes waren iets dieper geworden en het was minder gemakkelijk om ze alleen met lachen te associëren. Zijn eerste indruk was geweest dat ze een prachtmeid was. En dat vond hij nog steeds. Ze hadden op het randje van een verhouding gebalanceerd, maar Banks had het afgeblazen, omdat hij zich niet schuldig wilde maken aan overspel. Hij was toen een andere man geweest, zelfverzekerder, had beter geweten hoe zijn leven eruitzag en waar hij naartoe wilde. Het leven was toen eenvoudiger voor hem geweest, of misschien had hij het zelf juist vanuit een eenduidig standpunt benaderd. Het had in elk geval zo eenvoudig geleken: hij hield van Sandra en geloofde dat zij van hem hield; daarom wilde hij niet aan iets beginnen wat dat in gevaar kon brengen, hoe groot de verleiding ook was. Ze waren net vanuit Londen naar een minder hectische omgeving verhuisd, omdat Banks daar in sneltreinvaart op een burn-out af was gestevend en ook deels om hun huwelijk te redden. En het had gewerkt. Zeven jaar lang.

Tegen de verwachting in waren Banks en Jenny bevriend gebleven. Jenny had ook vriendschap gesloten met Sandra, ook al had Banks de indruk dat ze de afgelopen twee of drie jaar uit elkaar waren gegroeid.

'Kom, Jenny,' zei hij. 'Deze plotselinge terugkomst stond niet in de planning.

Ik dacht dat je voorgoed in een Californische zonaanbidster was veranderd.'
'Zonaanbidster?' Jenny lachte. 'Ik ben bang dat ik daar toch niet goed genoeg voor was.'
'Hoe bedoel je?'
Ze zuchtte, keek van hem weg, probeerde de juiste woorden te vinden, zuchtte opnieuw en lachte. Er stonden tranen in haar ogen. Ze leek nerveuzer dan hij zich herinnerde, bewoog voortdurend haar handen. 'Het is allemaal voorbij, Alan. Dat is wat ik je eigenlijk wilde vertellen.'
'Wat is allemaal voorbij?'
'Alles. De baan. Randy. Mijn leven.' Ze hield haar hoofd scheef. 'Ik heb nooit echt geluk gehad met mannen, hè? Ik had jaren geleden naar jou moeten luisteren.'
Daar was weinig tegen in te brengen. Banks dacht terug aan een of twee van Jenny's rampzalig verlopen relaties, waarna hij de resten bij elkaar had mogen vegen.
Jenny schoof haar bord opzij, de scampi en friet bijna onaangeroerd, en nam een flinke slok campari met soda. Haar glas was bijna leeg; Banks' glas was nog voor meer dan de helft vol. Hij wilde niet meer. 'Nog eentje?' vroeg hij.
'Word ik nu ook nog alcoholiste, denk je? Nee, geef maar geen antwoord. Ik haal zelf wel iets.' Voordat hij haar kon tegenhouden, was ze al opgestaan en ze liep naar het damestoilet.
Banks at zijn schol met friet op en bestudeerde het achterplat van *De schaduw des doods*, die naast hem op tafel lag. 'Een meesterwerk.' 'Uitstekend boek.' 'Verplichte kost.' De recensenten waren blijkbaar dol op Vivian Elmsley. Of waren de korte citaten misschien op sluwe wijze uit minder vleiende zinnen gesneden? 'Waar Dostojevski een meesterwerk heeft voortgebracht, kan men van Vivian Elmsley slechts zeggen dat ze een miskleun van het ergste soort heeft neergepend.' Of: 'Had dit boek ook maar iets wat duidde op literair talent of een creatieve fantasie, dan zou ik zonder aarzelen hebben verklaard dat het hier "verplichte kost" en een "uitstekend boek" betreft, maar aangezien het geen van deze eigenschappen bezit, moet ik helaas schrijven dat het een prul is.'
Toen Jenny terugkwam, had ze het beetje schade dat haar tranen aan haar make-up hadden toegebracht hersteld. Ook had ze een nieuw glas campari met soda meegenomen.
'Weet je,' zei ze, 'ik heb onderweg in het vliegtuig de hele tijd zitten fantaseren hoe ik hier met jou zou zitten en alles met je besprak. Ik probeerde me voor te stellen hoe het zou zijn, jij en ik met zijn tweetjes in de Queen's Arms, net als vroeger. Ik weet niet waarom ik dat zo moeilijk vond. Ik denk dat ik nog steeds last heb van een jetlag.'
'Rustig aan,' zei Banks. 'Vertel me gewoon in je eigen tempo wat je kwijt wilt.'

Ze glimlachte en klopte op zijn arm. 'Bedankt. Je bent lief.' Ze griste een sigaret uit zijn pakje en stak hem op.

'Je rookt niet,' zei Banks.

'Nu wel.' Jenny blies een lange rookpluim uit. 'Ik heb het helemaal gehad met die nicotinenazi's daarginds. En dan te bedenken dat Californië in de jaren zestig een kweekvijver was voor protestacties en vernieuwingen. Tegenwoordig is het verdomme net een kleuterschooltje dat door fascisten wordt gerund.' Hij had Jenny nooit eerder horen vloeken. Nog iets wat nieuw was. Roken, drinken, vloeken. Hij merkte op dat ze niet inhaleerde en ze drukte de sigaret al uit toen die pas half was opgerookt. 'Je zult inmiddels wel begrepen hebben,' ging ze verder, 'dat Randy, de belangrijkste man in mijn leven, mijn geliefde, mijn betere helft en de enige reden waarom ik er zo lang ben gebleven, geen deel meer uitmaakt van mijn leven. Die kleine rotzak.'

'Wat is er gebeurd?'

'Postdoctorale studentes. Of, om het iets grover te verwoorden, blonde delletjes van begin twintig die hun hersens tussen hun benen hebben zitten.'

'Het spijt me voor je, Jenny.'

Ze wuifde zijn woorden weg. 'Ik had het moeten zien aankomen. Ieder ander zou het hebben aangevoeld. Hoe dan ook, zodra ik doorkreeg wat hij allemaal uitspookte, was er niets meer wat me daar hield. Toen ik hem met het bewijsmateriaal confronteerde, zorgde mijn lieve Randy er als de bliksem voor dat ik niet nog een jaar als gastdocent aan de bak mocht.'

'Wat ga je nu doen?'

'Godzijdank zijn ze niet allemaal zo. Ik krijg mijn oude baan als docent in York terug. Begin volgende maand. En als dat geen succes is, hang ik mijn bordje op de muur naast dat van het politiebureau en begin ik een privé-praktijk. Ik ben echt een expert op het gebied van abnormaal gedrag en criminele psychologie, dus mocht er toevallig iemand van het type seriemoordenaar ergens in de buurt rondhangen... Ik heb zelfs lessen gevolgd bij FBI-profilers.'

'Ik heb gehoord dat dat één grote onzin is,' zei Banks. 'Desalniettemin ben ik zeer onder de indruk. Het spijt me echt dat we momenteel niets voor je hebben.'

'Laat maar, ik weet het al: bel ons niet, wij bellen u... *The story of my life.*'

'Ik geloof niet dat je moeite zult hebben om werk te vinden, Jenny, maar als ik ooit iets voor je kan doen...'

'Bedankt. Je bent een maatje.' Ze tikte op zijn hand.

'Ik zou graag je advies ergens over willen vragen.'

'Vraag maar raak. Ik ben uitgejankt en -gezeurd. En ik heb je niet eens gevraagd hoe het met jou gaat. Ik heb je niet meer gezien nadat Sandra is weggegaan. Hoe gaat het nu met je?'

'Uitstekend, dank je.'

'Heb je een vriendin?'

Banks zweeg even. 'Min of meer.'

'Is het serieus?'

'Wat is dat nu weer voor vraag?'

'Ja dus. En Sandra?'

'Bedoel je of Sandra een vriend heeft? Ja.'

'O.'

'Het geeft niet. Ik red me prima, Jenny.'

'Als jij het zegt. Wat wilde je me vragen?'

'Het gaat over Matthew Shackleton. De broer van Gwen en mogelijk dus van Vivian Elmsley. Blijkbaar is hij gevangengenomen door de Japanners en heeft hij een paar jaar als krijgsgevangene in een van hun kampen gezeten. Uit de verhalen blijkt dat hij er beroerd aan toe was toen hij weer thuiskwam. Hij heeft uiteindelijk vijf jaar na de oorlog zelfmoord gepleegd. Het probleem is dat het enige wat ik in de psychiatrische diagnoses kan vinden met zulke vage termen als "shellshock" is omschreven.'

'Ik dacht dat dat na de Eerste Wereldoorlog niet meer in zwang was?'

'Blijkbaar niet, ze hebben de naam gewoon veranderd in "oorlogsneurose" of "oorlogspsychose". Ik vroeg me af met welke diagnose men tegenwoordig op de proppen zou komen.'

'Dat is een heel goede vraag, Alan.' Jenny wees met haar duim op zichzelf. 'En nu wil je dat ik, een psychologe, een psychiatrische diagnose voor je stel van de mentale problemen van een overleden man? Dat is echt geweldig. Dat spant werkelijk de kroon.'

Banks grinnikte. 'Ach, doe toch niet zo pietluttig, Jenny.'

'Als het maar onder ons blijft.'

'Op mijn erewoord.'

Jenny speelde met haar bierviltje en scheurde kleine stukjes van het vochtige karton af. 'Goed dan,' zei ze. 'Het is een beetje een gok, dat begrijp je, maar als die man echt onder zulke barre omstandigheden krijgsgevangene is geweest, dan leed hij waarschijnlijk aan een posttraumatisch-stresssyndroom.'

Banks haalde zijn opschrijfboekje uit zijn binnenzak en schreef een paar woorden op.

'Heb niet het lef me te citeren,' zei Jenny waarschuwend. 'Zoals ik al zei: dit blijft onder ons.'

'Maak je maar geen zorgen, je wordt echt niet opgeroepen om in een rechtszaak te getuigen. Ik ben me er terdege van bewust dat dit puur speculatie is. Bovendien is het allemaal heel lang geleden gebeurd. Dat syndroom zou dan zijn veroorzaakt door wat hij tijdens de oorlog en in dat kamp had meegemaakt?'

'Ja. PTSS wordt in feite veroorzaakt door een gebeurtenis of reeks gebeurtenissen die ver buiten het normale bereik van de menselijke belevingswereld valt. Misschien zouden we de precieze huidige betekenis hiervan eens moeten herdefiniëren, gezien de staat waarin de zogenaamde gewone wereld zich momenteel bevindt, maar over het algemeen verwijst dit naar zeer extreme ervaringen. Dingen die veel ingrijpender zijn dan een ontbonden huwelijk, een verbroken relatie, een doorsneesterfgeval, een chronische ziekte of een faillissement – zaken die de meesten van ons op een dagelijkse basis meemaken.'

'Zo erg dus?'

Jenny knikte. 'Dingen als een verkrachting, een aanranding, een ontvoering, een militair gevecht, een overstroming, een aardbeving, een brand, een autoongeluk, een bombardement, een marteling of een dodenkamp. De lijst van goddelijke en menselijke gruwelijkheden is nog veel langer, maar ik denk dat je wel begrijpt wat ik bedoel.'

'Ik begrijp het, ja. En de symptomen?'

'Veelvuldig en zeer gevarieerd. Terugkerende nachtmerries over zo'n gebeurtenis zijn heel gebruikelijk. Evenals het gevoel dat de gebeurtenis zich herhaalt, bijvoorbeeld door flashbacks en hallucinaties. Alles wat iemand aan de gebeurtenis herinnert, is pijnlijk, ook bijvoorbeeld de jaarlijks terugkerende datum. Verder zaken die er deel van uitmaakten. Als iemand bijvoorbeeld gedurende een lange tijd in een kleine kooi opgesloten heeft gezeten, dan zal de kans groot zijn dat hij last krijgt van een verstikkende claustrofobie in een situatie met vergelijkbare omstandigheden. Bijvoorbeeld in een lift.'

'En amnesie?'

'Ja, soms kan er ook psychologisch geheugenverlies optreden. Neem maar van mij aan dat de meeste mensen die hieraan lijden de voorkeur geven aan geheugenverlies boven de aanhoudende nachtmerries. Het probleem is echter dat dit vergezeld gaat van een sterk gevoel van afstandelijkheid, vervreemding en verwijdering. Je kunt dus niet eens genieten van de ontbrekende herinneringen aan de gruwelijkheden. Mensen die aan een PTSS lijden, vinden het vaak moeilijk om liefde te voelen of te accepteren; ze raken vervreemd van de maatschappij, van hun familie en geliefden, en kunnen zich vrijwel geen voorstelling maken van de toekomst. Daar komen dan nog eens slapeloosheid, concentratieproblemen, overdreven waakzaamheid en aan depressie of paniek gerelateerde aandoeningen bij.'

'Dat heb ik ook.'

'Veel erger. Zelfmoord is ook niet ongebruikelijk. Ik neem aan dat hij een van de verdachten is?'

'Ja. Dan wilde ik je nog iets vragen. Zou hij misschien ook gewelddadiger kunnen zijn geworden?'

'Dat is moeilijk te zeggen. Met de juiste stimuli kan iedereen gewelddadig worden. Hij zou waarschijnlijk wel eerder geïrriteerd raken en last hebben van woedeaanvallen, maar ik weet niet zeker of hij daardoor ook per se in staat zou zijn om iemand te vermoorden.'

'Ik dacht dat hij zijn vrouw misschien heeft vermoord omdat hij erachter was gekomen dat ze een verhouding had.'

'Het is natuurlijk mogelijk dat dat een obsessie voor hem is geworden,' zei Jenny.

'Jij gelooft het niet?'

'Dat heb ik niet gezegd. Laten we het er maar op houden dat ik mijn bedenkingen heb. Vergeet niet onder welke beperkingen ik voor je moet werken.'

'Dat vergeet ik heus niet. Wat zijn die bedenkingen van je?'

'Bij PTSS zijn woedeaanvallen vaak vrij irrationeel. Door ze in verband te brengen met het gedrag van zijn vrouw wordt het allemaal veel te logisch. Begrijp je wat ik bedoel? Oorzaak en gevolg.'

'Ja.'

'En als hij inderdaad afstandelijk is geworden en niet in staat zou zijn om lief te hebben, waar komt dan die haat vandaan? Of de jaloezie?'

'Maar kan hij het nu wel of niet gedaan hebben?'

'Nee, nee, ik laat me niet in de val lokken. Natuurlijk zou hij een moord kunnen hebben gepleegd. Dat doen mensen voortdurend, vaak zonder verklaarbare reden. Ja, hij zou kunnen hebben gehoord dat zijn vrouw het met een of andere kerel hield, met als gevolg dat hij haar begrijpelijkerwijs was gaan haten en van haar af wilde. Maar hij kan het evengoed hebben gedaan in een aanval van irrationele woede, zonder aanwijsbare reden.'

'Degene die dit heeft gedaan, heeft de vrouw waarschijnlijk eerst gewurgd, tot ze bewusteloos was in elk geval, en haar vervolgens vijftien of zestien keer gestoken.'

'Een enorme woede. Ik weet het niet, Alan. Uit wat je me over deze man hebt verteld en uit wat ik over PTSS weet, zou ik concluderen dat het grootste deel van zijn verdriet en woede zich naar binnen moet hebben gekeerd, en niet tegen de buitenwereld gericht was. Ik zeg niet dat het helemaal onmogelijk is, maar ik zou zelf waarschijnlijk geneigd zijn om te zeggen dat het hoogst onwaarschijnlijk is dat hij om die reden op dergelijke wijze iemand had vermoord. Het is alleen moeilijk om iets te beweren over iemand die je nooit hebt ontmoet, zelfs nooit hebt kunnen spreken. Bovendien is het vaak maar al te gemakkelijk om een geestelijk gestoord iemand als de mogelijke moordenaar aan te wijzen. De meeste geestelijk gestoorde mensen zouden geen vlieg kwaad doen. Ik wil niet beweren dat dat voor hen allemaal geldt – er lopen daar buiten beslist een paar heel zieke mannetjes rond die erin slagen om dat goed verborgen te houden voor de buitenwereld – maar de meeste voor de hand liggende types zijn onschadelijk. Treurig en meelijwekkend wellicht, en soms zelfs een tikje angstaanjagend, maar zelden echt gevaarlijk.'

'Dank je wel. Je hebt me heel wat stof tot nadenken gegeven.'

'Ach, ik ben blij dat ik nog iemand van nut kan zijn.'

Ze bleven allebei zwijgend zitten en koesterden het laatste restje van hun drankje. Banks dacht aan Matthew Shackletons lijden en wat Jenny had gezegd over zijn mogelijke vervreemding, zijn verwijdering van de wereld met zijn normale menselijke aangelegenheden. Misschien had dat hem in een moordenaar doen veranderen, misschien ook niet. Als je niemand kon liefhebben, waarom zou je dan wel kunnen haten? Toen Banks net had gehoord over Sandra en Sean, had hij hen beiden gehaat, omdat hij nog altijd van Sandra hield. Als hij die gevoelens voor haar niet had gehad, had het hem lang niet zoveel kunnen schelen. Nu verdwenen die gevoelens naar de achtergrond. Hij wist niet zeker meer of hij nog van Sandra hield. Hij probeerde in elk geval een leven zonder haar op de rails te zetten, zijn ware ik te herontdekken en terug te vinden. Als ze morgen bij hem zou komen en hem zou vragen of hij haar wilde terugnemen, wist hij echt niet wat hij zou doen.

'Ik ben helemaal ingestort,' zei Jenny plotseling, en ze schudde hem ruw wakker uit zijn eigen gedachten.

'Hè?'

Ze speelde met haar haren. Verschillende uitdrukkingen streden om voorrang op haar gezicht. Een scheef glimlachje won het uiteindelijk. 'Ik heb een zenuwinzinking gehad. Na dat gedoe met Randy. Ik was plotseling helemaal alleen, volkomen afgesneden van alles en iedereen met wie ik was opgegroeid, alleen in een vreemd land. Dat is een van de meest angstaanjagende gevoelens die ik ooit heb gehad. Oké, ze spreken daar min of meer dezelfde taal, maar dat maakt het allemaal alleen maar erger, omdat het een parodie lijkt van alles wat je kent. Ik leg het geloof ik niet echt goed uit... Ik had het gevoel dat ik van een andere planeet kwam, een vijandige, en dat ik niet naar huis kon. Ik ben helemaal ingestort.' Ze lachte. 'Daar zijn trouwens talloze nummers over geschreven, wist je dat?'

'Ik heb ze wel eens gehoord,' zei Banks, die countrymuziek net zo hard probeerde te vermijden als een druiper.

'Nu, ik heb het meegemaakt. Ik heb zelfs bij een zielenknijper gelopen.'

'Heeft het geholpen?'

'Een beetje. Een van de dingen die ik daardoor ging beseffen was dat ik naar huis wilde. Dat had trouwens niets met de ziekte zelf te maken. Dat verlangen was heel reëel en volkomen logisch. Het ging niet alleen om Randy of om het feit dat mijn contract niet werd verlengd, want als ik dat had gewild had ik zo ergens anders een baan in het onderwijs kunnen vinden. Maar ik miste dit alles gewoon te veel. Misschien moeilijk te geloven, maar waar. Ik miste zelfs deze te lang doorgebakken scampi met friet. En ik miste onze winters, geloof het of niet. Het wordt je allemaal te veel, al die zon, dag in dag uit, met maar af en toe ter afwisseling een overstroming, brand of aardbeving. Je krijgt al heel snel het gevoel dat je in een soort opgeschorte animatie leeft, alsof alles in de wachtstand staat. Of misschien leef je wel niet echt, bevind je je in een soort voorgeborchte. Je maakt jezelf wijs dat het hier op een mooie dag heus ook gaat sneeuwen, maar dat gebeurt nooit. Toen ik eenmaal doorhad wat ik eigenlijk echt wilde, heb ik mezelf de beste therapie gegeven die ik kon bedenken. Ik heb mijn kalmerende middelen door de wc gespoeld en de eerste de beste vlucht terug naar huis genomen. Nu ja, vrijwel de eerste de beste vlucht. Ik moest nog een paar dingen doen, waaronder, moet ik tot mijn grote schaamte bekennen, een enorm kinderachtig wraakactietje aan het adres van die arme, lieve Randy.'

'Wat heb je gedaan?'

Jenny zweeg even, liet haar tong toen over haar lippen glijden en keek hem met een spottende grijns aan. 'Ik heb zo'n bandrecordertje in zijn kantoor gelegd dat wordt geactiveerd door het stemgeluid en een van zijn afspraakjes opgenomen. Toen heb ik dat apparaat weer weggehaald en het bandje naar de faculteitsvoorzitter gestuurd.'

'In zijn kantóór?'

'Jawel. Op zijn bureau. Doe toch niet zo preuts, Alan. Dat gebeurt daar aan de lopende band. Waar zijn kantoren anders voor? O, je had hen moeten horen: "Doe het dan, grote jongen. Neuk me dan. Toe dan. O, ja. Stop die grote harde pik dan in me. Dieper. Harder."'

Haar stem was enkele octaven gestegen en een paar toeristen die met hun hele gezin aan een tafeltje zaten keken haar ongemakkelijk aan. 'Oeps, sorry,' zei ze, en ze sloeg haar hand voor haar mond. 'Ga gauw je mond spoelen, Jenny Fuller. Maar goed, het was overduidelijk van wie die stemmen waren.'

'Wat is er toen gebeurd?'

'Geen idee. Ik ben vertrokken voordat de pleuris uitbrak. Dus als ik word vermoord, weet je waar je moet beginnen. Ik vermoed dat hij is geschorst. Misschien wel ontslagen. Het was natuurlijk niet genoeg bewijs om er een rechtszaak mee te beginnen, maar ze kunnen daar erg lastig doen over dergelijke zaken. Je studentes neuken is bijna net zo erg als met een sigaret worden betrapt in een restaurant.' Ze dronk de rest van haar drankje in één teug op en keek op haar horloge. 'Het spijt me ontzettend, maar ik moet ervandoor. De universiteit is tot nu toe heel schappelijk geweest, maar dat houdt een keer op, en ik moet mijn colleges eens voorbereiden. Het was erg fijn om je weer te zien.'

Ze pakte haar tas, maar bleef nog even staan en liet hem op haar heup rusten. Toen keek ze Banks recht aan en ze stak haar hand uit om de zijne zachtjes aan te raken en zei: 'Bel me maar een keertje. Dan kunnen we eens... samen eten of zoiets, als je daar tenminste zin in hebt.'

Banks slikte moeizaam. 'Doe ik. Dat zou leuk zijn. En je moet echt een keer naar mijn cottage komen kijken.'

'Graag.' Ze tikte op zijn hand, blies hem een kus toe en verdween toen in een wervelwind van rood, jadegroen en zwart, een licht vleugje Miss Dior achterlatend in de rokerige lucht. Banks keek naar zijn hand. De plek waar ze hem had aangeraakt, tintelde nog na. Nu hij eindelijk voldoende moed had verzameld en een relatie wilde beginnen met Annie, vormde Jenny een complicatie waar hij geen behoefte aan had. Ze was echter een vriendin van hem; hij kon haar niet laten stikken. Bovendien had Annie geen enkele reden om er bezwaar tegen te hebben als hij eens een keer met haar ging eten. Toch voelde hij zich verwarder dan een halfuur geleden, en hij pakte zijn boeken en verliet de pub.

13

Het duurde even, maar toen ik eenmaal naar de boerderij was gerend en Gloria had opgehaald, vielen eindelijk alle puzzelstukjes op hun plek en ik begreep wat er was gebeurd. Matthew zelf wilde geen woord zeggen. Hij keek naar ons alsof hij zich herinnerde dat hij ons ooit had gekend, alsof een soort oerinstinct hem automatisch naar huis had gevoerd, maar onze opwinding deed hem helemaal niets.

Gloria en moeder zorgden dat het hem aan niets ontbrak en ik liep naar de telefoon om een lange lijst telefoontjes af te handelen. Het ministerie was even behulpzaam als anders; het Rode Kruis was gelukkig iets toeschietelijker, maar omdat het overduidelijk was dat Matthew ziek was en zichzelf waarschijnlijk uit een ziekenhuis had ontslagen, belde ik ook de grote ziekenhuizen in Londen af, en in een daarvan vond ik uiteindelijk een dokter die me de meeste informatie verschafte.

Aanvankelijk wist hij niet over wie ik het had, want ze hadden de naam van de man die de vorige dag het ziekenhuis had verlaten nooit gekend. Toen ik Matthew beschreef, wist hij echter zeker dat we het over dezelfde persoon hadden. Matthew was samen met een aantal andere Britse en Indiase soldaten aangetroffen in een Japans krijgsgevangenenkamp vlak bij Luzon op de Filippijnen. Alle identificatie ontbrak en het enige wat ze door het voddige uniform dat hij aanhad konden achterhalen, was dat hij Brits was. Hij had geen woord gewisseld met de andere gevangenen en geen van hen was tegelijkertijd met hem op dezelfde plek gevangengenomen. Het gevolg was dat niemand wist waar hij vandaan kwam of wie hij was.

Toen ik de dokter vroeg waarom Matthew niets wilde zeggen en tevens weigerde om iets op te schrijven toen we hem pen en papier gaven, zweeg hij eerst even, waarna hij antwoordde: 'Hij lijdt waarschijnlijk aan een of andere vorm van oorlogspsychose. Daarom weigert hij te communiceren. Mogelijk zijn er ook andere problemen, maar ik ben bang dat ik niet verder in detail kan treden.'

'Is dat de reden waarom hij weigert te praten?'

Hij zweeg weer, dit keer langer, en vervolgde toen langzaam: 'Het spijt me dat ik u dit moet vertellen, maar toen we hem fysiek uitgebreid onderzochten, hebben we onder andere ontdekt dat zijn tong is uitgesneden.'

Ik wist niet wat ik moest zeggen. Ik stond daar maar, mijn hoofd tolde en ik klemde me vast aan de telefoon alsof dat het enige was wat me op aarde kon houden.

'Juffrouw Shackleton? Juffrouw Shackleton? Bent u daar nog?'

'Ja... Het spijt me... Gaat u alstublieft verder.'

'Het spijt mij ook. Het moet erg abrupt en ongevoelig hebben geklonken. Ik wist niet hoe ik het u anders moest vertellen. Als u eens wist... Sommige van de jongens die we hier binnenkrijgen... Maar goed, nogmaals mijn verontschuldigingen.'

'Het geeft niet, dokter. Dus Matthew is fysiek niet in staat om te praten?'

'Inderdaad.'

'Maar hij zou wel kunnen schrijven als hij dat wilde?'

'Er is geen enkele reden waarom dat niet zou kunnen. De vingers van zijn linkerhand zijn licht beschadigd, alsof ze gebroken zijn geweest en slecht gespalkt, maar zijn rechterhand is in orde, en voorzover ik heb kunnen nagaan is hij rechtshandig. Klopt dat?'

'Ja, Matthew is rechtshandig.'

'Dan kan ik alleen maar aannemen dat hij eenvoudigweg niet wil communiceren.'

'Wat moeten we nu doen?'

'Hoe bedoelt u dat?'

'Tja, hij is toch weggelopen? Moeten we hem terugsturen?'

'Dat lijkt me niet echt nodig,' zei de dokter. 'En om eerlijk te zeggen, kunnen we alle bedden die we hebben goed gebruiken. Nee, in fysiek opzicht kunnen we niets meer voor hem doen. De ruggengraat is enigszins misvormd, waarschijnlijk doordat hij lange tijd in een kleine ruimte opgesloten heeft gezeten, zoals een kist of kooi. Hij loopt duidelijk mank met zijn linkerbeen, wat is veroorzaakt door een slecht gespalkte breuk. Hij is ook in zijn arm en maag geschoten. De wonden zijn inmiddels genezen, maar aan de littekens te zien was de medische behandeling beneden de maat.'

Ik slikte moeizaam en probeerde niet te denken aan alles wat Matthew had moeten doormaken. 'En geestelijk?'

'Zoals ik u al zei, weten we niet echt wat er aan de hand is. Hij weigert te communiceren. Het is echter een goed teken dat hij naar huis is gegaan. Hij kende de weg en heeft de reis weten af te leggen met het kleine beetje geld dat hij heeft meegenomen.'

'Meegenomen?'

'Ja, inderdaad. Maakt u zich daar alstublieft geen zorgen over. We hadden hem geen kleding of geld gegeven. Voordat hij vertrok, heeft hij het pak van een andere patiënt aangetrokken.'

'Krijgt hij daar nog...?'

'Maakt u zich maar geen zorgen. De andere patiënt is zeer begrijpend. Hij weet ongeveer wat uw broer heeft meegemaakt. Maakt u zich daar alstublieft verder maar geen zorgen over.'

'En het geld?'

'Het was niet veel. Net genoeg voor een treinkaartje en misschien een hapje eten.'

'Hij ziet eruit alsof hij in geen maanden heeft gegeten. Bestaat er een behandeling voor wat hij heeft? Wordt hij weer helemaal beter?'

'Dat kan ik u onmogelijk zeggen. Er bestaan wel behandelingen.'

'Welke zijn dat?'

'Narcoanalyse is de meest voorkomende.'

'Wat houdt dat in?'

'Een met medicatie opgewekte re-enscenering van de traumatische episode of episodes. Het wordt gebruikt om het ego te laten accepteren wat er is gebeurd.'

'Maar als u niet weet wat die traumatische episode inhield...?'

'Er zijn manieren om daarachter te komen. Ik wil u echter geen valse hoop geven. Het probleem is natuurlijk dat Matthew zichzelf niet vocaal kan uitdrukken, en dat zou een ernstige beperking opleveren, die de waarde van de narcoanalyse vermindert.'

'Wat stelt u dan voor?'

'Als u me nu vertelt waar u woont, zal ik mijn uiterste best doen om u in contact te brengen met een dokter die ervaring heeft met dit soort zaken.'

Ik vertelde hem waar ik woonde en waar dat lag.

'Dat betekent waarschijnlijk dat u naar Leeds zult moeten,' zei hij.

'Dat zal geen enkel probleem zijn.'

'Ik beloof u dat ik voor u aan de slag ga. Zorg intussen maar goed voor hem. Ik denk dat ik u niet hoef te vertellen dat hij vreselijk heeft geleden.'

'Nee. Dank u wel, dokter.' Ik legde de hoorn neer en ging terug naar boven. Matthew zat naar het raam staren zonder dat hij blijkbaar ook maar iets zag, en moeder en Gloria leken de wanhoop nabij.

'Ik heb geprobeerd met hem te praten, Gwen,' zei Gloria met een trillende stem. 'Ik geloof dat hij niet weet wie ik ben. Ik geloof dat hij zelfs niet eens weet waar hij is.'

Ik durfde haar niet alles te vertellen wat de dokter had gezegd en legde alleen het hoognodige uit. 'Hij is toch hiernaartoe gekomen?' zei ik troostend. 'Hij is helemaal alleen hiernaartoe gekomen. Het is de enige plek waar hij naartoe kon. Thuis. Maak je maar geen zorgen; nu hij terug is bij de mensen die van hem houden, zal hij het wel redden.'

Gloria knikte, maar ze leek niet overtuigd. Ik kon het haar niet kwalijk nemen; ik was er zelf evenmin van overtuigd.

Het was lang geleden dat Banks voor het laatst over de met diepe voren ontsierde toegangsweg was gereden naar het lage vierkante stenen huis van hoofdinspecteur Gristhorpe op de heuvelflank ten noorden van Lyndgarth. Zoals hij al had verwacht, trof hij Gristhorpe achter zijn huis aan, waar hij aan de stapelmuur werkte. Het bouwen van de muur was een hobby die de hoofdinspecteur jaren geleden had opgepikt. Het was een ideale nutteloze bezigheid; zijn muur liep nergens naartoe en omheinde evenmin iets. Hij zei dat hij het ontspannend vond, het als een vorm van meditatie beschouwde. Je kon alle gedachten uit je hoofd bannen en harmonieus opgaan in de wereld der natuur. Dat beweerde hij tenminste. Misschien hadden de hoofdinspecteur en Annie veel met elkaar gemeen.

Gristhorpe was gekleed in een slobberige broek van bruin corduroy die door rafelige rode bretels werd opgehouden en een geruit hemd dat heel misschien ooit een witte ondergrond had gehad. Hij hield een driehoekig gevormd stuk kalksteen in zijn hand en tuurde naar de muur. Toen Banks vlak bij hem was, draaide hij zich om. Zijn pokdalige gezicht was door alle zon en lichamelijk inspanning nog roder dan anders. Bovendien zweette hij, en zijn weerbarstige bos piekhaar lag tegen zijn schedel geplakt. Kwam het door een speling van het licht of zag Gristhorpe er plotseling oud uit, vroeg Banks zich af.

'Alan,' zei hij. Het was geen begroeting en evenmin een vraag. Eerder een vaststelling van een feit. Het was moeilijk om iets op te maken uit zijn vlakke stem.

'Hoofdinspecteur.'

Gristhorpe wees naar de muur. 'Ze zeggen dat een goede stapelmuurbouwer nooit een steen weglegt wanneer hij die eenmaal heeft opgepakt,' zei hij, en hij staarde naar de steen in zijn hand. 'Ik wilde maar dat ik kon zien waar ik deze moest laten.' Hij zweeg even, wierp de steen toen terug op de stapel, sloeg met zijn handen het stof van zijn broek en kwam naar Banks toe. 'Wil je een glas van het een of ander?'

'Iets kouds graag.'

'Dan wordt het cola. Ik heb nog wat in de koelkast staan. We kunnen daar gaan zitten.' Gristhorpe wees naar twee klapstoelen die in de schaduw bij de achtermuur van de oude boerderij stonden.

Banks ging zitten. Hij meende in de verte een paar kleine figuurtjes te ontwaren die zich langs de steile kalkstenen helling boven aan Fremlington Hill voortbewogen.

Gristhorpe kwam met twee glazen cola naar buiten, gaf er een aan Banks en ging zitten. Geen van tweeën zei iets.

Uiteindelijk verbrak Gristhorpe de stilte. 'Ik heb gehoord dat Jimmy Riddle je op een echte zaak heeft gezet.'

266

'Min of meer. Ik weet zeker dat hij het zelf eerder als een doodlopende weg beschouwt.'

Gristhorpe trok zijn borstelige wenkbrauwen op. 'En is dat zo?'

'Volgens mij niet.' Banks vertelde Gristhorpe wat Annie Cabbot en hij tot dusver hadden ontdekt en overhandigde hem de knoop die Adam Kelly in de hand van het skelet had gevonden. 'Ik kan het echt niet met zekerheid zeggen,' vervolgde hij, 'maar deze zou in de hand van het slachtoffer kunnen hebben gezeten. Hij was in elk geval samen met haar begraven en is daar niet uit zichzelf naartoe gewandeld. Ze zou hem van het uniform van haar aanvaller kunnen hebben gerukt toen ze werd gewurgd.'

Gristhorpe bekeek de knoop aandachtig en nam een slokje cola. 'Het lijkt veel op een knoop van de luchtmacht van het Amerikaanse leger,' zei hij. 'Ik kan er natuurlijk naast zitten, want het ding is zo oud en verroest dat het moeilijk te zeggen is, maar die afbeelding lijkt op de Amerikaanse adelaar. Het is niet iets wat de echtgenoot zou hebben gedragen, als hij al een uniform had aangehad. Wat niet zo is, begrijp ik. En het is hoogst onwaarschijnlijk dat hij een uniform had als hij uit een Japans krijgsgevangenenkamp is bevrijd en is gerepatrieerd.'

'U denkt dus dat het van Amerikaanse makelij is?'

Gristhorpe woog het metaal in zijn hand. 'Ik zou het niet voor de rechter durven zweren,' zei hij. 'In vergelijking met onze jongens gingen de Amerikaanse legertroepen erg informeel gekleed. Meestal droegen ze "Ike"-jasjes met verborgen knopen aan de voorzijde, maar deze zou van de kraag afkomstig kunnen zijn. Hij werd meestal aan de rechterkant gedragen. Officieren droegen ze links of rechts, met hun afdeling eronder. Amerikaanse soldaten die niet tot een speciale eenheid behoorden, droegen aan beide kanten een adelaar.'

'Als ze werd gewurgd,' zei Banks, 'dan is het heel waarschijnlijk dat ze haar handen had uitgestoken om het gezicht van haar aanvaller te raken of zijn kraag vast te grijpen. Gloria en haar vriendinnen gingen om met een groep Amerikaanse vliegers uit Rowan Woods.'

Gristhorpe gaf hem de knoop terug. 'Dat lijkt mij een heel logische theorie.'

'Dan zit me nog iets dwars. Matthew Shackleton heeft in 1950 zelfmoord gepleegd. Met een pistool. Ik vraag me af hoe hij aan dat wapen is gekomen.'

'Iedereen kan aan een vuurwapen komen, als hij of zij maar graag genoeg wil. Zelfs tegenwoordig.'

'Hij was niet in staat om erop uit te gaan en er een aan te schaffen op de zwarte markt, als hij al had geweten waar hij moest zoeken.'

'Je gaat er dus van uit dat hij het al die tijd moet hebben gehad?'

'Ja, maar hij zou er in het gevangenenkamp toch niet een hebben gehad?'

'Hij kan het van iemand hebben gekregen tijdens de terugreis. Het is een lange reis, dus mogelijkheden te over.'

'Dat moet dan bijna wel. Het enige wat we weten is dat hij in 1943 als vermist en mogelijk overleden is opgegeven, vervolgens in maart 1945 weer is opgedoken in Hobb's End en ten slotte in 1950 in Leeds zelfmoord heeft gepleegd. Dat is een groot gat.'

'Om wat voor pistool gaat het?'

'Een Colt .45 automatic.'

'Echt?'

'Ja. Hoezo?'

'Dat is het pistool waar het Amerikaanse leger zijn mannen mee uitrustte. Dat biedt beslist interessante mogelijkheden. Een Amerikaanse knoop in de hand van de vrouw. Een Amerikaans pistool in de mond van de man.'

Banks knikte. Hij had echter geen flauw idee wat die mogelijkheden konden zijn. Er lag een periode van ongeveer vijf jaar tussen de twee gebeurtenissen en ze hadden zich op verschillende plekken afgespeeld. Hij nam nog een slok cola.

'Hoe gaat het met Sandra?' vroeg Gristhorpe.

'Goed, voorzover ik weet.'

'Ik vind het erg jammer dat het zo is gegaan, Alan.'

'Ik ook.'

Gristhorpe tuurde naar een plek in de lucht ergens boven Fremlington Edge. 'Die Annie Cabbot,' zei hij, 'wat is dat voor iemand?'

Banks voelde dat hij bloosde. 'Ze is goed,' zei hij.

'Te goed voor een godvergeten gehucht als Harksmere?'

'Ik vind van wel.'

'Wat doet ze daar dan?'

'Dat weet ik niet.' Banks wierp een zijdelingse blik op Gristhorpe. 'Misschien heeft ze iemand tegen zich in het harnas gejaagd, net als ik.'

Gristhorpe keek hem nadenkend aan. 'Alan,' zei hij, 'wat je vorig jaar hebt gedaan kan ik niet goedkeuren: je bent er zomaar vandoor gegaan zonder me iets te zeggen. Daardoor zat ik met de gebakken peren. Ik begrijp best waarom je het hebt gedaan. Ik zou misschien precies hetzelfde hebben gedaan in jouw geval. Maar ik kan het niet door de vingers zien. En hoewel hierdoor in één opzicht de kastanjes voor je uit het vuur zijn gehaald, zijn ze er aan de andere kant weer even hard in gevallen.'

'Hoe bedoelt u dat?'

'Jimmy Riddle had al een hekel aan je. Hij heeft er ook een hekel aan wanneer blijkt dat hij het bij het verkeerde eind heeft, vooral wanneer hij al tegen de pers heeft lopen opscheppen. Jouw eenmansacties hebben er weliswaar toe bijgedragen dat de zaak is opgelost, maar nu haat hij je meer dan ooit tevoren. Ik kan niets voor je doen. Je moet beseffen dat jouw positie in Eastvale op zijn zachtst gezegd heel zwak is.'

Banks stond op. 'Ik ben hier niet gekomen om u om hulp te vragen.'

'Ga zitten, Alan. Luister eerst even naar me.'

Banks ging weer zitten en tastte wild naar een sigaret. 'Normaal gesproken had ik nu waarschijnlijk allang overplaatsing aangevraagd,' zei hij, 'maar ik heb even wat anders aan mijn hoofd gehad.'

'Aye, dat weet ik. En ik weet ook dat je nooit om mijn hulp zou vragen. Zo zit je niet in elkaar. Maar ik heb misschien goed nieuws voor je, als je tenminste kunt beloven dat je het voor jezelf houdt.'

'Goed nieuws. Dat zou prettig zijn.'

'Tussen jou, mij en die stapelmuur gezegd en gezwegen: Jimmy Riddle zou wel eens niet zo lang meer onder ons kunnen zijn.'

Banks kon zijn oren nauwelijks geloven. 'Wat? Gaat Riddle met pensioen? Op zijn leeftijd?'

'Een vogeltje heeft me verteld dat de politiek hem roept. Je weet dat hij zich daar niet mee kan inlaten zolang hij bij de politie zit, dus vertel me maar eens wat de logische oplossing zou zijn.'

'De politiek?'

'Aye. Zijn plaatselijke conservatieve parlementslid is tamelijk seniel aan het worden. Niet dat dat iemand in het House zou opvallen, trouwens. In hogere kringen gaan geruchten dat Riddle al verschillende gesprekken heeft gevoerd met het selectiecomité en dat ze met hem ingenomen zijn. Zoals ik al zei, Alan: dit is voorlopig even tussen jou en mij.'

'Vanzelfsprekend.'

'Er is geen garantie dat hij ook echt gaat. Of wordt verkozen, natuurlijk. Hoewel de conservatieven hier zo zeker zijn van de zetel dat zelfs Saddam Hoessein de verkiezingen waarschijnlijk nog zou winnen als ze hem verkiesbaar zouden stellen. Zelfs als Riddle inderdaad vertrekt, zal hij ervoor zorgen dat er kwaad bloed is gezet, en hij zal zweren dat het jouw schuld is. Ik zeg dus niet dat je jezelf geen schade hebt toegebracht. Om te beginnen hangt er veel van af of we een hoofdcommissaris krijgen die het verschil herkent tussen een randdebiel en een goede agent.'

Banks voelde dat zich diep in zijn binnenste een warme gloed verspreidde. Een interessante zaak. Annie Cabbot. En nu dit. Misschien bestond er dan toch een God. Misschien was het einde van de grote droogte in zijn leven eindelijk in zicht.

'Weet u,' zei hij, 'ik zou voor de gelegenheid misschien zelfs wel op de conservatieven willen stemmen, alleen om er zeker van te zijn dat die rotzak zijn zetel wint.'

Charlie kwam op 19 maart tijdens een grote luchtaanval op Berlijn om het leven. Hun Vliegende Fort werd flink te grazen genomen door een Messerschmidt. Brad slaagde erin het brandende vliegtuig terug te vliegen over het Kanaal en het neer te zetten op een vliegveld in Sussex, en kwam er toen pas achter dat Charlie en twee andere leden van zijn team waren overleden. Brad kwam er zelf met slechts een paar schrammen en kneuzingen vanaf, en nadat hij een paar dagen in het ziekenhuis had gelegen ter observatie, kwam hij terug naar Rowan Woods.

Dit nieuws, dat zo kort op Matthews terugkeer volgde, was bijna onverdraaglijk voor me. Die arme, zachtaardige Charlie, met zijn poëzie en zijn hondenogen. Voorgoed weg.

Toen Brad uit Sussex was teruggekeerd, kwam hij met een fles bourbon naar de winkel om me het nieuws zelf te vertellen. Hoewel hij Charlie pas een paar jaar kende, waren ze in die tijd goede vrienden geworden. Hij probeerde de bijzondere band die tussen piloot en navigator ontstaat aan me uit te leggen. Ik merkte dat hij er helemaal kapot van was. Hij maakte zichzelf verwijten en voelde zich schuldig omdat hij het had overleefd.

Gloria had het erg druk met de verzorging van Matthew en had tegen Brad gezegd dat ze hem niet meer wilde zien, omdat ze er alleen maar door van streek zou raken en ze er geen van beiden iets aan zouden hebben. Brad was kwaad en geschokt door haar afwijzing, maar hij kon er niets aan doen en hij kwam bij mij zijn hart uitstorten.

Nadat moeder naar bed was gegaan, bleven we in de kleine kamer boven de winkel zitten, waar we bourbon dronken en Lucky's rookten. De Home Service stond aan op de radio en Vivien Leigh las poëzie voor van Christina Rossetti en Elizabeth Barrett Browning. We zeiden geen van beiden veel; er viel in feite ook niets te zeggen. Charlie was weg en daar was niets meer aan te doen. De lange stiltes die vielen, werden gevuld met poëzie.

Niet veel verderop in de High Street besteedde Gloria, die, zo wist ik nog van onze eerste ontmoeting, Vivien Leigh adoreerde, al haar tijd aan de zorg voor een man die niet kon praten, niet wilde communiceren en waarschijnlijk niet eens wist wie ze was. Ze voerde hem met een lepel, deed hem voorzover ik wist misschien zelfs wel in bad, zonder dat het einde in zicht zou zijn. Dat was waar onze levens door de oorlog noodgedwongen toe beperkt waren: een brok ellende en uitzichtloosheid.

De fles lag leeg op tafel; mijn hoofd tolde; de kamer stonk naar sigarettenrook. '"Hoezeer ik van u houd, vraagt u? Ik zal de redenen voor u tellen,"' las Vivien Leigh. Charlie had een grondige hekel gehad aan dergelijke overdreven sentimentele poëzie. Ik leunde met mijn hoofd tegen Brads schouder en huilde.

Op donderdagavond ging Banks vroeg naar huis. Om een lijst vragen voor te bereiden voor Vivian Elmsley hoefde hij niet in zijn kantoor te zijn; en hij zat veel lekkerder aan de grenen tafel in zijn keuken, met een mok sterke thee naast zich, Arvo Pärts *Stabat Mater* op de stereo en in het licht van de vroege avond dat goudgeel als herfstbladeren door het raam achter hem naar binnen stroomde.

Toen hij een lijst had gemaakt van de belangrijkste punten waarover hij haar iets wilde vragen, liep hij naar de woonkamer en probeerde hij Brians nummer nog maar eens te bellen.

Toen het toestel vijf keer was overgegaan, werd er opgenomen.

'Ja?'

'Brian?'

'Andy. Wie bent u?'

'Zijn vader.'

Stilte. 'Een ogenblikje.'

Banks hoorde gedempte stemmen en even later kwam Brian aan de telefoon.

'Pap?'

'Waar heb je gezeten? Ik probeer je al een hele week te bereiken.'

'Gespeeld in toeristische plaatsjes in Zuid-Wales. We hebben een paar optredens gehad met de Dancing Pigs. Hoor eens, pap, ik heb je al verteld dat onze optredens niet meer te tellen zijn. We hebben het razend druk. Je was niet geïnteresseerd.'

Banks zweeg even. Hij wilde het dit keer niet verpesten, maar hij vertikte het toch om voor zijn zoon door het stof te gaan. 'Daar gaat het niet om,' zei hij. 'Ik vind dat een vader het recht heeft om zijn bezorgdheid uit te drukken wanneer zijn zoon plotseling zijn toekomstplannen wijzigt.'

'Je weet dat ik de band serieus neem. Je hebt altijd geweten dat ik gek was op muziek. Jij was degene die voor mijn zestiende verjaardag een gitaar voor me kocht, pap. Weet je dat dan niet meer?'

'Natuurlijk weet ik dat nog. Ik zeg alleen dat je me een beetje tijd moet gunnen om aan het idee te wennen. Het is nogal een schok. We dachten allemaal dat je met een mooi diploma zou afstuderen en ergens bij een groot bedrijf aan de slag zou gaan. Muziek is een geweldige hobby, maar een riskant beroep.'

'Dat zeg je steeds. Het gaat goed met ons. En jij hebt anders ook niet altijd gedaan wat je ouders wilden.'

Onder de gordel, dacht Banks. 'Bijna nooit' zou dichter bij de waarheid zijn, maar hij was er nog niet aan toe om dat al toe te geven.

'Niet altijd,' zei hij. 'Ik wil ook helemaal niet beweren dat je nog te jong bent om zelf je beslissingen te nemen. Ik wil alleen dat je er goed over nadenkt.'

'Ik heb er al goed over nagedacht. Dit is wat ik wil.'

'Heb je het ook al met je moeder besproken?'

Banks zou hebben durven zweren dat hij in de stilte die hierop volgde Brians schuldgevoel bijna kon horen.

'Ze is er nooit wanneer ik bel,' zei Brian ten slotte.

Flauwekul, dat wist Banks zeker. 'Blijf het proberen.'

'Ik denk nog steeds dat het beter is als ze het van jou te horen krijgt.'

'Brian, het is jouw beslissing, dus je moet er ook zelf de verantwoordelijkheid voor dragen. En neem maar van mij aan dat ze het maar beter niet van mij te horen kan krijgen.'

'Ja, ja. Oké. Goed dan. Ik zal haar wel bellen.'

'Doe dat. Trouwens, de belangrijkste reden waarom ik je bel, is dat ik morgen bij je in de buurt ben, en ik vroeg me af of we elkaar ergens kunnen ontmoeten om even bij te praten. Even samen iets drinken.'

'Ik weet het niet, pap. We hebben het op dit moment nogal druk.'

'Je hebt het toch niet de hele dag druk?'

'We hebben repetities en zo...'

'Een halfuurtje?'

Er viel weer een stilte. Banks hoorde dat Brian iets tegen Andy zei, maar verstond niet wat. Toen kwam Brian weer aan de telefoon. 'Hoor eens,' zei hij, 'we spelen morgen en zaterdag in een pub in Bethnal Green. Als je wilt komen luisteren, kunnen we in de pauze even wat drinken.'

Banks schreef de naam van de pub op en de tijd, en zei dat hij zou proberen er te zijn.

'Dat is best,' zei Brian. 'Als er iets tussen komt en je het niet redt, begrijp ik het wel. Het zou niet de eerste keer zijn. Een van de leuke kanten van een vader die bij de politie werkt.'

'Ik zal er zijn,' zei Banks. 'Tot morgen.'

Het was inmiddels bijna donker. Hij nam zijn sigaretten en een glas whisky mee naar buiten en ging op het muurtje zitten. In het westen vertoonde de hemel nog een paar laatste donkerrode en paarse strepen, en de afnemende maan glom als gepolijst bot boven de vallei. De dreigende storm was verjaagd en de lucht was weer helder en droog.

Nou ja, dacht Banks, hij had Brian in elk geval gesproken en hij zou hem binnenkort zien. Hij wilde de band graag horen spelen. Hij had Brian natuurlijk wel op zijn gitaar horen oefenen toen hij nog thuis woonde en was onder de indruk geweest van de snelheid waarmee hij het had geleerd. In tegenstelling tot Banks zelf.

Jaren geleden, ten tijde van de Beatles, toen iedere jongen gitaar wilde leren spelen, had hij zichzelf drie slecht gevingerzette akkoorden weten aan te leren voordat hij er de brui aan had gegeven. Hij benijdde Brian om zijn talent, zoals hij hem misschien ook om zijn vrijheid benijdde. Er was een tijd geweest waarin Banks ook een bohémienachtige levensstijl had overwogen. Wat hij daadwerkelijk zou hebben gedaan, wist hij niet; hij had tenslotte geen talent voor muziek of schrijven of schilderen. Misschien zou hij een meeloper zijn geworden, een roadie of gewoon een heel hippe vent. In die dagen leek het er niet zoveel toe te doen. Jems dood had hem echter ruw uit deze droom wakker geschud en uiteindelijk was hij bij de politie gegaan. Hij woonde toen ook al samen met Sandra, was hevig verliefd en dacht voor het eerst in zijn leven serieus na over een echte toekomst samen met een ander. Kinderen. Een hypotheek. Noem maar op. Bovendien wist hij diep vanbinnen dat hij een carrière nodig had met vastigheid en discipline, want Joost mocht weten wat er anders van hem terecht zou komen. Hij voelde weinig voor het leger, en met de beelden van de nooit teruggevonden Graham Marshall in zijn achterhoofd koos hij voor de politie. Om mysteries op te lossen, om bullebakken in de kraag te vatten.

Misschien had hij gehoor moeten geven aan zijn recente ingeving en eruit moeten stappen, peinsde hij nu hij erop terugkeek en nadacht over alles wat er de laatste tijd was voorgevallen. Nee. Hij zou er niet in trappen. Dat zou veel te gemakkelijk zijn. Hij had het leven en de baan gekozen die hij wilde, had twee fantastische kinderen en een carrière met enige averij om dat te bewijzen, en hij kon zich niet voorstellen dat hij iets anders zou kunnen doen.

Niemand had hem ooit beloofd dat het een makkie zou zijn. De sombere buien, de depressieve stemming die zich als een zwerm kraaien in zijn hoofd nestelde, zouden uiteindelijk weer verdwijnen; het nutteloze gevoel, dat gevoel dat de zwarte put in zijn binnenste eigenlijk helemaal geen bodem had, zou mettertijd afnemen. Toen Banks Brian voor het eerst over de scheiding van Sandra had verteld, had deze gezegd dat hij gewoon moest volhouden, volhouden en er het beste van maken met wat hij wél had: de cottage, een zaak die een uitdaging vormde.

Ergens hoog op de heuvelflank klonk het opgewonden gekrijs van een wulp. Een of ander dier dat haar nest bedreigde, wellicht. Banks hoorde dat zijn telefoon overging. Hij drukte vlug zijn sigaret uit en liep weer naar binnen.

'Het spijt me dat ik u zo laat op de avond nog stoor, inspecteur,' zei brigadier Hatchley, 'maar ik weet dat u morgenochtend al naar Londen vertrekt.'

'Wat is er?' Banks keek op zijn horloge. Halftien. 'Het is niets voor jou om zo laat nog aan het werk te zijn, Jim.'

'Dat ben ik ook niet. Nou ja, was ik ook niet. Ik was net met een paar maatjes van me van het rugbyteam in de Queen's Arms, dus ik dacht: ik ga even bij het bureau langs om te zien of er al antwoord is op een van mijn verzoeken om informatie.'

'En?'

'Francis Henderson. Zoals ik net al zei: ik weet dat u er morgen naartoe gaat, dus daarom bel ik. Ik heb een adres.'

'Woont hij in Londen?'

'Dulwich.' Hatchley las het adres voor. 'Wat er zo interessant aan is – en dat is ook de reden waarom de informatie zo snel binnenkwam – is dat hij een strafblad heeft.'

Banks spitste zijn oren. 'Ga verder.'

'Volgens mijn informatie heeft Henderson in de jaren zestig voor een van de bendes in de East End gewerkt. Niet direct de Krays, maar wel zoiets. Hij bezorgde hun voornamelijk informatie, spoorde de mensen op die ze zochten, hield mensen voor hen in de gaten. In de jaren zeventig ontwikkelde hij een drugsverslaving en hij is gaan dealen om die te kunnen bekostigen. Ze zeggen dat hij nu al jaren met pensioen is en clean, voorzover ze dat tenminste weten.'

'Zeker weten dat dit onze Francis Henderson is?'

'Jawel, inspecteur.'

'Mooi. Bedankt voor je telefoontje, Jim. Ga nu maar naar huis.'

'Dat doe ik zeker, maakt u zich maar geen zorgen.'

'En als je morgen tijd hebt, doe dan nog eens een gooi via de landelijke informatiedienst, wil je?'

'Komt voor elkaar. *Bon voyage.*'

14

Annie stond op het perron van het station in York op hem te wachten en zag er heel zakelijk uit in haar donkerblauwe halflange rok en colbertje met zilveren knopen, met daaronder een witte blouse. Ze had haar haar zo strak naar achteren gebonden dat het een V vormde op haar voorhoofd en haar donkere wenkbrauwen omhoogtrok. Dit keer was Banks echter niet bang dat hij te informeel gekleed was. Hij had een dun, katoenen zomerpak aan met een roodgrijze das en de bovenste knoop van zijn overhemd was los.

'Lieve help,' zei ze glimlachend. 'Ik heb echt het gevoel alsof we ertussenuit knijpen voor een weekendje vol ondeugende pleziertjes.'

Banks lachte. 'Als je nou heel goed je best doet...'

Het station rook naar dieselolie en eeuwenoud roet uit de tijd van de stoomtreinen. Wolken samengeperste lucht schoten met een oorverdovend gesis onder de treinstellen vandaan en onder het hoge dak klapwiekten duiven. Aankondigingen over vertraagd aankomende of vertrekkende treinen weergalmden over de intercom.

De trein naar Londen vertrok slechts elf minuten later dan was aangekondigd. Banks en Annie praatten wat, tot rust gemaand door het ratelende en schokkende ritme, en Banks vergewiste zich ervan dat datgene wat Annie gisteren aan de telefoon had dwarsgezeten niet langer een probleem vormde. Ze had het hem vergeven.

Annie verdiepte zich in de *Guardian,* die ze bij een kiosk op het station had gekocht, en Banks zette zich weer aan *Vermoorde onschuld.* Gisteravond in bed had hij *De schaduw des doods* naast zich neergelegd toen de piepjonge inspecteur Niven zijn eerste verdachte arresteerde en tegen hem zei: 'Je hebt het recht om te zwijgen. Als je geen advocaat hebt, zal er een worden toegewezen.' En dat moest dan doorgaan voor een geloofwaardige voorstelling van de procedures op het politiebureau. Omdat het een van haar eerste inspecteur Niven-boeken was en hij vond dat ze een tweede kans verdiende, was hij aan *Vermoorde onschuld* begonnen, een van haar recentere boeken en niet een deel uit een serie, en het had hem vrij veel moeite gekost om het ten slotte weg te leggen en te gaan slapen.

Het verhaal was er een zoals iedereen al tientallen keren op televisie had gezien. Een man op vakantie in het buitenland raakt in een overvolle kroeg betrokken bij een ruzie met een andere man. Hij probeert de gemoederen tot bedaren te brengen en vertrekt ten slotte, maar de man volgt hem naar buiten en valt hem aan. Weer iemand anders, een onbekende, schiet hem te hulp en samen laten ze zich zo gaan dat ze de aanvaller doodslaan. Ze verbergen het lichaam en gaan allebei hun eigen weg, en er wordt nooit meer iets over het incident vernomen.

Eenmaal terug in Engeland wordt de eerste man een succesvol zakenman en hij staat op het punt om een carrière in de politiek te beginnen die belooft minstens even succesvol te worden. Totdat de onvermijdelijke afperser opduikt. Wat moet hij doen? Hem betalen of vermoorden?

Ondanks de wat dunne plot bleek *Vermoorde onschuld* een fascinerende ontdekkingtocht te zijn over geweten en karakter. Door de situatie waarin hij zich plotseling bevindt, wordt de hoofdpersoon gedwongen om zijn hele leven opnieuw onder de loep te nemen in relatie tot de misdaad die hij ongestraft heeft begaan, terwijl hij tegelijkertijd angstig worstelt met de pijnlijke vraag wat hij moet doen om zijn toekomst veilig te stellen.

Om de zaken nog iets ingewikkelder te maken, is doden niet iets wat deze man gemakkelijk doet; hij is heel menselijk, met een rotsvast, zij het gematigd geloof in het christendom. Op een bepaald moment overweegt hij om dan alles maar te laten onthullen, zodat hij eindelijk de consequenties kan aanvaarden die hij in feite jaren geleden al had moeten ondergaan. Zijn huidige leven bevalt hem echter wel. Hij is ambitieus, gek op macht en hoewel niet geheel gevrijwaard van eigenbelang gelooft hij stellig dat hij iets goeds kan betekenen voor zijn land zodra hij de juiste positie bekleedt. Ook moet hij rekening houden met anderen: familie en werknemers die op hem vertrouwen of van hem afhankelijk zijn voor hun levensonderhoud.

Vivian Elmsley legde de ziel van de man hoofdstuk na hoofdstuk met een meedogenloos medeleven bloot, onthulde zijn morele en spirituele dilemma's en trok het net rond hem strak. Banks had in het verleden heel wat mannen gearresteerd die hadden gedood om hun onrechtmatig verkregen roem of fortuin, of beide, te beschermen, maar slechts heel zelden was hij in aanraking gekomen met iemand wiens karakter zo ingewikkeld was als degene die Vivian Elmsley hier had geschapen. Misschien had hij gewoon niet diep genoeg gekeken. Een verhoorkamer op het politiebureau was niet bepaald een goede plek om iemand beter te leren kennen, en het was Banks er altijd veel meer om te doen geweest om een bekentenis los te peuteren dan om een persoonlijke relatie aan te gaan. Dat was waar de wegen van het echte leven en fictie zich scheidden, dacht hij; de een is rommelig en incompleet, en de ander geordend en afgerond.

Even voor Peterborough had Banks het boek uit. Annie had inmiddels haar ogen dichtgedaan en deed een dutje of anders was ze aan het mediteren. Hij staarde door het raam naar het oninspirerende landschap uit zijn jeugd: een uit baksteen opgetrokken fabriek, een uit rode baksteen opgetrokken school, enorme lappen braakliggend terrein vol onkruid en rotzooi. Zelfs de torenspits van de prachtige Normandische kathedraal aan de andere kant van het winkelcentrum wist hem niet te enthousiasmeren. De trein kwam piepend tot stilstand.

Natuurlijk was het vroeger lang niet zo oninspirerend geweest; zijn fantasie had aan elke armzalige millimeter van de stad een magische betekenis toegekend. De stukken braakliggend terrein waren slagvelden geweest, waar de jongens uit de buurt de grote slagen uit de twee wereldoorlogen hadden nagevochten en met boomtakken of houten stokken als geweren met het grootste genoegen hun tegenstanders aan hun bajonet hadden geregen. Zelfs die keren dat Banks alleen had gespeeld of in de rivier de Nene had gevist, had hij zich gemakkelijk kunnen inbeelden dat hij als een ridder van de Ronde Tafel van koning Arthur op zoek was naar de heilige graal. Dat was ook precies waar Adam Kelly mee bezig was geweest in Hobb's End, toen zijn fantasiewereld plotseling heel echt was geworden.

Toen de trein het station van Peterborough uit reed, dacht Banks aan zijn ouders, die zich op nog geen twee kilometer afstand van hem bevonden. Hij keek op zijn horloge. Rond deze tijd zou zijn moeder waarschijnlijk een kop oploskoffie met veel melk drinken en haar nieuwste damesblaadje lezen, gokte hij, en zijn vader zou zijn ochtenddutje doen, zachtjes snurkend met zijn voeten op de poef van groen velours en de krant opengevouwen op zijn schoot. Onveranderlijk patroon. Dat was al zo sinds zijn vader in 1982 was ontslagen bij de metaalfabriek en zijn moeder te oud en te moe was geworden om de huizen van anderen nog langer schoon te maken. Banks dacht na over de teleurstellingen en verbittering die hun leven hadden vergald, problemen waaraan hij zeker had bijgedragen, evenals Margaret Thatcher. Hun teleurstellingen waren echter op hun beurt ook op hem afgewenteld. Hoe goed hij ook presteerde, het was nooit goed genoeg geweest.

Hoewel Banks het beter had gedaan dan zijn vader en een goede vaste baan had met een gestaag inkomen en uitstekende vooruitzichten, hadden zijn ouders zijn keuze om bij de politie te gaan afgekeurd. Zijn vader hamerde nog steeds elke keer op de traditionele strijd tussen de arbeidersklassen en de politiekorpsen. Toen de ME tijdens de mijnwerkersstakingen in 1984 zoveel overuren maakte en de stakende mijnwerkers tergde door met opgerolde biljetten van vijf pond voor hun neus heen en weer te zwaaien, had hij Banks ervan beschuldigd dat hij 'de vijand' was en had hij geprobeerd hem over te halen om ontslag te nemen. Het maakte voor hem geen verschil dat Banks indertijd voor de narcoticabrigade van de Met werkte en helemaal niets te maken had met de problemen in het noorden. Wat zijn vader betreft behoorden alle politiemensen tot Maggies uitsmijters die het onpopulaire regeringsbeleid aan de bevolking opdrongen en de werkende man onderdrukten.

Banks' moeder bekeek het meer vanuit een huiselijke invalshoek en vertelde verhalen over echtscheidingen van politiemannen die ze uit het roddelcircuit had opgevangen. Bij de politie werken was geen goede carrièrekeuze voor een man met een gezin, had ze hem steeds voorgehouden. Ook al waren Sandra en hij pas twintig jaar later uit elkaar gegaan en was hun huwelijk relatief succesvol geweest voor een modern huwelijk, toch had zijn moeder tot haar grote tevredenheid vastgesteld dat ze eindelijk gelijk had gekregen.

En dat was nu juist het probleem, dacht Banks, en hij zag de stad achter zich in het niets verdwijnen. Hij kon nooit iets goed doen. Wanneer andere kinderen iets vervelends overkwam, kozen hun ouders gewoonlijk hun kant, maar wanneer Banks iets vervelends overkwam, was het zijn eigen schuld. Zo was het altijd geweest: vanaf het moment waarop hij bij vechtpartijtjes op het schoolplein verwondingen en blauwe plekken had opgelopen, was hij altijd degene geweest die natuurlijk was begonnen, of dat nu echt zo was of niet. En wat zijn ouders betreft, dacht Banks, zou het waarschijnlijk ook zijn eigen schuld wel zijn als hij tijdens zijn werk om het leven zou komen. Wanneer het op aanwijsbare schuld aankwam, behandelden ze hun familie genadeloos.

En toch, bedacht hij, was dat ergens wel de reden waarom hij zo goed was in zijn werk. Toen hij nog onder aan de ladder bungelde, had hij nooit zijn baas de schuld gegeven wanneer er iets misging, en nu hij inspecteur was, nam hij de verantwoordelijkheid op zich voor zijn hele team, of dit nu bestond uit Hatchley en Susan Gay of slechts uit Annie Cabbot. Als het team faalde, was het zijn falen. Een last, dat was het zeker, maar het was ook zijn grootste kracht.

Op King's Cross heerste de gebruikelijke gekte. Banks en Annie baanden zich een weg door de mensenmenigte en de doolhof van betegelde, weergalmende tunnels naar de Northern Line van de ondergrondse en slaagden erin zich in de eerste de beste trein richting Edgeware te wurmen.

Enkele minuten later stapten ze uit bij de halte Belsize Park en ze liepen via Rosslyn Hill naar de zijstraat waar Vivian Elmsley woonde. Banks was vaag bekend met de wijk door zijn jaren in Londen, hoewel Sandra en hij na Notting Hill voornamelijk ten zuiden van de rivier hadden gewoond, in Kennington. Keats had hier ook in de buurt gewoond, herinnerde Banks zich; in een van deze straten was die arme stakker verliefd geworden op zijn buurvrouw, Fanny Brawne.

Een vrouwenstem beantwoordde de intercom.

Toen Banks zijn rang had vermeld en had gezegd waar hij voor kwam, viel er een lange stilte, waarna de stem berustend had gezegd: 'Komt u dan maar boven.' De zoemer bromde en Banks duwde de voordeur open.

Ze liepen drie met dik tapijt beklede trappen op naar de tweede verdieping. Dat dit een goed onderhouden gebouw was, bleek wel uit de frisse citroengeur, het glanzende houtwerk en de recent geschilderde muren, hier en daar getooid met een reproductie van een stilleven of een zeegezicht. Het had waarschijnlijk een kapitaal gekost, maar dat kon Vivian Elmsley zich ongetwijfeld ook wel veroorloven.

De vrouw die de deur opendeed, was lang en slank, met een kaarsrechte rug en haar grijze haren in een knotje. Ze had hoge jukbeenderen, een rechte neus die aan het uiteinde enigszins omboog en een kleine, smalle mond. Rond haar opmerkelijk diepblauwe ogen, die een tikje scheef stonden en oosters aandeden, zaten kraaienpootjes. Banks begreep wat Elsie Patterson had bedoeld: als je ook maar een beetje opmerkzaam was, moest je die ogen wel herkennen. Ze droeg joggingkleding: een wijde zwarte trainingsbroek en een wit sweatshirt. Het maakte natuurlijk ook niet uit wat je droeg wanneer je de hele dag thuis zat te schrijven, bedacht hij. Sommige mensen hebben ook altijd mazzel.

Ze zag er vermoeid uit. Dikke wallen onder haar ogen en gesprongen adertjes die het oogwit overheersten. Ze maakte een gespannen, nerveuze indruk, alsof ze echt op haar laatste benen liep.

De flat was Spartaans en modern ingericht; chroom en glas schonken de kleine woonkamer gul een illusie van ruimte. Een ingelijste reproductie van een van Georgia O'Keeffes enorme gele bloemen hing aan de muur boven de schoorsteenmantel.

'Gaat u alstublieft zitten.' Ze wees Banks en Annie op twee bij elkaar passende stoelen van chroom met zwart leer en ging toen zelf zitten, met haar handen in elkaar geklemd op haar schoot. Die zagen er ouder uit dan haar gezicht: benig en vol levervlekken. Ook waren het buitengewoon grote handen voor een vrouw.

'Ik moet toegeven dat ik eraan gewend ben om met de politie te praten,' zei ze, 'maar gewoonlijk ben ik dan degene die de vragen stelt. Wat kan ik voor u doen?'

Banks dacht terug aan de politieprocedures in *De schaduw des doods* en slikte zijn woorden in. Misschien kende ze nog geen politiemensen toen ze dat boek schreef. 'Allereerst,' zei hij, 'wil ik graag weten of u Gwynneth Shackleton bent.'

'Dat was ik, hoewel de meeste mensen me Gwen noemden. Vivian is mijn tweede naam. Elmsley is een pseudoniem. Het is in feite de meisjesnaam van mijn moeder. Het is allemaal volledig legaal.'

'Daar twijfel ik niet aan. U bent opgegroeid in Hobb's End?'

'Ja.'

'Hebt u Gloria Shackleton vermoord?'

Haar hand vloog naar haar borst, ter hoogte van haar hart. 'Gloria vermoord? Ik? Wat een vraag. Nee, natuurlijk niet.'

'Kan uw broer Matthew haar hebben vermoord?'

'Nee. Matthew hield van haar. Ze zorgde voor hem. Hij had haar nodig. Ik ben bang dat dit alles een flinke schok is, inspecteur.'

'Ongetwijfeld.' Banks wierp een blik op Annie, die met een uitdrukkingsloos gezicht bleef luisteren, een opschrijfboekje op haar schoot. 'Mag ik u vragen waarom u niet hebt gereageerd op onze oproepen om informatie?' vroeg hij.

Vivian Elmsley wachtte even met antwoorden, alsof ze haar gedachten zorgvuldig ordende, zoals ze wellicht ook een pagina van een manuscript herschreef. 'Inspecteur,' zei ze toen, 'ik geef toe dat ik de ontwikkelingen heb gevolgd via de kranten en de televisie, maar ik geloof echt dat ik u niets van waarde kan vertellen. Bovendien heb ik dit alles als uiterst verontrustend ervaren. Daarom heb ik me niet gemeld.'

'Ach, hou toch op,' zei Banks. 'U hebt in Hobb's End gewoond tijdens de oorlog, u kende het slachtoffer goed en daarnaast was u ook nog haar schoonzus. U kunt niet verwachten dat ik geloof dat u helemaal niets weet over wat er met haar is gebeurd.'

'Geloof wat u wilt.'

'Waren jullie intiem bevriend?'

'Ik zou niet willen zeggen dat we intiem waren, nee.'

'Mocht u haar graag?'

'Ik kan eerlijk gezegd niet zeggen dat ik haar erg goed kende.'

'Jullie waren ongeveer even oud. U moet meer met elkaar gemeen hebben gehad dan alleen uw broer.'

'Ze was ouder dan ik. Dat maakt wel degelijk iets uit wanneer je nog zo jong bent. Ik zou niet willen zeggen dat we veel gemeen hadden. Ik was altijd een beetje een boekenwurm en Gloria was een veel flamboyanter type. Net als zoveel extraverte mensen was ze ook een gesloten vrouw, erg moeilijk om goed te leren kennen.'

'Trok u veel met haar op?'

'Tamelijk veel. We kwamen geregeld bij elkaar over de vloer. Bridge Cottage was niet zo heel ver bij de winkel vandaan.'

'En toch beweert u dat u haar niet goed kende?'

'Dat klopt. U hebt zelf waarschijnlijk ook neven en nichten of aangetrouwde familieleden die u nauwelijks kent, inspecteur.'

'Jullie deden ook nooit iets samen?'

'Zoals?'

'Dat weet ik niet. Typische meisjesdingen.'

Annie wierp hem een felle blik toe, die hij al voelde voordat hij hem vanuit een ooghoek opving. Verdomme, dacht hij, in die tijd waren ze toch ook meisjes?

Hij was zelf ook ooit een jongetje geweest; hij had jongensdingen gedaan en had er geen bezwaar tegen als iemand het zo noemde.

Vivian kneep haar lippen op elkaar en haalde vervolgens haar schouders op. 'Meisjesdingen? Ja, natuurlijk wel. Dezelfde dingen die andere mensen tijdens de oorlog ook deden. We gingen naar de film, naar dansfeestjes.'

'Dansfeestjes met Amerikaanse vliegers?'

'Soms, ja.'

'Was er een speciaal iemand bij?'

'Tijdens het laatste jaar van de oorlog zijn we inderdaad met een paar van hen tamelijk goed bevriend geraakt.'

'Kunt u zich hun namen nog herinneren?'

'Ik denk het wel. Hoezo?'

'Ene Brad misschien? Komt die naam u bekend voor?'

'Brad? Ja, ik geloof inderdaad dat hij een van hen was.'

'Wat was zijn achternaam?'

'Szikorski. Brad Szikorski.'

Banks controleerde de personeelslijst van Rowan Woods die hij had meegebracht. Bradford J. Szikorski jr., dat moest hem zijn.

'En PX? Billy Joe?'

'Edgar Konig en Billy Joe Farrell.'

Ook zij stonden op de lijst.

'Charlie?'

Vivian Elmsley verbleekte; naast haar kaak begon een spiertje te trillen. 'Markleson,' fluisterde ze. 'Charlie Markleson.'

Banks liep het velletje papier na. 'Charles Christopher Markleson? Kan dat hem zijn?'

'Charlie. Hij werd altijd Charlie genoemd.'

'Ook goed.'

'Hoe bent u aan hun namen gekomen? Ik heb ze al zo lang niet gehoord.'

'Het doet er niet toe hoe we eraan zijn gekomen. We hebben ook ontdekt dat Gloria een verhouding had met Brad Szikorski. Ging ze nog steeds met hem om toen Matthew terugkwam? Is dat wat er is gebeurd?'

'Voorzover ik weet niet. Ik begrijp niet waar u naartoe wilt. Iemand heeft u verkeerde informatie verstrekt, inspecteur. Gloria was met Matthew getrouwd, of hij er nu was of niet. Inderdaad, we zijn een paar keer met die jongens naar de film gegaan, misschien ook een enkele keer naar een dansfeest, maar dat was alles. Er was helemaal geen sprake van romantisch contact.'

'Dat weet u zeker?'

'Heel zeker.'

'Hoe gedroeg Gloria zich tijdens de afwezigheid van haar man?'

'Hoe bedoelt u dat?'

'Toen ze dacht dat hij dood was. Toen stonden de zaken er beslist anders voor, nietwaar? Ze hoefde immers niet meer op hem te wachten. Zij geloofde dat ze hem nooit meer zou zien. Na een passende periode van rouw kon ze zich weer overgeven aan de heersende tijdgeest. Een aantrekkelijke vrouw als zij heeft toch zeker wel vriendjes gehad?'

Vivian zweeg weer even. 'Gloria leefde helemaal op in gezelschap. Ze was dol op feesten, groepsexcursies, dat soort dingen. Ze zorgde er altijd voor dat alles vrij oppervlakkig bleef. Hield alles op een afstand. Bovendien hebben we nooit helemaal geloofd dat Matthew dood was. Dat moet u goed begrijpen, inspecteur; we hebben nooit helemaal de hoop opgegeven. Er was altijd hoop, de hoop dat hij zou terugkeren. En dat is achteraf heel terecht gebleken.'

'U hebt mijn vraag niet beantwoord. Had Gloria een romantische relatie met Brad Szikorski of met iemand anders?'

Ze keek hem niet aan. 'Voorzover ik weet niet.'

'Ze leefde dus als een non, ook al dacht ze dat haar man was omgekomen?'

'Dat heb ik niet gezegd. Ik heb haar niet bespioneerd. Wat ze achter gesloten deuren deed, waren mijn zaken niet.'

'Dus er was wel degelijk iets gaande?'

'Ik zei het u net al: ik heb haar niet bespioneerd. U verdraait mijn woorden.'

'Vond Brad het erg dat Matthew levend en wel terugkwam?'

'Hoe moet ik dat nu weten? Waarom zou hij het erg hebben gevonden?'

'Het zou toch kunnen? Als hij bijvoorbeeld verliefd was geworden op Gloria en zij hem afwees omdat ze haar man terughad? Misschien was hij kwaad.'

'Wilt u nu beweren dat Brad Gloria heeft vermoord?' Vivian snoof verachtelijk. 'U klampt zich echt vast aan strohalmen.'

Banks boog zich voorover. 'Iemand heeft haar vermoord, mevrouw Elmsley, en de mogelijke verdachten die mij als eerste te binnen schieten, zijn Matthew, een van de Amerikanen, Michael Stanhope en u.'

'Belachelijk. Het moet beslist een onbekende zijn geweest. Daar hadden we er heel wat van in ons dorp, dat kan ik u wel vertellen.'

'En Michael Stanhope?'

'Dat is een naam die ik in geen jaren meer heb gehoord. Ze waren bevriend. Meer niet.'

'Zou het u verbazen om te horen dat Gloria in 1944 naakt heeft geposeerd voor een schilderij van Stanhope?'

'Ja, dat zou het zeker. Heel erg. Ik weet dat Gloria makkelijker met haar lichaam omsprong dan sommigen graag zouden hebben gezien, maar ik heb nooit iets gemerkt wat in die richting wees.'

'Als u weer eens in Leeds bent,' zei Banks, 'neemt u dan eens een kijkje in de kunstgalerie. U weet heel zeker dat ze het u nooit heeft verteld?'

'Dat zou ik me beslist nog wel herinneren.'

'Had Gloria misschien een verhouding met Michael Stanhope?'

'Dat denk ik niet. Hij was veel te oud voor haar.'

'En homoseksueel?'

'Dat zou ik niet weten. Zoals ik al zei: ik was nog erg jong. Dat was in die tijd niet iets waar mensen mee te koop liepen.'

'Heeft ze wel eens iets over haar familie in Londen verteld? Over haar zoon Francis?'

'Ze heeft het één keer tegen me over hem gehad, ja. Ze zei er echter direct bij dat ze alle banden met hem en zijn vader had verbroken.'

'Desalniettemin kunnen ze zijn opgedoken om haar mee terug te nemen. Wellicht hebben ze gevochten en heeft hij haar gedood?'

Vivian schudde haar hoofd. 'Ik weet zeker dat ik dat zou hebben gemerkt.'

'Heeft Matthew zich ooit gewelddadig tegen haar gedragen?'

'Nooit. Matthew was altijd een heel zachtaardig iemand geweest en zelfs de gebeurtenissen in de oorlog hebben daar geen verandering in gebracht.' Haar stem klonk nu gespannen, weifelend.

Banks zweeg en vervolgde toen op iets vriendelijker toon: 'Er blijft me één ding dwarszitten,' zei hij, 'en dat is de vraag wat er volgens u met Gloria was gebeurd. U kunt onmogelijk hebben gedacht dat ze gewoon van de aardbodem was verdwenen.'

'Er was indertijd niets geheimzinnigs aan. Niet echt. Ze was er gewoon vandoor gegaan. Dat heb ik tenminste altijd gedacht, tot u haar overblijfselen vond. U weet toch wel zeker dat ze van Gloria zijn?'

Banks voelde dat heel even de twijfel de kop opstak, maar probeerde het niet te laten merken. Ze hadden nog steeds geen definitief bewijs voor de identiteit van het skelet. Daarvoor hadden ze Francis Henderson nodig, zodat ze het DNA konden laten vergelijken. 'We weten het zeker,' zei hij. 'Waarom zou ze ervandoor zijn gegaan?'

'Omdat ze er niet meer tegen kon om voor Matthew te moeten zorgen, in die toestand. Het zou tenslotte niet de eerste keer zijn geweest dat ze dat deed. Ze had duidelijk alle banden met haar leven in Londen verbroken voordat ze naar Hobb's End kwam. Ik denk dat Gloria niet erg sterk was wanneer het aankwam op emotionele kracht.'

Een rake observatie, dacht Banks. Als iemand één keer zijn oude leven vaarwel heeft gezegd, dan moest het niet al te moeilijk zijn om dat nogmaals te doen. Gloria Shackleton had Hobb's End echter niet vaarwel gezegd, hield hij zichzelf voor; ze was er vermoord en begraven.

'Wanneer is ze verdwenen?' vroeg hij.

'Kort na VE-day. Een week later ongeveer.'

'U zult toch wel begrijpen dat door deze ontdekking de verdenking in eerste instantie naar uw broer uitgaat? Gloria was begraven onder het bijgebouw dat naast Bridge Cottage stond. Op dat moment woonde Matthew daar met haar.'

'Maar hij was niet gewelddadig. Ik heb nooit meegemaakt dat hij geweld gebruikte. Nooit.'

'De oorlog kan een man veranderen.'

'Maar dan nog.'

'Kwam hij vaak buiten de deur?'

'Hoe bedoelt u?'

'Na zijn terugkeer. Kwam hij vaak buiten de deur? Was Gloria vaak alleen in huis?'

'Hij ging 's avonds wel eens naar de pub. De Shoulder of Mutton. Ja, soms was ze wel alleen thuis.'

'Heeft Gloria ooit met u over weggaan gesproken?'

'Ze heeft zich een of twee keer wel een opmerking in die richting laten ontvallen, maar ik heb dat nooit serieus genomen.'

'Waarom niet?'

'De manier waarop ze het zei: alsof ze een grapje maakte. Iets in de trant van: "Op een mooie dag komt mijn droomprins langs. Dan laat ik dit allemaal achter me en liggen er onmetelijke rijkdom en weelde voor mij in het verschiet." Gloria was een dromer, inspecteur. Ik, daarentegen, ben altijd een realist geweest.'

'Ik vermoed dat we daarover heel lang zouden kunnen discussiëren,' zei Banks. 'Gezien uw beroep.'

'Misschien zijn mijn dromen heel realistisch.'

'Misschien. U hebt nooit geloofd dat Gloria werkelijk zou weggaan, ook al liet ze zich zo nu en dan een opmerking in die richting ontvallen?'

'Nee.'

'Wat waren de omstandigheden ten tijde van haar vertrek?' vroeg Banks. 'Hebt u haar zien vertrekken?'

'Nee. Het was toevallig op een van de dagen waarop ik met Matthew naar de dokter in Leeds was. Toen we die avond terugkwamen, was ze weg.'

'U bent met hem meegegaan? Waarom niet Gloria? Ze was toch nog steeds zijn vrouw?'

'En hij was nog steeds mijn broer. Hoe dan ook, af en toe vroeg ze me of ik met hem mee kon. Het waren de enige ogenblikken die ze dan voor zichzelf had. De rest van de tijd zorgde ze voor hem. Ik vond het niet meer dan eerlijk dat ze af en toe wat tijd voor zichzelf had.'

'Heeft ze iets meegenomen toen ze vertrok?'

'Een paar kledingstukken, persoonlijke voorwerpen. Ze bezat niet veel.'

'Maar haar kleding nam ze mee?'

'Ja. Enkele kledingstukken.'

'Dat is interessant. Waarin vervoerde ze die?'

'Een oude kartonnen koffer. Dezelfde die ze ook bij zich had toen ze aankwam.'

'Heeft ze een briefje achtergelaten?'

'Voorzover ik kon nagaan niet. Als Matthew er ooit een heeft gevonden, heeft hij daarover nooit iets tegen mij gezegd.'

'Zou u dat wel van hem hebben verwacht?'

'Niet per se. Hij was niet erg mededeelzaam. In zijn toestand was het onmogelijk om te voorspellen wat hij zou hebben gedaan.'

'Moord?'

'Néé. Niet Matthew. Ik heb u al gezegd dat hij een zachtaardig karakter had. Zelfs die vreselijke oorlogservaringen en zijn ziekte hadden daar niets aan veranderd, ook al gold dat voor een heleboel andere dingen wel.'

'Gloria's bezittingen waren echt weg?'

'Ja.'

'En ten tijde van haar vertrek waren Matthew en u in Leeds?'

'Ja.'

'Dus ze heeft geen afscheid genomen?'

'Soms is dat maar het beste.'

'Inderdaad.' Banks herinnerde zich dat Sandra hem nauwelijks tijd had gegund voor een langgerekt afscheid toen ze eenmaal haar besluit had genomen. Hij zweeg even. 'Mevrouw Elmsley,' vroeg hij toen, 'waarom denkt u dat haar kleding en koffer ontbraken, in het licht van wat u nu weet? Waar zijn die gebleven, denkt u?'

'Ik heb geen idee. Ik heb u slechts verteld wat ik indertijd heb gezien, wat ik dacht dat er was gebeurd. Misschien heeft iemand ze gestolen? Misschien heeft ze een inbreker betrapt en heeft hij haar vermoord?'

'Waren het bijzonder mooie kledingstukken? Bontjassen, een paar diamanten kettingen wellicht? Een tiara of wat?'

'Dat is absurd.'

'Ik ben niet degene die absurd is. Het gebeurt namelijk niet vaak dat mensen worden vermoord voor hun kleding, moet u weten, vooral niet als het heel gewone kleding betreft.'

'Misschien zijn ze om een andere reden weggenomen.'

'Zoals?'

'Om het te laten lijken alsof ze was weggegaan.'

'Aha. Dat zou natuurlijk heel slim zijn. Wie zou volgens u bereid zijn om zoveel risico te lopen en er zoveel tijd aan te besteden om haar lichaam onder de vloer van het bijgebouw te begraven?'

'Dat weet ik niet.'

'Niet een doorsnee-inbreker, vermoed ik.'

'Zoals ik al opperde: misschien iemand die de indruk wilde wekken dat ze was vertrokken.'

'Maar wie zou dat nu hebben gewild? En, wellicht nog belangrijker: waarom?'

'Om de verdenking van zichzelf af te wenden.'

'Precies. En daarmee komen we weer heel dicht bij huis terug. Waarom proberen om de verdenking af te wenden, tenzij je reden hebt om aan te nemen dat de verdenking op jou zal vallen?'

'Uw retoriek gaat me boven de pet, inspecteur.'

'U schrijft toch detectives? Ik heb een ervan gelezen. Houdt u maar niet van den domme. U weet heel goed waar ik het over heb.'

'Ik voel me zeer vereerd dat u mijn boeken hebt gelezen, inspecteur, maar ik ben bang dat u me een veel logischer manier van denken toeschrijft dan ik in werkelijkheid bezit.'

Banks zuchtte. 'Als iemand er zoveel moeite voor heeft gedaan om de indruk te wekken dat Gloria was weggegaan, dan zou ik zo zeggen dat diegene hoogstwaarschijnlijk geen onbekende was die toevallig langskwam of een inbreker. Dan moet dat iemand zijn geweest die bang was dat de verdenking zeer waarschijnlijk op hem of haar zou vallen: Matthew, Brad Szikorski of u.'

'Tja, ik was het niet. En ik heb u al verteld dat Matthew haar nooit pijn heeft gedaan of zelfs maar heeft bedreigd.'

'Dan blijft Brad Szikorski over.'

'Dat zal dan wel. Hoewel ik het betwijfel. Niet dat het wat uitmaakt.'

'Waarom niet?'

Ze glimlachte moeizaam. 'Omdat Brad Szikorski in 1952 tijdens een vliegstunt in de woestijn bij Los Angeles om het leven is gekomen. Ironisch, vindt u niet? Tijdens de oorlog voerde Brad talloze bombardementsvluchten uit boven Europa, die hij allemaal overleefde, en zeven of acht jaar later is hij om het leven gekomen tijdens een stunt voor een oorlogsfilm.'

'En Charles Markleson?'

'Charlie. Hij zou geen enkele reden hebben gehad om Gloria kwaad te doen. Bovendien is hij tijdens de oorlog omgekomen.'

'Edgar Konig? Billy Joe Farrell?'

'Ik weet niet wat er van hen is terechtgekomen, inspecteur. Het is allemaal al zo lang geleden. Ik weet het van Brad alleen omdat het indertijd in de kranten heeft gestaan. Ik neem aan dat u het aan henzelf zult moeten vragen. Als u hen tenminste nog kunt vinden.'

'O, als ze nog in leven zijn, zal ik hen heus wel weten te vinden. Had een van hen beiden een reden om Gloria te vermoorden?'

'Voorzover ik weet niet. Ze maakten gewoon deel uit van de groep met wie we veel omgingen. Ik herinner me echter wel dat Billy Joe een opvliegend karakter had en dat PX stapelverliefd was op Gloria.'

'Ging ze ook met hem uit?'

'Nee, volgens mij niet. Je kon niet... Hij was niet... Hij leek nog zo jong en zo verlegen.'

'Hebt u na Gloria's vertrek bloedspatten aangetroffen in Bridge Cottage?'

'Nee. Als ik dat wel had gedaan, zou ik uiteraard achterdochtig zijn geworden en had ik de politie gebeld. Ik kan overigens ook niet zeggen dat ik op zoek was naar bloedsporen.'

'Niet één bloedvlekje? Niets wat achteraf gezien bloed zou kunnen zijn geweest?'

'Niets. En bovendien, waarom denkt u dat ze in Bridge Cottage is vermoord?'

'Het is een logische veronderstelling.'

'Ze zou ook buiten kunnen zijn vermoord, in de achtertuin of zelfs in het bijgebouw, waar u haar stoffelijke resten hebt gevonden.'

'Het is mogelijk,' gaf Banks toe. 'Degene die dit heeft gedaan, is in elk geval zeer grondig te werk gegaan. Wat gebeurde er daarna?'

'Niets. Ons leven ging gewoon door. We zijn zelf nog een paar weken in het dorp blijven wonen en daarna kregen we een huurwoning in Leeds.'

'Ik ken het huis. Ik ben er geweest.'

'Ik kan me niet voorstellen waarom u dat hebt gedaan.'

'Dus u beweert dat u geen flauw idee hebt wat er met Gloria is gebeurd?'

'Inderdaad. Geen enkel idee. Zoals ik al zei: ik dacht gewoon dat ze het leven met Matthew zoals hij was geworden niet meer aankon en dat ze is weggelopen om ergens anders een nieuw leven te beginnen.'

'Dacht u dat ze misschien met Brad Szikorski was meegegaan, met hem had afgesproken om elkaar in Amerika te ontmoeten of iets dergelijks? De 448ste Bomber Group is tenslotte rond dezelfde tijd vertrokken, nietwaar?'

'Ik geloof dat ik dat inderdaad even heb gedacht. Er bestond altijd een kansje dat ze uiteindelijk in Amerika zou belanden.'

'Verbaasde het u niet dat ze nooit contact met u opnam?'

'Jawel. Maar als ze had besloten om in het niets op te lossen en alle banden te verbreken, dan kon ik daar niets aan doen. Zoals ik al zei: ze had het al eens eerder gedaan.'

'Hebt u geprobeerd haar te vinden?'

'Nee.'

'Heeft iemand anders dat geprobeerd?'

'Voorzover ik weet niet.'

'En Matthew?'

'Wat bedoelt u?'

'Hebt u hem vermoord?'

'Absoluut niet. Hij heeft zelfmoord gepleegd.'

'Waarom?'

'Het had niets te maken met Gloria's verdwijning. Hij was ziek, in de war, depressief, en hij had pijn. Ik deed voor hem wat ik kon, maar dat bleek uiteindelijk allemaal niets uit te halen.'

'Klopt het dat hij zichzelf heeft doodgeschoten?'

'Ja.'

'Met een Colt .45 automatic.'

'O ja? Ik ben bang dat ik niets van vuurwapens af weet.'

'Hoe kwam hij aan dat pistool?'

'Het pistool? Het spijt me, ik begrijp u niet helemaal.'

'Een eenvoudige vraag, mevrouw Elmsley: hoe kwam Matthew aan het pistool waarmee hij zichzelf heeft doodgeschoten?'

'Dat had hij al die tijd al gehad.'

'Al die tijd? Sinds wanneer?'

'Dat weet ik niet. Sinds hij uit de oorlog was teruggekeerd, vermoed ik. Ik kan me niet herinneren wanneer ik dat ding voor het eerst heb gezien.'

'Sinds hij uit het Japanse gevangenenkamp terugkeerde, bedoelt u?'

'Ja.'

Banks stond hoofdschuddend op.

'Wat is er, inspecteur?' vroeg Vivian, en ze plukte met een hand aan het losse gerimpelde vel onder aan haar hals.

'Het klopt niet,' zei Banks. 'Het is allemaal volstrekt onlogisch. Denkt u alstublieft nog eens goed na over wat u ons hebt verteld. U beweert dat u dacht dat Gloria eenvoudigweg de boel de boel had gelaten, ervandoor was gegaan zonder een briefje achter te laten, met medeneming van slechts wat kledingstukken en enkele persoonlijke bezittingen in een kartonnen koffer. Als u de waarheid spreekt, dan moet degene die Gloria heeft vermoord die koffer hebben ingepakt en hebben meegenomen of ergens hebben begraven om het eruit te laten zien alsof ze was weggelopen. Vervolgens heeft uw broer Matthew zich vijf jaar later van het leven beroofd met een Amerikááns dienstwapen dat hij toevallig bij zich had toen hij uit een Japans gevangenenkamp terugkeerde. U schrijft detectives. Vraagt u zich eens af of inspecteur Niven dit zou geloven. Vraagt u zich eens af of uw lezers het zouden geloven.' Hij stak zijn hand in zijn zak. 'Dit is mijn kaartje. Ik wil dat u heel diep nadenkt over ons gesprekje. We komen binnenkort terug. Doet u geen moeite, we komen er zelf wel uit.'

Toen ze weer in de warme buitenlucht stonden, keek Annie Banks aan; ze tuitte haar lippen even en zei toen: 'Wat had dat allemaal te betekenen?'

'Wat?'

'Ze loog. Had je dat niet door?'

'Ja, natuurlijk loog ze.' Banks keek op zijn horloge. 'Heb je zin om even wat te eten?'

'Graag. Ik sterf van de honger.'

Ze vonden een restaurantje en gingen buiten zitten. Annie nam een Griekse salade en Banks koos een sandwich met prosciutto, Provolone en rode-uien-ringen.

'Waarom loog ze?' vroeg Annie toen ze achter hun bord zaten. 'Ik snap het niet.'

Banks joeg met zijn hand een vlieg van zijn sandwich. 'Ze beschermt zichzelf. Of iemand anders.'

'Nu ik haar eenmaal heb gezien,' zei Annie, 'zou ik zeggen dat ze waarschijn-lijk groot en sterk genoeg was om Gloria te doden en te begraven. Vijftig jaar geleden in elk geval wel. Heb je haar handen gezien?'

'Ja. En Gloria was heel tenger.'

'Dus wat doen we nu?'

'Niets,' zei Banks. 'We laten haar een nachtje piekeren en proberen het mor-gen nog een keer. Ik heb de indruk dat ze last heeft van haar geweten. Er was beslist een strijd in haar binnenste gaande. Als ik gelijk heb, is ze wat dit betreft aan het eind van haar Latijn. Het is verbazingwekkend dat schuldgevoel in de kleine uurtjes altijd aan je gaat knagen. Ze wil de waarheid vertellen, maar ze moet nog een paar dingen tegen elkaar afwegen, waarover ze met zichzelf in het reine moet zien te komen; ze weet alleen nog niet goed hoe ze dat moet aanpakken. Het is net als met dat personage in haar boek.'

'Dat boek dat je in de trein zat te lezen?'

'Inderdaad, *Vermoorde onschuld.*'

'En wat heeft hij uiteindelijk gedaan?'

Banks glimlachte en legde een vinger op zijn lippen. 'Ik wil niet uit de school klappen. Ik wil het einde niet voor je verpesten.'

Annie gaf een mep tegen zijn arm. 'Rotzak. En wat doen we in de tussentijd?'

'Vivian Elmsley knijpt er echt niet tussenuit. Ze is te oud en te moe om te vluchten. Bovendien kan ze nergens naartoe. Om te beginnen gaan we eens kijken of we Francis Henderson kunnen opsporen.'

'En daarna?'

'Als je het niet erg vindt, wil ik dan graag even naar Bethnal Green om mijn zoon te ontmoeten. Zijn band treedt daar ergens op. We moeten samen een paar dingen bespreken.'

'Natuurlijk. Ik begrijp het. Dan ga ik misschien naar een film. En daarna?'

'Herinner je je nog die ondeugende pleziertjes waarover je het had?'

Annie knikte.

'Ik weet niet of je nog steeds belangstelling hebt, maar ik weet een discreet ho-telletje in Bloomsbury. En het is tenslotte vrijdag. Zelfs de CID mag zich best eens aan normale werktijden houden. We laten Vivian Elmsley er een nachtje over slapen. Als ze dat tenminste kan.'

Annie bloosde. 'Ik heb geen tandenborstel bij me.'

Banks lachte. 'Ik koop er wel een voor je.'

'De laatste der grote geldverkwisters.' Ze keek hem aan en rond haar mondhoek speelde een glimlach. 'Ik heb ook geen nachthemd meegebracht.'

'Maak je geen zorgen,' zei Banks. 'Dat zul je niet nodig hebben.'

15

In de weken die volgden rouwde ik om Charlies dood, maar ik merkte wel dat er in al die tijd geen verbetering was gekomen in Matthews toestand. Hij bleef met Gloria in Bridge Cottage. Ik geloof eigenlijk niet dat het hem op dat moment iets uitmaakte waar hij was, of dat hij zelfs maar besefte waar hij was, zolang er maar iemand was die voor zijn natje en droogje zorgde. Er ging geen dag voorbij dat ik niet een tijd naast hem zat en met hem probeerde te praten, ook al gaf hij nooit antwoord en liet hij evenmin merken dat hij me had gehoord; hij staarde met die intense, naar binnen gekeerde blik van hem in de verte, alsof hij daar verschrikkingen en gruwelijkheden zag die wij ons in onze grootste nachtmerries nog niet konden voorstellen.

De dokter uit Londen hield woord en al snel konden we voor Matthew een afspraak maken met dokter Jennings, een psychiater die verbonden was aan de universiteit van Leeds. Hij had een praktijk in een van die enorme oude huizen in de straten achter de campus waar vroeger, voor de Eerste Wereldoorlog, grote gezinnen met hun bediendes hadden gewoond. Eenmaal per week nam Gloria of ik hem mee voor zijn afspraak en brachten we zelf een uurtje door met rondkijken in de winkels totdat we hem weer konden ophalen om hem mee naar huis te nemen. Tijdens het derde bezoekje bekende dokter Jennings me onder vier ogen dat hij tot nu toe weinig succes had geboekt met de meer eenvoudige methodes en dat hij ondanks alle nadelen die eraan kleefden toch overwoog narcoanalyse toe te passen.

Matthew was ons vrijwel niet tot last; hij was er in feite gewoon niet. Hij had de gewoonte aangenomen om elke avond naar de Shoulder of Mutton te gaan, waar hij in zijn eentje tot sluitingstijd in een hoekje zat te drinken. Vrienden en buren die hem herkenden kwamen aanvankelijk vragen hoe het met hem ging, maar al snel lieten zelfs degenen die de prettigste herinneringen aan hem hadden hem met rust. Zo nu en dan kreeg hij een woedeaanval en sloeg hij een glas kapot of schopte hij een stoel omver. Die aanvallen kwamen echter slechts sporadisch voor en waren altijd zo weer voorbij.

Gloria gaf me een sleutel, zodat ik wanneer ik maar even tijd had een kijkje kon nemen in Bridge Cottage. Ze nam natuurlijk zo vaak mogelijk vrij van haar werk op de boerderij, maar ze had het geld nodig en ik geloof niet dat ze de pijn en het verdriet had aangekund als ze vierentwintig uur per dag bij hem had moeten zijn.

Het was moeilijk te geloven dat de oorlog na al die tijd bijna voorbij was, ook al hing de geur van de overwinning al in de lucht. De Amerikanen waren de Rijn overgestoken, net als de mannen van Monty. De Russen hadden Berlijn omsingeld. In april en mei vingen we de eerste geruchten op over de concentratiekampen en de enorme omvang van menselijke gruweldaden waarnaar het voorafgaande jaar slechts heel omzichtig was verwezen in de verslagen over Lublin. Geen van de kranten leek te weten hoe ze moesten beschrijven wat de bevrijdingslegers hadden aangetroffen in plaatsen als Bergen-Belsen en Buchenwald. Ik las niet alleen over het Japanse kannibalisme en de afgrijselijke martelingen waaraan gevangenen als Matthew waren onderworpen, maar ook over de Duitse kampen waar, zo dachten we aanvankelijk, honderdduizenden mensen waren neergeschoten, uitgehongerd, in elkaar geslagen of onderworpen aan medische experimenten.

Het was onmogelijk om naast onze persoonlijke verliezen, zoals Charlie en Matthews geruïneerde gezondheid, dit alles ook nog tot ons door te laten dringen. Ik geloof dat we het niet eens hebben geprobeerd. We hadden vijf jaar met angst en ontberingen moeten leven en we waren absoluut niet van plan om ons het grootse feest te laten ontnemen dat zou losbarsten zodra het allemaal voorbij was.

Banks liep de donkere Victoriaanse pub binnen die voornamelijk leek te bestaan uit beroet en geëtst glas, koperen accessoires en spiegels. Op een of andere manier had de pub de Blitz doorstaan, iets wat maar een heel klein deel van Oost-Londen kon zeggen. Door de jaren heen waren plafond en muren bruin geworden van de sigarettenrook.

Het was niet ver bij Mile End vandaan, waar Gloria Shackleton was geboren. Misschien is ze hier zelfs wel eens geweest, fantaseerde Banks, ook al betwijfelde hij dat. Mensen bleven vaak dicht in de buurt van hun huis, gingen meestal hooguit een of twee straten ver weg, tenzij het om een noodgeval of een speciale gelegenheid ging.

Annie en hij waren eerder die middag in Dulwich geweest om Francis Henderson op te zoeken, maar hij was niet thuis geweest. Een buurvrouw had hun verteld dat ze dacht dat hij waarschijnlijk met vakantie was, omdat hij zijn krant en vaste melkbestelling had opgezegd. Banks duwde zijn kaartje met een briefje door de brievenbus en liet het daarbij. Wat kon hij anders doen? Wat hem betreft had Francis Henderson zich niet schuldig gemaakt aan een misdaad, en als dat wel zo was, dan had die in elk geval niets te maken met de zaak-Gloria Shackleton. Hij wilde Francis graag spreken, voornamelijk omdat hij nieuwsgierig was en wilde weten wat voor man het was; hij wilde weten of hij iets wist, en zo ja wat, maar hij kon de kosten die gemoeid waren met de opsporing van de man nauwelijks verantwoorden. Het DNA zou hun van pas komen, maar was niet essentieel.

Het was halfzes en de band zou om zes uur beginnen om zo de van hun werk komende mensen binnen te halen. Niet dat Banks in het publiek ook maar iemand zag die de indruk wekte dat hij die dag had gewerkt, tenzij het allemaal studenten of fietskoeriers waren. Brian stond bij de anderen op het lage houten podium waar ze hun apparatuur opstelden. Ze mochten er dan misschien geld mee verdienen, maar ze konden zich duidelijk nog geen team van roadies veroorloven. Banks werd een beetje zenuwachtig van de enorme toren met speakers. Hij was gek op muziek en wist dat rockmuziek soms beter klonk wanneer die hard werd gespeeld, maar hij zou het beslist erger vinden om doof te worden dan blind. Vroeger, in Notting Hill, had hij vrijwel alle grote bands live zien optreden – The Who, Led Zeppelin, Pink Floyd, Jimi Hendrix, The Doors – en meer dan eens was hij de volgende dag met een fluitende pieptoon in zijn oren wakker geworden.

Brian wenkte hem. Hij zag er een tikje zenuwachtig uit, maar dat was ook wel te verwachten; hij was tenslotte samen met zijn vrienden, en nu kwam zijn ouweheer naar een optreden. Daar zouden ze hem ongetwijfeld mee pesten. Hij stelde Banks voor aan Andy, de keyboardspeler, Jamisse, de bassist, die uit Mozambique kwam, en de percussionist Ali. Banks wist niet of Brian hun had verteld dat hij bij de politie werkte. Waarschijnlijk niet, vermoedde hij. Misschien hadden ze wel wat hasj bij zich, en Brian zou hen niet tegen zich in het harnas willen jagen.

'Ik moet alleen nog even stemmen,' zei Brian, 'en dan kom ik bij je. Goed?'

'Prima. Biertje?'

'Graag.'

Banks haalde twee glazen bier bij de bar en vond een leeg tafeltje ongeveer halverwege de ruimte. Zo nu en dan krijste de feedback uit de versterkers, gaf Ali een roffeltje op de kleine drum of plukte Jamisse aan een bassnaar. Het was kwart voor zes toen Brian, blijkbaar tevreden over het geluid, zich van de anderen losmaakte en naar hem toe kwam. Banks besefte nu pas hoeveel zijn zoon was veranderd. Brian droeg een versleten spijkerbroek, sportschoenen en een effen rood T-shirt. Zijn donkere haar was lang en stijl, en op zijn kin zaten stoppels van een dag of drie, vier oud. Hij was lang, misschien een tiental centimeters langer dan Banks eigen een meter drieënzeventig, en omdat hij zo mager was, leek hij nog langer.

Hij ging zitten zonder Banks aan te kijken en wreef over zijn kin. Banks wilde niet meteen van wal steken. Het laatste wat hij nu wilde was een nieuwe ruzie. 'Ik ben heel benieuwd,' zei hij, en hij knikte in de richting van het podium. 'Ik heb je niet meer horen spelen sinds die oefensessies thuis.'

Brian keek verbaasd. 'Dat is wel heel lang geleden, pap. Ik hoop dat ik inmiddels wel iets beter ben geworden.'

'Ik ook.' Banks glimlachte. 'Cheers.' Ze klonken met hun glazen tegen elkaar en toen stak Banks een sigaret op.

'Nog steeds die smerige gewoonte?' vroeg Brian.

Banks knikte. 'Ik ben bang van wel. Ik ben aan het minderen. Wat voor muziek spelen jullie?'

'Je zult moeten wachten om het zelf te horen. Ik kan het niet beschrijven.'

'Blues?'

'Nee, geen zuivere blues. Dat was de band waar ik een paar jaar geleden bij zat. Die is uit elkaar. Problemen met te grote ego's. De leadzanger dacht dat hij Robert Plant was.'

'Robert Plant? Ik had niet gedacht dat jij die zou kennen.'

'Waarom niet? Jij had altijd *Stairway to Heaven* opstaan, als je tenminste niet naar die verdomde opera's zat te luisteren. De lange versie.' Hij glimlachte.

'Ik kan me dat helemaal niet herinneren,' sputterde Banks tegen. 'Maar goed, wie schrijft jullie nummers?'

'Alle bandleden eigenlijk. Ik doe de meeste teksten, Jamisse het grootste deel van de muziek. Andy kan noten lezen, dus hij doet vaak de arrangementen en zo. We doen ook een paar covers.'

'Nog iets wat een oude zak als ik zou herkennen?'

Brian grinnikte. 'Daar zul je nog van staan te kijken. Ik moet er weer vandoor. Ben je er straks nog?'

'Hoe lang is de set?'

'Drie kwartier of zo.'

Banks keek op zijn horloge. Zes uur. Tijd zat. Het was maar een korte wandeling naar de Central Line en hij kon binnen een uur op Leicester Square zijn. 'Ik hoef pas om een uur of acht weg,' zei hij.

'Fijn.'

Brian liep terug naar het podium, waar de anderen klaarstonden om te beginnen. De pub stroomde nu snel vol en Banks kreeg aan zijn tafeltje gezelschap van een jong stelletje. Het meisje had gitzwart haar, lichte make-up en een piercing door haar bovenlip. Was ze een goth, vroeg hij zich af. Haar vriendje had meer weg van een beatnik met zijn baret en sikje, en Brians band speelde geen goth-muziek.

Vroeger was het gemakkelijk om de mode met de muziek in verband te brengen: parka's en scooters voor The Who en The Kinks; brillantine, leer en motoren voor Eddie Cochran en Elvis; over de kragen vallend haar en zwarte coltruien voor The Beatles. En later de *tie-dye* geverfde shirts en lang haar voor Pink Floyd en The Nice; skinheads, leren armbanden en laarzen met stalen neuzen voor The Specials; gescheurde kleding en piekhaar voor The Sex Pistols en The Clash. Tegenwoordig leken al die modes echter door elkaar te bestaan. Banks had jongeren gezien met een tie-dye shirt en een skinheadkapsel of met een leren jack en lang haar. Hij was beslist te netjes gekleed in zijn pak, ook al had hij zijn stropdas al enige tijd geleden in zijn zak gepropt, maar hij had geen andere kleding bij zich. Misschien werd hij gewoon oud.

Voordat hij besefte wat er gebeurde, had de band al ingezet. Brian had gelijk; ze speelden een mengeling van muziekstijlen die moeilijk onder woorden te brengen was. De basis bestond beslist uit blues, variaties op de twaalfmaatsstructuur met een jazzy energie. Andy's spookachtige keyboardklanken zweefden daaromheen en Brians gitaar sneed helder als een klok door alles heen. Toen hij een solo uitvoerde, wat hij erg goed deed, deed het geluid Banks denken aan een kruising tussen een vroege Jerry Garcia en Eric Clapton. Niet dat hij in technisch opzicht even begaafd was als zij, maar zijn klank en frasering waren een echo van die van hen en hij wist dezelfde zoete, gekwelde klanken aan zijn gitaar te ontlokken. In elk nummer deed hij het net even anders. De ritmesectie was eveneens goed; ze hielden natuurlijk maat, maar Jamisse en Ali waren allebei creatieve muzikanten die elkaar inspireerden en graag voor verrassingen zorgden. De muziek had een improviserend, jazzy element, maar was tegelijkertijd heel toegankelijk en lag gemakkelijk in het gehoor. Tijdens een paar nummers werden ze begeleid door een sopraansaxofoon. Banks vond de klank ervan net iets te scherp en de stijl te staccato, maar het was een goed idee geweest om het instrument erbij te halen, en misschien konden ze een betere speler zoeken.

Tussen twee nummers in namen ze een korte pauze en Brian boog zich naar de microfoon toe. 'Het volgende nummer is voor een ouwe knar die ik ken en die hier in het publiek zit,' zei hij, en hij keek Banks aan. Het meisje met de piercing door haar lip keek hem fronsend aan en hij voelde dat hij bloosde. Hij was tenslotte de enige ouwe knar in de pub.

Het duurde even voordat Banks het nummer herkende, omdat de band het ritme en tempo drastisch had aangepast en Brians klaaglijke, schrille geluid enorm verschilde van het origineel, maar wat na Banks' aanvankelijke verwarring langzaam vorm begon te krijgen, was een cover van een van zijn favoriete Dylan-songs: *Love Minus Zero/No Limit*. Dit keer swingend en meedeinend op met de melodie verweven Afrikaanse ritmes en een vleugje reggae. Andy's instrument klonk door het hele stuk heen en Brians gitaarsolo was beheerst en lyrisch, met kleine riffs en krullerige sprongen die van de basismelodie waren afgeleid.

Dylans cryptische tekst harmonieerde niet echt met Brians eigen nummers, die voornamelijk heel direct over tienerangsten, lust, vervreemding en de kwaden van de maatschappij gingen, maar vond net zo fel weerklank in Banks als al die jaren geleden, toen hij het nummer thuis voor het eerst op de radio hoorde.

295

Voordat het nummer was afgelopen, had Banks al een brok in zijn keel en hij voelde de tranen achter zijn oogleden branden. Hij stak een nieuwe sigaret op, de vierde van die dag. Hij was niet alleen zo emotioneel omdat zijn zoon daar op dat podium stond en hem iets teruggaf; het nummer riep ook herinneringen op aan Jem.

Na Jems dood was er niemand naar zijn eenkamerflatje gekomen om zijn bezittingen op te eisen. De huisbaas, wiens muzikale smaak meer in de richting van skiffle liep dan de rock uit de jaren zestig, gaf Banks toestemming om de kleine doos met elpees mee te nemen. Omdat hij eveneens meer van Harold Robbins hield dan van Baba Ram Das mocht Banks ook de boeken van hem meenemen.

Banks en Jem hadden vaak naar *Bring It All Back Home* geluisterd en toen hij de plaat de eerste keer tevoorschijn haalde om hem te draaien ter nagedachtenis aan Jem, vond hij in de hoes een brief. Hij was geadresseerd aan Jeremy Hylton op een adres in Cambridgeshire. In eerste instantie was hij niet van plan geweest om hem te lezen, uit respect voor Jems privacy, maar zoals zo vaak het geval is kreeg zijn nieuwsgierigheid uiteindelijk toch de overhand. Uit het poststempel maakte hij op dat de brief vijf jaar oud was. Hij had wel geweten dat Jem ouder was dan hijzelf, maar niet hoeveel. De brief was kort.

Lieve Jeremy,
Ik stuur deze brief naar het adres van je ouders omdat ik weet dat je met Pinksteren naar huis gaat en ik hier niet meer zal zijn wanneer je terugkomt. Het spijt me, ik heb geprobeerd je duidelijk te maken dat het gewoon niets zal worden tussen ons, maar je wilt niet naar me luisteren. Ik weet dat ik me laf gedraag en ik weet dat ik je hiermee kwets, maar ik wil de baby niet en het is mijn lichaam, mijn levenslange last. Ik heb een afspraak gemaakt bij een goede arts, dus je hoeft je geen zorgen te maken over mij. Ik heb ook genoeg geld, dus ik hoef niets van je te hebben. Na afloop ga ik ver weg, dus probeer maar niet me te zoeken. Het spijt me, Jeremy, echt, maar het ging al voor de zwangerschap niet goed tussen ons, dat weet jij net zo goed als ik. Ik begrijp niet dat je kunt denken dat een baby ons dichter bij elkaar zou brengen. Het spijt me.
Clara

Banks herinnerde zich dat hij verward en van slag was geweest door wat hij had gelezen. Jem had het nooit over iemand gehad die Clara heette, en evenmin had hij ooit gesproken over de woonplaats van zijn ouders of hun beroep. Hij bekeek het adres: Croft Wynde. Dat klonk chic. Hij wist helemaal niets over Jems achtergrond; zijn accent was eigenlijk heel neutraal geweest en hij had nooit iets verteld over de wereld waarin hij was opgegroeid. Hij had duidelijk een goede opleiding genoten, was heel belezen geweest en hij had Banks geïntroduceerd in de wereld der schrijvers, had hem kennis laten maken met de werken van Kerouac en Ginsberg, Hesse en Sartre, maar hij had nooit gezegd dat hijzelf naar de universiteit was geweest. Toegegeven, in die tijd las iedereen dat soort boeken; je hoefde geen colleges te volgen om *Onderweg* of *Auw* te kunnen lezen.

Banks had lang nagedacht over wat hij in die brief had gelezen en had uiteindelijk het adres opgeschreven. Hij had besloten ernaartoe te rijden om met Jems ouders te praten. Het minste wat hij kon doen, was hen condoleren. Hij was erg eenzaam geweest in Londen, en dat zou nog veel erger zijn geweest als hij niet de gesprekken, muziek en warmte in Jems kleine eenkamerwoning had gehad.

Het nummer was afgelopen en het applaus van het publiek wekte Banks ruw uit zijn overpeinzingen.

'Vreemd nummer,' zei de knul naast hem.

Het zwartharige meisje knikte instemmend en wierp een vragende blik op Banks. 'Volgens mij hebben ze het niet zelf geschreven.'

Banks glimlachte naar haar. 'Bob Dylan,' zei hij.

'O, ja. Natuurlijk. Dat wist ik wel.'

Daarna barstte de band los met een nummer van Brian, een stevige rocker over rassenrelaties. Toen was de eerste set afgelopen. De band bedankte voor het applaus en toen kwam Brian naar hem toe. Banks bestelde nog twee biertjes. Het jonge stel aan het tafeltje vroeg of Banks hun plaatsen bezet wilde houden en liep toen weg om met een paar vrienden aan de andere kant van de pub te kletsen.

'Dat was geweldig,' zei Banks. 'Ik wist niet eens dat je van Dylan hield.'

'Dat doe ik ook eigenlijk niet. Ik heb liever The Wallflowers. Toen ik nog klein was, werd ik er helemaal gek van, want jij draaide de hele tijd zijn muziek. Die zeurderige stem van hem en die afgrijselijke harmonica. Maar dat nummer heeft een mooie structuur; het is gemakkelijk te analyseren.'

Banks was teleurgesteld, maar liet het niet merken. 'Ik vond die nummers van jou ook goed,' zei hij.

Brian keek hem niet aan. 'Dank je wel.'

Het had geen zin om het nog langer uit te stellen, dacht Banks, en hij haalde diep adem. Zo meteen zou de band weer beginnen en hij wist niet of hij dan nog een kans zou krijgen om met zijn zoon te praten. 'Hoor eens,' zei hij, 'even over dat telefoongesprek van ons. Ik ben teleurgesteld, natuurlijk, maar het is jouw leven. Als je echt denkt dat je hiermee succes zult boeken, dan zal ik je zeker niet tegenhouden.'

Brian keek Banks aan en Banks meende opluchting in de ogen van zijn zoon te zien. Zijn goedkeuring deed er dus wel degelijk iets toe. Hij voelde zich opmerkelijk licht in zijn hoofd.

'Meen je dat echt?'

Banks knikte.

'Het was zo walgelijk saai, pap. Je hebt gelijk. Ik heb er een zootje van gemaakt, en het spijt me als ik je daardoor heb gekwetst. Het kwam trouwens maar voor een deel door de band. Ik heb vorig jaar niet hard genoeg gewerkt, omdat het hele onderwerp me de neus uit kwam. Ik heb nog mazzel gehad dat ik gemiddeld op een voldoende ben uitgekomen.'

Banks had precies hetzelfde gehad met zijn opleiding handel en economie; hij had zich ook zo verveeld, dus hij kon nu onmogelijk hoog van de toren blazen. Nu ja, dat kon hij natuurlijk wel, maar dit keer wist hij de stemmen van zijn ouders tot zwijgen te brengen. 'Heb je het je moeder al verteld?'

Brian keek hem niet aan en schudde ontkennend zijn hoofd.

'Je zult het haar toch een keer moeten vertellen.'

'Ik heb een bericht achtergelaten op haar antwoordapparaat. Ze is er nooit.'

'Ze moet werken. Waarom ga je niet een keertje bij haar op bezoek? Zo ver woont ze hier niet vandaan.'

Brian zweeg een tijdje. Hij speelde met het bier in zijn glas en streek zijn haar naar achteren. Om hen heen was het rumoerig en druk. Banks slaagde erin zich te concentreren en het gelach en de luidkeels gevoerde gesprekken buiten te sluiten. Alleen zij tweeën op een eilandje in een poel van licht, de rest van de wereld slechts gebrom op de achtergrond.

'Brian? Is er iets?'

'Neuh, niet echt.'

'Vertel het me maar.'

Brian nam een slokje bier en haalde zijn schouders op. 'Het is niet belangrijk. Het gaat om Sean.'

Banks voelde een waarschuwende tinteling achter in zijn nek. 'Wat is er met Sean?'

'Het is een engerd. Hij behandelt me als een klein kind. Altijd wanneer ik daar langskom, wil hij me zo snel mogelijk weer weg hebben. En hij kan ook nooit met zijn handen van mam afblijven. Pap, waarom kunnen jullie het niet nog een keer samen proberen? Waarom kan alles niet gewoon blijven zoals het vroeger was?' Hij keek Banks aan met een diepe rimpel in zijn voorhoofd en tranen van woede en verdriet in zijn ogen. Niet langer de hippe, getalenteerde jongeman, maar heel even het bange jochie dat zijn ouders en de enige veilige, betrouwbare plek op aarde kwijt was.

Banks slikte moeizaam en graaide naar een nieuwe sigaret. 'Zo gemakkelijk gaat dat niet,' zei hij. 'Dacht je soms dat ik dat niet had gewild?'

'Hád gewild?'

'Er is veel veranderd.'

'Wil je soms zeggen dat je een nieuwe vriendin hebt?'

Als het al mogelijk was om meer venijn in dat ene woord te leggen dan Brian zojuist had gedaan, zou Banks niet weten hoe. 'Daar gaat het niet om,' zei hij. 'Je moeder heeft herhaaldelijk duidelijk gemaakt dat ze niet met me verder wil. Ik heb het geprobeerd. In het begin hoopte ik nog dat het zou lukken, maar... Wat kan ik verder nog doen?'

'Blijven proberen.'

Banks schudde zijn hoofd. 'Ik weet het niet,' zei hij. 'Er zijn er twee voor nodig, en ze is me nog geen stap tegemoetgekomen. Ik heb het min of meer opgegeven. Het spijt me van Sean. Ik vind het jammer dat jullie het niet kunnen vinden samen.'

'Het is een eikel.'

'Tja... Hoor eens, waarom kom je niet een keertje naar Gratly wanneer je vrij hebt? Dan kun je me helpen de cottage wat op te knappen. Je hebt hem nog niet eens gezien. Dan kunnen we samen lange wandelingen maken. Weet je nog dat we dat vroeger altijd deden? Semerwater? Langstrothdale? Hardraw Force?'

'Ik weet het nog niet,' zei Brian, en hij streek zijn haar naar achteren. 'We zullen het voorlopig nog wel erg druk hebben.'

'Zie maar. Ik vraag niet of je een datum wilt prikken. Het is een open uitnodiging. Goed?'

Brian keek op van zijn bierglas en glimlachte, die wat scheve glimlach die Banks altijd zo ontzettend aan zijn eigen vader deed denken. 'Goed,' antwoordde hij. 'Dat zou ik leuk vinden. Afgesproken. Zodra we een paar dagen vrij hebben, sta ik bij je op de stoep.'

Een bastoon en tromgeroffel doorsneden het geroezemoes als een echo van wat Brian had gezegd. Hij keek op. 'Ik moet ervandoor, pap,' zei hij. 'Ben je er straks nog?'

'Ik denk het niet,' zei Banks. 'Ik moet nog werken. Ik blijf nog even naar een deel van de set luisteren, maar het kan zijn dat ik al weg ben wanneer jullie klaar zijn. Ik vond het heel fijn om je even te zien. Kom gauw eens langs. Er is een bed voor je wanneer je dat nodig hebt, zo lang je maar wilt.'

'Bedankt, pap. Hoe zeggen ze dat ook alweer? "Thuis is de plek waar ze je binnen moeten laten." Ik wilde maar dat ik wist waar dat precies was. Pas goed op jezelf.'

Banks stak zijn hand uit en Brian beantwoordde het gebaar. Toen keek Banks met een schuldige blik op zijn horloge. Hij had nog net genoeg tijd om naar een paar nummers te luisteren, voordat hij ervandoor ging voor zijn afspraakje met Annie.

Op een dag kwam Gloria naar me toe en ze vroeg of ik het erg zou vinden om de winkel een uurtje te sluiten en met haar te gaan wandelen. Ze was bleek en had minder werk van haar uiterlijk gemaakt dan gewoonlijk.

Het was begin mei, weet ik nog, en het ergste lag achter ons. Hitler was dood, de Russen hadden Berlijn bezet en alle Duitse troepen in Italië hadden zich overgegeven. We waren nog maar een paar dagen van het einde verwijderd.

Ik sloot de winkel, zoals ze had gevraagd, en we liepen Rowan Woods in, waar we al snel van het pad afdwaalden en door het groene licht slenterden dat tussen de jonge blaadjes door scheen. De bloemen in het bos stonden allemaal in bloei: overal groepjes wilde hyacinten, wilde rozen, viooltjes en sleutelbloemen. De vogels kwinkeleerden en de lucht was doordrongen van de geur van daslook. Zo nu en dan hoorde ik in de verte de roep van een koekoek.

'Ik weet niet meer wat ik met hem aan moet, Gwen,' zei ze handenwringend en met tranen in haar ogen. 'Wat ik ook probeer om tot hem door te dringen, niets helpt.'

'Ik weet het,' zei ik. 'We moeten gewoon geduld hebben. Laat de dokter zijn werk doen. Het heeft tijd nodig.' Nog voordat ik was uitgesproken, hoorde ik al hoe afgezaagd en ontoereikend mijn woorden klonken.

'Jij hebt gemakkelijk praten. Jij bent niet met hem getrouwd.'

'Gloria! Hij is mijn broer.'

Ze legde een hand op mijn arm. 'O, het spijt me, Gwen, zo bedoelde ik het niet. Ik ben gewoon erg van streek. Toch is het niet hetzelfde. Hij maakt er een gewoonte van om op de bank te slapen wanneer hij thuiskomt uit de pub.'

'Dus jullie hebben geen... Hij wil niet...?'

'Nog niet één keer sinds hij terug is. Het is niet eerlijk, Gwen. Ik weet dat ik egoïstisch ben, maar dit is niet de man met wie ik getrouwd ben. Ik woon samen met een vreemde. Het wordt zo langzamerhand echt ondraaglijk.'

'Ben je van plan bij hem weg te gaan?'

'Ik weet niet wat ik moet doen. Ik denk niet dat ik dat kan. Brad zeurt nog steeds aan mijn hoofd dat ik met hem naar Amerika moet gaan zodra zijn overplaatsingspapieren binnen zijn. Hij zegt dat hij misschien eerst nog naar de Stille Zuidzee wordt gestuurd, omdat de oorlog daar nog niet voorbij is, maar hij beweert dat hij me zo snel mogelijk zal laten weten wanneer ik naar hem toe kan komen. Denk je eens in, Gwen: Hollywood! Een nieuw, zonnig leven onder de palmbomen in een magisch land hier heel ver vandaan. Een jonge, gezonde, knappe, energieke man die me aanbidt. Oneindige mogelijkheden om rijkdom en weelde te vergaren. Ik zou zelfs filmster kunnen worden. Doodgewone mensen als jij en ik kunnen dat daar ook.'

'Maar?'

Ze draaide zich met neergeslagen ogen om. 'Een droom. Meer niet. Ik kan niet weggaan. Dom, vind je ook niet? Een paar jaar geleden heb ik dat wel gedaan. Ben ik weggelopen uit een leven dat ik niet wilde en hier terechtgekomen.'

'Maar toen was je net je hele familie kwijtgeraakt. Je had niets om voor te blijven. Het is heel begrijpelijk dat je daar toen voor koos.'

'En ben ik Matt nu dan soms niet kwijtgeraakt?'

'Dat is niet hetzelfde.'

'Je hebt gelijk; dat is het inderdaad niet. Trouwens, ik was al weggelopen voordat ik hen was kwijtgeraakt.'

'Wat bedoel je?'

Ze zweeg even en raakte voorzichtig mijn arm aan. 'Je weet niet alles van me, Gwen. Ik ben geen goed mens geweest. Ik heb verschrikkelijke dingen gedaan. Ik heb me egoïstisch gedragen. Ik heb mensen enorm gekwetst. Maar ik wil dat je één ding goed begrijpt. Het is heel belangrijk.'

'Wat dan?'

'Matt is de enige man van wie ik ooit echt heb gehouden.'

'Hou je niet van Brad?'

'Niet van Brad, niet van... Laat maar.'

'Wat wilde je zeggen?'

Gloria antwoordde niet meteen en keek me ook niet aan. 'Ik zei je net al dat ik verschrikkelijke dingen heb gedaan. Als ik je het vertel, moet je me beloven dat je het nooit aan iemand anders doorvertelt.'

'Dat beloof ik.'

Ze keek me met die grote blauwe ogen van haar aan. Het was een schok dat ik nooit had gemerkt hoe tragisch de blik was die erin verscholen lag. 'Ik vraag je niet om me te vergeven,' zei ze. 'Dat kun je misschien niet eens. Maar luister alsjeblieft naar wat ik te zeggen heb.'

Ik knikte. Ze leunde tegen een boom.

'Toen ik zestien was,' begon ze haar verhaal, 'heb ik een baby gekregen. Ik hield niet van de vader, niet echt. O, ik geloof wel dat ik stapelverliefd op hem was. George was een paar jaar ouder dan ik, knap, populair bij de meisjes. Ik was mijn leeftijd ver vooruit en voelde me gevleid door zijn aandacht. We... Nou ja, je snapt het wel. We hebben het maar één keer gedaan, maar ik wist toen nog helemaal niets over... je weet wel... en ik raakte zwanger. Onze ouders wilden dat we trouwden. George zou het zo hebben gedaan; hij zei dat hij van me hield, maar ik wist... Diep vanbinnen wist ik dat het de grootste fout van mijn leven zou zijn. Ik wist dat ik doodongelukkig zou worden als ik met George trouwde. Hij hield toen van me, maar hoe lang zou dat hebben geduurd? Hij dronk, zoals iedereen die in de havens werkte, en ik was er echt van overtuigd dat het alleen maar een kwestie van tijd zou zijn voordat hij me zou gaan slaan en me als een slaafje zou gaan beschouwen. Ik had dat bij mij thuis ook gezien. Mijn eigen vader. Ik haatte hem. Daarom wilde ik zo ontzettend graag ontsnappen. Ik luisterde urenlang naar de radio en probeerde te leren praten zoals echte mensen volgens mij hoorden te praten. Wanneer mijn vader me betrapte, lachte hij me uit of hij sloeg me, afhankelijk van hoeveel hij had gedronken. Dus heb ik hen allemaal in de steek gelaten.'

'Waar ben je toen naartoe gegaan?'

'Naar het huis van een vriendin. Ergens in de buurt. Ik kende helemaal niemand buiten East End, behalve dan mijn oom Jack in Southend, en hij zou me gewoon rechtsomkeert naar huis hebben gestuurd.'

'Was je bij die vriendin toen je ouders omkwamen?'

'Ja. Ik was helemaal kapot van de dood van Joe, mijn kleine broertje, maar mijn vader kon wat mij betreft wegrotten in de hel. En mijn moeder... Ach, ze was niet slecht, denk ik, maar ze deed ook helemaal niets om hem tegen te houden. Misschien was ze dood wel beter af. Ze had niet echt een fijn leven. Ik kan me niet herinneren dat ik haar ooit heb zien glimlachen.'

'Wat is er met de baby gebeurd?'

Weer zweeg Gloria even, alsof ze naar woorden zocht. 'Ik vond het vreselijk om zwanger te zijn. Ik was de hele tijd misselijk. Toen Francis was geboren, werd ik erg depressief en ik voelde me niet... voelde me helemaal niet zoals een normale moeder zich volgens iedereen behoorde te voelen. Ik schaam me dat ik het moet zeggen, maar ik vond het niet eens leuk om hem vast te houden. Ik vond het walgelijk dat zo'n wezen uit mijn lichaam was gekomen. Ik haatte mijn eigen baby, Gwen. Dat is de reden waarom ik nooit een echte moeder kon zijn voor hem of voor iemand anders.'

Ze snikte en viel voorover in mijn armen. Ik hield haar vast en troostte haar zo goed en zo kwaad als dat ging. Ik begreep het niet; ik had er geen idee van dat een moeder ook niet van haar kind zou kunnen houden; ik wist in die tijd niets over postnatale depressie. Ik geloof dat niemand dat begrip kende. Mijn hart voelde heet en te groot aan voor mijn borstkas. Gloria depte haar ogen droog met een zakdoek en vervolgde snuffend: 'Francis leeft nog. George's zus Ivy kan zelf geen kinderen krijgen. Ze wonen aan het kanaal. Haar man John is sluiswachter. Ik weet dat hij geheelonthouder is en ik heb Ivy een paar keer ontmoet. Het zijn fatsoenlijke mensen, anders dan de anderen. Ze zijn weggegaan en hebben een beter leven voor zichzelf opgebouwd. Ze hebben me beloofd dat ze voor Francis zouden zorgen. Ik besefte dat hij bij hen beter af zou zijn.'

'Wat vond George ervan?'

'Hij wist toen al dat datgene wat er ooit tussen ons was geweest voorbij was, hoewel hij het wel bleef proberen, maar hij begreep er niets van toen ik er geen enkel bezwaar tegen maakte om Francis aan Ivy en John te geven. George is een eenvoudige man. Traditioneel. Hij gelooft in het gezin. Hij gelooft dat iedere moeder automatisch van haar baby houdt. Dat dat inderdaad zo eenvoudig is. Hij stemde er natuurlijk mee in. Hij kon Francis moeilijk alleen opvoeden. Hij zei dat ik de moeder van de jongen zou blijven, wat er ook gebeurde, dat een jongen zijn echte moeder nodig had om van te houden. Toen ik er zonder problemen in toestemde en zei dat ik het goed zou vinden als ze hem voorgoed wilden houden, weigerde George me te geloven. Dat deed hij altijd wanneer ik een van mijn "vreemde buien" had, zoals hij dat noemde. Dan geloofde hij me gewoon niet. Hij was geen slechte man, Gwen, dat wil ik niet beweren. Ik ben degene die slecht is. Ik denk dat hij meer van zijn zoon hield dan ik. Hij wilde een zo goed mogelijke vader zijn. Toen werd hij echter opgeroepen voor het leger, net als al die anderen. Hij heeft altijd gehoopt dat ik nog wel van gedachten zou veranderen. Hij is erg koppig, zoals mannen wel vaker kunnen zijn. Hij is me al een keer komen opzoeken met Francis. Hij zei dat hij nog steeds van me hield, vroeg me om terug te komen. Ik heb hem gezegd dat ik getrouwd ben en toen kregen we ruzie. Hij is weer vertrokken. Maar hij komt nog wel terug, Gwen. Zo gemakkelijk zal hij het niet opgeven.'

'Ben je bang voor hem?'

'Dat weet ik niet. Misschien wel. Een beetje. Hij heeft een opvliegend karakter, net als zijn eigen vader. Vooral wanneer hij heeft gedronken.'

Ik wist niet goed wat ik moest zeggen.

'Zeg alsjeblieft dat je geen hekel aan me hebt, Gwen! Ik zou het niet kunnen verdragen als jij een hekel aan me had. Je bent de enige echte vriendin die ik heb.'

'Natuurlijk heb ik geen hekel aan je. Ik begrijp het alleen niet zo goed.'

'Ik weet niet eens of ik het wel begrijp, maar begrijp je nu dat dat precies de reden is waarom ik niet weg zou kunnen, ongeacht hoe mijn leven met Matt er verder ook uitziet? Door wat ik vroeger heb gedaan. Ach, ik heb genoeg excuses, hoor: ik was te jong; ik heb een fout gemaakt; ik hield niet van hem; ik dacht dat er betere dingen voor me in het verschiet lagen. Maar dat is het nu juist: het zijn excuses. Toen het erop aankwam, was ik egoïstisch, was ik een lafaard. Ik wil me niet nog een keer als een lafaard gedragen. Dit is mijn straf, Gwen. Snap je dat dan niet? Matt is mijn boetedoening.'

'Ik geloof dat ik het wel snap, ja,' zei ik.

Ze glimlachte door haar tranen heen. 'Lieve, goede Gwen. Ik durf te wedden dat er niet veel mensen in Hobb's End zijn die me op mijn woord zouden geloven, jij wel? Ik heb ze heus wel horen kletsen, hoor.' Ze imiteerde het plaatselijke dialect. '"Die is er zo vandoor," zeggen ze. "Met zo'n yank, nog voordat hij koud tien minuten thuis is, let maar op." Maar dat doe ik niet, Gwen. Laat ze maar kletsen. Ik doe het niet.'

'Zijn Brad en jij nog steeds...?'

'Soms. Wees alsjeblieft niet boos. Ik heb echt geprobeerd om hem weg te sturen toen Matt net terug was, heus, maar toen ik merkte dat hij niet... Ik bedoel... Af en toe vind ik troost bij Brad, en zolang Matthew het niet beseft...

Om eerlijk te zeggen levert hij momenteel echter meer problemen op dan iets anders. Ik krijg het onderwerp "samen weglopen" maar niet uit zijn hoofd. Het zet me enorm onder druk. Ik heb hem gezegd dat ik zou weglopen en jullie allemaal, hem ook, zou achterlaten als hij niet ophield zo aan te dringen.'

Ik kan niet zeggen dat ik het goedkeurde dat Gloria nog steeds met Brad omging nu Matthew eenmaal terug was, maar ik zei niets. Ik reageerde alleen maar zo omdat ik Matthew wilde beschermen; ik was geen morele praatjesmaker als Betty Goodall. We leefden in bijzondere tijden en Gloria was een bijzondere vrouw.

Ze lachte. 'Weet je, ik zou niet weten wat ik zonder PX moest beginnen. Is het niet grappig dat het in tijden als deze, wanneer alles zo somber is, de kleine dingen zijn die je even kunnen opbeuren? Een runderlapje, een nieuwe kleur lippenstift, een slokje whisky, een pakje sigaretten. Nieuwe kousen. Hij is echt een schat.'

'En Billy Joe? Heeft hij het je nog lastig gemaakt?'

'Nee, niet echt. Ik heb hem een paar dagen geleden nog gezien. Ik kreeg de indruk dat hij het stiekem wel leuk vond dat Matthew is teruggekomen en het voor Brad en mij heeft verpest. Hij had ook zo'n blik in zijn ogen, alsof hij dacht dat hij nog een kans maakte om me in bed te krijgen. Ik geloof dat het hem helemaal niets kan schelen hoe ik me hieronder voel.'

'Nee, dat is toch ook logisch? Ik kan niet zeggen dat ik hem ooit heb vertrouwd. Hij heeft een akelig, gewelddadig trekje.'

'Billy Joe? Ach, ik kan hem wel aan. Hij is gewoon een groot kind.' Ze leunde weer tegen de boom. 'Maar je hebt wel gelijk, hij kan erg gewelddadig zijn. Ik hou daar niet van in een man.' Ze zweeg en wendde haar blik af. 'Luister, Gwen, ik weet niet of ik je dit wel moet vertellen, maar ik moet er met iemand over praten. Ik heb wat problemen met Michael.'

'Michael? Lieve god. Je bedoelt toch niet dat hij...'

'Doe niet zo dwaas, Gwen. Die man is alleen maar geïnteresseerd in jongens. Hoe jonger, hoe beter. Nee. Nou ja, ik zal het je nu maar vertellen, maar je moet me beloven dat je het tegen niemand zult zeggen. Beloofd?'

'Het is wel een dag vol geheimen. Goed dan, beloofd.'

'Je zult wel gemerkt hebben dat ik afgelopen zomer en herfst vrij vaak in zijn atelier ben geweest.'

'Dat klopt.'

'Raad eens?'

'Hij heeft je natuurlijk geschilderd.'

'O. Dat had je al geraden!'

'Tja, zo moeilijk was dat niet. Hij is tenslotte een kunstenaar. Maar dat is fantastisch, Gloria. Mag ik het zien? Is het al af?'

'Ja. En het is echt erg goed.'

'Wat is er dan?'

'Het is een naaktportret.'

Ik slikte moeizaam. 'Je hebt naakt voor Michael Stanhope geposeerd?'

Ze lachte. 'Waarom niet? De kans dat hij zou proberen me aan te raken, was immers vrijwel nihil. Wat ik eigenlijk wilde zeggen, is dat ik gisteren bij hem ben geweest om hem te vragen het alsjeblieft niet te exposeren of zelfs maar aan een privé-verzamelaar te verkopen zolang Matthew nog leeft. Ik weet dat het net lijkt of hij naast zijn bezoekjes aan de pub en de drank waarmee hij zich in slaap drinkt alleen maar als een zombie voor zich uit zit te staren, maar ik weet niet wat voor effect het op hem zou hebben. Als het al effect zou hebben. Ik wil gewoon het risico niet nemen. Je weet hoe het gaat in het dorp. Matthews gezondheid hangt toch al aan een zijden draadje. Wie weet draait hij wel helemaal door als hij een naaktschilderij van zijn vrouw ziet dat is gemaakt terwijl hij in een Japans gevangenenkamp werd gemarteld.'

'Dat klinkt logisch,' zei ik tegen haar. 'Wat vond Michael Stanhope daarvan?'

'O, uiteindelijk stemde hij ermee in. Maar hij is er natuurlijk niet blij mee. Hij vindt dat het een van de beste schilderijen is die hij ooit heeft gemaakt, blablabla. Hij gelooft dat het allerlei nieuwe perspectieven voor hem kan openen. Beweert dat zijn carrière wel een opkikker kan gebruiken en dat dit werk dat nu juist kan bewerkstelligen. Hij beweerde ook dat Matthew er niets van hoefde te weten en dat hij me op het schilderij niet eens zou herkennen als hij het per ongeluk toch zag. Waar hij waarschijnlijk wel gelijk in heeft. Ik gedraag me erg dom.'

'Maar hij heeft het wel beloofd?'

'Hij klaagde steen en been, maar inderdaad, uiteindelijk heeft hij het beloofd. Hij speelt graag de rol van miezerige cynicus, maar diep vanbinnen is hij een heel fatsoenlijk mens. Hij heeft een groot hart.'

Toen was ze uitgepraat. Tijdens de wandeling terug naar Hobb's End genoten we van het geluid van de bries die door de bladeren ritselde en het gefluit van de vogels op de hoogste takken.

Ik zag Gloria pas een paar dagen later weer, op de middag van 7 mei, en toen wist iedereen dat Duitsland zich had overgegeven. De oorlog was voorbij en overal waar je keek hingen mensen de vlag uit en sloten ze hun winkel.

Het laatste feest was begonnen.

'Leuke film?' vroeg Banks toen hij Annie om negen uur trof bij de ingang van het Odeon aan Leicester Square. Ze had de nieuwste vele miljoenen kostende spektakelfilm vol special effects gezien van een van die alom geprezen regisseurs die tot voor kort alleen maar reclamefilmpjes voor televisie op hun naam hadden staan.

'Niet echt,' zei Annie. 'Hoewel hij wel zijn goede punten had.'

'Zoals?'

'*The End*, bijvoorbeeld.'

Banks lachte. Leicester Square was zoals gewoonlijk bomvol toeristen. Zwerfkinderen, straatmuzikanten, jongleurs, clowns en degenslikkers deden allemaal hun uiterste best om een paar pond los te krijgen uit de zakken van het publiek, terwijl zakkenrollers een gemakkelijker weg bewandelden. De hare krisjna's waren eveneens op volle sterkte teruggekeerd. Banks had hen in geen jaren gezien.

'Hoe ging het met je zoon?' vroeg Annie.

'We hebben het een en ander uitgepraat.'

'En de band?'

'Vrij goed, maar ik ben natuurlijk bevooroordeeld. Als ze ooit in het noorden optreden, gaan we wel een keer luisteren; dan kun je zelf een oordeel vormen.'

'Daar hou ik je aan.'

Banks nam Annie mee naar het bistroachtige restaurantje dat hij kende aan een smal zijstraatje van Shaftesbury Avenue. Het was er druk, maar nadat ze even aan de bar hadden gezeten slaagden ze erin een tafeltje voor twee personen te bemachtigen.

'Ik sterf van de honger,' zei Annie, en ze wurmde zich op de stoel die tussen de tafel en de muur geklemd stond, waarna ze zich een halve slag omdraaide om haar aankopen achter zich op de grond te zetten. 'Maar ik heb al wel gemerkt dat uit eten gaan met jou een groot probleem gaat worden.'

'Hoezo?'

'Dit soort eetgelegenheden heeft de vegetarische klant maar weinig te bieden,' fluisterde ze. 'Lees het menu maar eens.'

Banks las de kaart aandachtig. Ze had gelijk: lamsvlees, rundvlees, kip, vis, schaaldieren, maar vrijwel geen interessante vegetarische gerechten, alleen een paar salades. Maar goed, wat Banks betreft viel een 'interessant vegetarisch gerecht' in ongeveer dezelfde categorie oxymorons als 'bedrijfsethiek'.

'Sorry,' zei hij. 'Wil je liever ergens anders naartoe?'

Ze legde een hand op zijn arm. 'Nee, het maakt niet uit. Maar de volgende keer mag ik kiezen.'

'Visioenen van tofu en zeewier zweven al voor mijn ogen.'

'Idioot. Zo hoeft het helemaal niet te zijn. Indiase restaurants hebben geweldige vegetarische gerechten. Italiaanse ook. Je hebt toch ook niets te klagen gehad over de maaltijd die ik vorige week heb gemaakt?'

'De timing lag erg gevoelig. Ik wilde je zo kort voordat ik je ging verleiden niet voor het hoofd stoten.'

Annie lachte. 'Eerlijkheid duurt het langst, zullen we maar denken.'

'Ik was helemaal niet eerlijk. Ik maakte een grapje. Het was een heerlijk maal. En het dessert was ook niet slecht.'

'Nu doe je het weer.'

'Je hebt gelijk. Volgende keer mag jij het restaurant uitkiezen, goed?'

'Afgesproken.'

'Zullen we wijn nemen?'

Ze kozen een relatief goedkope rode wijn uit, waarbij de nadruk op 'relatief' lag, en Banks bestelde geroosterd lamsvlees met rozemarijn, terwijl Annie met een gekwelde uitdrukking op haar gezicht een grote groene salade met wat brood en kaas liet noteren. De ober, die ongetwijfeld net als de aankleding en keuken uit Frankrijk was geïmporteerd, gromde afkeurend en verdween.

Hun maaltijd werd sneller gebracht dan Banks had verwacht en ze wachtten tot de ober weer was vertrokken. Het lamsvlees was mals en sappig, en vanbinnen roze. Annie haalde haar neus ervoor op en meldde dat haar salade oké was. Op de achtergrond speelde een cassettebandje met romantische muziek en tussen de heen en weer snellende obers, het geroezemoes van de gesprekken, het getik van bestek en gerinkel van glazen kon Banks nog net de klanken ontwaren van het *andante cantabile* van Tsjaikovski's *Strijkkwartet nr. 1.*

Na zijn gesprek met Brian had hij het gevoel dat er een last van zijn schouders was gevallen. Er waren natuurlijk nog steeds problemen, zoals Sean, maar Brian zou moeten leren leven met de zaken zoals ze er nu voor stonden. Banks moest echter toegeven dat die Sean een echte klootzak leek. Het was niet de eerste keer dat hij overwoog er eens naartoe te gaan en hem in elkaar te trappen. Een heel volwassen manier om met het probleem om te gaan, hield hij zichzelf voor. Daar zou iedereen die erbij betrokken was echt heel veel mee opschieten. Op dit moment was het het belangrijkste dat zijn zoon en hij weer met elkaar praatten. En uit wat hij had gehoord, bleek wel dat de knul talent had; misschien zou hij het toch wel redden in dat wereldje. Banks probeerde zich voor te stellen hoe het zou zijn om de vader van een beroemde rockster te zijn. Zou Brian een landhuis en een Mercedes voor hem kopen wanneer hij oud en grijs was?

Het kaarslicht benadrukte de lichte, door wijn veroorzaakte blos op Annies wangen en toverde geheimzinnige schaduwen en weerspiegelingen tevoorschijn in haar donkere ogen. Ze droeg nog steeds hetzelfde zakelijke pakje dat ze die ochtend ook had aangehad, maar ze had haar haar losgemaakt, dat nu in sexy lokken over haar schouders golfde. Waarschijnlijk hing het nu net ter hoogte van de tatoeage boven haar borst.

'Waar zit je aan te denken?' vroeg ze, en ze keek op en streek een paar losse plukken achter een oor.

Misschien was dit wel het juiste moment om de gok te wagen, dacht Banks, die moed had geput uit zijn opgewekte stemming. 'Annie, mag ik je een heel persoonlijke vraag stellen?'

Ze trok haar wenkbrauwen hoog op en Banks voelde dat een deel van haar zich schuw in de schaduwen terugtrok. Te laat. 'Natuurlijk,' zei ze. 'Maar ik kan niet beloven dat ik ook antwoord geef.'

'Dat is niet meer dan redelijk. Wat doe je eigenlijk in Harkside?'

'Hoe bedoel je?'

'Je weet best wat ik bedoel. Het is een *dead-end*. Het soort plek waar ze stoute jongens en meisjes naartoe sturen. Je bent intelligent. Je bent gretig. Je hebt nog een hele toekomst voor je liggen, als je dat wilt, maar in Harkside zul je niet de werkervaring opdoen die daarvoor nodig is.'

'Ik denk dat je daarmee inspecteur Harmond en de anderen beledigt, vind je zelf ook niet?'

'Kom nu toch, Annie. Je weet net zo goed als ik dat zij daar uit eigen vrije wil blijven. Daar hebben ze voor gekozen. En het is helemaal geen belediging als ik zeg dat ze kennelijk de voorkeur geven aan een gemakkelijk leven.'

'Tja, misschien heb ik daar zelf ook wel voor gekozen.'

'Is dat zo?'

'Ik heb niet beloofd dat ik antwoord zou geven op je vraag.' Om haar mond lag nu een nukkige trek die Banks nog niet eerder had gezien, met omlaagwijzende mondhoeken; haar vingers roffelden een mars op het tafelkleed.

'Nee, dat is waar,' gaf Banks toe, en hij boog zich naar haar toe. 'Ik zal je eens wat vertellen. Jimmy Riddle heeft een bloedhekel aan me. Hij is absoluut niet van plan om iets op mijn pad te gooien wat ik ook maar in de verste verte interessant zou kunnen vinden. Als ik er nu van uitga dat hij weet wie je bent en daarbij optel dat wat er inmiddels tussen ons is gebeurd in nog geen miljoen jaar zou voldoen aan zijn versie van de peilloze hel waarin hij me heeft willen werpen, dan begin ik me toch af te vragen waarom.'

'En nu zit je te wachten tot de klappen gaan vallen?'

'Hè?'

'Is dat niet wat je bedoelt? Je denkt dat er iets aan de hand is. Je denkt dat er een samenzwering gaande is om je te grazen te nemen. Je denkt dat ik daaraan meedoe.'

'Dat heb ik niet gezegd,' zei Banks, die zich met een schuldig gevoel realiseerde dat die gedachte wel degelijk bij hem was opgekomen.

Annie wendde haar hoofd af. Haar profiel zag er streng uit. 'Annie,' zei hij na een korte stilte, 'ik zal niet ontkennen dat ik achterdocht heb gekoesterd. Ik hoop dat je kunt geloven dat ik het je nu alleen maar vraag omdat ik denk... omdat ik bang ben dat jij ook wordt gebruikt.'

Zonder haar hoofd te bewegen, wierp ze hem met half dichtgeknepen ogen een korte blik toe. 'Hoe dan?'

'Dat weet ik niet. Wat moet ik er dan op zeggen? Riddle heeft ongetwijfeld een bepaalde reden gehad om ons bij elkaar te brengen, iets waarvan hij dacht dat ik het vervelend zou vinden. Ik hoop dat je het met me eens bent dat het heel anders heeft uitgepakt. Kun je het me dan kwalijk nemen dat ik me afvraag wat er gaande is?'

De uitdrukking op haar gezicht verzachtte enigszins. Ze hief haar hoofd op. 'Misschien is dit het juist wel?' opperde ze. 'Is dit precies wat hij verwachtte.' 'In welk opzicht?'

'Dat we op een of andere manier voor elkaar zouden vallen, de regels met voeten zouden treden en zouden worden betrapt. Op die manier kan hij ons allebei lozen.'

'Nee, dat is niet voldoende. Het is te gemakkelijk. Wat wij doen is niet... Dat is precies hetzelfde wat ik volgens hem al eerder heb gedaan. Zijn brein is veel sadistischer. En om eerlijk te zijn geloof ik ook niet dat hij daar slim genoeg voor is. Hoe noemen spionnen dat ook alweer: een val met honing als lokaas? Jimmy Riddle heeft er helemaal geen behoefte aan om me honing aan te bieden, hooguit arsenicum.'

'Jimmy Riddle heeft je helemaal niets aangeboden.'

'Goed. Sorry. Je begrijpt wat ik bedoel.'

Annie schudde langzaam haar hoofd en de schaduwen dansten door haar haren. Het dessert werd gebracht, maar ze at het niet meteen op en leek eerst een besluit te hebben genomen. Ze pakte haar lepel, proefde een hap en keek toen naar Banks. 'Goed dan,' zei ze. 'Ik zal het je vertellen, maar dan moet jij mij ook iets vertellen.'

Het weer in Yorkshire heeft er een handje van om een zeer ironische bijdrage te leveren aan speciale gelegenheden. Op 8 mei 1945 goot het de hele ochtend, ondanks het feit dat het VE-day was. Aan het begin van de middag nam de regen echter geleidelijk aan af en moesten we genoegen nemen met bewolking en korte buien. Tijdens de lunch deed ik de winkel dicht en Gloria kwam vanaf de boerderij naar ons toe. Die middag lieten we moeder en Matthew samen achter en fietsten we naar Harkside om in de Lyric een matinee-voorstelling van *Het spook van de opera* te gaan zien.

Overal in Harkside vingen we opgewonden gesprekken op over partijtjes en dansfeestjes; op straat hingen mensen slingers op en staken ze de vlag uit. Uit alle kerken klonk klokgelui. Op het plein midden in het dorp kwamen we een paar bekenden tegen en ze stelden voor die avond naar het feest in het cultureel centrum te gaan, dat zou worden gevolgd door een straatfeest. De Amerikanen uit Rowan Woods zouden ook komen, verzekerden ze ons. We zeiden dat we zouden proberen om te komen zodra we eerst een tijdje hadden meegefeest in Hobb's End.

Na het eten doorboorde de zon de rafelige zwarte wolken en joeg zijn stralen Rowan Woods in. In korte tijd waren alle wolken verdwenen en was het de prachtigste warme meidag die je je kon voorstellen, met gras dat groen en vochtig was van de regen.

Gloria gaf me een paar kousen die ze van PX had gekregen en hielp me met mijn make-up. We bleven eerst een uurtje op het straatfeest in Hobb's End. Mensen hadden tafeltjes meegenomen en zetten die in een lange rij in de High Street. Het was echter een saaie bedoening, omdat er nog maar zo weinig mensen in het dorp woonden, en het hele gebeuren deed eerder aan een wake denken dan aan een feest.

Moeder zat met haar vriendin, Joyce Maddingley, aan een van de tafels en waarschuwde ons dat we ons moesten gedragen toen we met Cynthia Garmen naar Harkside vertrokken. Matthew weigerde categorisch om de cottage te verlaten; hij gaf geen krimp. Moeder zei dat we ons geen zorgen moesten maken, dat zij van tijd tot tijd een kijkje bij hem zou nemen en ervoor zou zorgen dat het hem aan niets ontbrak.

We gingen met ons drieën op pad en volgden de lange route over de wegen, zodat onze enkels en pumps niet nat zouden worden door het gras.

In Harkside was het een veel levendigere bedoening dan in Hobb's End. De meeste soldaten en vliegers van de bases uit de omgeving waren komen opdagen, dus waar je ook keek zag je mannen in uniform. Zodra we voet op het plein hadden gezet, werden we meegezogen in een wilde wervelwind. Het duurde niet lang voordat Gloria Brad had gevonden. Billy Joe was er ook met zijn nieuwe vriendin en PX hing eveneens op straat rond. Ik voelde plotseling een scherpe steek omdat ik Charlie miste, maar probeerde me over te geven aan de feestroes van de overwinning.

We gingen eerst naar het dansfeest. Een big band speelde nummers van Glenn Miller, Duke Ellington en Benny Goodman, en er werden voortdurend serpentines over de dansvloer geworpen.

Buiten op straat hoorden we tussen de liedjes door het geknal van vuurwerk en mensen die opgetogen juichten. Op een bepaald moment, toen ik net met Billy Joe walste en probeerde hem uit te leggen dat Matthew bijna al onze tijd in beslag nam, zag ik Gloria en Brad naar buiten glippen. Ik zag hen pas ruim een uur later weer terug en Gloria had haar make-up bijgewerkt. Ze kon de ladder in haar kous echter niet verbergen. Ik nam me voor om er niets van te zeggen. Na ons gesprek van enkele dagen geleden had ik veel nagedacht over Gloria en alles wat ze moest opofferen om voor Matthew te kunnen zorgen, en ik was tot de conclusie gekomen dat ze die kleine pleziertjes wel had verdiend, zolang ze er maar discreet mee omging.

De band speelde nog steeds toen we naar buiten stroomden. Op het plein brandde een enorm vreugdevuur en daaromheen zongen en dansten de mensen en staken ze vuurwerk af, net als op Guy Fawkes Night. De lucht was gevuld met de bittere geur van rook en de hemel ging schuil achter exploderende

kleuren. Iemand had een Hitler-pop gemaakt en die werd op het vuur gegooid. Iedereen was dronken. Ik weet niet waar Cynthia uithing. Ik stond
bij een groep mensen en zag door de vlammen heen dat Gloria en Brad ruzie
hadden. Het leek er tenminste op alsof ze tegen elkaar stonden te schreeuwen,
maar door al het gezang en geknal kon ik niets horen.

Op een bepaald ogenblik gingen we naar iemands huis, waar we whisky dronken. Het was een wild feest. Mensen stonden als sardientjes tegen elkaar gedrukt en toen ik me een weg baande door de mensenmassa om naar het toilet
te gaan, voelde ik over mijn hele lichaam tastende handen. Het huis was vol
rook en het prikte in mijn ogen. Gloria danste, maar Brad zag ik niet. Er viel
iemand van de trap. Op een gegeven ogenblik was ik er zelfs van overtuigd dat
ik een neger zag dansen op de piano. Ik zag dat PX dronken was en met dichtgeknepen ogen probeerde een vrouw te kussen. Ze duwde hem weg en zijn
gezicht liep rood aan. Daarna ging hij er als een speer vandoor. Cynthia kwam
weer boven water met een zeeman op haar hielen. Ik weet niet waar ze hem
had opgeduikeld, aangezien we minstens vijfenzeventig kilometer van de kust
zaten. Toen we tegen één uur weer op straat stonden, zei ik tegen Cynthia en
Gloria dat het tijd was om te vertrekken.

We waren alle drie aangeschoten. Het was denk ik niet alleen de alcohol, maar
ook alle emotie en opwinding. We probeerden niet eens een lift te krijgen,
maar legden in plaats daarvan de weg naar huis dansend en lachend af. In
Hobb's End was het zo stil als op een kerkhof.

Bridge Cottage was in duisternis gehuld. Ik ging met Gloria mee naar binnen
om er zeker van te zijn dat alles in orde was en zodra we de deur opendeden,
hoorden we Matthew snurken op de bank. Gloria legde een vinger tegen haar
lippen en gebaarde naar de keuken. Toen de deur dicht was, schonk ze voor
ons allebei nog een glas whisky in, alsof we nog niet genoeg hadden gehad.
Toen ze haar handtas op het aanrecht zette, wankelde hij en viel op de vloer.
Ik bukte me om hem voor haar op te rapen en viel bijna flauw toen ik een
pistool zag. Gloria draaide zich met de fles en een paar glazen in haar handen
om en zag me.

'Het was niet de bedoeling dat je dat zou zien,' zei ze.

'Maar Gloria, hoe kom je daaraan?'

'Van een van die Amerikanen op het feest. Hij was zo dronken dat hij het niet
zal missen.'

'Niet van Brad?'

'Nee, niet van Brad. Niet van iemand die we kennen.'

'Wie hij ook is, hij zal hiervoor ongenadig op zijn donder krijgen.'

'Dat geloof ik niet. Hoe dan ook, het kan me helemaal niets schelen. Het is
zijn eigen schuld, omdat hij zo nonchalant is geweest. Hij probeerde op dat
moment net om zijn hand onder mijn rok te wurmen.'

'Waarom heb je een pistool nodig?'

Ze haalde haar schouders op. 'Oorlogssouvenir.'

'Gloria!'

'Goed dan!' Ze fluisterde, om Matthew niet wakker te maken. 'Misschien ben ik er gewoon iets geruster op in de wetenschap dat het daar ligt, meer niet.'

'Maar Matthew is ongevaarlijk. Hij zou je nooit iets aandoen.'

Ze keek me aan alsof ik de grootste stomkop was die ze ooit had ontmoet. 'Wie heeft hier iets gezegd over Matthew?' vroeg ze hardop, en ze trok het pistool uit mijn hand en legde het in een van de keukenkastjes, achter de schamele voorraad thee en cacao. 'Wil je nu wat drinken of niet?'

Vivian Elmsley had het moeilijk. Tegen middernacht zat ze met haar derde glas gin-tonic in de hand in haar kale woonkamer naar een afschuwelijk programma op televisie te staren. De slaap weigerde te komen. De mysterieuze beller had niet meer gebeld, maar ze beschouwde de telefoon nog steeds als een huiveringwekkend voorwerp dat steeds op het punt stond om het kleine beetje gemoedsrust dat haar nog restte te vernietigen. Ze vroeg zich af of ze de politie op de hoogte had moeten brengen. Maar wat konden zij nu helemaal doen? Het was allemaal zo vaag.

Ze had geweten dat de politie erachter zou komen wie ze was en uiteindelijk bij haar verhaal zou komen halen; dat had ze geweten vanaf het moment dat ze hoorde dat Gloria's lichaam was opgegraven, maar ze was niet voorbereid geweest op het effect dat hun bezoek op haar had gehad. Ze wisten dat ze loog; dat was duidelijk. Inspecteur Banks was niet dom; hij besefte dat iemand die zo nauw met de betrokkenen was omgegaan als Vivian onmogelijk zo weinig kon weten als zij beweerde. En ze kon slecht liegen.

Waarom had ze hun eigenlijk niet de waarheid verteld? Uit angst voor haar eigen welzijn? Deels. Ze wilde niet in de gevangenis belanden. Niet op haar leeftijd. Zouden ze haar echt na al die tijd nog vervolgen, ongeacht wat de wetboeken zeiden? Zouden ze het echt doorzetten en haar de pijn en vernedering van een rechtszaak en een gevangenisstraf laten ondergaan wanneer ze eenmaal het hele verhaal van haar hadden gehoord? Er bestond toch zoiets als verzachtende omstandigheden?

Ze had geen idee wat ze zouden doen, en dat was nu juist het probleem. Wanneer puntje bij paaltje komt, vrezen we het onbekende meer dan wat ook.

Aan de andere kant zouden ze de waarheid over wat er die avond was gebeurd nooit achterhalen als zij die hun niet vertelde. Niemand anders wist ervan. De levenden, noch de doden. Als ze voorzichtig was, zou Vivian het geheim met zich mee het graf in kunnen nemen.

Slechts één ding was zeker: de politie zou terugkomen; dat had ze in de ogen van de inspecteur gelezen. Vanavond moest ze een beslissing nemen.

'Over één ding had je gelijk,' begon Annie. 'Ik zit in Harkside, omdat ik stout ben geweest.

'Wat is er dan gebeurd?'

'Hangt ervan af uit welke hoek je het bekijkt. Volgens hen was het een inwijdingsritueel. Volgens mij een poging tot groepsverkrachting. Ik ga je echt niet vertellen waar het was of wie erbij betrokken waren. Het enige wat ik daarover kwijt wil is dat het in een grote stad is gebeurd, en die stad ligt niet in Yorkshire. Goed?'

'Goed. Vertel verder.'

'Dit is heel moeilijk.' Annie nam nog een hap chocolademousse. 'Moeilijker dan ik ooit had gedacht.'

'Je hoeft het niet te vertellen.'

Ze stak een hand op. 'Nee. Ik ben er nu al aan begonnen.' De ober wandelde voorbij en ze bestelden allebei koffie. Hij liet niet merken dat hij iets had gehoord, maar binnen enkele ogenblikken stond de koffie voor hen op tafel. Annie schoof haar dessertschaaltje opzij; het was leeg. Ze speelde met het lepeltje. 'Het was toen ik tot brigadier werd bevorderd,' zei ze. 'Nu bijna twee jaar geleden. Ik had er mijn verplichte straatdiensten gelopen en ik wist niet zeker waar ze me daarna naartoe zouden sturen. Het kon me ook niets schelen. Ik was allang blij dat ik weer bij de CID aan de slag kon na... Nou ja, je snapt wel wat ik bedoel.'

'Surveillance? Ploegendienst?'

'Precies. Goed, er werd een feestje georganiseerd in de plaatselijke politiepub. In de "privé-kamer" boven. Ik was natuurlijk erg in mijn sas. Ik had altijd al een van de jongens willen zijn. Natuurlijk bleven wij als laatsten over. Uiteindelijk waren we nog maar met ons vieren. Een van hen stelde voor dat we naar zijn huis zouden gaan om nog wat te drinken en iedereen vond dat een goed plan.'

Ze praatte zachtjes, zodat niemand kon meeluisteren. Niet dat daar veel gelegenheid voor was. Het restaurant was tot de nok toe gevuld en overal klonken gelach en luide stemmen. Banks moest zich inspannen om haar te kunnen verstaan en op een of andere manier werd wat hij hoorde extra aangrijpend doordat het op fluistertoon werd verteld. Hij nam een slokje zwarte koffie. In de korte stiltes die zo nu en dan in het rumoer op de achtergrond vielen, ving hij de weelderige, romantische tonen van Liszts *Liebestraum* op.

'We waren al flink aangeschoten,' ging Annie verder, 'en ik was de enige vrouw. Ik kende de anderen niet echt. Het liep allemaal flink uit de hand. Ik had het kunnen zien aankomen door de richting waarin het gesprek in de taxi ging. Je kent dat wel. Flirten. Seksuele toespelingen. Vluchtige aanrakingen. Dat soort dingen. Misschien was ik wel naïef. De andere drie bleven verholen toespelingen maken op inwijdingsrituelen en er werden heel wat elleboogstootjes en knipogen uitgewisseld, maar ik had ook flink zitten drinken en ik zocht er niet meteen iets achter; dat kwam later pas, toen we al een tijdje in de flat waren en nog meer hadden gedronken. Een van hen greep mijn arm vast en stelde voor naar de slaapkamer te gaan; hij beweerde dat hij had gemerkt dat ik er de hele avond al op zat te wachten. Ik lachte en duwde hem weg. Ik dacht dat het een geintje was. Hij werd pissig. Een en ander liep uit de hand. De andere twee grepen me beet en duwden me tegen de leuning van de bank, en hij trok mijn rok omhoog, scheurde mijn ondergoed kapot en verkrachtte me.'

Banks zag dat Annie de steel van het lepeltje stevig in haar vuist had vastgeklemd. Haar knokkels waren wit. Ze haalde diep adem en ging verder. 'Toen hij klaar was, wisselden ze en ik wist meteen wat er ging gebeuren. Het was alsof er geen individuen meer in de kamer waren; ze werden alle drie meegezogen in die blinde mannelijke lust en ik was het lijdend voorwerp. Die lust verjoeg alles, hun geweten... fatsoen. Het is moeilijk in woorden uit te drukken. Ik was doodsbang, maar in die laatste minuten was ik in één klap weer nuchter geworden. Zodra ik de kans kreeg, worstelde ik me los uit hun greep en ik trapte degene die me had verkracht zo hard ik kon in zijn ballen en raakte een van de anderen met mijn elleboog op zijn kaak. Ik kende wat bewegingen van oosterse vechtsporten. Misschien waren mijn reflexen wel sneller geweest, was mijn coördinatie iets accurater geweest als ik niet zoveel had gedronken, ik weet het niet. Op een of andere manier wist ik twee van hen lang genoeg van me af te slaan om naar de deur te rennen. De derde wist me toen vast te grijpen en degene die ik met mijn elleboog had geraakt, was toen ook alweer opgestaan. Ze waren bezweet, rood aangelopen en enorm kwaad. Een van hen stompte me in mijn maag en de ander raakte me vol op de borst. Ik viel op de grond. Ik geloof dat ik zelfs heb overgegeven. Ik dacht dat dat het was, dat ze zouden doen wat ze eerder van plan waren geweest, maar ze durfden niet meer. Het was allemaal net iets te echt voor hen geworden. Plotseling waren het weer individuen, waren ze weer bang voor hun eigen hachje en beseften ze wat ze hadden gedaan. Het was tijd om de geledren te sluiten. Ze maakten me uit voor lesbische trut, zeiden dat ik moest oprotten en dat ik hier met geen woord over moest reppen als ik wist wat goed voor me was. Ik vertrok.'

'Heb je het aangegeven? Allejezus, Annie, je was verkracht.'

Ze lachte hol. 'Alleen een man kan zoiets zo gemakkelijk zeggen. Zo snel klaarstaan met zijn oordeel over wat iemand in die positie wel of niet zou moeten doen. Zogenaamd vol begrip.' Ze schudde haar hoofd. 'Wil je weten wat ik heb gedaan? Ik heb het grootste deel van de nacht in een waas door de stad gelopen. Mensen zullen wel hebben gedacht dat ik gek was. Ik was niet langer dronken, ik was helemaal nuchter, maar ik was leeg, verdoofd, voelde helemaal niets meer. Ik weet nog dat ik probeerde emoties te voelen, dat ik dacht dat ik kwaad of verdrietig zou moeten zijn. Ik weet dat het onmogelijk klinkt, maar dat is de enige manier waarop ik het kan beschrijven. Er was niets. Alleen een intense, kille verdoving. Toen ik ten slotte eindelijk weer in mijn flat was beland, heb ik heel lang in een warm bad gezeten. Ik moet er uren in hebben gezeten, heb al die tijd alleen maar naar de radio geluisterd. Het nieuws. Het weerbericht. Het normale leven. Dat was ergens heel kalmerend. En weet je? Ik heb begrip voor alle slachtoffers van een verkrachting die niet uit zichzelf naar het bureau komen om zo'n misdaad aan te geven.'

Banks zag de tranen die in haar ooghoeken glinsterden, maar toen ze hem zag kijken, leek ze ze bijna weer terug te trekken.

'Wat gebeurde er toen?' vroeg hij.

'De volgende ochtend had ik mijn zelfbeheersing weer min of meer terug. Het eerste wat ik deed, was naar de hoofdinspecteur stappen om hem te vertellen wat ze hadden gedaan. Je raadt het nooit.'

'Nou?'

'Twee van de anderen waren me voor geweest en hadden roet in het eten gegooid. Uit voorzorg. Ze hadden de hoofdinspecteur verteld dat er de vorige avond tijdens het feestje wat problemen waren geweest, gewoon een inwijdingsritueel dat een beetje uit de hand was gelopen, niets ernstigs eigenlijk, maar dat ik waarschijnlijk bij hem zou komen klagen en allerlei wilde beschuldigingen zou verzinnen. Volgens hen was ik straalbezopen geworden en was ik veel te ver gegaan, had ik hun wijsgemaakt dat ik ze allemaal aankon en dat ik terug was gekrabbeld toen het erop aankwam.'

'En hij geloofde hen?'

'Het was hun woord tegen het mijne. Bovendien waren het allemaal vriendjes van elkaar. Iedereen op het bureau vond me voor die tijd al een beetje vreemd. Sommigen noemden me zelfs altijd die "hippiesmeris" als ze dachten dat ik het niet kon horen. Ik deed toen al aan yoga en meditatie en ik at geen vlees, keek nooit naar sportwedstrijden op televisie en praatte niet de hele tijd over seks. Dat is al meer dan genoeg om raar te worden gevonden. Bovendien had ik op het bureau de reputatie dat ik geen belangstelling had voor mannen, alleen maar omdat ik de kerels met wie ik werkte geen van allen bijzonder aantrekkelijk vond. Ik ben ervan overtuigd dat ze allemaal dachten dat ik lesbisch was. Bepaalde mannen kunnen daar niet mee omgaan. Zo'n man denkt dat een lesbienne maar één keer een grote stevige pik in zich hoeft te voelen om weer bij zinnen te komen. En natuurlijk is hij degene die haar dat wel kan geven. Ik had indertijd toevallig een vriendje, niets serieus, maar ik hield mijn privé-leven en mijn werk strikt gescheiden.'

'Heb je de hoofdinspecteur verteld wat er werkelijk was gebeurd?'

'Ja. Alle details.'

'Hoe reageerde hij daarop?'

'Hij leek zich te generen.'

'Heeft hij geen onderzoek ingesteld?'

'Zoals ik al zei: het was hun woord tegen het mijne. En afgezien van een ka-potgescheurde onderbroek had ik verder al het bewijsmateriaal immers min of meer vernietigd.'

'Maar dan nog... Tegenwoordig...'

'Wat is er tegenwoordig?'

'Annie, er zijn procedures die dit soort dingen moeten voorkomen.'

'Procedures? Ha ha. Zeg dat maar eens tegen de hoofdinspecteur. Die me ove-rigens ook heeft laten weten dat niemand gebaat is bij zo'n intern onderzoek. Niemand schiet er iets mee op, het korps al helemaal niet. Hij beweerde dat de betrokken agenten zouden worden gestraft voor hun extreme levenslustig-heid, maar dat het verder voor alle betrokkenen beter zou zijn als er verder nie-mand op de hoogte werd gesteld. Hij droeg me op al mijn egoïstische belangen ondergeschikt te maken aan de belangen van het korps als geheel.'

'En jij stemde daarmee in?'

'Had ik een keus?'

'Hij zou uit het korps moeten worden getrapt.'

'Ik ben blij te horen dat je het met me eens bent.'

'Dus zij kregen alleen maar een standje en jij werd naar een of ander van god en iedereen verlaten randgebied overgeplaatst?'

'Niet echt. Niet direct.' Annie staarde in haar koffiekopje. 'Er waren compli-caties.'

'Complicaties?'

Ze wikkelde een haarlok om haar wijsvinger en tuurde nog even in haar kopje voordat ze Banks aankeek. 'Ik heb je toch verteld dat ik een van hen tegen zijn ballen had getrapt?'

'Ja. Hoezo?'

'Er ging iets fout. Ze moesten hem opereren. Hij is ze kwijtgeraakt. Allebei. Het vervelende was dat hij juist de jongste van hen drieën was, en ook de laagste in rang. Hij was zelf net brigadier geworden en was pas een jaar ge-trouwd. Hij wilde een gezinnetje stichten.'

'Godallemachtig. Wat zul jij daarna populair zijn geweest op het bureau.'

'Inderdaad. Heel even heb ik overwogen om maar helemaal bij de politie weg te gaan. Maar ik ben koppig. De hoofdinspecteur liet doorschemeren dat het misschien voor alle betrokkenen beter zou zijn als ik me naar elders liet over-plaatsen. Hij zei dat hij de mogelijkheden zou onderzoeken, en toen kwamen ze met Harkside. Millicent Cummings had er meteen alle begrip voor en ik geloof dat onze assistent-hoofdcommissaris vroeger met hoofdcommissaris Riddle heeft gewerkt.'

'Dus Riddle weet precies wat er is gebeurd?'

'Hij kende de kant van het verhaal van mijn hoofdinspecteur, ja.'

'Wat betekent dat hij je als een onruststoker beschouwt? Een onder de gordel trappend, lesbisch secreet?'

Annie wist een scheve glimlach tevoorschijn te toveren. 'Ach, ik heb wel ergere dingen naar mijn hoofd geslingerd gekregen, maar bedankt voor het compliment.'

'Geen wonder dat hij ons bij elkaar heeft gebracht. Hij heeft mensen nooit echt kunnen inschatten, onze Jimmy Riddle. Het verbaast me dat hij het nog zo ver heeft geschopt. Ik vind het heel erg dat dat jou is overkomen, Annie. Erger dan ik je kan zeggen.'

'Het is nu eenmaal gebeurd.'

'Ik kijk er ook enorm van op dat je je met mij wilt inlaten, een inspecteur nota bene. Ik zou hebben verwacht dat wat er is gebeurd wel genoeg was om je een levenslange weerzin tegen collega-agenten te geven, vooral agenten met een hogere CID-rang.'

'Ach, kom nu toch, Alan. Nu doe je jezelf te kort. Denk je nu echt dat ik zo dwaas ben? Dat is een belediging voor ons allebei. Ik heb geen enkel moment, nog geen seconde, ook maar enige overeenkomst gezien tussen jou en de mannen die me hebben aangerand. Toen ik je die eerste keer zag, wist ik niet eens dat je een inspecteur was en ik viel meteen al op je. Ik dacht alleen dat ik eroverheen was en verder was gegaan met mijn leven.'

'En dat is niet zo? Ik heb de indruk dat je het niet slecht doet.'

'Ik heb me verstopt. Mezelf afgesloten. Ik dacht dat ik het had verwerkt en dat ik gewoon voor een wat rustiger leventje had gekozen. Een celibatair leven vol bezinning en contemplatie. Wat een mop. Ik dacht dat het mijn eigen keus was, terwijl het eigenlijk het gevolg was van wat me was overkomen, van alles wat ik diep had weggestopt. Omdat ik al aan meditatie en yoga deed, al jaren trouwens, en omdat ik uit een klein stadje aan de kust kwam, leek het echter heel erg voor de hand te liggen dat ik me in Harkside ingroef.'

'Ben je hier niet gelukkig?'

'Wat is gelukkig? Iets wat je afmeet in relatie tot ongelukkig? Ik red me wel. Ik leid mijn eigen fijne, veilige leventje in het hart van het labyrint, zoals je zo scherpzinnig hebt opgemerkt. Ik heb weinig bezittingen. Ik ga naar mijn werk, oefen mijn beroep uit en ga weer naar huis. Geen sociaal leven, geen vrienden. Ik dacht in elk geval niet langer na over wat me was overkomen. Ik had er geen nachtmerries over die steeds terugkeerden. Daarmee heb ik wel mazzel gehad. En ik voelde me niet schuldig over wat er met die jonge brigadier is gebeurd. Dat klinkt misschien hard, maar ik heb heel diep in mezelf gegraven en weet zeker dat ik het meen. Het is waar dat hij door collega's met een hogere rang werd aangemoedigd, dat hij zich helemaal liet gaan in een moment van uitgelaten dronkenschap. Ik vermoed dat sommige mensen zijn gedrag zullen vergoelijken door te zeggen dat hij te zwak was om zich te verzetten of eenvoudigweg door het lint is gegaan, een tijdelijke verstandsverbijstering. Maar ik ben degene die is verkracht. En ik ben degene die zijn gezicht heeft gezien terwijl hij daarmee bezig was. Hij heeft wat hem is overkomen dubbel en dwars verdiend. Het enige wat ik echt jammer vind, is dat ik het de andere twee niet ook heb kunnen aandoen.' Ze zweeg even. 'Maar laten we eerlijk zijn: ik heb in Harkside nog niet één keer serieus onderzoek verricht. Ik weet dat ik goed ben ik mijn werk; ik ben snel, ik ben intelligent en ik werk keihard, maar totdat deze zaak zich aandiende, heb ik alleen maar te maken gehad met inbraken, vandalisme en een enkele keer een weggelopen kind.'

'En nu?'

Ze haalde haar schouders op. 'Nu weet ik het niet meer. Je bent de eerste aan wie ik het heb verteld sinds het is gebeurd.'

'Heb je het je vader niet verteld?'

'Ray? Nee. Hij zou met me meeleven, maar hij zou het niet begrijpen. Hij wilde toch al niet dat ik bij de politie ging werken.'

'Een hippiekunstenaar? Ik mag wel hopen dat hij dat niet leuk vond.'

'Hij zou waarschijnlijk een protestmars hebben georganiseerd tegen New Scotland Yard.' Ze zweeg weer en speelde opnieuw met een lok haar. 'Nu is het jouw beurt. Je hebt beloofd dat je mij ook iets zou vertellen, weet je nog?'

'O ja?'

'Jazeker.'

'Wat wil je dan weten?'

'Heb je Jimmy Riddle echt geslagen?'

Banks drukte zijn sigaret uit en legde zijn creditcard op het schoteltje dat de ober had achtergelaten. Het werd vrijwel onmiddellijk weggegrist. De theaters waren inmiddels leeggestroomd en er had zich bij de deur van het restaurant al een rij gevormd.

'Ja,' zei hij. 'Ik heb hem echt geslagen.'

Ze lachte. 'Allemachtig. Wat zou ik daar graag bij zijn geweest.'

De ober was razendsnel klaar met de creditcard. Banks tekende de bon, Annie verzamelde alle pakjes en toen liepen ze de drukke avond in de West End in. De straten waren vol mensen die buiten bij de pubs iets stonden te drinken. Vier mannen stonden allemaal tegelijkertijd in hun mobieltje te praten en te lachen, en blokkeerden de stoep. Banks en Annie liepen om hen heen. Aan de overkant van de straat zag Banks een dronken vrouw in een geruit kort rokje dat bestemd was voor een veel jonger meisje, zwarte kousen tot op haar dijen en sexy schoenen, die probeerde tegelijkertijd een ruzie met haar 'vriendje' voort te zetten en weg te lopen. Het was geen succes en nadat ze even wankel op de rand van de stoep had gebalanceerd, viel ze vloekend in de goot, en haar armen en benen zwaaiden alle kanten op. In de verte gilden sirenes in de nachtelijke stad.

'Niet lachen, hoor,' zei Annie, 'maar die keer... je weet wel, in de achtertuin, toen je je arm om me heen sloeg?'

'Ja.'

'Ik had ergens wel verwacht dat er iets zou gebeuren en ik wist niet of ik er al wel aan toe was. Ik was eigenlijk van plan je te vertellen dat ik lesbisch was. Om de klap wat voor je te verzachten, zodat je niet zou denken dat het iets persoonlijks was, dat het niet was omdat ik niet op je viel of zo, maar dat ik gewoon niets met mannen had. Ik had het voor mezelf al helemaal uitgedacht.'

'Waarom heb je het niet gedaan?'

'Toen het zover was, had ik die uitvlucht niet meer nodig. Geloof me, ik was waarschijnlijk net zo verbaasd als jij over wat er toen gebeurde. Net zo bang. Ik weet dat ik je zelf bij me thuis had uitgenodigd en je alcohol had laten drinken, maar ik was echt niet van plan je te verleiden.'

'Dat dacht ik ook helemaal niet.'

'Ik had je op de bank willen laten slapen.'

'En dat aanbod zou ik dankbaar hebben aanvaard.'

'Maar toen het erop aankwam, verlangde ik naar je. Ik was doodsbenauwd. Het was de eerste keer sinds die nacht waarover ik je net heb verteld. En toch wilde ik het doorzetten. Ik vermoed dat ik mijn angst wilde overwinnen. Soms is dat de enige manier.'

Ze liepen langs de gesloten boekwinkels aan Charing Cross Road en staken Oxford Street over. Toen ze Great Russell Street insloegen, stak Annie haar hand door Banks' arm. Het was pas de tweede keer dat ze in het openbaar zo'n klein intiem gebaar deelden en het voelde goed aan: de warmte, de zachte druk. Annie boog haar hoofd een beetje, zodat het op zijn schouder rustte; haar haren kriebelden tegen zijn wang.

Ze waren geen van beiden al bij het hotel geweest; Banks had van tevoren gebeld om een kamer te reserveren en gezegd dat ze laat zouden aankomen. Het was maar een klein hotel. Hij was er al twee keer eerder geweest, toen hij voor zijn werk in Londen was, beide keren alleen, en was onder de indruk geweest van de goede service en het feit dat het er over het algemeen vrij schoon was, en bovendien tegen een redelijke prijs.

Ze liepen langs het donkere gebouw van het British Museum, dat op enige afstand achter de hekken aan de andere kant van het plein opdoemde, en staken Russel Square over. Uit een pub om de hoek klonken gepraat en gelach door de avondlucht. Een stelletje wandelde voorbij, met hun armen om elkaar heen geslagen.

'We zijn er,' zei Banks. 'Heb je een tandenborstel gekocht?'

'Yep.' Annie hield een van de tassen omhoog. 'En een nieuwe spijkerbroek, nieuwe schoenen, een rok met een blouse, ondergoed.'

'Je hebt echt flink uitgepakt, hè?'

'Ja, zo vaak kom ik niet in de grote stad. Ik heb trouwens ook een nachthemd gekocht.'

'Ik dacht dat ik had gezegd dat je dat niet nodig zou hebben.'

Ze lachte en kwam dichter bij hem staan. 'Och, maak je maar geen zorgen. Het is maar een heel klein nachthemdje. Ik beloof je dat je het prachtig zult vinden.' En ze liepen de stenen treden op naar het hotel.

Ik moest steeds aan het pistool denken. Gewoonlijk begon de scène die zich dan in mijn hoofd afspeelde met Gloria die eerst Matthew doodschoot en daarna zichzelf. De beelden waren zo levendig dat ik zelfs het bloed uit hun wonden zag stromen. Ten slotte besloot ik dat ik iets moest doen.

Zoals ik eerder al zei, had ik een sleutel van Bridge Cottage. Niet omdat Matthew zichzelf binnen opsloot, maar soms nam hij niet de moeite om de deur open te doen. Bovendien verkeerde hij meestal in een soort comateuze staat. Als hij niet in de pub was, zat hij wel thuis whisky te drinken. Whisky die Gloria van PX kreeg.

Dus toen het weer Gloria's beurt was om met Matthew naar dokter Jennings in Leeds te gaan, glipte ik naar binnen. Zelfs als iemand me had gezien, zouden ze het niet vreemd hebben gevonden, omdat ik wel vaker bij Bridge Cottage binnenliep en iedereen in het dorp op de hoogte was van Matthews gezondheid.

Ik vond het pistool op dezelfde plek waar Gloria het had achtergelaten: achter de cacao en thee in het keukenkastje. Ik stopte het in de boodschappentas die ik had meegebracht, zorgde ervoor dat het kastje er precies zo uitzag als daarvoor en vertrok. Ik wist niet hoe lang het zou duren voordat ze het zou missen, maar het enige wat ik kon hopen was dat ze het tegen die tijd niet meer nodig zou hebben en zou beseffen dat ik haar voor iets ergs had behoed.

Liefde doet soms vreemde dingen met ons, nietwaar?

16

Op zaterdagochtend kwamen Banks en Annie rond een uur of elf weer aan bij het gebouw waar Vivian Elmsley woonde. Nog voordat Banks op de bel kon drukken, werd de deur opengedaan en botste Vivian bijna tegen hen aan.

'Gaat u ergens naartoe, mevrouw Elmsley?' vroeg Banks.

'U?' Ze legde een hand op haar borst. 'Ik had niet verwacht... zo snel al... Ik wilde net... U kunt maar beter even binnenkomen.'

Ze liepen achter haar aan de trap op naar haar flat. Ze had een grote bruine envelop in haar hand, die ze op het tafeltje in de hal liet glijden voordat ze de woonkamer binnenging. Banks wierp er snel een blik op en zag zijn naam en het adres van het bureau in Eastvale staan.

Toen ze de woonkamer binnenkwamen, draaide ze zich naar hen om. 'Ik moet u denk ik bedanken voor uw komst,' zei ze. 'U hebt me zojuist de kosten van een paar postzegels bespaard.'

'Wat wilde u me toesturen?' vroeg Banks. 'Een bekentenis?'

'Ergens wel, ja. Zo zou u het inderdaad kunnen noemen.'

'Dus u hebt gisteren inderdaad gelogen?'

'Fictie is mijn beroep. Soms kan ik er niets aan doen.'

'U zou juist het verschil moeten weten.'

'Het verschil?'

'Tussen fictie en werkelijkheid.'

'Ik heb geleerd dat ik dat moet overlaten aan de arrogantsten onder ons. Zij zijn de enigen die blijkbaar denken dat ze alles weten.' Ze draaide zich om, liep terug naar de gang en pakte de envelop op. 'Hoe dan ook,' vervolgde ze, en ze overhandigde hem aan Banks, 'het spijt me dat ik me zo luchthartig gedraag. Ik vind dit alles bijzonder moeilijk. Ik zou graag zien dat u me een plezier doet en dit meeneemt en leest. Ik heb vanochtend een kopie laten maken. Als u bang bent dat ik op de vlucht zal slaan voor het gerecht, dan is dat nergens voor nodig. Ik beloof u dat ik nergens naartoe zal vluchten.'

'Waarom bent u van gedachten veranderd?'

'Mijn geweten. Ik dacht dat ik er wel mee kon leven, maar dat is niet zo. De telefoontjes hebben de zaak evenmin goed gedaan. In de vroege uurtjes van de ochtend was mijn lange strijd gestreden en heb ik besloten de waarheid te vertellen. Wat u ermee doet wanneer u die eenmaal weet is aan u. Ik doe het momenteel gewoon liever zo dan een heleboel vragen te beantwoorden. Ik geloof dat het u zal helpen om alles te begrijpen. Natuurlijk zult u uiteindelijk nog wel vragen hebben. Ik moet volgende week in Leeds zijn om boeken te signeren, dus u krijgt daar binnenkort de gelegenheid voor. Zou u me dit korte moment van respijt tenminste nog kunnen gunnen?'

Het was een ongebruikelijk verzoek en als Banks zich aan de voorschriften zou houden, mocht hij nooit een geschreven 'bekentenis' van een verdachte in een moordzaak accepteren en vervolgens vertrekken en haar alleen achterlaten. In dit geval moest hij echter volledig op zijn eigen oordeel afgaan. Het was van het begin af aan een ongebruikelijke zaak geweest en hij was ervan overtuigd dat Vivian Elmsley niet spoorloos zou verdwijnen. Ze was bekend bij een groot publiek en hij dacht niet dat ze zich ergens kon schuilhouden, zelfs als ze dat zou willen. Een andere mogelijkheid was zelfmoord. Het was een risico, dat was waar, maar hij besloot het erop te wagen. Als Vivian Elmsley liever zelfmoord pleegde dan het te laten aankomen op een rechtszaak die de belastingbetaler duizenden ponden zou kosten en waar de media zich als bloedzuigers op zouden storten, wie was Banks dan om een oordeel over haar te vellen? Als Jimmy Riddle erachter kwam, zou Banks' carrière natuurlijk geen cent meer waard zijn, maar sinds wanneer liet hij zich door de gedachte aan Jimmy Riddle van iets weerhouden?

'U zei zojuist iets over telefoontjes,' zei hij. 'Wat bedoelde u daarmee?'

'Anonieme telefoontjes. Soms zegt hij iets, andere keren hangt hij gewoon op.'

'Wat zegt hij dan?'

'Niets, eigenlijk. Het klinkt alleen bedreigend. En hij noemt me Gwen Shackleton.'

'Hebt u enig idee wie hij kan zijn?'

'Nee. Het moet voor iedereen heel gemakkelijk zijn om mijn echte naam te achterhalen, en mijn nummer staat in het telefoonboek. Maar waarom?'

'Spreekt hij misschien met een accent? Amerikaans wellicht?'

'Nee. Het is moeilijk te zeggen wat het precies is. De stem klinkt gedempt, alsof hij door een zakdoek of iets dergelijks praat.'

Banks dacht even na. 'We kunnen er eigenlijk weinig aan doen. Maakt u zich maar niet al te veel zorgen. In de meeste gevallen waarin mensen via de telefoon dreigementen uiten, durven ze de directe confrontatie met hun slachtoffer niet aan. Dat is ook de reden waarom ze de telefoon gebruiken. Ze zijn bang voor persoonlijk contact.'

Vivian schudde haar hoofd. 'Ik weet het zo net nog niet. Hij klonk niet als een hijger of een gestoord iemand. Het leek eerder om iets... persoonlijks te gaan.'

'Misschien trekt uw beroep de nodige geschifte fans aan?' opperde Banks.

'Misschien is het iemand die denkt dat hij u aan een idee helpt voor een verhaal of u wil helpen door u te laten voelen wat het is om echt bang te zijn. U hoeft zich echt niet al te veel zorgen te maken, maar u moet wel zo snel mogelijk contact opnemen met het politiebureau bij u in de buurt. Ze zullen u beslist kunnen helpen. Hebt u daar misschien contacten?'

'Ja. Hoofdinspecteur Davidson. Hij helpt me altijd met mijn research.'

'Dat is nog beter. Praat u met hem.' Banks hield de envelop omhoog. 'We zullen doen wat u ons hebt gevraagd,' zei hij, 'maar hoe weten we nu of dit de waarheid is en niet een nieuw verzinsel?'

'Dat weet u niet. Eigenlijk is het een combinatie van beide, maar de delen waarnaar uw belangstelling uitgaat, zijn echt. U zult me gewoon op mijn woord moeten geloven, nietwaar?'

De dag waarop het gebeurde, was een doodgewone dag als alle andere, voorzover een dag in die buitengewone tijd tenminste doodgewoon kon worden genoemd. Ik opende de winkel, nam de rantsoenbonnen in ontvangst, verontschuldigde me voor de ontbrekende artikelen, maakte een lunch en avondmaal voor moeder en gebruikte de avond om wat de lezen en naar de radio te luisteren. Die avond hadden de Amerikanen een afscheidsfeestje op de basis, omdat ze hadden gehoord dat ze binnen enkele dagen zouden vertrekken. We waren uitgenodigd, maar Gloria en ik hadden geen van beiden zin om te gaan. Dat deel van ons leven leek op een of andere manier voorgoed voorbij. Charlie was dood en Gloria had Brad na hun laatste korte heftige samenzijn op VE-day duidelijk gemaakt dat ze bij Matthew bleef en dat het beter zou zijn als ze elkaar niet meer zouden ontmoeten.

Ik zou graag willen zeggen dat ik die dag een voorgevoel had dat zich een ramp zou voltrekken, dat een onheilspellend gevoel zich van me meester maakte, maar dat was niet zo. Ik was snel afgeleid en vond het moeilijk me te concentreren op Trollopes *The Last Chronicle of Barset*, maar ik had dan ook veel aan mijn hoofd: Charlies dood, Matthews ziekte, Gloria's problemen, moeder.

Normaal gesproken zou ik zo laat op de avond niet meer naar Bridge Cottage zijn gegaan, maar Cynthia Garmen was op weg naar Harkside even aangewipt en had wat parachutezijde gebracht. Ik had Gloria al twee of drie dagen niet gezien en dacht dat ze een klein geschenk als dit wel zou waarderen; ze was sinds VE-day erg afgetobd en somber geweest en had erg slecht voor zichzelf gezorgd. Ik zal niet beweren dat ik een stemmetje hoorde dat me opdroeg ernaartoe te gaan; ook kan ik me niet herinneren dat ik een bang voorgevoel had, onwillekeurig huiverde of mijn oren gespitst hield. Ik kon me gewoon niet op mijn boek concentreren en moest toevallig aan Gloria denken; meer zat er niet achter.

Hier houdt mijn dagboek op, maar hoe hard ik in de tussenliggende jaren ook heb geprobeerd om de gebeurtenissen uit mijn geheugen te wissen, het is me niet gelukt.

Het was net tien uur geweest en moeder was al naar bed gegaan. Afwezig legde ik mijn boek weg en ik voelde even aan de zijdeachtige stof. Ik dacht dat het vooruitzicht van een nieuwe jurk Gloria misschien wel zou opvrolijken. Ik denk dat ik me ook schuldig voelde omdat ik het pistool had weggenomen en ik wilde weten of ze al had gemerkt dat het er niet meer lag. Als ze het al had gezien, had ze er niets over gezegd.

Ik nam aan dat Matthew nog steeds in de Shoulder of Mutton zat, dus ik nam me voor om eerst daar langs te gaan en hem over te halen om met me mee naar huis te gaan. Hoewel hij nog steeds niet communiceerde, was ik ervan overtuigd dat hij wist wie ik was en wist dat ik van hem hield. Ook denk ik dat hij zich bij mij op zijn gemak voelde. Uiteindelijk bleek dat men hem even daarvoor had verzocht om uit de pub te vertrekken, omdat hij een van zijn driftaanvallen had gehad en een glas had gebroken.

Ik liep langs de donkere, verlaten High Street naar Bridge Cottage. Aan de andere kant van de rivier hoorde ik muziek en gelach uit de Duke of Wellington komen, waar een dag na dato blijkbaar nog steeds VE-day-feestelijkheden aan de gang waren. Het maanlicht kleurde het stromende water zilver, waardoor het eruitzag als een glibberig, kruipend beest.

Tussen de gordijnen van Bridge Cottage scheen licht. Nieuwe gordijnen, zag ik, nu we ons niet langer hoefden te houden aan de verduistering. Ik klopte op de deur, maar er werd niet opengedaan. Ik klopte nogmaals.

Ik had niet verwacht dat Gloria weg zou zijn; ze ging zelden 's avonds uit, en dan alleen naar de film met mij. Ze zou beslist evenmin de lampen laten branden wanneer ze de deur uitging. Bovendien moest Matthew thuis zijn. Waar had hij anders naartoe gemoeten toen hij de Shoulder of Mutton uit werd gezet?

Ik klopte opnieuw op de deur.

Nog steeds niets.

Ik stak mijn sleutel in het slot, draaide hem om, ging naar binnen en riep Gloria's naam.

Er was niemand in de woonkamer, maar ik rook de sterke geur van whisky. Ik riep opnieuw haar naam en meende toen een beweging op te vangen in de keuken. Ik liep er aarzelend naartoe en toen ik bij de deur aankwam, zag ik haar.

Gloria lag op de flagstonevloer; haar armen en benen staken in een vreemde hoek alle kanten op, als bij een lappenpop die door een mokkend kind was neergegooid. Een van haar handen was stevig tot een kleine vuist gebald, alsof ze op het punt stond iemand een klap te geven, afgezien van haar pink, die recht omhoogstak.

Er was vrijwel geen bloed; ik weet nog hoe verbaasd ik was over de geringe hoeveelheid bloed. Ze had haar diepblauwe jurk aan met de witte kanten kraag en de vlekken op de stof leken net roest. Ze zaten overal: borst, buik, ribbenkast, lendenen. De diepblauwe jurk zat vol bloedvlekken en toch was er maar heel weinig op de grond gevloeid.

Niet ver bij haar lichaam vandaan lag een kapotte whiskyfles, de bron van de geur die me eerder al was opgevallen. Bourbon. Op het aanrecht lag een on-aangeroerde slof Lucky Strikes. Het keukenkastje daarboven stond open en het hele aanrecht en een deel van de vloer waren bezaaid met thee en cacao, en messen en vorken uit de besteklade.

Matthew zat op zijn knieën naast haar in een kleine plas bloed met een be-bloed keukenmes in zijn hand. Ik liep naar hem toe, trok het mes voorzichtig uit zijn hand en bracht hem naar zijn leunstoel. Hij liep heel gedwee met me mee, zoals een uitgeputte, verslagen soldaat zijn gevangennemers volgt, en liet zich in de stoel vallen als een man die in geen maanden heeft geslapen.

'Matthew, wat is er gebeurd?' vroeg ik hem. 'Wat heb je gedaan? Je moet het me vertellen. Waarom heb je dat gedaan?'

Ik gaf hem een potlood en papier, maar hij trok zich in zichzelf terug en ik wist dat ik niets uit hem zou loskrijgen. Ik legde mijn handen op zijn schouders en schudde hem zachtjes door elkaar, maar hij leek terug te deinzen en stak een bebloede duim in zijn mond. Op de manchetten van zijn witte overhemd zag ik nog meer bloedvlekken.

Ik weet niet hoe lang ik heb geprobeerd hem iets te laten vertellen, maar ten slotte gaf ik het op en ging ik terug naar de keuken. Ik kon niet helder naden-ken. Als ik al iets dacht, dan moet het zijn geweest dat iemand hem moest heb-ben verteld dat er akelige roddels de ronde deden over wat zijn vrouw allemaal uitspookte wanneer hij niet thuis was. Ik wist al dat hij een driftbui had gehad in de Shoulder of Mutton en vermoedde dat dit op een of andere manier tot een explosieve uitbarsting had geleid van de spanning die zich langzaam maar zeker in hem had opgebouwd, zoals de druk in een boiler oploopt; nu was Gloria dood en was alle woede uit Matthew weggevloeid.

Ik staarde naar het lichaam van die arme Gloria, nog steeds niet helemaal in staat te geloven wat er was gebeurd, en toen drong het tot me door dat ik iets moest doen. Als iemand hierachter kwam, zou Matthew misschien wel wor-den opgehangen, of – wat waarschijnlijker was – als geestelijk gestoorde voor de rest van zijn leven in een inrichting worden opgesloten. Zijn leven was nu al moeilijk genoeg, en ik wist zeker dat hij dat nooit zou kunnen verdragen; dat zou voor hem een helse kwelling zijn. Of nog erger. Van nu af aan zou ik voor hem moeten zorgen.

En Gloria – in mijn hart huilde ik om haar; ik hield inmiddels bijna net zoveel van haar als van Matthew. Maar ze was dood. Ik kon niets meer voor haar doen. Ze had verder geen familie meer; ik was de enige die haar levensverhaal kende; het maakte nu niet meer uit wat er met haar was gebeurd. Dat maakte ik mezelf in elk geval wijs.

In die tijd had ik het geloof nog niet helemaal afgezworen, ook al was het grootste gedeelte ervan tijdens de oorlog voorgoed verdwenen, vooral na Matthews dood en wederopstanding, die me hadden doen denken aan een bijzonder wrede parodie op Pasen, maar op dat moment besteedde ik vrijwel geen aandacht aan Gloria's onsterfelijke ziel, een passende begrafenis of dergelijke zaken. De kerk kwam er niet aan te pas. Ik beschouwde wat ik deed niet in termen van goed of slecht; ook kwam het niet bij me op dat ik de wet overtrad. Het enige wat me bezighield, was de vraag wat ik moest doen om Matthew te beschermen tegen alle nieuwsgierige politiemensen en dokters die hem zouden kwellen als dit bekend werd.

Beschouwde ik Matthew als een moordenaar? Ik geloof het niet, ook al lag het onbetwistbare bewijs hiervan voor mijn voeten. Vreemd genoeg zag ik Gloria als mijn partner die Matthew ook in bescherming zou willen nemen tegen nog meer wreedheid en lijden. Ze zou niet willen dat hij naar de gevangenis moest, hield ik mezelf voor; ze zou niet willen dat hij werd opgesloten in een psychiatrische inrichting. Ze had zoveel opgeofferd om hem te beschermen. Na zijn terugkeer had haar hele leven in het teken gestaan van de rust die weer moest terugkeren in zijn bestaan; hij was tenslotte haar boetedoening, en dat was de reden waarom ze hem nooit zou verlaten; dat was de reden waarom ze nu dood was. Gloria zou beslist willen dat ik dit deed.

Ik ga me niet verder verontschuldigen. De verduisteringsgordijnen lagen nog steeds opgerold onder de ramen in de woonkamer, waar Gloria en ik ze hadden laten liggen toen we ze een paar maanden eerder voor de ramen hadden weggehaald. Ik nam de stof mee naar de keuken, rolde Gloria er voorzichtig bovenop en wikkelde hem toen stevig om haar heen als een lijkwade. Voordat ik helemaal klaar was, boog ik me voorover en ik kuste haar zachtjes op haar voorhoofd en zei: 'Vaarwel, lieve Gloria. Vaarwel, mijn lief.' Ze voelde nog warm aan.

Waar kon ik haar verbergen? De enige plek die ik kon bedenken, was het oude bijgebouw dat nooit werd gebruikt. Bij het licht van een kleine olielamp groef ik een kuil. Ik had hem dieper willen maken, maar was zo uitgeput dat ik amper een diepte haalde van een meter, een meter twintig hooguit. Ik liep terug naar het huis, waar Matthew nog even onbeweeglijk in zijn stoel zat, en wist genoeg kracht te verzamelen om de rol verduisteringsstof naar buiten te slepen en in de kuil te laten vallen. Er was niemand in de buurt. De cottage naast Bridge Cottage stond leeg en aan de achterkant drong geen licht of geluid door. Slechts de zwarte nachtelijke hemel met zijn ongeïnteresseerde sterren. Terwijl de tranen over mijn wangen biggelden, schepte ik de aarde terug. Tegen de muur stonden een paar zware stenen platen geleund en ik liet ze boven op het geïmproviseerde graf zakken. Meer kon ik niet doen.

Wat nu nog restte was de binnenkant van het huis. Ik veegde eerst het gebroken glas, de gemorste theeblaadjes en het cacaopoeder bij elkaar en zette de blikjes terug in het keukenkastje. Zoals ik eerder al zei, was er erg weinig bloed, en wat er was, kreeg ik vrij gemakkelijk van de vloer geboend. Misschien waren er nog wat minieme spoortjes achtergebleven, maar niemand zou kunnen zeggen wat het precies was. Als alles volgens plan verliep, zou niemand ze zelfs maar een blik waardig keuren.

Ik noem het nu een 'plan', maar het was in feite gewoon iets wat ik had verzonnen toen ik Gloria begroef. Ik moest kunnen verklaren waar ze naartoe was gegaan.

Toen ik Matthew naar boven had weten te krijgen en hem had gewassen en verkleed, stopte ik hem in bed. Ik deed zijn bebloede overhemd en broek in een koffertje, en voegde er zo veel mogelijk van Gloria's favoriete kledingstukken aan toe. Ik verzamelde ook een aantal persoonlijke bezittingen van haar en stopte ze in de koffer.

Nadat ik me ervan had vergewist dat ik alle belangrijke dingen had verzameld en de keuken zo goed mogelijk had schoongemaakt, schreef ik een boodschap op het papier dat ik eerder die avond tevoorschijn had gehaald voor Matthew. Gloria's kinderlijke handschrift en schrijfstijl waren gemakkelijk na te bootsen. Ten slotte liep ik met de koffer via een achterafweggetje terug naar de winkel. God weet dat ik Matthew niet alleen had willen achterlaten, maar wat kon ik anders doen? Alles moest min of meer normaal lijken. Hij leek zich nauwelijks bewust van wat er zich had afgespeeld en ik had geen flauw idee hoe hij de volgende dag zou reageren, of hij zich zou herinneren wat hij had gedaan, of hij wroeging zou krijgen of zich schuldig zou voelen. Zou hij eigenlijk wel merken dat ze weg was?

De volgende ochtend ging ik heel vroeg naar Bridge Cottage, waar Matthew nog steeds in bed lag en ik het briefje 'vond', waarna ik aan iedereen die ik kende, ook moeder, vertelde dat Gloria die nacht was weggelopen, omdat ze het leven met Matthew niet langer aankon. Ze zei dat ze van hem hield en altijd van hem zou blijven houden, maar dat ze niet langer voor zichzelf kon instaan als ze bij hem zou blijven. Vervolgens liet ik hun het briefje zien met precies dezelfde boodschap. Aan het eind van het briefje schreef ze dat we haar niet moesten proberen te zoeken, omdat we haar nooit zouden vinden.

Er was geen enkele reden om de politie te bellen. Iedereen geloofde het briefje onvoorwaardelijk. Gloria had me immers al verteld dat ze had gehoord dat mensen voorspelden dat ze er bij de eerste de beste gelegenheid met een yank vandoor zou gaan. Natuurlijk was ze er niet echt met een yank vandoor gegaan, en Brad zou dat ongetwijfeld beseffen, maar dat probleem was van later zorg.

Ik zegde de huur van Bridge Cottage op, verkocht alle spullen, waaronder ook de radio-grammofoon en de platen waar Gloria zo dol op was geweest, en nam Matthew weer mee terug naar ons woninkje boven de winkel.

Toen moeder op een avond bij Joyce Maddingley was, haalde ik Matthews met bloed besmeurde kleding en Gloria's jurken uit de koffer tevoorschijn en ik verbrandde ze in de haard. Ik huilde toen ik al die prachtige jurken vlam zag vatten. De zwart-rood-wit geruite Dorville-jurk die ze in Londen had gekocht; de zwarte fluwelen jurk met de V-hals, pofmouwen, schoudervullingen en rode vilten roos die ze had aangehad op ons eerste dansfeest met de Amerikanen in Rowan Woods; haar mooie ondergoed. Ik keek toe hoe alles oplaaide, ineenkromp en ten slotte als as uit elkaar viel. De eerstvolgende keer dat ik voor de winkel naar Leeds moest, gooide ik daar al haar snuisterijen weg. Ik stond op de Leeds Bridge aan het einde van Briggate en liet ze een voor een in de rivier de Aire vallen.

Zoals ik al had verwacht, leverde Brad me de meeste zorgen op. Op zijn laatste dag in Rowan Woods kwam hij naar de winkel om me lastig te vallen met zijn vragen. Hij kon gewoon niet geloven dat Gloria er eenvoudigweg vandoor was gegaan. Als ze had willen weglopen, sputterde hij, waarom was ze dan niet met hem meegegaan? Hij had het haar vaak genoeg gevraagd. Ik antwoordde hem dat ik vermoedde dat ze echt iedereen achter zich had willen laten, dat ze een geheel nieuwe start wilde maken. Hij beweerde dat ze dat in Californië ook zou hebben gekund. Opnieuw wierp ik tegen dat een leven met hem in Los Angeles voor haar altijd bezoedeld zou zijn gebleven vanwege de omstandigheden die ertoe hadden geleid. Ze zou hoe dan ook Matthews vrouw zijn gebleven.

Het kwetste hem diep, wat ik echt vreselijk vond, maar uiteindelijk moest hij genoegen nemen met wat ik hem vertelde. Ze had hem immers na VE-day al gezegd dat ze hem niet meer wilde zien. Er was werkelijk niemand die de echte waarheid vermoedde. De 448ste Bomber Group vertrok uit Rowan Woods en ik hoorde niets meer van Brad. Het was allemaal voorbij.

Michael Stanhope liet weten dat hij het betreurde dat deze prachtige ziel de gemeenschap had verlaten. Hij zei iets over een helder licht dat Hobb's End korte tijd had beschenen, maar het dorp nu wederom in duisternis hulde. Het stond hem nu vrij om het naaktschilderij te verkopen, maar ik heb er sindsdien nooit meer iets over vernomen. Misschien was het toch niet zo goed als hij dacht.

En Matthew? Matthew liet nooit op enigerlei wijze merken dat er iets was veranderd. Hij was wellicht nog iets meer in zichzelf teruggetrokken, maar hij bleef net als tevoren drinken en in het luchtledige staren. Ik moest de bezoeken aan dokter Jennings natuurlijk beëindigen. Wie weet wat de narcoanalyse uit Matthew zou kunnen loskrijgen als die echt werkte. Hoewel de dokter protesteerde, was hij volgens mij in stilte ook opgelucht. Dokters hebben het niet zo op mislukkingen, en dokter Jennings had met Matthew helemaal niets bereikt. Algauw vingen we het gerucht op dat het dorp zou worden verkocht en als reservoir zou worden gebruikt, en toen ik wat beter op mijn omgeving ging letten, verbaasde dat me ook niet.

Hobb's End was in een verlaten spookdorp veranderd.

Ik had niet gemerkt dat dit aan de gang was, omdat ik andere dingen aan mijn hoofd had, maar er woonde inmiddels vrijwel niemand meer. Degenen die uit de oorlog waren teruggekeerd, hadden ontdekt dat er interessantere plaatsen bestonden of waren opgeleid voor banen die ze alleen in de grote steden konden vinden. Zelfs de vrouwen, die er op het gebied van werk wellicht nog het meeste op vooruit waren gegaan, kozen voor een fabrieksbaan in Leeds en Bradford. De vlasserij werd gesloten. Gebouwen raakten in verval. Oude mensen overleden. En uiteindelijk bleef er niemand over.

Voordat we naar Leeds vertrokken, vond er nog een merkwaardig incident plaats, dat Gloria in feite al had voorspeld. Op een dag kwam er een man in een bruin burgerpak met een jongetje van een jaar of acht, negen, naar de winkel en hij vroeg naar Gloria. Ik besefte onmiddellijk wie ze waren, maar wilde hun dat niet laten merken.

'Bent u familie van haar?' vroeg ik hem.

'Nee,' antwoordde hij. 'Nee. Gewoon een vriend van vroeger, meer niet. Ik was toevallig in de buurt en dacht dat het een mooie gelegenheid was om haar even op te zoeken.' Hij klonk tamelijk droevig en ik hoorde dat hij met een cockneyaccent sprak, net als Gloria wanneer ze niet oplette. En natuurlijk was niemand ooit toevallig in de buurt van Hobb's End.

Ik stelde hem een paar vragen om te laten merken dat ik geïnteresseerd was en ook uit beleefdheid, maar hij liet verder niets los. Het belangrijkste was dat hij mijn verklaring voor Gloria's verdwijning zou accepteren; ik wilde beslist niet dat hij nog eens zou terugkomen en Matthew en mij zou blijven lastigvallen. Ik had me voor niets zorgen gemaakt. Toen hij wegging, zei hij: 'Als u haar nog eens ziet, zou u haar dan willen vertellen dat George langs is geweest?' Hij keek naar het jongetje. 'Dat George en kleine Frankie zijn geweest? En haar de groeten van ons doen?'

Ik verzekerde hem dat ik dat beslist zou doen. Het jongetje had niets gezegd, maar ik had gevoeld dat hij de hele tijd naar me had staan staren, alsof hij zich mijn gelaatstrekken goed had ingeprent. Impulsief gaf ik hem een paar gomballen – een zeldzaamheid in die tijd, omdat snoep nog steeds op de bon was. Hij bedankte me plechtig en toen vertrokken ze.

De week erna verhuisden Matthew, moeder en ik naar Leeds en Hobb's End hield op te bestaan. Ons leven in Leeds verliep niet zonder slag of stoot, maar dat is een ander verhaal.

'Als we met Vivian Elmsleys verhaal naar de officier van justitie gaan,' zei Banks tegen Annie, 'lachen ze ons vierkant uit.'

Het was zondagochtend en ze hingen allebei lui rond in Banks' cottage, waar ze Vivian Elmsleys manuscript herlazen en koffiedronken. Annie was tegen beter weten in op Banks' voorstel om het weekend samen door te brengen ingegaan. Wat ze eigenlijk had willen doen toen ze in York in haar auto stapte, was rechtstreeks naar huis rijden en de rest van het weekend in gelukzalige eenzaamheid doorbrengen met nietsdoen. Aanstaande vrijdag had ze echter twee weken vakantie en ze was van plan om die bij haar vader in de commune door te brengen. Laten we nu maar genieten van de tijd die we samen hebben, dacht ze. Wanneer ze eenmaal in St. Ives was, zou ze meer dan genoeg tijd hebben voor lange, eenzame wandelingen langs de kust.

Daarom lag ze die zondagochtend blootsvoets en in een korte broek met haar voeten op de armleuning van de bank in Banks' woonkamer over Gwen Shackletons persoonlijke oorlog te lezen.

'Waarom zouden ze ons in vredesnaam uitlachen?' vroeg ze. 'Het is toch een soort bekentenis? Ze geeft toe dat ze het lichaam heeft verborgen. Daardoor is ze medeplichtig.'

'Ik betwijfel ten zeerste of er een rechter is die dat manuscript als bewijsmateriaal zou toelaten. Ze hoeft alleen maar te zeggen dat het fictie is. Dat weet justitie ook. Het is allemaal één grote onzin, Annie. Het is maar goed dat dat mens fictie schrijft en geen echte misdaden hoeft op te lossen.'

'Maar ze gebruikt namen van bestaande mensen.'

'Maakt niet uit. Een beetje advocaat laat geen spaan heel van deze tekst als bekentenis van medeplichtigheid. Wat hebben we nu helemaal? Een vrouw van in de zeventig die ons een manuscript heeft overhandigd dat ze bijna dertig jaar geleden heeft geschreven, waarin ze suggereert dat ze een moord heeft verdoezeld die haar broer volgens haar nog eens twintig jaar daarvoor heeft begaan in een dorp dat niet eens meer bestaat. Voeg daar dan nog eens aan toe dat ze haar geld verdient met het schrijven van detectives.' Hij streek met een hand over zijn hoofd. 'Neem maar van mij aan dat de officier van justitie al meer dan genoeg op zijn bord heeft. Ze kunnen de lopende zaken al niet eens meer bijbenen, laat staan dat ze genoeg mensen hebben om oude zaken te vervolgen op basis van bewijsmateriaal dat zo flinterdun is dat het minste zuchtje wind het zou kunnen wegblazen.'

'Dus dit is het dan? We houden ermee op? Ze komt er zonder kleerscheuren van af?'

'Wil jij haar soms graag in de gevangenis hebben?'

'Niet echt. Ik speel alleen even de advocaat van de duivel. Als ik heel eerlijk ben, denk ik dat dat arme mens wel genoeg heeft geleden. Wat een verspild leven.'

330

'Dat weet ik zo net nog niet. Ze heeft aardig wat succes gehad.'

'Soms is dat minder belangrijk dan degenen die het niet hebben wel denken.'

'Goed,' vervolgde Banks, 'we hebben altijd geweten dat deze zaak nergens toe zou kunnen leiden. Matthew Shackleton is dood. Ik denk dat Vivian Elmsley de zware last van haar daad niet langer op haar schouders wilde voelen. Ze wilde dat wij het wisten. Niet omwille van ons, zodat we het raadsel konden oplossen, maar omwille van zichzelf, zodat ze die zware last niet langer alleen hoeft te torsen. De ontdekking van het lichaam van Gloria Shackleton heeft als een enorme katalysator voor haar gewerkt. Het heeft haar in de richting van een catharsis gestuwd en toen we eenmaal wisten wie ze was, was het alleen maar een kwestie van tijd. Ik kan me voorstellen dat het nu minder belangrijk voor haar is om de herinnering aan Matthew te beschermen dan het al die jaren geleden was. Hij loopt niet langer het risico om te worden opgehangen of de rest van zijn leven in een psychiatrische inrichting door te brengen.'

'Toch heeft ze een misdaad begaan.'

'Jawel, maar ze is niet de moordenaar.'

'Tenzij ze in het verhaal liegt.'

'Dat geloof ik niet. Ze deed het om haar broer te beschermen, die tijdens de oorlog al zo vreselijk veel had geleden. En ze heeft het geheim goed bewaard om de goede naam van haarzelf en van Matthew te beschermen. Als ze indertijd de politie erbij had gehaald, zou hij vrijwel zeker zijn veroordeeld voor de moord op Gloria. Tenzij...'

'Wat?'

'Tenzij hij het niet heeft gedaan. Er zitten me aan Gwens versie verschillende dingen dwars. Bekijk het scenario eens goed. Gwen wandelt de cottage binnen en ziet Matthew die over Gloria's lichaam gebogen zit met een keukenmes in zijn hand. Klopt het tot zover?'

Annie knikte.

'Ze ziet ook dat Gloria's ene hand tot een vuist is gebald en dat de pink gebroken lijkt. Mee eens?'

'Mee eens.'

'En Gloria's lichaam is nog warm.'

'Inderdaad.'

'Hetgeen betekent dat die gebalde vuist niet is veroorzaakt door rigor mortis, maar door een spiertrekking van het lijk. Stel nu eens dat de moordenaar, de echte moordenaar, heeft geprobeerd om iets uit Gloria's hand los te wrikken, maar werd gestoord doordat Matthew thuiskwam, vroeger dan anders omdat hij uit de pub was gezet, waar hij voor een opstootje had gezorgd. Stel dat dat voorwerp in haar hand hem als schuldige zou aanwijzen.'

'De knoop?'

'Klinkt logisch, denk je ook niet?'

'Het is inderdaad een mogelijkheid.'

Banks schudde zijn hoofd. 'Maar dan nog zouden ze waarschijnlijk Matthew hebben gearresteerd, afhankelijk van de agent die de leiding had. Bedenk wel dat de meeste slimme, jonge agenten in dienst waren. De gekke echtgenoot zou de meest voor de hand liggende verdachte zijn geweest en zelfs als ze die knoop hadden gevonden, zouden ze daar wel een logische verklaring voor hebben bedacht. Zoals Vivian het zag, zou Matthew tegen de tijd dat alles voorbij was ook zijn laatste beetje gezond verstand zijn kwijtgeraakt, voorzover hij dat tenminste nog had voordat deze ellende over hem werd afgeroepen. Dus beging ze een misdaad. Een zware misdaad ook nog. De officier van justitie zou echter niet de enige zijn die dit naast zich neer zou leggen; als het al ooit aan een jury wordt voorgelegd, zullen zij het eveneens naast zich neerleggen. Stel je hun medeleven maar eens voor. Iedere fatsoenlijke advocaat heeft de hele rechtszaal binnen de kortste keren in tranen, en ik durf te wedden dat Vivian Elmsley zich een meer dan alleen fatsoenlijke advocaat kan veroorloven.'

'Dus wat doen we nu?'

'We kunnen het verslag aan Jimmy Riddle overhandigen en verdergaan met ons leven.'

'Of?'

'Of we onderwerpen een of twee van die tegenstrijdige punten die ik zojuist noemde eens aan een nader onderzoek. Om te beginnen ben ik er niet van overtuigd dat...'

Er werd aangebeld.

Banks liep naar de deur. Nieuwsgierig liet Annie het manuscript in haar schoot glijden. 'Misschien is het die nijvere brigadier Hatchley van je wel.'

'Op zondagochtend? Zo goedgelovig ben ik nu ook weer niet.'

Banks deed de deur open. Annie hoorde een vrouwenstem en toen Banks langzaam een stap achteruit deed, kwam ze naar binnen. Blond haar, zwarte wenkbrauwen, knap, goed figuur, keurig gekleed in een pastelkleurige rok en witte blouse.

Ze merkte Annies aanwezigheid vanuit een ooghoek op en draaide zich om. Heel even leek ze sprakeloos en trok er een lichte blos over haar bleke huid, maar toen deed ze een paar stappen naar voren en zei ze: 'Hallo, ik geloof niet dat wij elkaar kennen.'

Verbouwereerd pakte Annie het manuscript van haar buik en ze stond op. 'Annie Cabbot,' zei ze. 'Brigadier Cabbot.' Ze was zich akelig scherp bewust van haar blote benen en voeten.

'Sandra Banks,' zei de andere vrouw. 'Aangenaam kennis te maken.'

Banks deed de deur dicht en bleef ongemakkelijk achter hen staan. 'Brigadier

Cabbot en ik zaten net de zaak van het Thornfield-reservoir te bespreken,' zei hij. 'Misschien heb je er iets over gelezen?'

Sandra keek naar Annies blote voeten en wierp toen een vernietigende blik op Banks. 'Ach, natuurlijk,' zei ze. 'En dat op de zondagochtend. Wat een toegewijde plichtsbetrachting.' Ze liep terug naar de deur.

Annie voelde dat ze van top tot teen bloosde.

'Maar goed,' ging Banks onhandig verder, 'het is fijn om je weer eens te zien. Wil je misschien koffie of iets anders?'

Sandra schudde haar hoofd. 'Nee, dat lijkt me geen goed plan. Ik ben alleen in Eastvale om een paar dingen in het wijkcentrum te bekijken. Ik logeer bij Harriet en David. En omdat ik toch in de buurt was, dacht ik dat ik net zo goed even kon langskomen om je een paar papieren te laten ondertekenen en met je over onze zoon te praten, maar dat kan een andere keer wel. Het heeft geen haast. Ik wil jullie brainstormsessie beslist niet onderbreken.'

Voordat ze was uitgesproken, greep ze de deurknop al vast en trok ze de deur open. 'Het was leuk om kennis met u te maken, brigadier Cabbot,' zei ze over haar schouder en weg was ze.

Annie bleef Banks enkele seconden zwijgend aanstaren, zich slechts bewust van het snelle, harde bonzen van haar hart en haar brandende huid. 'Ik wist niet wat ik moest zeggen,' zei ze. 'Ik geneerde me, ik voelde me niet op mijn gemak.'

'Hoezo niet?' zei Banks. 'Ik heb je toch verteld dat Sandra en ik al bijna een jaar van tafel en bed gescheiden zijn?'

Maar je houdt nog steeds van haar, dacht Annie. Waar kwam die gedachte nu weer vandaan? Ze verdrong hem. 'Ja, dat weet ik. Het was een beetje een schok om zo kennis met haar te maken.'

Banks lachte kort en nerveus. 'Dat kun je wel zeggen, ja. Zeg, ik ga nieuwe koffie zetten en dan gaan we buiten zitten. We laten Vivian Elmsley en haar problemen even in hun eigen sop gaarkoken. Het is een prachtige dag en het is zonde om dan de hele tijd binnen te zitten. Misschien kunnen we vanmiddag een lange wandeling maken. Fremington Edge?'

'Goed.' Annie liep achter hem aan naar buiten, nog steeds een beetje verward. Ze ging op een gestreepte ligstoel zitten en voelde de warmte van het doek tegen de achterkant van haar blote bovenbenen, een gevoel dat haar altijd deed terugdenken aan de zomers in St. Ives. Banks las het boekenkatern van de *Sunday Times* en probeerde manmoedig te doen alsof er niets aan de hand was, maar ze wist dat hij net als zij van slag was. Misschien nog wel meer dan zij. Hij was tenslotte meer dan twintig jaar met die vrouw getrouwd geweest.

Annie staarde naar de moeizaam voortbewegende rij wandelaars die in de verte de Witch Fell beklommen: een massieve klomp die als een afgeknotte heksenpuntmuts het grootste deel van de horizon in het westen in beslag nam. Boven de toppen cirkelden kraaien rond.

'Gaat het?' vroeg Banks, en hij keek op uit zijn krant.

'Ja hoor,' antwoordde ze glimlachend. 'Uitstekend.'

Maar dat was niet zo. Ze hield zichzelf voor dat ze had kunnen weten hoe vluchtig geluk was, hoe dom het was om te verwachten dat het ooit naar je toe zou komen, en wat een enorme fout het was om toe te staan dat je zo nauw betrokken raakte bij het leven van een ander. Een dergelijke innige band roept al die oude kwelgeesten weer op: jaloezie, onzekerheid – al die dingen waarvan ze had gedacht dat ze ze onder controle had. Dit zou haar alleen maar verdriet brengen. Een schaduw drong zich tussen haar en de zon, net zoals Witch Fell de hemel verduisterde; er was een slang in haar paradijs binnengedrongen. Welke prijs zou ze hiervoor moeten betalen, vroeg ze zich af.

17

Nog lang nadat hij het gelezen had, bleef Vivians manuscript Banks achtervolgen. Er waren zoveel dingen die niet klopten, zoveel zijwegen langs de weg die naar de moord op Gloria voerde. Toen ze op woensdag nog steeds Gloria's zoon niet hadden opgespoord, dacht hij peinzend na over de reis die George en Francis Henderson na de oorlog hadden gemaakt om Gloria te vinden. Op een bepaalde manier had Gwen haar bestaan ontkend, en dat deed Banks terugdenken aan zijn bezoek aan Jems ouders.

Hij herinnerde zich nog heel helder die middag aan het eind van mei waarop hij in zijn rammelende VW Kever naar Cambridgeshire was gereden om Jems ouders op te zoeken – zo helder alsof het pas gisteren was geweest. Hij wist niets eens waarom hij die reis maakte en stond meer dan eens op het punt om terug te rijden. Wat kon hij tegen hen zeggen? Welk recht had hij om hen te storen in hun verdriet? Hij had Jem tenslotte nauwelijks gekend, wist niets over zijn leven. Aan de andere kant waren ze wel bevriend geweest en nu was zijn vriend dood. Het minste wat hij kon doen was hen condoleren en hun vertellen dat ze een zoon hadden gehad op wie ze trots konden zijn, ongeacht de beschamende omstandigheden rond zijn dood.

Bovendien was hij nieuwsgierig naar Jems achtergrond.

Het was een prachtige dag en Banks reed met het portierraam helemaal opengedraaid door de buitenwijken van Noord-Londen naar het vlakke platteland, zodat de wind door zijn haren blies, die toen ver over zijn kraag hingen. Even ten zuiden van Cambridge verliet hij de hoofdweg. Een aantal beelden van die rit doemde voor zijn geestesoog op: Tim Buckley die net buiten Saffron Walden op de radio *Dolphins* zong, de witgeverfde muur van een pub, een kudde koeien met heen en weer schommelende uiers die de weg blokkeerden omdat ze door een trage boer die zich niets aantrok van de kleine verkeersopstopping die hij veroorzaakte van het ene weiland naar het andere werden gedreven, de lucht die naar warm hooi en mest rook.

Banks vroeg bij een sigarenwinkel in het dorp hoe hij bij Hylton House kon komen. De eigenaresse bekeek hem achterdochtig, alsof ze dacht dat hij er wilde inbreken, maar gaf hem toch een routebeschrijving. Het huis, een landhuis eigenlijk, stond aan het einde van een ongeasfalteerde oprit op ongeveer driekwart kilometer van het centrum van het dorp. Zo te zien was het oorspronkelijk een Tudor-ontwerp geweest, maar inmiddels torste het een dikke laag van door de eeuwen heen aangebouwde onderdelen: een serre hier, een garage daar, een enkele dakkapel ook, als zeepokken op de romp van een schip, en het leek alsof het op het punt stond om onder zijn eigen gewicht ineen te zakken.

Banks zat in zijn auto en keek een ogenblik zijn ogen uit; het drong nauwelijks tot hem door dat dit de plek was waar Jem vandaan kwam. Hij drukte zijn sigaret uit. Het was stil in de omgeving, op een paar kwinkelerende vogels na en het geluid van iemand die ergens diep in het binnenste van het huis op de radio praatte. Ze zouden hem toch wel hebben horen aankomen? Vooral omdat zijn Kever indertijd van die vreemde hikkende geluiden produceerde.

Banks stapte uit de auto en keek om zich heen. Achter een keurig gemaaid grasveldje ter grootte van een croquetveldje liep het terrein glooiend af in de richting van een lappendeken van groene en bruine velden onder de overkoepelende blauwe hemel die zich zo ver het oog reikte voor hem uitstrekte. Het monotone landschap werd slechts hier en daar onderbroken door wat kreupelhout en een kerktoren. Dit was het oude Engeland, de plaats waar alles geordend was, waar de arbeider op de velden zwoegde en de landheer kalm in zijn landhuis verpoosde. Het deed in niets denken aan Peterborough en Notting Hill. Banks was natuurlijk wel vaker op het platteland geweest, maar hij had nog nooit een huis bezocht dat zo weelderig was, had nog niet eerder iemand gekend die in zo'n pand had gewoond. De oude, door klassenverschil veroorzaakte onzekerheden staken hun kop weer op en als hij een pet op had gehad, zou hij beslist met die pet in zijn hand hebben aangeklopt. Nog voordat hij iets hoefde te zeggen, schaamde hij zich al voor zijn accent.

Naast de oude deur van eikenhout stond een zoetgeurende kamperfoeliestruik en Banks hoorde het gezoem van de bijen in de bloemen. Hij liet de zware klopper op het hout vallen. Het geluid echode over het platteland en een zwerm spreeuwen vlak in de buurt klapwiekte verstoord de lucht in.

Het leek een eeuwigheid te duren voordat Banks merkte dat er iemand naar de deur kwam lopen – een krakende plank in de vloer misschien of het ruisende geluid van een rok. Toen de deur op een kier werd geopend bevond hij zich tegenover een donkerharige vrouw met hoge jukbeenderen en diep weggezonken bruine ogen. Indertijd had hij haar oud gevonden, maar hij was toen zelf amper twintig geweest en inmiddels besefte hij dat ze waarschijnlijk begin veertig was geweest, even oud als hij nu zelf was.

Ze keek hem vragend aan. 'Ja? Wat is er?'

'Mevrouw Hylton?'

'Ik ben mevrouw Hylton. Wat kan ik voor je doen?'

'Ik ben hier vanwege Jem.'

Ze fronste haar wenkbrauwen. 'Wie?'

'Jem. Sorry: Jeremy. Uw zoon.'

Achter haar verscheen nu een man en ze deed de deur verder open. Hij had wit haar, een rood gezicht en waterige, bleekblauwe ogen. 'Wat is er, lieverd?' vroeg hij, en hij legde een hand op de schouder van de vrouw, terwijl hij Banks fronsend bekeek. 'Wie is dit? Wat wil hij?'

Ze draaide zich met een verwarde uitdrukking op haar gezicht naar haar man om. 'Hij komt vanwege Jeremy.'

Banks stelde zichzelf voor. 'Ik heb in Notting Hill tegenover Jeremy gewoond, in dezelfde gang,' zei hij. 'Hij was een vriend van me. Ik wilde u alleen maar laten weten dat ik het verschrikkelijk vind wat er is gebeurd.'

'Ik begrijp het niet,' zei de man. 'Onze zoon is al heel lang geleden gestorven. Het is een beetje laat om ons nu nog te komen condoleren, lijkt me.'

'Jem? Jeremy Hylton? Ik ben toch wel bij het goede huis, hoop ik?'

'O, jazeker,' zei de vrouw. 'Maar onze Jeremy is vijf jaar geleden al overleden.'

'Maar... maar het is pas een maand geleden gebeurd. Ik bedoel, ik heb hem gekend. Ik heb hem zelfs gevonden. We hebben het toch over dezelfde persoon? Had Jeremy soms een broer?'

'We hebben maar één zoon gehad,' zei de man. 'En die is vijf jaar geleden gestorven. Nu, als je het niet erg vindt... mijn vrouw heeft wel genoeg te verwerken gekregen, denk je ook niet? Goedendag.'

Hij wilde de deur sluiten.

Banks deed nog een laatste poging. Hij wrong zijn voet tussen de deur en zei: 'Alstublieft, u begrijpt het niet. Jem is vorige maand overleden. Ik wil u niet van streek maken, maar...'

Meneer Hylton deed de deur weer iets verder open en Banks trok zijn voet terug. 'Als je nu niet weggaat en ons privé-terrein onmiddellijk verlaat, bel ik de politie,' zei hij. 'Is dat duidelijk?' En dit keer smeet hij de deur dicht voordat Banks kans zag om te reageren.

Banks staarde even naar het verweerde eikenhout en in zijn hoofd tolden allerlei gedachten rond. Hij zag dat een gordijn bewoog en nam aan dat ze hem in de gaten hielden, met de telefoon in de hand om de politie te bellen, dus hij stapte in zijn Kever, keerde de auto en reed weg.

Aan het einde van de oprit gebaarde een oudere man met een stoffen pet dat hij moest stoppen. Banks remde en de man boog zich voorover naar het geopende raam. Hij had een stoppelbaard van een dag of vijf en zijn adem rook naar bier. 'En waarom heb je hen lastiggevallen?' vroeg hij.

'Ik heb hen helemaal niet lastiggevallen,' zei Banks. 'Ik wilde hen alleen maar condoleren met de dood van hun zoon.'

De man krabde aan zijn wang. 'En wat zeiden ze toen?'

Banks vertelde hem wat er was gebeurd en hield intussen zijn achteruitkijkspiegel in de gaten om te zien of de Hyltons hem misschien langs de oprit waren gevolgd.

'Tja,' zei de man, 'wat hen betreft is Jeremy inderdaad overleden op de dag waarop hij stopte met zijn studie en ervandoor ging naar Londen om zo'n drugsrokende hippie te worden.' Hij tuurde een ogenblik onderzoekend naar Banks alsof hij probeerde te ontdekken welke rol hij precies in het geheel speelde. 'Ik heb gezien dat de politie een tijdje terug bij hen langs is geweest en ik vroeg me al af wat dat te betekenen had. Dus Jeremy is nu echt dood?'

'Ja,' zei Banks nadat hij nogmaals snel een blik in de spiegel had geworpen.

'Drugs, zeker?'

'Daar lijkt het wel op.'

'Ik vind het jammer om dat te horen. Ik heb hem gekend vanaf dat hij nog een baby was. Een aardige knul was het, tot hij het verkeerde pad opging. Hij zou dokter worden, net als zijn pa. Studeerde in Cambridge. Ik weet niet wat er fout is gegaan.' Hij gebaarde met een duim naar het huis achter hen. 'Ze zijn er nooit overheen gekomen. Praten met niemand meer. Krijgen nooit bezoek.' Hij schudde langzaam zijn hoofd. 'Arme kleine Jeremy. Ze hebben zelfs nooit een echte rouwdienst voor hem gehouden.' Daarna slenterde hij hoofdschuddend en in zichzelf mompelend weg langs de openbare weg. Banks stond alleen op het kruispunt van de oprit en de weg, met als enige gezelschap het vogelgezang en zijn eigen sombere gedachten over vervreemding en ontkenning. Hij wist vrij goed wat er was misgegaan met Jem nu hij Clara's brief had gelezen, maar blijkbaar was niemand daarin geïnteresseerd.

Het getoeter van claxons op Market Street verbrak zijn gemijmer. Nu woog een nieuwe ontkenning van iemands bestaan zwaar in zijn gedachten. Jems ouders hadden zichzelf er vijf jaar voordat hij stierf al van overtuigd dat hun zoon was gestorven, alleen maar omdat hij niet aan hun verwachtingen had voldaan. Gwen Shackleton had George en Francis Henderson verteld dat Gloria was weggelopen, terwijl ze heel goed wist dat Gloria eigenlijk dood was en begraven lag achter hun huis. Ergens beschouwde Banks deze twee ontkenningen als elkaars merkwaardige spiegelbeeld.

Deze gedachtegang werd onderbroken doordat er op de deur werd geklopt. Brigadier Hatchley kwam binnen. 'Koffiepauze?'

Banks keek op en moest van heel ver komen. 'Hè? O, ja.'

'Is er iets, inspecteur? U ziet wat witjes.'

'Niets aan de hand. Ik zat alleen maar te denken.'

'Dat kan erg pijnlijk zijn, denken. Daarom probeer ik het ook zo veel mogelijk te vermijden.'

Ze staken Market Street over naar de Golden Grill voor een warm krentenbroodje en koffie. De regen had de Dales eindelijk bereikt en het was er vrijwel leeg. Doris, de eigenaresse, beweerde dat ze pas de vierde en vijfde klant waren die die dag door haar deur waren binnengekomen.

'Kunnen we daarom misschien rekenen op een speciale voorkeursbehandeling?' vroeg Hatchley. 'Een gratis bakkie wellicht?'

Ze sloeg op zijn arm en lachte. 'Maak dat je wegkomt.'

'Het was het proberen waard,' zei Hatchley tegen Banks. 'Nee heb je, ja kun je krijgen. Jaren geleden kende ik een knul die beweerde dat hij aan ieder meisje dat hij tegenkwam vroeg of ze met hem naar bed wilde. Hij zei dat hij maar negen van de tien keer in zijn gezicht werd geslagen.'

Banks lachte en vroeg: 'Heb je al iets gehoord op die landelijke oproep die je hebt verspreid?'

'Nu u het vraagt, er is vanochtend iets binnengekomen,' zei Hatchley. 'Daarom wilde ik u ook even spreken. Een vrouw die Brenda Hamilton heet. Nogal een goedkoop snolletje, zo te horen. Geen prostituee, niet van beroep, maar ze had er ook niets op tegen om haar benen te spreiden voor iedereen die eruitzag of hij een paar pond kon missen. Ze is dood in een schuur gevonden.'

'Modus operandi?'

'Gewurgd en met een mes gestoken. In die volgorde.'

'Dat klinkt in elk geval veelbelovend.'

Hatchley schudde zijn hoofd. 'Verwacht u er nou niet meteen te veel van. Er zijn een paar probleempjes.'

'Wat voor probleempjes?'

'Locatie en tijdsspanne. Dit is in augustus 1952 in Hadleigh, Suffolk, gebeurd. Ik heb het alleen maar gemeld omdat het dezelfde modus operandi betrof.'

Banks kauwde op zijn krentenbroodje en dacht na. 'Verdachten?'

'Uiteraard is de boer van wie de schuur was binnenstebuiten gekeerd, maar hij had een waterdicht alibi. Ik heb meer details opgevraagd, maar... Nou ja, het ziet er niet naar uit dat dit verband houdt met onze zaak, of wel?'

Banks haalde zijn schouders op. 'Het kan geen kwaad om wat verder door te vragen.'

'Misschien niet. Maar dit is zeven jaar nadat Gloria Shackleton is vermoord. Dat is een flink gat voor het soort moordenaar waarnaar we op zoek zijn. En bovendien is het in een heel ander deel van het land gebeurd.'

'Daar kunnen verschillende redenen voor zijn.'

'Ik betwijfel of er in die tijd nog mensen van de Amerikaanse luchtmacht aanwezig waren. De oorlog was tenslotte allang voorbij. De meesten zijn na VE-day naar het Verre Oosten gestuurd en de rest is zo snel mogelijk naar huis teruggekeerd.'

'Je hebt waarschijnlijk gelijk, Jim, maar laten we het grondig aanpakken. Neem contact op met East Anglia en vraag hun om alle details. Ik zal brigadier

Cabbot vragen om nogmaals contact op te nemen met die mensen van de USA-FE en te proberen of ze nog iets meer kan loskrijgen.'

'Doe ik.'

Eenmaal terug in zijn kantoor stelde Banks het telefoontje aan Annie in Harkside nog even uit; in plaats daarvan rookte hij eerst een sigaret en staarde hij uit het raam. Warme regendruppels vielen traag op het marktplein en kleurden de keien en het oude marktkruis donker. Het bracht weinig echte verlichting; de lucht was nog steeds plakkerig en klam. De wolken verzamelden zich echter boven het plein en de vochtigheid nam toe. Binnenkort zou er een wolkbreuk ontstaan en zou de hemel openscheuren. Er stonden slechts een paar auto's op het plein geparkeerd en het handjevol mensen dat zich buiten vertoonde, kuierde rond onder hun paraplu en bekeek somber de etalages. Radio 3 bracht lichte muziek van Britse origine en Banks herkende de openingstune van *Children's Favourites*.

De reden waarom hij het gesprek met Annie uitstelde was dat de zondag na Sandra's bezoekje vervelend was verlopen. Banks en Annie waren allebei geïrriteerd geweest en hun gesprekken verliepen moeizaam; uiteindelijk had ze afgezien van de wandeling en was ze na de lunch vertrokken, zogenaamd omdat ze nog een paar dingen moest regelen in Harkside. Ze hadden elkaar sindsdien niet meer gesproken.

Op het moment zelf had Banks het niet eens jammer gevonden dat ze wegging. Sandra's bezoek had hem meer in verwarring gebracht dan hij had willen toegeven en hij ergerde zich eraan dat ze die uitwerking op hem had. Tenslotte was zij degene die een nieuwe vriend had. Sean. Waarom moest ze dan zo nodig weer opduiken, net toen het voor hem zo voorspoedig ging? Waarom dacht ze dat ze het recht had om binnen te komen vallen en dan zo geschokt te reageren omdat hij ook iemand had, waardoor de gevoelens van alle betrokkenen uit balans raakten? Wat zou zij ervan vinden als hij onaangekondigd bij haar en Sean kwam aanwaaien, zonder een telefoontje of wat dan ook vooraf? En hij had echt met haar willen praten, vooral na zijn eerlijke, open gesprek met Brian. God mocht weten wanneer hij daar nu nog een kans voor zou krijgen. Hij besefte dat Sandra ook van slag was geweest door wat ze had aangetroffen. De vernietigende afstandelijkheid en het sarcastische toontje waren haar reactie geweest op haar eigen ongemakkelijke gevoel. Hij had nog steeds gevoelens voor haar. Je raakt de gevoelens voor iemand van wie je zo lang hebt gehouden niet zomaar kwijt. Een verloren of afgewezen liefde verandert misschien eerst in haat en pas na verloop van tijd verwordt zij tot onverschilligheid.

Ten slotte wist hij zijn moed bij elkaar te schrapen en pakte hij de hoorn van de haak. 'Hoe gaat het?' vroeg hij.

'Prima.'

'Je klinkt afwezig.'

'Nee, dat is het niet. Alleen een beetje druk. Echt. Het gaat prima.'

Banks haalde diep adem. 'Hoor eens, als dit iets met zondag te maken heeft, dan spijt me dat. Ik had geen flauw idee dat Sandra zou langskomen. En ik had ook niet verwacht dat het zoveel effect op jou zou hebben.'

'Tja, vaak weet je dat soort dingen pas wanneer ze eenmaal echt zijn gebeurd. Maar ik zei net al: het gaat prima met me. Behalve dan dat ik momenteel vrij veel op mijn bord heb. Wat wilde je vragen?'

'Ook goed, als het zo moet. Ik wil graag dat je weer contact opneemt met die mensen van het Amerikaanse leger en kijkt of je iets boven tafel kunt krijgen over de aanwezigheid van de Amerikaanse luchtmacht in Suffolk in 1952.'

'Wat wil je precies weten?'

'Vraag om te beginnen eens of er toen nog bases waren. En zo ja, welke het dichtst bij Hadleigh lag. En als er daar een was, zou ik graag een lijst krijgen van al het personeel.'

'Oké.'

'Heb je er vandaag nog tijd voor?'

'Ik doe mijn best. Op zijn laatst morgen.'

'Annie?'

'Ja?'

'Kunnen we niet iets afspreken en het uitpraten?'

'Er valt niets uit te praten. Hoor eens, je weet dat ik over een paar dagen vakantie heb en naar mijn vader ga. Voordat ik vertrek moet ik nog heel wat doen. Misschien wanneer ik terug ben. Goed? Intussen ga ik zo snel mogelijk achter die informatie aan voor je. Dag.'

Banks voelde zich na dat nutteloze gesprek nog gedeprimeerder dan anders en staarde naar de stapel papierwerk naast de computer op zijn bureau: onderzoeksresultaten van de technische recherche, de lijkschouwing en forensische odontologie. Geen van de rapporten weerlegde wat men eerder al had verwacht; geen van de rapporten vertelde hem ook maar iets nieuws.

Wat zou er zijn gebeurd als Gwen had gedaan wat ze had moeten doen en de vondst van Gloria's lichaam had gemeld? Een goede agent zou overal vragen hebben gesteld en de moord niet zomaar Matthew in de schoenen hebben geschoven. Misschien ook wel. Het was te laat om nu nog vragen te stellen; iedereen was dood behalve Vivian. Die arme Gloria. Ze beschouwde Matthew als haar boetedoening. Dat vertelde Banks meer over haar dan wat ook.

Maar stel nu eens dat het einde van Vivians verhaal de werkelijke leugen was? De ultieme ironie. Stel nu eens dat Gwen zelf de moord had gepleegd?

Toen de trein op donderdag Wakefield Westgate uit reed, legde Vivian Elmsley haar boek weg. Het was nog maar een paar minuten naar Leeds en het landschap was helemaal volgebouwd: de voor het noorden zo kenmerkende industriële aanblik van sjofele, uit rode baksteen opgetrokken goedkope woonwijken, laag gehouden kantoorgebouwen, spiksplinternieuwe winkelcentra, fabrieksterreinen volgestouwd met op elkaar gestapelde en in plastic verpakte pallets, kinderen die met ontbloot bovenlijf in een kanaal visten. Het enige wat afwijkend was, was het plakkerige zonlicht dat alles als suikerwater leek te omhullen.

De vertegenwoordiger van de uitgeverij zou Vivian op het station opwachten en haar naar het Metropole Hotel vergezellen, waar ze tot zondag zou verblijven. Ze had behalve in Leeds ook signeersessies in Bradford, York en Harrogate, maar het had weinig zin om telkens haar hele boeltje van het ene hotel naar het andere te verhuizen. De steden lagen immers vrij dicht bij elkaar. De vertegenwoordiger zou haar met de auto overal naartoe brengen.

Vivian had het hotel met het grootste gemak zelf kunnen vinden; het Metropole lag maar een paar honderd meter bij het stadsplein vandaan en ze wist precies waar het was. Ze had er met Charlie gelogeerd toen ze in 1944 naar Michael Stanhopes expositie waren gaan kijken. Ze hadden er een geweldig avondje uit van gemaakt. Na de expositie waren ze naar een klassiek concert gegaan en vervolgens naar de 21 Club, waar ze tot diep in de nacht hadden gedanst. Dat was ook de reden waarom ze had gevraagd of ze er deze keer kon logeren: vanwege de herinneringen.

Ze was zenuwachtig. Dat had niets te maken met de lezing die ze die avond in de Armley-bibliotheek zou houden of het interview voor Radio Leeds de volgende middag, maar kwam uitsluitend door de volgende ontmoeting met inspecteur Banks en dat vrouwelijke hulpje van hem. Ze wist dat ze haar na het bestuderen van het manuscript opnieuw zouden willen spreken; het leed geen twijfel dat ze zich ergens schuldig aan had gemaakt. Maar wat moest ze dan doen? Ze was te oud en te moe om op de vlucht te slaan. Ze was ook te oud om nog naar de gevangenis te gaan. Het enige wat ze nu nog kon doen was alle beschuldigingen aan haar adres het hoofd bieden en hopen dat haar advocaat zijn werk goed zou doen.

Niemand zou kunnen verhinderen dat de media uiteindelijk de hand zouden weten te leggen op de details, vermoedde ze, en ze twijfelde er geen moment aan dat ze alles uit het schandaal zouden weten te halen wat erin zat. Ze wist niet zeker of ze een dergelijke vernedering in het openbaar nog wel aankon. Wellicht zou ze het land weer kunnen verlaten, zoals ze met Ronald ook zo vaak had gedaan, als ze haar niet arresteerden tenminste. Waarom niet? Ze kon haar werk overal doen en ze had genoeg geld om ergens op een warm plekje een huisje te kopen: Bermuda misschien, of de British Virgin Islands. Opnieuw dacht Vivian terug aan de gebeurtenissen van vijftig jaar geleden. Had ze iets over het hoofd gezien? Had ze het bij het verkeerde eind gehad?

Was haar verdenking zo snel op Matthew gevallen dat ze geen aandacht had besteed aan de mogelijkheid dat iemand anders de dader was? Banks' vragen over Michael Stanhope en over PX, Billy Joe, Charlie en Brad hadden haar aanvankelijk alleen maar geschokt en verrast. Nu begon ze te twijfelen. Zou een van hen het gedaan kunnen hebben? Charlie beslist niet, die was toen al dood, maar Brad? Gloria en hij hadden op het laatst vaak ruzie gehad; ze had hen zelfs door de vlammen van het vreugdevuur op het VE-day-feest heen ruzie zien maken. Misschien was hij op de avond waarop ze was gestorven nog een keer zijn zaak gaan bepleiten en was hij door het lint gegaan toen ze hem had afgewezen? Vivian probeerde zich te herinneren of Brad het type was geweest dat door het lint zou kunnen gaan, maar ze kwam alleen maar tot de conclusie dat dat voor iedereen opging, onder bepaalde omstandigheden.

En dan PX. Hij had op zijn eigen schuchtere manier Gloria met cadeautjes overladen. Had hij misschien gehoopt daar iets voor terug te krijgen? Iets wat zij hem niet had willen geven? En hoewel Billy Joe schijnbaar vrij gemakkelijk op andere vrouwen was overgestapt, herinnerde Vivian zich nog hoe verbitterd hij was geweest over het feit dat hij was ingeruild voor een piloot en over de smeulende klassenstrijd die zich vertaalde in schimpscheuten en spottende opmerkingen.

Iedereen beweerde wel dat er in Amerika geen klassensysteem bestond, maar Billy Joe was zonder enige twijfel afkomstig uit de arbeidersklasse, net als de boerenknechten in Yorkshire; Charlie kwam uit een van de oude Ivy League-families, en Brad had een achtergrond van nieuw geld en West Coast-oliebaronnen. Vivian was ervan overtuigd dat de Amerikanen niet zozeer geen klassenonderscheid kenden, maar gewoon geen eeuwenoude traditie hadden in erfelijke aristocratische titels en rijkdom, wat waarschijnlijk ook de reden was waarom ze zo dwaas deden over het Britse koningshuis.

De trein naderde inmiddels het station van Leeds en gleed met piepende wielen over het steeds ingewikkelder wordende systeem van signalen en kruisingen. De reis was veel sneller en soepeler verlopen dan die keer dat Vivian met Gloria naar Londen was gereisd en weer terug. Ze herinnerde zich het speldenpuntje blauw licht, de snurkende soldaten en de eerste aanblik van de door de oorlog aangerichte verwoestingen in het matte ochtendlicht. Het grootste deel van de reis terug naar Leeds, die indertijd een uur of zes, zeven in beslag had genomen, had ze geslapen en zodra ze in Hobb's End terug was, werd Londen in haar verbeelding steeds waziger en toverachtiger, totdat de beelden evengoed van Mars of uit het oude Rome hadden kunnen komen.

Nu ze eraan terugdacht, vroeg ze zich af of het misschien allemaal maar een verhaal was geweest. Wanneer de jaren zo onverbiddelijk aan ons voorbijtrekken en alle mensen die we kennen en liefhebben overlijden, zou het verleden dan in fictie kunnen veranderen, een daad van onze verbeelding die wordt bevolkt door spoken, taferelen en beelden die voor altijd en eeuwig in waterglas blijven voortbestaan?

Vivian stond moeizaam op en pakte haar weekendtas. Ze had zich voorgenomen om nog iets anders te doen nu ze toch in Leeds was en daarvoor had ze de vrijdagmiddag, na afloop van het interview, gereserveerd. Daarvoor moest ze nog tijd zien te vinden om de kunstgalerie te bezoeken en Michael Stanhopes schilderij te bezichtigen.

Toen op donderdagochtend de telefoon ging, griste Banks de hoorn zo ruw van de haak dat hij hem niet stevig in zijn hand had en hem liet glippen en op het bureau liet vallen.

'Alan, wat er gebeurt er allemaal? Ik ben bijna doof van al dat lawaai.'

'O, het spijt me.'

'Ik ben het, Jenny.'

'Dat weet ik. Ik herken je stem. Hoe gaat het met je?'

'Alsjeblieft zeg, je mag wel iets enthousiaster reageren op het geluid van mijn stem.'

'Het spijt me, Jenny, heus. Ik zit alleen op een heel belangrijk telefoontje te wachten.'

'Van je vriendin?'

'De zaak waarmee ik bezig ben.'

'Die zaak waar je me over hebt verteld? Uit de oorlog?'

'Dat is de enige zaak waar ik momenteel aan werk. Jimmy Riddle zorgt er wel voor dat het aantal zaken dat mijn kant op komt momenteel dun gezaaid is.'

'Goed, dan zal ik niet al te veel van je tijd in beslag nemen. Ik bedacht net dat ik nogal... emotioneel was... tijdens onze laatste ontmoeting. Ik wilde je mijn verontschuldigingen aanbieden voor het feit dat ik alles bij jou heb gedumpt, zoals ze dat in Californië zo plastisch weten te zeggen.'

'Waar heb je anders vrienden voor?'

'Hoe dan ook,' ging Jenny verder, 'ik wilde je bij wijze van goedmakertje uitnodigen voor een etentje. Als je tenminste denkt dat je mijn kookkunst kunt verdragen.'

'Jouw kookkunst is allicht beter dan de mijne.'

Ze lachte net iets te snel en net iets te zenuwachtig. 'Reken daar maar niet op. Ik hoopte eigenlijk dat we alles tijdens een etentje met een fles wijn eens konden bespreken. We hebben het afgelopen jaar allebei heel wat voor onze kiezen gekregen.'

'Wanneer?'

'Morgen, een uur of zeven?'

'Klinkt uitstekend.'

'Weet je zeker dat je er geen problemen door krijgt?'

'Waarom zou ik?'

'Nou ja, ik weet niet... Ik dacht alleen...' Haar stem klonk opeens veel vrolijker. 'Fantastisch. Dan zie ik je morgenavond om een uur of zeven.'

'Afgesproken. Ik neem de wijn wel mee.'

Toen hij had opgehangen, leunde Banks achterover in zijn stoel en hij dacht na over de uitnodiging. Een etentje met Jenny. Bij haar thuis. Dat kon interessant worden. Toen dacht hij weer aan Annie en er gleed een schaduw over zijn gedachten. Ze had hem gisteren aan de telefoon vrijwel de mond gesnoerd. Na hun snelle, verrassende intimiteit kwam haar koele houding nu als een schok. Het was lang geleden dat een vriendin die hij pas een paar dagen kende hem zo plotseling de rug had toegekeerd en de hele toestand riep een herinnering bij hem op aan de somberheid uit zijn tienerjaren. Tijd om de droevige nummers weer tevoorschijn te halen. Meejanken met Leonard Cohen en leren hoe je het beste met je lijden kon omgaan.

Wel wilde hij heel graag weten wat Annie over de connectie East Anglia te horen had gekregen. Ze had tenslotte gezegd dat ze uiterlijk vandaag zou bellen. Hij speelde even met de gedachte om haar te bellen, maar besloot ten slotte om het niet te doen. Hij wist dat ze een goede agent was en hem zou bellen zodra ze de informatie had waar hij om had gevraagd, ongeacht hun persoonlijke problemen. En even voor elven belde ze inderdaad.

'Sorry voor het oponthoud,' zei ze. 'Het tijdsverschil, en dan ook nog kapotte faxmachines... Nou ja, je kent het wel...'

'Het geeft niet. Vertel me maar wat je hebt ontdekt.' Banks had na zijn laatste gesprek met Annie zelf al een paar dingen bedacht en hij voelde de tintelende rilling van opwinding die gewoonlijk opdook wanneer de stukjes op hun plaats begonnen te vallen; het was een gevoel dat hij in lange tijd niet had gehad.

'Om te beginnen,' zei Annie, 'was er in 1952 inderdaad een Amerikaanse luchtmachtbasis vlak bij Hadleigh.'

'Wat deed die daar?'

'Na de oorlog zijn de meeste Amerikaanse legertroepen uit Engeland vertrokken, maar een flink aantal daarvan bleef in Europa achter, met name in Berlijn en Wenen. De oorlog had het probleem rond Rusland nog niet uit de wereld geholpen. De Amerikanen keerden tijdens de blokkade van Berlijn en de luchtbrug in 1948 terug naar de Britse luchtmachtbases. Het eerste wat ze deden was B29-langeafstandsbommenwerpers opstellen op vier luchtmachtbases in East Anglia. Dit is allemaal afkomstig van mijn contactpersoon in Ramstein. Blijkbaar waren er in 1951 zoveel bases dat ze hun hele organisatiestructuur moesten aanpassen om ze te kunnen besturen.'

'Bekende namen?'

'Eentje maar. Drie keer raden wie de PX bemande.'

'Edgar Konig?'

'De enige echte. Je klinkt niet al te verbaasd.'

'Ben ik ook niet. Wat heb je nog meer over hem ontdekt?'

'Hij is in 1945 uit Rowan Woods vertrokken, met de rest van het 448ste en heeft enige tijd in Europa doorgebracht voordat hij naar Amerika terugkeerde. In de zomer van 1952 is hij naar de basis bij Hadleigh gestuurd.'

'Is hij al die tijd bij de luchtmacht blijven werken?'

'Het lijkt er wel op. Ik neem aan dat zijn baan hem wel beviel. Veel voordelen. Zeg eens, waarom verbaast dit je niet? Waarom niet een van de andere Amerikanen?'

'De whisky en de Lucky's.'

'Wat?'

'Uit Vivian Elmsleys manuscript. Ze zei dat er een fles whisky op de grond kapot was gevallen en dat er een onaangeroerde slof Lucky Strikes op het aanrecht lag. Het zijn natuurlijk geen harde bewijzen, maar ik geloof niet dat een slof Lucky's in oorlogstijd lang onaangeroerd zou blijven.'

'Brad zou ze ook kunnen hebben meegebracht.'

'Dat had gekund. Maar PX was degene die gemakkelijk toegang had tot de voorraden en degene die altijd voor verwennerijtjes zorgde. In het manuscript is ook sprake van een afscheidsfeest dat die avond in Rowan Woods werd gegeven. PX moet zo dronken zijn geworden dat hij eindelijk al zijn moed bij elkaar wist te rapen. Hij is die avond de basis afgeslopen en heeft cadeautjes meegenomen. Een allerlaatste poging om datgene waar hij zo wanhopig naar verlangde te kopen. Gloria verzette zich en... Matthew is pas later binnengekomen, die arme vent. Enig idee waar PX tussen 1945 en 1952 heeft uitgehangen?'

'Nee. Ik kan Mattie vragen om het na te gaan als het echt belangrijk is. Denk je dat er nog meer slachtoffers zijn?'

'Het zou kunnen. Is er verder helemaal niets over hem bekend?'

'Nee. Mattie zei dat ze zou proberen zo veel mogelijk op te sporen, bijvoorbeeld wanneer en waarom hij uit het leger is ontslagen en of hij nog leeft, maar ze kon me niets beloven. Officieel is het niet hun taak om dergelijke informatie te verstrekken, maar Mattie houdt wel van een beetje speurwerk en blijkbaar heb ik haar nieuwsgierig gemaakt. Ze is echt een bondgenoot geworden.'

'Mooi. Kijk maar wat je boven tafel krijgt. Intussen gaan we proberen of we een verband kunnen vinden tussen hem en andere moordzaken. Hoe oud zou hij nu zijn als hij nog leeft?'

'Volgens Matties informatie moet hij een jaar of vijfenzeventig zijn.'

'Dan zou het kunnen. Ik spreek je later nog wel.'

Toen Annie had opgehangen, voelde Banks zich rusteloos. Soms was afwachten het moeilijkste; dan rookte hij te veel en ijsbeerde hij heen en weer –

slechte gewoontes uit zijn tijd bij de Met die hij nog steeds niet helemaal had afgeleerd. In de tussentijd kon hij verschillende dingen doen. Eerst draaide hij het nummer van Jenny Fuller.

'Alan,' zei ze. 'Je gaat me toch niet vertellen dat je moet afzeggen?'

'Nee, nee. Dat is het absoluut niet. Ik wilde je eigenlijk vragen of je iets voor me zou kunnen doen.'

'Natuurlijk. Voorzover ik kan.'

'Heb je me laatst tijdens de lunch niet verteld dat je lessen hebt gevolgd bij FBI-profilers?'

'In Quantico. Dat klopt. En toen zei jij dat dat volgens jou allemaal grote onzin was.'

'Daar gaat het nu even niet om. Heb je nog contact met mensen daar? Iemand aan wie je een persoonlijke gunst zou kunnen vragen?'

Jenny zweeg even. 'Ja, een mannelijke collega. Waarom vraag je dat?'

Banks bracht haar op de hoogte van de recente ontwikkelingen en zei toen: 'Die Edgar Konig – ik zou graag willen dat je die vriend van je vraagt om zijn strafblad na te lopen. Als hij het type man is dat ik vermoed, dan bestaat er een grote kans dat hij een strafblad heeft. Brigadier Cabbot werkt nauw samen met het leger, maar de informatie die zij ons kunnen verstrekken is beperkt.'

'Ik weet zeker dat Bill ons graag van dienst zou zijn, voorzover mogelijk,' zei Jenny. 'Wacht even, dan pak ik een potlood en kun je me precies vertellen wat je wilt weten.'

Toen Banks Jenny alle details had gegeven, vroeg hij brigadier Hatchley om East Anglia te bellen en te vragen of een Amerikaanse medewerker van de luchtmacht die naar de naam Edgar Konig luisterde ooit was ondervraagd of verdacht was geweest in verband met de moord op Brenda Hamilton. Daarna bleef hij rustig in zijn stoel zitten en hield hij zichzelf voor dat er geen haast bij was. Niemand was op de vlucht. Zelfs als bleek dat Konig de moordenaar was en zelfs als hij nog in leven was, dan nog kon hij met geen mogelijkheid doorhebben dat de politie van North Yorkshire hem na al die tijd op het spoor was.

18

Die vrijdag zette haar persoonlijke chauffeur Vivian iets later bij het hotel af dan ze had verwacht. Ze hadden vertraging opgelopen bij het radiostation toen de geluidstechnicus er halverwege het interview achter was gekomen dat Vivians microfoon niet werkte. Ze had helemaal opnieuw moeten beginnen. Toen ze uit de auto stapte, was het al vier uur geweest; de hemel zag er zwaar en donker uit, en er hing een knisperende spanning in de lucht die altijd aan een storm voorafgaat. In de verte hoorde ze de eerste aarzelende donderslagen al en ving ze vaag enkele bliksemschichten op. Zelfs de gevel van het Metropole, die met veel liefde en zorg weer in de oorspronkelijke terracottakleur was gerestaureerd, zag er net zo zwart uit als al die jaren geleden toen ze er met Charlie had gelogeerd.

Het liefst zou ze nu een uurtje willen uitrusten in haar kamer en misschien lekker lang in bad liggen, maar het zou al snel helemaal donker zijn. Ze zou natuurlijk haar reisje kunnen uitstellen en een andere keer kunnen gaan. Morgen zou ze de hele dag in beslag worden genomen door signeersessies in York en Harrogate, maar ze zou altijd een late trein kunnen nemen en het bezoek op zondagochtend kunnen afleggen. Nee. Ze zou het niet voor zich uit blijven schuiven. Een bezoek aan die plek tijdens een storm had bovendien ook iets heel ironisch, dat de schrijfster in haar aansprak.

Ze belde de portier en verzocht hem een taxi te regelen, terwijl zij haar regenjas en waterdichte laarzen aantrok. De auto stond beneden te wachten en ze dook met haar paraplu op de achterbank, waarvandaan ze de bestuurder haar bestemming opgaf. De regen viel inmiddels in grote druppels naar beneden en maakte enorme donkere vlekken op de stoep. De taxibestuurder, een jonge Pakistaan, probeerde zijn Engels te oefenen in een gesprekje over het weer, maar hij staakte zijn pogingen al snel en concentreerde zich op het rijden.

Woodhouse Road was vol mensen die vroeg van hun werk waren vertrokken vanwege het weekend en door het verslechterende weer kwamen ze slechts langzaam vooruit. Toen ze de stadsgrens achter zich hadden gelaten, ging het echter iets vlotter.

Vivian tuurde als gehypnotiseerd tussen de zwiepende ruitenwissers door uit het met regendruppels bedekte raam en dacht terug aan haar bezoek aan de kunstgalerie in Leeds de vorige dag. De aanblik van het naaktschilderij van Gloria had zulke complexe gevoelens in haar opgeroepen dat ze er nog steeds niet in was geslaagd alle draden te ontwarren.

Ze had Gloria nog niet eerder naakt gezien, was nooit met haar en Alice en de anderen meegegaan om naakt te gaan zwemmen, omdat ze verlegen was en zich schaamde voor haar lichaam, dus toen ze de smetteloze huid en verleidelijke rondingen zag zoals Michael Stanhopes ervaren oog en hand ze hadden gezien, was het een ware openbaring.

Wat Vivian het meest had geschokt, was de scherpe steek van verlangen die het schilderij in haar opriep. Ze had gedacht dat ze allang over dergelijke gevoelens heen was, als ze die al ooit had gehad. Het was waar dat ze van Gloria had gehouden, maar ze had voor zichzelf nooit toegegeven – had zelfs nooit beseft – dat ze misschien ook op die manier van haar had gehouden. Ze dacht terug aan die onschuldige, fysiek intieme momenten die ze hadden gedeeld – het beschilderen van elkaars benen, de danslessen waarbij ze Gloria's lichaam dicht tegen het hare had gevoeld en haar parfum had ingeademd, de vlinderlichte kus op haar wang na de bruiloft – en ze wist opeens niet zeker meer of ze inderdaad wel zo onschuldig waren geweest. De gevoelens, de aandrang, die waren er inderdaad geweest, maar Vivian was onwetend geweest van dergelijke dingen en had ze onderdrukt. In de kunstgalerie had ze zich vies gevoeld, alsof ze naar pornografie stond te kijken – niet omdat Stanhopes schilderij pornografisch was, maar omdat zij er zelf dergelijke gedachten en gevoelens bij kreeg.

Ze dacht aan dat korte moment waarop ze Gloria's nog warm aanvoelende voorhoofd had gekust voordat ze haar met de verduisteringsstof had bedekt. 'Vaarwel, lieve Gloria. Vaarwel, mijn lief.'

'Pardon?' zei de taxichauffeur, en hij draaide zijn hoofd om.

'Wat? O, niets. Niets.'

Vivian dook weg op de achterbank. Toen ze Otley waren gepasseerd, kwamen ze nog maar heel weinig tegenliggers tegen. De wegen waren smal en ze zaten een tijdje vast achter een vrachtwagen die maar vijfenveertig kilometer per uur reed. Toen de taxichauffeur de auto op de parkeerplaats vlak bij het Thornfield-reservoir opreed, was het al na vijven. De regen viel nu gestaag omlaag en kletterde op de bladeren. In dit weer kon ze er tenminste zeker van zijn dat ze de plek voor zichzelf alleen had, bedacht Vivian. Ze zei tegen de chauffeur dat ze maar een kwartiertje zou blijven en vroeg of hij wilde wachten. Hij pakte een krant die op de stoel naast hem lag.

Op de andere parkeerplaats, achter de hoge heg, werd ook een auto geparkeerd, maar Vivian liep al door het bos en had hem niet opgemerkt. Het pad was verraderlijk glad, alsof de geschroeide aarde verlangend had uitgekeken naar een kans om elke regendruppel die viel op te zuigen, en Vivian had er de grootste moeite mee om niet te struikelen toen ze langzaam langs de oever afdaalde, waarbij ze haar paraplu in de aarde voor zich prikte en als een soort rem gebruikte. God mag weten hoe ze ooit weer naar boven zou komen.

Het vervallen dorp doemde onder de donkere lucht voor haar op. De regen zwiepte over de verbrokkelde stenen en om de paar seconden verlichtte een bliksemschicht het tafereel voor haar als een schilderij van Stanhope.

Vivian bleef bij de elfenbrug staan om even op adem te komen, klapte haar paraplu open, liep verder en hield halt boven op de kromming van de brug. Ze legde haar vrije hand op de natte stenen en kon nauwelijks geloven dat dit dezelfde brug was waar ze zoveel jaren geleden met Gloria, Matthew, Alice, Cynthia, Betty en de anderen had staan praten. De laatste keer dat ze hier was geweest, had hij onder water gestaan.

De regen had inmiddels de geul van de oude rivier langs de High Street gevonden en een dun stroompje gevormd, dat nu in de richting van Harksmere kabbelde. De donder beukte langs de hemel en toen Vivian naar Bridge Cottage liep, rilde ze. Er was niets van het huis over, behalve een deel van de fundering, een silhouet van donker steen van ongeveer een halve meter of een meter hoog, maar ze wist nog precies waar elke kamer en elk kastje waren geweest, vooral in de keuken aan de achterkant, waar ze Gloria's lichaam had gevonden.

De grond in en om de cottage was omgewoeld en overal stonden borden van de politie die waarschuwden dat het gevaarlijk terrein kon zijn. Ze hadden waarschijnlijk gezocht naar nog meer lichamen, vermoedde Vivian. Nu ja, dat was ook wel te verwachten. Inspecteur Niven zou precies hetzelfde hebben gedaan.

Nu ze hier in de stromende regen stond en het water van haar paraplu gutste en in haar laarzen drupte, vroeg ze zich af waarom ze eigenlijk was gekomen. Er was hier niets meer voor haar. Toen Hobb's End onder water had gestaan, had ze het tenminste in haar gedachten nog kunnen zien als een plek die in waterglas was geconserveerd. Nu restte er slechts één grote hoop puin.

Ze liep langzaam door de modder over wat eens de High Street was geweest, langs de Shoulder of Mutton, waar Billy Joe met Seth had gevochten en waar Matthew zijn avonden had gesleten toen hij uit Luzon was teruggekeerd; langs slagerij Halliwell, waar ze Captans voor niervet had geruild en had gebedeld om een extra stukje soepvlees; en langs de sigarettenwinkel waar ze met moeder had gewoond en haar waren had verkocht, waar ze haar eigen uitleenbibliotheek had opgericht en Gloria voor het eerst had ontmoet op die stormachtige dag in april, toen ze in haar nieuwe land girl-uniform was binnengekomen en om sigaretten had gevraagd.

Ze schoot er niets mee op; het enige wat er van die plek over was, waren haar herinneringen, en die waren bijna allemaal erg pijnlijk. Ze had niet geweten wat ze kon verwachten, had in gedachten slechts een eenvoudige pelgrims-tocht gepland, als een soort acceptatie van het gebeurde. Ze had datgene ge-daan waarvoor ze was gekomen. Tijd om naar het hotel terug te gaan, een warm bad te nemen en zich om te kleden, voordat ze omkwam van de kou. Omdat ze diep in gedachten verzonken was, had ze de broodmagere man met vlashaar die haar taxi helemaal vanuit Leeds was gevolgd niet opgemerkt. Toen ze op de weg terug langs Bridge Cottage kwam en naar de elfenbrug wilde lo-pen, dook hij plotseling op vanachter het bijgebouw met een pistool in zijn hand; hij kwam snel op haar aflopen en klemde een arm om haar hals, en ze voelde hoe het harde metaal tegen de zijkant van haar nek drukte. Haar para-plu vloog weg en belandde ondersteboven als een enorm zwart theekopje op de High Street.

Zijn hand verscheen voor haar ogen en hield een verkreukelde foto op, vol vouwen van ouderdom. Het duurde even voordat het tot haar doordrong dat het Gloria was. Haar haren waren donkerder en steiler, en de foto zag eruit alsof hij een jaar of twee voordat ze naar Hobb's End was gekomen, moest zijn gemaakt. De regen spetterde op de foto en de hand die hem vast-hield. Een kleine hand. Gloria's hand, dacht ze, en ze zag weer die eerste ontmoeting voor zich, toen ze elkaar de hand hadden geschud en Vivian zich lomp en onhandig had gevoeld met dat kleine, vochtige blaadje in haar hand.

Hoe kwam hij aan die handen die zo op die van Gloria leken?

Tegen een uur of zes die vrijdagavond begon Banks zenuwachtig te worden over het etentje met Jenny. Het onweer en de stromende regen die zijn kleine cottage teisterden maakten het er niet beter op. Hij had al een douche geno-men en zich geschoren, en zich het hoofd gebroken over de vraag of hij after-shave zou gebruiken of niet, maar had uiteindelijk besloten het maar niet te doen, omdat hij niet al te goedkoop wilde ruiken. Nu stond hij voor zijn kle-dingkast en inspecteerde hij de schamele inhoud in een poging te beslissen welke combinatie van vrijetijdskleding hij die avond zou aantrekken. Een be-slissing die heel wat gemakkelijker werd gemaakt door de wasmand die tot de rand toe was volgestouwd: de katoenen broek van Marks & Spencer en het lichtblauwe spijkeroverhemd.

Toen hij eindelijk bijna zover was, bleef Banks even voor de spiegel staan en hij streek met zijn hand over zijn kortgeknipte haar. Niet direct om over naar huis te schrijven, vond hij, maar hij moest het doen met wat de natuur hem had gegeven. Hij was niet ijdel, maar vandaag leek hij meer tijd nodig te heb-ben om zich om te kleden voor een afspraakje dan een vrouw. Hij wist nog goed hoe hij vroeger altijd op Sandra had moeten wachten, hoeveel tijd hij haar ook gaf. Op een bepaald moment was het zelfs zo erg dat hij haar, wanneer ze om halfacht ergens moesten zijn, vertelde dat ze om zeven uur werden verwacht, zodat ze net iets meer speling hadden.

Hij dacht aan Annie. Was hij haar trouw verschuldigd of kon hij doen wat hij wilde, nu ze hem zo kortaf de rug had toegekeerd? Hij wist het niet. Hij was haar in elk geval nog wel een verklaring over de zaak verschuldigd na al het werk dat ze had verricht. Aan het eind van de middag had Bill Gilchrist van de FBI hem op verzoek van Jenny een fax van zes pagina's gestuurd over Edgar 'PX' Konig, en de inhoud daarvan had Banks versteld doen staan. Brigadier Hatchley had eveneens ontdekt dat Konig inderdaad was ondervraagd in verband met de moord op Brenda Hamilton. Hij was geen serieuze verdachte geweest, maar de twee waren bevriend geweest. De rantsoenbonnen waren tot 1954 gebruikt, dus in 1952 was PX de plaatselijke bevolking beslist nog van nut.

Toen hij Annie belde, was ze niet in het wijkbureau. Hij had haar privé-nummer ook al geprobeerd, maar blijkbaar was ze al onderweg naar St. Ives, of anders nam ze haar telefoon niet op. Vervolgens draaide hij het nummer van haar mobieltje, maar ook daar kreeg hij geen gehoor. Misschien wilde ze niet met hem praten.

Banks liep naar beneden en stak een sigaret op. Op de stereo speelde Miles Davis' *Bitches Brew*, dat opnieuw herinneringen aan Jem bij hem opriep.

Tijdens een van die periodes waarin de Met een nieuwe bezem had binnengehaald en beschuldigingen van corruptie over en weer vlogen, had Banks de man weer gezien die hij op de avond van Jems dood voor het eerst had ontmoet op de trap. Een dealer. Hij heette Malcolm en was opgepakt om te getuigen tegen een zekere brigadier Fallon, die in staat van beschuldiging was gesteld omdat hij drugssmokkelaars die hij had betrapt onder dwang hun heroïne afhandig had gemaakt in plaats van hen te arresteren. Fallon had zijn eigen distributienetwerkje opgericht, waar Malcolm deel van uitmaakte. Banks vond dat Malcolm daardoor deels verantwoordelijk was voor Jems dood en toen hij brigadier Fallon tegenkwam, herkende hij onmiddellijk het pokdalige gezicht en de cynische grijns van de agent die zijn kamer had doorzocht toen hij Jems dood had gemeld. Geen wonder dat er nooit iemand was opgepakt. Fallon werd gearresteerd en veroordeeld. Hij had er pas achttien maanden in de cel op zitten toen een tot levenslang veroordeelde medegevangene die hem had herkend hem met een tot een scherpe punt gevijld stuk metaal in zijn oor stak. Karma. Na meer dan vijf jaar kwam het wat laat, maar het bleef karma. Jem zou een dergelijke symmetrie wel hebben gewaardeerd.

Banks drukte zijn sigaret uit en wilde net naar de badkamer lopen om zijn tanden te poetsen, toen de telefoon ging. Het geluid bracht hem uit zijn evenwicht. Hij hoopte niet dat het Jenny was die wilde afzeggen. Nu Annie hem zo koeltjes behandelde, had hij zich enkele plezierige fantasietjes veroorloofd over het ophanden zijnde etentje. Zodra hij de stem aan de andere kant van de lijn had herkend, besefte hij echter dat er wel ergere dingen waren in de wereld dan een telefoontje van Jenny die het etentje afzegde.

'Vertel me eens, Banks,' snauwde hoofdcommissaris Riddle, 'waarom maak jij van alles wat je aanpakt altijd zo'n onmogelijke teringbende?'

'Pardon?'

'Je hebt me wel gehoord.'

'Hoofdcommissaris Riddle, het is vrijdagavond na zessen en...'

'Het kan me geen barst schelen hoe laat het is, of welke dag van de week. Ik geef je een doodeenvoudige zaak om op te lossen. Niets dringends. Niet al te moeilijk. Omdat ik nu eenmaal een goedzak ben. En wat gebeurt er? Al mijn goede bedoelingen halen bij jou niets uit en bereiken eerder het tegenovergestelde.'

'Ik heb geen idee waar u het over hebt.'

'Jij misschien niet, maar de rest van dit kloteland wel. Luister je nooit naar het nieuws?'

'Nee, hoofdcommissaris. Ik sta op het punt om uit te gaan.'

'Dat mag je dan fijn afzeggen. Ik weet zeker dat ze je het wel vergeeft. Niet dat jouw seksleven mij een biet interesseert. Heb je enig idee waar ik vandaan bel?'

'Nee.'

'Ik bel vanaf het Thornfield-reservoir. Als je goed luistert, kun je de regen horen. En het onweer. Ik zal je even vertellen wat hier gaande is. Iets meer dan een uur geleden is hier een vrouw gegijzeld. Ze was hier met een taxi naartoe gekomen om iets te bekijken en had de chauffeur gevraagd of hij wilde wachten. Toen hij vond dat hij wel lang genoeg had gewacht, ging hij naar haar op zoek en hij zag haar naast een man staan die kennelijk een pistool tegen haar hoofd hield. De man vuurde één keer in de lucht en riep hem toen zijn eis toe, waarna de taxichauffeur naar zijn auto terugrende en de politie belde. De vrouw heet Vivian Elmsley. Komt die naam je bekend voor?'

Banks' hart zonk in zijn schoenen. 'Vivian Elmsley? Jazeker, dat is...'

'Ik ben me er heel goed van bewust wie dat is, Banks. Wat ik niet weet is waarom een of andere maloot een pistool tegen haar hoofd heeft gezet en eist dat hij de agent te spreken krijgt die de leiding heeft over het onderzoek naar Gloria Shackleton. Want dat is wat de taxichauffeur van hem moest doorgeven. Kun je me daar misschien iets meer over vertellen?'

'Ik ben bang van niet, hoofdcommissaris.'

'"Ik ben bang van niet, hoofdcommissaris." En dat is alles wat je te zeggen hebt?'

Banks bedwong de neiging om te antwoorden: 'Ja, hoofdcommissaris.' In plaats daarvan vroeg hij: 'Hoe heet die man?'

'Dat heeft hij niet gezegd. Intussen zijn wij met man en macht uitgerukt alsof het zo'n klere-Hollywood-productie is, met een budget dat groot genoeg is om ons de komende jaren op het randje van een faillissement te doen balanceren. Luister je, Banks?'

'Jawel.'

'Een onderhandelaar heeft heel even vanaf een flinke afstand met hem gesproken, maar hij laat alleen maar los dat hij wil dat het recht zegeviert. Hij wil niets meer zeggen tot jij hier bent. Er is al een arrestatieteam ter plekke en hun handen jeuken. Blijkbaar heeft een van hun scherpschutters aangegeven dat hij hem kan neerschieten.'

'In vredesnaam...'

'Zorg dat je hier zo snel mogelijk bent, man. Ogenblikkelijk! En dit keer mag je echt je laarzen meenemen. Het hoost.'

Toen Riddle had opgehangen, greep Banks zijn regenjas en hij rende naar buiten. Hij wist vrij zeker wie degene was die Vivian Elmsley had gegijzeld en waarom hij haar vasthield. Achter hem echode Miles' treurige trompet door de verlaten cottage.

Het was Annie gelukt om vroeg van het bureau weg te gaan, voordat de ellende losbarstte, en om zes uur reed ze op de M65 bij Blackburn, waar ze van de ene baan naar de andere gleed om de lange rijen gigantische vrachtwagens in te halen die zich daar met regelmatige tussenpozen leken op te hopen. Het was de vrijdagavondspits en de lucht was bezaaid met donkere stormwolken die een stortregen over het noorden plensden. Bliksemschichten flikkerden en flitsten vorkvormig over het gebochelde Penninisch Gebergte en in de verte rommelde en beukte de donder als een dolgedraaide percussionist. Annie telde de seconden tussen lichtflits en donderslag, en vroeg zich af of dat echt aangaf hoe ver het onweer weg was.

Hoe ver waren Banks en zij nu van elkaar verwijderd? Kon die afstand ook in seconden worden afgemeten, net als het gat tussen de bliksem en de donder? Ze wist dat ze zich laf gedroeg en op de vlucht was, maar door een beetje tijd te rekken en een korte afstand tussen hen te creëren zou ze een helderder beeld krijgen en een kans om haar gevoelens eens op een rijtje te zetten.

Het werd haar gewoon net iets te veel: eerst die irritatie die ze had gevoeld toen hij liever met die vriend van hem naar de pub was gegaan in Leeds dan met haar uit eten te gaan; toen die dag in Londen, waarop hij 's middags naar Bethnal Green was gegaan om zijn zoon te zien en haar duidelijk te verstaan had gegeven dat ze niet welkom was; en vervolgens de druppel: het bezoek van Sandra aan de cottage afgelopen zondagochtend. In haar bijzijn had Annie zich heel onbeduidend gevoeld. En Banks hield nog steeds van haar, dat kon iedereen zien.

Het was niet Banks' schuld; ze was niet vanwege hem gevlucht, maar vanwege zichzelf. Als dergelijke kleine dingen haar al op stang joegen, waar zou ze dan nog rust vinden? Ze kon het Banks niet kwalijk nemen dat hij tijd vrijmaakte voor vrienden en familie, maar ze wilde evenmin dat ze zo diep in zijn leven werd meegezogen en in zijn verleden verstrikt raakte. Het enige wat zij wilde, was een eenvoudige, niet-veeleisende relatie, maar er waren nu al te veel complicerende factoren.

Als ze bij hem bleef, zou ze uiteindelijk kennis moeten maken met zijn zoon en auditie moeten doen voor de rol van 'pappies nieuwe vriendin'. En dan was er ook nog een dochter, die waarschijnlijk nog moeilijker was. Bovendien zou ze ongetwijfeld de gevreesde Sandra weer tegen het lijf lopen. Hoewel het tegenwoordig bij een echtscheiding niet langer nodig was om overspel van de huwelijkspartner aan te tonen, kreeg Annie toch het gevoel dat ze als zodanig fungeerde. En dan was er nog de scheiding zelf, ook iets waar ze zich doorheen zouden moeten slaan.

Ze dacht niet dat ze bestand zou zijn tegen de emotionele brokstukken uit het leven van iemand anders, wanneer deze inbreuk maakten op het hare. Ze had zelf al meer dan genoeg te verwerken. Nee, ze zou de relatie verbreken en eruit stappen nu het nog kon; het werd tijd om terug te gaan naar haar ouderlijk huis, zich te hergroeperen, te herstellen en daarna terug te keren naar haar labyrint, haar meditatie en haar yoga. Met een beetje geluk zou Banks haar binnen een paar weken uit zijn hoofd hebben gezet en iemand anders hebben gevonden.

Annie had zo'n elektrisch apparaatje in haar autoradio waardoor elk programma waarnaar ze mogelijkerwijs zou kunnen luisteren, door het dichtstbijzijnde radiostation kon worden onderbroken voor de allernieuwste informatie over het weer en de files. Ze had geen flauw benul hoe het ding werkte en ging ervan uit dat het een soort elektronisch signaal uitzond of iets dergelijks, maar soms leidde een dergelijke onderbreking na de berichten over weer en files naar de lokale nieuwsuitzending. Ze was net bezig met een inhaalmanoeuvre langs een vrachtwagenkonvooi dat zoveel water deed opspatten dat ze nauwelijks iets kon zien, toen de uitzending werd onderbroken voor een weerbericht, en ze ving ook het begin op van een nieuwsbericht over een gijzeling bij het Thornfield-reservoir.

Helaas brak datzelfde dingetje dat verantwoordelijk was voor de onderbrekingen die ook weer op willekeurige tijdstippen af en dit keer gebeurde dat halverwege het nieuwsitem. Het enige wat ze had opgevangen was dat detectiveschrijfster Vivian Elmsley door een gewapende man gevangen werd gehouden bij het Thornfield-reservoir.

Annie zette de cassetterecorder uit en drukte gejaagd op de zoekknoppen, waardoor de lichtjes van de radio in een digitale wervelstorm verzeild raakten. Ze kreeg een countryprogramma te pakken, een tuinprogramma en een klassiek concert, maar die verdomde nieuwsuitzending kon de scanner niet terugvinden. Ze vloekte hartgrondig en sloeg op het stuur, waardoor ze vervaarlijk begon te slingeren, en probeerde het vervolgens opnieuw, dit keer handmatig. Toen ze eindelijk de juiste frequentie te pakken had, ving ze nog net de afsluitende woorden op: '... een bizarre wending in het geheel, heeft de gijzelnemer blijkbaar aangegeven te willen praten met de agent die de leiding heeft over de zaak rond het in Hobb's End gevonden skelet, volgens onze informatie inspecteur Banks van de CID in Eastvale. We houden u op de hoogte van de ontwikkelingen.'

Ach, dacht Annie bij de buitenwijken van Blackburn, dan zit er niets anders op; ze zou terug moeten rijden. Ze week voorzichtig over de banen vol verkeer uit naar de eerstvolgende afrit, stak de snelweg over via het viaduct en volgde de borden in oostelijke richting. Met dit weer zou het haar ongeveer een uur kosten, schatte ze, en onder deze weersomstandigheden was ongeduldig rijden er niet bij. Ze hoopte maar dat ze niet te laat zou aankomen om te horen wat er verdomme allemaal aan de hand was.

Banks reed de parkeerplaats bij Thornfield op, trok zijn laarzen aan en liep vlug door het stukje bos naar de plaats van handeling. Riddle had er niet ver naast gezeten toen hij het met een grootschalige Hollywood-productie vergeleek. Dit kostte alles bij elkaar waarschijnlijk net zoveel als *Waterworld*. Hoewel de patrouilleauto's, de wagens van het arrestatieteam en de busjes van de technische recherche vanwege de bomen niet helemaal tot aan de rand van het reservoir konden rijden, hadden sommige zich een flink stuk het bos in gewurmd, en lange dikke draden en kabels overbrugden de rest van de afstand. Er waren ook mensen van de plaatselijke media. De hele kom waarin Hobb's End lag was in het licht van schijnwerpers zichtbaar en af en toe wierp een bliksemschicht nog eens kortstondig een blauw schijnsel over het geheel. In het midden hiervan werden twee heel kleine, zielige figuurtjes net achter de elfenbrug meedogenloos uitgelicht.

Riddle stond bij de schare televisiecamera's en microfoons die op veilige afstand achter de afzettape van de politie waren samengedromd. Banks negeerde hem en liep direct naar de politieonderhandelaar. Hij zag er jong uit. Banks vermoedde dat hij psychologie had gestudeerd en dat dit zijn eerste echte klus was. Officieel had de plaatselijke hoofdinspecteur de leiding, maar over het algemeen was de onderhandelaar degene die bepaalde wat er gebeurde. Banks zag nergens scherpschutters van de politie, maar wist dat ze in de buurt moesten zijn.

'Ik ben inspecteur Banks,' zei hij.

'Brigadier Whitkirk,' zei de onderhandelaar.

Banks knikte in de richting van de twee figuurtjes. 'Ik wil naar beneden om met hem te praten.'

'U gaat niet naar beneden,' zei Whitkirk. 'Dat is tegen de regels. Als u wilt praten, zult u het hiermee moeten doen.' Hij hield een megafoon omhoog. Banks pakte hem niet aan. In plaats daarvan stak hij een sigaret op en hij staarde naar het spookachtige tafereel voor hen, als een decor in een horror-film, misschien wel dezelfde film die begon met een skelethand die aan de rand van een grafsteen krabbelde. Hij keek brigadier Whitkirk weer aan. 'Hoe oud ben je eigenlijk, knul?'

'Wat heeft dat er in godsnaam mee...'

'Je bent duidelijk nog niet oud genoeg om te beseffen dat niet alle wijsheden uit boeken afkomstig zijn. Hoe heet dat boek met die regeltjes van je – *De handige gids voor onderhandelen in gijzelingssituaties?*'

'Nu moet u eens goed luisteren...'

'Nee, jíj moet eens goed luisteren.' Banks wees naar de twee gedaantes. 'Ik weet niet hoeveel van dit soort situaties jij al succesvol hebt afgehandeld, maar ik weet waar het hier om gaat. Ik weet wat hier allemaal speelt, en ik geloof dat ik een veel grotere kans heb dan jij of wie dan ook om ervoor te zorgen dat er niemand gewond raakt.'

Whitkirk stak zijn kin vooruit. In het kuiltje glom een rode vlek van woede. 'Dat kunt u niet garanderen. Laat het maar over aan de professionals. Het is duidelijk een gestoorde gek.'

'Het is helemaal geen gestoorde gek. Wat zijn die professionals van je van plan? Hem neerschieten?'

Whitkirk snoof verachtelijk. 'Als we daar op uit waren geweest, hadden we hem een uur geleden al te grazen genomen. We zorgen dat de situatie niet ver-der uit de klauw loopt.'

'Nou, bravo, hoor!'

'Hoe weet u trouwens dat het geen gestoorde gek is?'

Banks zuchtte diep. 'Omdat ik weet wie hij is en wat hij wil.'

'Hoe weet u dat dan? Hij heeft ons zijn eisen nog niet eens doorgegeven.'

'Behalve dan dat hij met mij wilde praten.'

'Inderdaad, ja. En onze eerste regel is dat we daar niet op ingaan.'

'Hij heeft zeker nog niets gedaan, hè?'

'Nee.'

'En waarom niet, denk je?'

'Hoe moet ik dat nou weten? Het enige wat ik weet is dat hij volkomen ge-stoord is en dat hij onvoorspelbaar is. We mogen hem niet tegemoetkomen en u kunt er niet zomaar naartoe banjeren. Bekijk het eens van deze kant. Hij heeft naar u gevraagd. Misschien bent u wel precies degene die hij eigenlijk wil vermoorden.'

'Dat risico neem ik dan.'

'Nee, dat sta ik niet toe. Ik heb hier de leiding en u gaat er niet naartoe.'

'Wat doen we dan?'

'Tijdrekken.'

Banks had het liefst hardop gelachen, maar hij hield zich in. 'En wat wilde je met die tijd doen?'

'Om te beginnen doen we er alles aan om een onzekere situatie te veranderen in een zekere.'

'Van die citaatjes uit dat klerehandboek van je ben ik niet gediend,' zei Banks. 'Hoe lang ben je hier eigenlijk al? Een uur? Anderhalf uur? En in al die tijd heb je die onzekere situatie van je nog steeds niet in een zekere kunnen veranderen?'

Whitkirk keek hem giftig aan. 'We hebben aangeboden om hem een telefoon te brengen, maar dat heeft hij geweigerd.'

'Moet je horen,' zei Banks, 'hij heeft naar me gevraagd. Goed, we weten dan nog wel niet wat hij precies wil, maar hij heeft me ongetwijfeld iets te zeggen, en jij weet net zo goed als ik dat er maar één manier is om erachter te komen wat dat is. Ik geloof dat ik hem zover kan krijgen dat hij geen schade aanricht. Kun je me dat beetje speling niet geven?'

Whitkirk beet op zijn lip. 'Het is mijn werk om de locatie te beveiligen,' zei hij.

'Laat me naar hen toe gaan.' Banks gebaarde naar de hoofdcommissaris. 'Neem maar van mij aan dat die vent daar je een medaille geeft als ik word neergeschoten.'

Whitkirk glimlachte dunnetjes. 'Op één voorwaarde,' zei hij.

'En dat is?'

'Dat u een kogelvrij vest aantrekt.'

'Afgesproken.'

Whitkirk stuurde iemand naar de wagen van het arrestatieteam om een vest op te halen en meldde toen via de megafoon aan de gijzelnemer wat hij van plan was.

'Laat maar komen,' riep de man terug.

Whitkirk deed een stap opzij en Banks, die inmiddels was uitgedost met het kogelvrije vest, trapte zijn sigaret uit in de modder en liep langs de wand van het reservoir naar beneden. Hij hoorde dat Whitkirk hem 'Succes!' toefluisterde toen hij wegliep. Ongeveer halverwege gleed hij uit en de rest van de weg omlaag legde hij op zijn achterwerk af. Geen bijzonder waardige afdaling. Hoewel het meer schade toebracht aan zijn trots dan aan zijn kleding, deed het hem er wel aan denken dat hij zijn beste broek had aangetrokken voor het etentje met Jenny, een etentje dat hij naar alle waarschijnlijkheid wel zou missen, vooral ook omdat hij in alle opwinding zijn mobieltje was vergeten en geen kans had gezien om haar te bellen en af te zeggen.

Toen hij op de bodem was aanbeland, hoorde hij achter zich iemand vloeken en toen hij zich omdraaide, zag hij Annie Cabbot, die achter hem aan kwam glijden, eveneens op haar achterste en met beide voeten in de lucht. Onder aan de helling stond ze op en ze grijnsde naar hem 'Sorry. Het was de enige manier om langs hen heen te komen.'

'Ik neem aan dat je geen kogelvrij vest aanhebt?'

'Nee.'

'Ik zou me als een heer kunnen gedragen en je het mijne kunnen geven, maar we zijn net iets te dicht bij de gijzelnemer. Zorg dat je achter me blijft. We willen hem niet laten schrikken.'

Ze liepen naar de elfenbrug. Banks vertelde de man wie hij was. Deze gebaarde dat het in orde was en zei dat ze allebei aan de andere kant van de brug moesten blijven staan. Ze keken elkaar over de lengte van de brug aan. Vivian Elmsley keek angstig, maar zag er voorzover Banks kon zien ongedeerd uit. Het pistool was waarschijnlijk een .32 automatic.

'Dit is brigadier Cabbot,' zei Banks. 'Ze werkt samen met me aan deze zaak. Is het goed dat zij erbij blijft?'

De man keek naar Annie en knikte. 'Ik weet wie ze is,' zei hij. 'Ik heb haar op de dag waarop jullie het skelet hebben gevonden op televisie gezien en toen hier op een avond, ongeveer een week geleden.'

'Dus dat was jij,' zei Annie. 'Wat deed je hier? Je dacht toch niet dat je na al die tijd hier nog iets zou vinden?'

'Misschien wel. Niet wat jij bedoelt, maar misschien dacht ik inderdaad dat ik hier nog iets kon vinden. Ik ben hier 's avonds vaak geweest. Om na te denken.'

'Waarom bent je toen weggerend?'

'Ik herkende je van televisie. Je liep heel dicht langs me heen en je zag me niet eens. Maar ik zag jou wel. Ik wilde niet het risico lopen dat je me zou oppakken, dat ik zou moeten uitleggen wat ik van plan was, niet voordat ik had gedaan wat ik wilde doen.'

Banks vond dat het tijd werd dat hij het gesprek overnam. Hij stak zijn handen in de lucht en gebaarde dat Annie hetzelfde moest doen. Regendruppels gleden langs zijn nek omlaag. 'We zijn niet gewapend, Francis,' zei hij. 'We willen je geen kwaad doen. We willen alleen met je praten. Laat mevrouw Elmsley gaan.'

'Dus jullie weten wie ik ben?'

'Francis Henderson.'

'Slim. Maar ik heet inmiddels Stringer. Frank Stringer.' Hij liet zijn tong over zijn lippen glijden. Dus hij had de meisjesnaam van zijn moeder aangenomen. Vreemd. Het vertelde Banks wel iets over de situatie waarin ze zich nu bevonden. Frank leek erg opgefokt en Banks vroeg zich af of hij soms had gedronken of misschien weer aan de drugs was. Het mocht dan moeilijk zijn om een onzekere situatie in een zekere te veranderen, dacht hij, maar het was nog veel moeilijker om van een gehallucineerde situatie een reële te maken.

'Hoe dan ook,' ging Frank verder, 'ik ben er nog niet aan toe om iemand te laten gaan. Ik wil eerst het hele verhaal horen. Ik wil haar bekentenis horen, en dan beslis ik pas of ik haar zal doodschieten of niet. De rest kan me niet schelen.'

'Goed, Frank. Wat wil je horen?'

'Ze heeft mijn moeder vermoord. Ik wil het van haarzelf horen en ik wil weten waarom.'

'Ze heeft helemaal niemand vermoord, Frank.'

'Wat bedoel je? Je liegt. Je probeert haar te beschermen.'

Zijn greep op Vivian verstrakte. Banks zag dat ze plotseling haar adem inhield en dat de loop van het pistool diep in het vlees onder haar oor drukte.

'Luister, Frank,' zei hij. 'Het is belangrijk dat je luistert naar wat ik zeg. Je hebt me zelf gevraagd om hier te komen. Je wilt de waarheid weten, zo is het toch?'

'Ik weet al wat de waarheid is. Ik wil het van jouzelf horen. Ik wil horen dat ze het in jullie bijzijn bekent. Ik wil horen wat zij mijn moeder heeft aangedaan.'

'Het is anders gegaan dan je denkt, Frank. Het is anders gegaan dan wij allemaal dachten. We hadden het allemaal fout.'

'Mijn moeder is vermoord.'

'Dat klopt, ze is vermoord.'

'En dit... dit secreet hier heeft tegen mijn vader en mij gelogen toen we hier naar haar kwamen zoeken.'

'Nee,' zei Banks. 'Ze heeft niet gelogen. Ze dacht dat ze je de waarheid vertelde.' Hij ving de verwarde blik in de ogen van Vivian op.

'Al die jaren...' ging Frank verder, alsof hij hem niet had gehoord. 'Mijn vader aanbad haar, wist je dat? Zelfs toen ze ons in de steek had gelaten. Hij zei dat ze een dromer was, een vrije ziel, een prachtige vlinder die niet anders kon dan haar vleugels spreiden en wegvliegen. Ik had een hekel aan haar omdat ze ons in de steek had gelaten. Omdat ze ons die schoonheid niet gunde. Waarom kon ze die niet met ons delen? Waarom mochten wij geen deel uitmaken van haar dromen? We waren nooit goed genoeg voor haar. Ik had een hekel aan haar en ik hield van haar. Mijn hele leven werd beheerst door een moeder die ik zelfs nooit heb gekend, en het is erdoor verwoest. Wat zou meneer Freud daar wel niet over zeggen? Vind je het soms niet grappig?'

Banks keek hem niet aan. Hij wilde Frank niet de waarheid vertellen, wilde hem niet vertellen dat zijn moeder hem bij zijn geboorte al de rug had toegekeerd. Al die jaren had George hem met illusies opgevoed. Gloria had het wat betreft de vader van haar kind in elk geval helemaal mis gehad; hij was lang niet zo erg geworden als ze had gedacht. 'Nee,' zei hij, 'dat vind ik helemaal niet grappig, Frank.'

'Mijn vader vertelde me vroeger altijd dat ze zo'n Hollywood-actrice wilde worden. Dat ze urenlang voor de spiegel zat te oefenen met make-up en hoe ze praatten. Al voordat ik geboren werd, hadden ze geen toekomst samen. Ze was te jong, zei hij. Ze had gewoon één foutje gemaakt, meer niet. Dat foutje was ik. Dat was genoeg.'

'Ze was erg jong, Frank. Toen ze zwanger raakte, werd ze bang. Ze wist niet wat ze moest doen.'

'Dus ging ze er maar vandoor en liet ze ons in de steek?'

'Voor sommige mensen lijkt dat soms de enige uitweg. Blijkbaar wilde ze wel dat het kind, dat jij, bleef leven. Ze liet geen abortus plegen. Ze heeft je vader ongetwijfeld laten weten waar ze naartoe ging. Heeft ze geen contact gehouden?'

Hij snoof. 'Af en toe een ansichtkaart waarop stond dat het goed met haar ging en dat hij zich geen zorgen moest maken. Toen mijn vader op een keer met verlof was, heeft hij me meegenomen naar Hobb's End om haar op te zoeken. Dat was de enige keer dat ik... de enige keer dat ik me kan herinneren dat ik haar heb gezien, dat ik bij haar was en haar stem hoorde. Ze zei dat ik al een flinke jongen was geworden. Op dat moment hield ik van haar. Ik vond haar net een betoverend wezen. Oogverblindend. Als iemand uit een droom. Het was net alsof ze in een waas van licht was gehuld. Zo mooi en zo lief. Toen kregen ze ruzie. Hij kon het niet helpen; toen hij haar zag, vroeg hij haar of ze met ons mee terugkwam, maar ze wilde niet. Ze zei dat ze inmiddels was getrouwd en een heel nieuw leven had, en dat we haar met rust moesten laten als we wilden dat ze gelukkig was.'

'Wat deed je vader toen?'

Wat ze hem vroeg. Hij was er kapot van. Ik denk dat hij altijd was blijven hopen dat ze op een goede dag misschien wel terug zou komen. We hebben het nog een laatste keer geprobeerd, toen alles voorbij was.' Hij draaide zich om, zodat zijn mond vlak bij Vivians oor was. 'Maar deze leugenachtige trut beweerde toen dat ze was weggelopen en dat ze niet wist waar ze was. Ik heb dat mijn hele leven lang geloofd: dat mijn moeder was weggelopen en ons voorgoed had verlaten. Ik heb geprobeerd haar te vinden. Daar ben ik goed in, in het terugvinden van mensen, maar ik had geen succes. En nu kom ik erachter dat ze al die tijd dood was. Vermoord en hier begraven.'

'Laat haar gaan, Frank!' riep Banks luidkeels om een donderslag te overstemmen. 'Ze wist het niet.'

'Wat bedoel je daarmee, dat ze het niet wist? Ze moet het hebben geweten.' Frank scheurde zijn blik los van Vivian en richtte zijn aandacht woedend op Banks. Zijn ogen stonden verwilderd, zijn sluike haar zat tegen zijn schedel geplakt en de regen druppelde als tranen uit zijn ogen. 'Ik wil alles horen. Ik wil horen dat ze het toegeeft waar jullie bij zijn. Ik wil de waarheid horen.'

'Je zit er helemaal naast, Frank. Vivian heeft Gloria niet vermoord. Luister alsjeblieft naar me.'

'Misschien heeft ze haar niet zelf vermoord, maar ze was er wel bij betrokken. Ze heeft iemand beschermd. Wie was dat?'

'Niemand.'

'Denk je soms dat ik achterlijk ben?'

'Vivian had niets met de dood van je moeder te maken.' Terwijl hij dit zei, zag Banks dat Vivian ondanks het pistool in haar hals nieuwsgierig naar hem keek. Annie stond nu naast hem en Frank leek zich niets van haar aanwezigheid aan te trekken. Banks was zich ervan bewust dat er op de achtergrond iets gaande was, maar hij dacht niet dat iemand nu al iets zou ondernemen. De donder rommelde boven hun hoofden en bliksemschichten schoten over hen heen. Zijn regenjas en broek plakten tegen zijn huid en de striemende regen teisterde zijn ogen.

'Wat bedoel je daarmee, dat ze er niets mee te maken had?' vroeg Frank. 'Ze heeft mijn vader wijsgemaakt dat mijn moeder was vertrokken, maar al die tijd lag ze hier al begraven. Ze heeft gelogen. Waarom zou ze dat doen, tenzij ze haar zelf had vermoord of wist wie het had gedaan?'

'Voorzover zij wist,' zei Banks, 'was jouw moeder inderdaad vertrokken. Nadat Matthew uit de oorlog was teruggekeerd, had ze het regelmatig over weglopen gehad. Hij was door de Japanners ernstig verwond. Hij was niet langer de man met wie ze was getrouwd. Haar leven was ellendig. Iedereen die haar kende vond het volkomen begrijpelijk dat ze was weggelopen; ze had jou en je vader tenslotte ook al eens in de steek gelaten.'

'Nee!'

Frank verstevigde zijn greep rond Vivians keel en ze snakte naar adem. Banks had het gevoel dat zijn hart bleef stilstaan. Hij stak zijn handen naar voren, met de palmen naar Frank toegekeerd.

'Goed, Frank,' vervolgde hij. 'Rustig maar. Alsjeblieft. Rustig aan en luister naar me.'

Ze bleven even staan wachten, alle vier, alles om hen heen stil behalve het gekletter van de regen, de storm die in de verte was weggetrokken en enkel wat krakend gesputter uit een van de politieradio's boven aan de rand.

Toen voelde Banks dat iedereen zich enigszins ontspande – het gevoel dat je krijgt wanneer je een te strakke knoop losmaakt. 'Matthew heeft haar weggejaagd,' zei hij. 'Het was alleen maar logisch dat Gwen dacht dat het zo was gegaan. Je moeders koffer was weg. Haar spullen waren weg.'

Frank zei een hele minuut lang niets. Banks merkte dat hij de informatie in zich opnam zonder zijn defensieve houding te laten varen. De storm was nu echt in de verte opgelost en het regende minder hard, maar ze hadden alle vier geen droge draad meer aan hun lijf.

'Als zij het niet heeft gedaan, wie dan wel?' zei Frank ten slotte. 'Ik durf te wedden dat jullie me dat niet kunnen vertellen.'

'Ik wel, Frank.' Annie deed een stap naar voren en beantwoordde zijn vraag. Frank keek haar aan en knipperde met zijn ogen tegen de regendruppels.

'Wie dan?' vroeg Frank. 'Lieg niet.'

'Hij heette Edgar Konig,' zei Annie. 'Hij werkte in de PX op de basis in Rowan Woods, ongeveer anderhalve kilometer hier vandaan.'

'PX?' bracht Vivian moeizaam uit.

'Ik geloof het niet,' zei Frank.

'Toch is het zo,' zei Banks, die het gesprek weer overnam. Hij besefte dat Annie nog niet op de hoogte was van het hele verhaal. 'Konig heeft je moeder vermoord. Hij heeft nog minstens één andere vrouw hier in het land op dezelfde manier vermoord, ergens in East Anglia. En er waren er nog veel meer, in Europa en Amerika.'

Frank schudde traag zijn hoofd.

'Luister, Frank. Edgar Konig kende je moeder en haar vriendinnen van de dansfeesten waar ze allemaal naartoe gingen. Hij voelde zich van het begin af aan tot haar aangetrokken, maar hij had altijd problemen gehad met vrouwen. Hij stond altijd met zijn mond vol tanden wanneer er vrouwen in de buurt waren. Hij gaf haar cadeautjes, maar zelfs toen bood ze zich niet aan hem aan en weigerde ze hem over zijn verlegenheid heen te helpen. Ze ging uit met andere mannen. Hij keek toe en wachtte af. En al die tijd nam de spanning in hem toe.'

'Zei je dat hij ook andere vrouwen heeft vermoord?'

'Ja.'

'Hoe weten jullie dat hij de dader was?'

'We hebben een knoop gevonden die afkomstig is van de kraag van het uniform van een Amerikaanse medewerker van de luchtmacht. We denken dat je moeder die waarschijnlijk heeft afgerukt toen ze zich tegen hem probeerde te verzetten. Vervolgens hebben we informatie opgevraagd over die onopgeloste moordzaak in Suffolk en kwamen we erachter dat hij in verband met die zaak ook was verhoord. Hoor je wat ik zeg, Frank?'

'Ja.'

Franks greep om Vivians keel was wat verslapt en Banks merkte dat de hand met het pistool eveneens ontspande. 'Toen haar man Matthew die avond zoals gewoonlijk in de pub zat, is Edgar Konig naar Bridge Cottage gegaan om datgene op te eisen wat jouw moeder hem volgens hem schuldig was. De Bomber Group zou binnen enkele dagen worden overgeplaatst en daardoor balanceerde hij op het randje. Hij had niet veel tijd meer. Hij had zichzelf al meer dan een jaar gekweld. Hij had die avond veel gedronken, was steeds wellustiger geworden, en hij dacht dat hij genoeg moed had verzameld, dacht dat hij zijn onvolkomenheden de baas was. En toen ontstond er ergens kortsluiting. Ze heeft hem ongetwijfeld afgewezen, misschien zelfs wel uitgelachen, en voordat hij besefte wat hij deed, heeft hij haar in een enorme woedeaanval vermoord. Begrijp je wat ik daarmee wil zeggen, Frank? Er was iets met hem aan de hand.'

'Een psychopaat?'

'Nee. Niet echt. In elk geval niet vanaf het begin. Hij vermoordde vrouwen vanwege seks. Die twee dingen, seks en moord, waren in zijn hoofd onlosmakelijk met elkaar verbonden. Het een was niet mogelijk zonder het ander.'

'Als het echt zo is gegaan, waarom wist niemand er dan vanaf?'

Banks tastte voorzichtig naar zijn sigaretten en bood Frank er een aan. 'Ik ben jaren geleden gestopt met roken,' zei deze, 'maar bedankt voor het aanbod.' Banks stak de zijne op. Ze boekten beslist vooruitgang. Frank leek minder gespannen en was ontvankelijker voor logica. Bovendien had hij blijkbaar toch geen drank of drugs gebruikt. Nu mocht hij het niet verkloten.

'Niemand wist ervan,' vervolgde Banks, 'omdat Edgar Konig besefte wat hij had gedaan. Hij was in één klap weer nuchter. Hij heeft alle sporen uitgewist.' Terwijl hij dit zei, wierp Banks een blik op Vivian Elmsley. Ze keek hem niet aan. 'Hij heeft alle rommel opgeruimd en het lichaam in het bijgebouw begraven. Vervolgens heeft hij wat van haar kleding en eigendommen in een koffer gestopt zodat het net leek alsof ze was weggelopen. Hij schreef zelfs een nepbriefje. Het was oorlogstijd. Er verdwenen voortdurend mensen. Iedereen in het dorp wist dat Gloria niet gelukkig was bij Matthew en een enorm zware last op haar schouders torste. Waarom zouden zij eraan twijfelen dat ze haar hielen had gelicht?'

Frank zei vlak bij Vivians oor: 'Is het waar wat hij zegt?'

Banks kon niet verstaan wat ze antwoordde, maar zag dat haar mond het woord vormde: 'Ja.'

'Frank,' zei Banks dringend, omdat hij gebruik wilde maken van zijn voorsprong. 'Het pistool. Ik weet zeker dat je niemand kwaad wilt doen, maar het is gevaarlijk. Een verkeerde beweging is zo gemaakt. Iedereen is nog ongedeerd. Er is nog niets ergs gebeurd.'

Frank keek naar het pistool alsof hij het voor het eerst zag.

Banks zette een voet op de elfenbrug en liep langzaam met uitgestoken hand naar hem toe. Hij wist dat op dat moment waarschijnlijk twee of drie geoefende scherpschutters hun wapen op hem gericht hielden en bij de gedachte alleen al keerde zijn maag zich om. 'Geef mij dat wapen, Frank. Het is voorbij. Vivian heeft je moeder niet vermoord. Ze had er helemaal niets mee te maken. Ze hield van Gloria als van een zus. Edgar Konig was de dader.'

Frank liet de hand met het wapen zakken en trok de arm die rond Vivian Elmsleys keel had gelegen weg. Ze viel wankelend opzij en gleed in een van de modderige kuilen die de technische recherche in de vloer van Bridge Cottage had gegraven. Annie rende naar haar toe om haar te helpen. Frank gaf zijn pistool aan Banks. Het woog zwaar in zijn hand. 'Hoe is het met hem afgelopen?' vroeg Frank. 'Die Konig, hebben ze hem ooit opgepakt?'

'Dat vertel ik je allemaal nog wel een keer, Frank,' zei Banks, en hij greep hem vast bij zijn elleboog. 'Op dit moment zijn we allemaal te moe en te nat. Goed? Ik denk dat we maar eens moeten gaan – een plek zoeken waar we ons kunnen afdrogen en schone kleren aantrekken, wat jij?'

Frank liet zijn hoofd op zijn borst zakken. Banks sloeg een arm om zijn schouders. Toen hij dit deed, zag hij iets op de grond liggen, dat deels schuilging onder de modder. Hij boog zich voorover en raapte het op. Het was een foto van een zestienjarige Gloria Shackleton en haar prachtige, vastberaden, uitdagende gezichtje staarde recht in de lens. De foto was door het water aangetast, maar kon nog wel worden gered.

Diverse politieagenten kwamen haastig langs de oever naar beneden gegleden. Twee van hen hielpen Annie om Vivian uit de kuil te hijsen en twee van hen grepen Frank ruw vast om hem in de boeien te slaan.

'Het is nergens voor nodig om hem zo ruw te behandelen,' zei Banks.

'Laat dat maar aan ons over, inspecteur,' zei een van de agenten.

Banks zuchtte, overhandigde hun het pistool en hield toen de foto van Gloria omhoog. 'Ik kan deze voor je laten schoonmaken, als je dat wilt, Frank,' zei hij.

Frank knikte. 'Graag,' zei hij. 'En maak je over mij maar geen zorgen. Ik red het wel. Dit is niet de eerste keer dat ik handboeien om heb.'

Banks knikte. 'Dat weet ik.'

Ze duwden Frank Stringer hardhandig weg en sleurden hem bijna de modderige helling op, en toen Banks zich omdraaide, zag hij dat Annie en de overige politieagenten Vivian Elmsley ondersteunden, die over de elfenbrug strompelde.

Vivian, die van top tot teen met modder was bedekt, bleef voor hem staan, terwijl de anderen verder liepen. 'Dank u wel,' zei ze. 'U hebt mijn leven gered.'

'Ik heb voor u gelogen,' zei Banks. 'En ik heb ook een smet geworpen op Gloria's loyaliteit jegens Matthew.'

Ze trok bleek weg en fluisterde: 'Dat weet ik. Ik besef wat u hebt gedaan. Het spijt me.'

'U hebt een kans gehad, dat weet u. Misschien maar een heel kleine kans, maar het was een kans. Als u Gloria's dood had gemeld, als u niet al het bewijsmateriaal had vernietigd, als u naar de politie was gestapt...' Banks wist zijn woede slechts met moeite in bedwang te houden; hier was het noch de tijd, noch de plek voor. 'Ach, laat ook maar zitten. Het is nu toch al te laat.'

Vivian boog haar hoofd. 'Geloof me, ik besef heel goed wat ik heb gedaan.'

Banks draaide zich om en ploeterde alleen verder door de modder. Het kostte moeite, maar hij haalde de rand zonder te vallen. Eenmaal boven merkte hij dat Annie naast hem stond. Voordat hij iets kon zeggen, kwam Jimmy Riddle op hen toe gerend en hij greep hem bij de arm. 'Ik ben blij dat je tenminste nog een deel van de situatie hebt gered, Banks,' beet hij hem toe, 'maar je bent zo incompetent als wat. Ik gedoog geen incompetente agenten in mijn korps. Ik spreek je maandagochtend nog wel.' Toen keerde hij zich om naar Annie. 'En jij, brigadier Cabbot, jij hebt een directe opdracht in de wind geslagen. Ik gedoog ook geen ongehoorzame agenten. Jou spreek ik ook nog wel.'

Banks trok zijn arm los, draaide zich op zijn hakken om en liep terug naar zijn auto. Het enige wat hij nu wilde, was een warm bad, een flink glas Laphroaig en schone kleren.

En Annie.

Ze stond al met over elkaar geslagen armen tegen haar auto geleund.

'Gaat het?' vroeg Banks.

'Ja hoor. Voor iemand die zich het afgelopen halfuur in de stromende regen heeft staan afvragen of een van de aanwezigen misschien op het punt stond om haar hoofd te verliezen door een pistoolschot maak ik het uitstekend.'

'Frank Stringer zou nooit iemand hebben verwond.'

'Jij hebt gemakkelijk praten. Ik heb trouwens groot respect voor wat je daar hebt gedaan.'

'Hoezo?'

'Je hebt gelogen om Frank te ontzien. Ik heb je toch verteld dat mijn moeder is overleden toen ik zes was? Ik herinner me haar ook graag als een prachtig, oog-verblindend wezen dat werd omhuld door een waas van licht, net zoals hij zich Gloria herinnert. En ik zou ook niet willen dat iemand me die illusie ontneemt, wat de waarheid ook is.'

'Ik heb gelogen om ons allemaal levend uit die ellende te krijgen.'

Annie glimlachte. 'Wat je wilt. Het is je allebei gelukt.'

'En nu?'

Annie rekte zich uit, strekte haar rug en stak haar armen hoog in de lucht. 'Naar St. Ives. Nadat ik eerst thuis droge kleren heb opgehaald. Ik was al onderweg toen ik het hoorde. Ik moest erbij zijn.'

'Ja, natuurlijk. Bedankt voor je aanwezigheid.'

'En jij?'

'Terug naar huis, denk ik.' Het etentje met Jenny schoot Banks weer te binnen. Het was nu te laat, vooral nu zijn kleding er zo bij hing, maar hij kon tenminste wel even een mobiele telefoon van iemand lenen en haar bellen om zijn verontschuldigingen aan te bieden.

Annie knikte. 'Hoor eens, ik blijf een week of twee weg. Op dit moment zijn mijn gevoelens nogal een warboel. Bel je me wanneer ik terug ben? Misschien kunnen we dan eens met elkaar praten?'

'Goed.'

Ze keek hem met een scheve grijns aan. 'Als er niet zoveel politieagenten in de buurt waren, zou ik je een afscheidszoen geven.'

'Geen goed idee.'

'Nee. Tot gauw dan maar.'

En ze deed het portier van haar auto open en stapte in. Banks vergat voor het gemak maar even dat hij wilde minderen en stak met merkbaar trillende handen een nieuwe sigaret op. Annie startte zonder nog achterom te kijken de motor. Banks keek de rode achterlichtjes na die over het modderige pad wegreden.

Epiloog

Na een lange, regenachtige winter en de hoognodige herstelwerkzaamheden door het waterschap van Yorkshire liep het Thornfield-reservoir weer vol en werd Hobb's End opnieuw helemaal aan het oog onttrokken. Op 27 juli van het jaar nadat de moord op Gloria Shackleton de fantasie van het publiek had geprikkeld en weer in de vergetelheid was geraakt, lag Vivian Elmsley op het kingsize bed in haar hotelkamer in Florida tegen de kussens geleund en keek ze naar de plaatselijke nieuwszender.

Vivian was halverwege een nationale promotietour voor haar boek, die zeventien steden telde, en hoewel Gainesville niet op de route lag, had ze genoeg invloed op haar uitgevers om deze korte omleiding erin op te nemen. Promotietour of niet, ze was toch wel gekomen. Gisteren had ze Baltimore, Bethesda en Washington D.C. aangedaan; morgen ging ze naar Dallas, maar vanavond overnachtte ze in Gainesville.

Vanavond was namelijk de avond waarop Edgar Konig zijn afspraakje had met Old Sparky en na alles wat ze had doorstaan, had Vivian dringende behoefte aan een soort afsluiting. Het was een broeierige nacht vol muggen, maar dat leek de mensenmenigte die zich ruim vijfendertig kilometer verderop voor de poorten van Starke Prison had verzameld niet te deren. Een of twee van de aanwezigen droegen stilletjes een poster waarop om het afschaffen van de doodstraf werd gevraagd, maar het overgrote deel van de menigte scandeerde: 'Konig moet branden! Konig moet branden!' Bumperstickers verkondigden een vergelijkbare boodschap en de mensenmassa had een sfeer gecreëerd die volgens de commentator als een echte happening kon worden omschreven. Het gebeuren was niet belangrijk genoeg om de aandacht te trekken van landelijke zenders, aangezien executies bijna haast net zo vaak voorkwamen in Florida als roofovervallen, maar de zaak-Konig had plaatselijk wel de nodige belangstelling gewekt.

Frank Stringer had er ook bij willen zijn, en Vivian was maar al te bereid geweest om zijn ticket te betalen, maar hij zat in de gevangenis. De Engelse wapenwetten waren veel strenger dan die in Florida. En hoe overtuigend zijn redenen om Vivian afgelopen september bij Thornfield te gijzelen ook waren geweest, hij had daardoor wel een serieuze misdaad begaan en was de aanleiding geweest voor een geldverslindende en veelbeschreven politieoperatie. Vivian had hem een paar keer opgezocht in de gevangenis en hem beloofd dat ze hem zou helpen om zijn leven weer op de rails te krijgen zodra hij vrij was. Dat was wel het minste wat ze kon doen ter nagedachtenis aan Gloria.

Op zijn beurt had Frank haar verteld dat zijn vaders zus Ivy en haar man John tijdens de oorlog goed voor hem hadden gezorgd en dat hij hen als zijn ouders was gaan beschouwen. Wanneer zijn echte vader terugkwam met verlof, waren ze zo veel mogelijk samen geweest. Dat was ook zo toen ze in 1943 hun eerste reisje naar het noorden hadden gemaakt en hij zijn moeder had ontmoet.

Na de oorlog was zijn vader getrouwd en had hij hem bij Ivy en John weggehaald. Franks stiefmoeder was een alcoholiste en een feeks die zich niets gelegen liet liggen aan de buitenechtelijke zoon van haar man. Eenzaam en verwaarloosd had hij zich ten slotte ingelaten met criminelen en bendes, en dat was van kwaad tot erger gegaan. De enige constante in zijn leven was dat hij altijd de herinnering aan zijn echte moeder had gekoesterd.

Frank vertelde Vivian ook dat de dood van zijn vader die lente en de herrijzenis van Hobb's End uit het Thornfield-reservoir ervoor hadden gezorgd dat zijn obsessie met het verleden zo uit de hand was gelopen. Zijn vader was degene geweest die Vivian Elmsley op de televisie als eerste had herkend als Gwen Shackleton, maar Frank had het bevestigd; hij had haar ogen en stem al die jaren daarvoor, toen hij acht was, in zijn geheugen gegrift op dezelfde manier waarop hij ook zijn moeders gezicht had vastgelegd.

Hij kon niet verklaren waarom hij de moeite had genomen om erachter te komen waar Vivian woonde of waarom hij haar was gevolgd en in de boekhandel had aangesproken – misschien omdat zij de enige was die nog leefde die Gloria had gekend. Hij zei dat hij aanvankelijk geen kwaad in de zin had gehad, dat hij uiteindelijk misschien genoeg moed bij elkaar had geraapt om haar te benaderen.

Toen werd het skelet gevonden en wist hij dat ze al die jaren daarvoor moest hebben gelogen. Vanaf dat moment haatte hij haar; hij had haar gebeld om haar bang te maken en haar te laten lijden. Hij had haar op elk willekeurig ogenblik te pakken kunnen nemen, maar genoot liever van de gedachte dat dat een mogelijkheid was. Zodra hij haar er eenmaal mee had geconfronteerd, was alles tenslotte in één klap voorbij. Dus volgde hij haar, hield hij haar in de gaten. Toen ze bij het hotel in die taxi stapte, had hij geweten waar ze naartoe ging en hij had het een passende locatie gevonden om er een eind aan te maken, de plek waar alles ook was begonnen.

Maar vanavond was Vivian alleen in Gainesville, met haar herinneringen, de televisie, een fles gin-tonic. En een executie.

Ze hadden al een vrij recente foto van Edgar Konig laten zien. Vivian had er niet de slungelige, jonge medewerker van de luchtmacht in herkend, met zijn kinderlijke gezicht, verlegen ogen en blonde stekeltjeshaar. Zijn haar was verdwenen, zijn wangen hingen slap en waren gerimpeld, op zijn voorhoofd lag een diepe frons en zijn ogen waren diepe, donkere gaten waarin slijmerige monsters rondkropen.

Terwijl ze naar de berichtgeving op televisie keek, stelde Vivian zich voor hoe de medewerkers de voorbereidende stappen van de door de staat goedgekeurde moord doorliepen met een vlotte, onpersoonlijke efficiëntie, die veel weg had van die van tandartsen of dokters.

Eerst zouden ze de patiënt in de zware eikenhouten stoel laten plaatsnemen en de stevige leren riemen om zijn armen en benen bevestigen. Vervolgens zouden ze het mondstuk tussen zijn tanden zetten en de elektroden op zijn lichaam bevestigen alsof het een ECG betrof.

Ze vroeg zich af of de leren riemen stonken, of ze de zure geur uitwasemden van het zweet en de angst van vorige slachtoffers. Hoeveel handen en benen hadden ze hiervoor al vastgehouden? Of werden ze na elke executie vervangen? En dan de stoel zelf. Hoeveel blazen en darmen waren daar al op leeggelopen? Daarna zouden ze de metalen kap op de schedel klemmen.

Vivian schudde haar hoofd om de beelden te verjagen. Ze was duizelig en besefte dat ze al een tikje aangeschoten was. Als iemand een dergelijk eind had verdiend, hield ze zichzelf voor, omdat ze kampte met tegenstrijdige gevoelens jegens de doodstraf in het algemeen, dan was dat waarschijnlijk Edgar Konig wel.

Vivian had geschokt gereageerd toen Banks haar de dag na Franks arrestatie had verteld dat Gloria's moordenaar niet dood was, maar in een dodencel in een gevangenis in Florida zat.

Dacht hij nog aan Gloria terug, vroeg Vivian zich af, nu het eind zo dicht was genaderd? Was er in zijn hoofd nog ruimte voor de herinnering aan de beeldschone jonge vrouw van zoveel jaren geleden in dat dorp dat inmiddels niet meer bestond, in een oorlog die allang gewonnen was? Of al die anderen? Hoeveel waren het er wel niet geweest? Zelfs Banks had haar geen definitief aantal kunnen melden. Dacht hij nog aan hen terug?

Als hij net zo was als de meeste andere moordenaars van zijn slag over wie ze tijdens haar research had gelezen, voelde hij waarschijnlijk alleen zelfmedelijden en vervloekte hij tijdens zijn laatste uren de pech die had geleid tot zijn arrestatie. Wat Banks haar enkele dagen na de recente gebeurtenis in Hobb's End had verteld, had dat idee niet kunnen verdrijven.

Banks' contactpersoon bij de FBI had Konig afgelopen december verhoord en daarvan verslag uitgebracht. Konig had gezegd dat hij zich nog herinnerde dat de eerste keer tijdens de oorlog in Engeland was geweest. Hij had zich haar naam of de omstandigheden niet meer kunnen herinneren, maar dacht dat ze mogelijk blond was geweest. Wat hij nog wel wist, was dat hij haar meer dan een jaar lang kousen, kauwgom, sigaretten en bourbon had gegeven, en dat ze geen greintje dankbaarheid had getoond toen hij een wederdienst van haar verlangde. Hij had gedronken. Hij herinnerde zich nog dat al die tijd de spanning zich in zijn lichaam had opgebouwd, totdat hij het die avond niet langer kon verdragen en de bom barstte. Ze wilde absoluut niets met hem te maken hebben, zo'n eenvoudig werkpaardje uit de PX. Wat dacht hij wel? Ze neukte met een piloot.

Het was de drank geweest, zei hij. Zonder de drank zou hij zich aan geen van hen allen hebben vergrepen. Door de drank knapte er gewoon iets diep in zijn binnenste, en voordat hij wist wat er gebeurde, lagen ze dood aan zijn voeten. Waarna hij kwaad op hen werd omdat ze waren overleden en zijn mes gebruikte. Zo was het ook met de tweede gegaan. Berlijn, 1946. Toen hij er de eerste keer ongestraft mee weg was gekomen, toen hij zich realiseerde dat er zelfs geen onderzoek zou worden opgestart, dacht hij dat hij onkwetsbaar was. Het was allemaal haar schuld geweest. Als ze niet was blijven stilstaan om haar kousen recht te trekken net toen hij voorbijreed, haar rok niet had opgetrokken en die lange, witte benen in zijn koplampen niet zichtbaar waren geworden, zou hij haar nooit te pakken hebben genomen. En als hij ook niet dronken was geweest, wat hij normaal gesproken niet zou zijn geweest wanneer hij moest rijden, maar hij had de stille weg als zijn broekzak gekend. Als. Als. Als. Zijn leven was een tragische aaneenschakeling van wrede als-als-als'en.

Ze was maar al te graag met hem het weiland ingegaan. Hij was niet van plan geweest om haar pijn te doen; hij had alleen maar gezien dat ze hem daar op die weg haar benen had laten zien en daar had hij wel zin in gehad, net als iedere andere gezonde kerel. Ze had echter geen begrip gehad voor hem en zijn probleempje, iets wat soms gebeurde wanneer hij had gedronken, en ze had geld van hem geëist. Toen had hij een rood waas voor zijn ogen gekregen. Letterlijk. Het mes? Ja, hij had bijna altijd een mes bij zich. Een gewoonte die hij vroeger op de boerderij in Iowa had aangenomen, waar hij er vaak stukjes hout mee had afgesneden.

De derde vrouw was in de Verenigde Staten geweest, in 1949, maar haar kon hij zich eigenlijk helemaal niet herinneren, en van de tweede in Engeland herinnerde hij zich alleen nog iets roods in een schuur. Ook die keer was het de drank geweest. Konigs ouweheer was een wrede alcoholist geweest die de arme Edgar regelmatig halfdood ranselde; zijn moeder was een bezopen hoer die het voor een dubbeltje met iedereen deed. Drank had zijn hele leven lang voor problemen gezorgd; door de drank deed hij dit soort slechte dingen, en toen had hij ook nog de pech gehad dat hij op die snelweg in Californië was opgepakt.

Dat was Edgar Konigs verhaal.

Drank. Vivian keek naar haar glas, schonk toen met trillende hand een nieuwe portie gin voor zichzelf in, greep een handvol ijsklontjes uit de emmer op het nachtkastje en liet die ruw in het glas vallen, zodat er een beetje gin op het kastje spatte. Een Amerikaanse gewoonte die ze had overgenomen, die ijsklontjes in haar drankje.

Het was bijna zover.

Edgar Konig, net zesenzeventig geworden, kreeg eindelijk zijn verdiende loon. Vivian voelde nog steeds een stekend schuldgevoel omdat ze besefte dat Banks gelijk had: dat zij jaren geleden na Gloria, zijn allereerste slachtoffer, misschien een eind had kunnen maken aan zijn moordlustige gedrag. Zij was er deels verantwoordelijk voor dat Konig had gedacht dat hij onkwetsbaar was en kon moorden zonder dat het gevolgen voor hem zou hebben.

Ze had zo vaak geprobeerd een rationele verklaring voor zichzelf te bedenken, nadat Banks haar had verteld wat er was gebeurd en haar verachtelijk de rug had toegekeerd op die avond waarop de storm boven Hobb's End was losgebarsten. Zelfs als ze had aangegeven wat er was gebeurd, zo maakte ze zichzelf wijs, dan nog hadden ze waarschijnlijk Matthew gearresteerd. Hij was niet sterk genoeg geweest om zoiets aan te kunnen. Hoewel Banks haar iets milder behandelde toen ze elkaar de dag erna weer spraken, voelde ze nog steeds zijn afkeuring, en dat deed pijn.

Wat had ze de politie echter kunnen vertellen dat hen op het spoor zou kunnen hebben gezet van Edgar Konig? De whisky en Lucky Strikes op het aanrecht? Dat was nauwelijks bewijs te noemen. Die had Gloria overal vandaan kunnen hebben gehaald en ze hadden evengoed al een paar dagen op het aanrecht hebben kunnen liggen. Gloria en zij hadden heel veel Amerikaanse medewerkers van de luchtmacht in de omgeving gekend, en ze had indertijd geen enkele reden gehad om een van hen van de moord te verdenken. Banks kon achteraf heel gemakkelijk beweren dat zij verantwoordelijk was voor al die doden, dat zij dit allemaal op een of andere manier had kunnen voorkomen als ze toen anders had gehandeld, maar dat was niet eerlijk. Achteraf was het gemakkelijk praten. En wie zou er niet teruggaan in de tijd en iets veranderen als hij de kans kreeg?

Tijd.

Na de eerste stroomstoot zouden zijn hersens koken en alle zenuwcellen smelten; na de tweede of derde stoot zou zijn hart stilstaan. Zijn lichaam zou schokkerig en gekromd aan de riemen rukken; zijn spieren zouden krampachtig samentrekken en er zouden een paar dunne botjes breken. Waarschijnlijk zijn vingers, de vingers waarmee hij Gloria had gewurgd.

Als er geen leren band over zijn ogen was gespannen, zouden zijn oogballen door de hitte uit elkaar springen. De geur van smeulend haar en vlees zou in de dodenkamer hangen. Stoom en rook zouden onder de kap vandaan walmen. De kap zelf zou vlam kunnen vatten. Wanneer het voorbij was, zou iemand een ventilatiekanaal open moeten zetten om de stank te verdrijven. Dan zou er een arts komen die de dood moest vaststellen en zouden de aanwezigen op de hoogte worden gebracht.

En trouwens, zo maakte Vivian zichzelf wijs terwijl ze naar de mensen keek die buiten voor de poort van de gevangenis leuzen scandeerden, als het systeem had gewerkt, hadden anderen hem ook kunnen tegenhouden. Het was niet alleen háár schuld. Zij had uit zuivere overwegingen gehandeld: de liefde voor haar broer. Tijdens de afgelopen weken had ze alle artikelen over Edgar Konig en zijn aanstaande lot gelezen. Dat waren er heel wat geweest.

Konig was aan het eind van de jaren zestig op ongeveer vijfenveertigjarige leeftijd opgepakt in Californië, toen hij aan de kant van een verlaten weg een jonge liftster had aangevallen. Gelukkig voor haar was er toevallig een andere automobilist voorbijgekomen. Minstens even gelukkig was het feit dat deze man zich niet zo gemakkelijk liet afschrikken en evenmin het type was dat zich nergens mee wilde bemoeien. Hij was een voormalig militair en was gewapend. Toen hij zag dat een vrouw in moeilijkheden verkeerde, was hij gestopt en hij wist Konig te ontwapenen en in bedwang te houden, terwijl hij de politie inschakelde. Het meisje was al bewusteloos door de wurgpoging. Ze had vijf steekwonden, maar overleefde de aanval wel.

Konig zat negen van de veertien jaar gevangenisstraf uit. Hij werd vervroegd vrijgelaten wegens goed gedrag en omdat de gevangenissen overvol waren. Een flink aantal mensen die op de hoogte waren van de zaak, die hem als bijzonder gevaarlijk beschouwden en vermoedden dat hij bij ten minste vier moorden betrokken was geweest – wat ze echter nooit konden bewijzen – verzetten zich tegen zijn vrijlating. De leiding van de gevangenis zei dat ze op dat moment niet veel anders konden dan hem vrijlaten.

Na zijn vrijlating aan het eind van de jaren zeventig werd Konig van de ene woonplaats naar de andere verdreven, omdat mensen er steeds achter kwamen wie hij was en wat hij op zijn kerfstok had; hij probeerde als winkelbediende aan de slag te komen, wat hem echter niet vaak was gelukt, waarna hij een uitkering trok. Pas een paar jaar geleden was hij in het stadje in Florida beland waar alles tot een bloederig en voorspelbaar einde was gekomen.

Zijn buren hadden al protest aangetekend en een bedrijfje uit de buurt had hem zelfs geld geboden als hij met zijn hele hebben en houden verkaste. Konig bleef echter waar hij was. Tot op een dag een paar Jehova's getuigen bij hem aan de deur kwamen en door de hordeur zagen dat Konig met een mes in de hand over het lichaam van een vrouw gebogen stond, die een plaatselijke prostituee bleek te zijn. Ze belden met hun mobiele telefoon de politie. Konig was dronken; hij bood geen weerstand. Het duurde heel wat jaren voordat er een proces was gekomen, de strafmaat was bepaald, een uiteindelijk mislukt hoger beroep had plaatsgevonden en hij ten slotte in de dodencel was beland.

En nu was alles voorbij. Buiten de gevangenis steeg een gejuich op uit de menigte. Het nieuws was ontvangen. Edgar Konig was dood.

Waarom voelde Vivian dan geen opluchting, voelde ze alleen een zware hoofdpijn opkomen? Ze deed haar ogen dicht en drukte met haar vingers op haar oogleden. Alles was voorbij. Alles was voorbij. Ze was zo moe. Konigs verklaring aan de FBI was sober en onopgesmukt geweest, maar met haar morbide fantasie kon Vivian de nuances en de emoties zelf wel aanbrengen.

Ze zag hoe Gloria de keuken in rende toen ze bang werd voor PX' onvoorspelbare gedrag, gedrag waarvan ze op het feest op VE-day al de eerste verschijnselen had kunnen waarnemen; ze zag hoe ze over haar toeren de blikjes thee en cacao uit het keukenkastje gooide en naar het pistool graaide, en geschokt en doodsbenauwd ontdekte dat het er niet lag. Had ze in de laatste minuten van haar leven beseft dat Gwen het moest hebben meegenomen?

Nu zag Vivian hoe PX Gloria vastgreep, zijn handen om haar keel legde, voelde hoe de adem uit haar werd geknepen. Toen zag ze dat hij het keukenmes van het aanrecht greep, voelde ze een scherpe steek, en nog een, en nog een, en leek alles uit haar weg te glijden.

Vivian legde een hand in haar hals.

Het pistool.

Zij was degene geweest die het pistool had weggenomen, het enige wat Gloria misschien had kunnen redden als ze er op tijd bij was geweest. Het enige wat Brenda Hamilton had kunnen redden. En al die anderen.

Daarna had ze die vele, verschrikkelijke jaren lang voor de zieke Matthew gezorgd en al die tijd had ze gedacht dat hij een moordenaar was. Die arme, zachtaardige Matthew die geen vlieg kwaad had kunnen doen, die ondanks zijn pijn niet eens zelfmoord had kunnen plegen, net zomin als haar man Ronald. Vivian had hen beiden geholpen: Ronald met een extra dosis morfine en Matthew al die jaren geleden...

Voordat ze in huilen uitbarstte, schoot haar een levendige herinnering te binnen aan die middag in Leeds, toen ze was teruggekomen met de boodschappen en Matthew in zijn stoel had zien zitten met de loop van het pistool in zijn mond, het pistool dat ze van Gloria had weggenomen, dat ze had bewaard en helemaal vanuit Hobb's End hiernaartoe had meegebracht. Hij probeerde genoeg moed te verzamelen en zichzelf te dwingen de trekker over te halen.

Hij kon het echter niet. Net als al die andere keren waarop hij het had geprobeerd en het niet was gelukt. Er lag zo'n troosteloze uitdrukking op zijn gezicht, er straalde zo'n wanhoop van hem af. Zijn ogen hadden haar gesmeekt en dit keer was ze bijna zonder na te denken naar hem toe gelopen, had ze liefkozend haar hand rond de zijne gevouwen, had ze zijn voorhoofd gekust en zijn vinger op de trekker overgehaald.

Buiten bij Starke Prison danste en zong de menigte, werd er met flessen bier geschud en spoot men elkaar nat. In haar hotelkamer liet Vivian Elmsley voor het eerst in vijftig jaar haar tranen de vrije loop, en ze pakte haar gin weer op.

Dankbetuiging

Veel mensen hebben direct en indirect geholpen met dit boek. Wat betreft het schrijfwerk wil ik met name graag mijn vrouw Sheila Halladay bedanken voor haar scherpzinnige opmerkingen na de eerste lezing en mijn agent Dominick Abel voor zijn aanmoedigingen en harde werk. Mijn bijzondere dank gaat ook uit naar mijn redacteur bij Avon Books, Patricia Lande Grader, voor haar vertrouwen in mij en omdat ze me tot het uiterste heeft gedreven, en naar Cynthia Good bij Penguin, omdat ze me als altijd op het juiste spoor heeft gehouden. Ook wil ik graag Robert Barnard bedanken voor het lezen van het manuscript en voor zijn commentaar daarop, en bureauredacteuren Mary Adachi en Erika Schmid omdat ze die belangrijke details ontdekten die de rest van ons over het hoofd had gezien.

Dan zijn er nog de mensen die me hebben geholpen bij het reconstrueren van het verleden. Mijn dank hiervoor gaat uit naar mijn vader, Clifford Robinson, die zijn herinneringen aan de oorlogstijd in Yorkshire met me heeft gedeeld; naar Jimmy Williamson, die me informatie heeft verschaft over de oorlog in Birma; naar Dan Harrington van de afdeling Geschiedenis van USAFE, die met engelengeduld al mijn e-mailtjes heeft beantwoord; naar Jack McFadyen, die onderzoek voor me heeft verricht naar uniformen en knopen; en naar dr. Aaron Elkins, voor zijn hulp met forensische antropologie.

Een aantal politiemensen heeft mijn vele vragen beantwoord en als ik een fout heb gemaakt, dan ligt het beslist niet aan hen. Graag wil ik als altijd brigadier Keith Wright bedanken en de vaste groep uit The Whale: brigadier Claire Stevens, inspecteur Phil Gormley en inspecteur Alan Young. Mijn bijzondere dank aan Alan voor de rondleiding op het politiebureau en het bier na afloop in de politiekroeg.

En ten slotte wil ik John Halladay van de rechtenfaculteit aan de universiteit van Buckingham bedanken, en Judith Rhodes van de Leeds Library Services, die een grote verscheidenheid aan vragen van mij hebben beantwoord.

Lees ook van A.W. Bruna Uitgevers B.V.

Peter Robinson

Kil als het graf

De carrière van Alan Banks is op een zijspoor beland. Groot is dan ook zijn verbazing als de man die hiervoor verantwoordelijk is, zijn directe chef Jimmy Riddle, zijn hulp inroept. Riddles zestienjarige dochter is een halfjaar geleden van huis weggelopen en zijn op een pornosite naaktfoto's van haar verschenen.

Riddle wil niet dat er een officieel onderzoek komt, want dat zou zijn imago – en daarmee zijn carrière – schade kunnen berokkenen. Banks krijgt het verzoek in alle stilte en buiten de politiekanalen om Emily Riddle te vinden. Het spoor leidt naar de Londonse wijk Soho, en vervolgens naar Little Venice, waar Banks Emily Riddle vindt. Maar dan neemt de zaak een onverwachte wending die Banks dwingt in het persoonlijk verleden van Jimmy Riddle te duiken.

ISBN-10 90 229 8802 3
ISBN-13 978 90 229 8802 2

Lees ook van A.W. Bruna Uitgevers B.V.

Peter Robinson

Nasleep

Het lijkt een gewoon huis, in een gewone straat, waar gewone mensen wonen. Maar achter de gevel oefent een seriemoordenaar zijn afgrijselijke praktijken uit. De buurt vermoedt niets, en zelfs zijn eigen vrouw heeft geen idee van wat er zich in haar eigen huis afspeelt…

Wanneer inspecteur Alan Banks midden in de nacht naar nummer 35, The Hill, wordt geroepen, wacht hem daar een gruwelijke ontdekking. Eindelijk heeft hij de Kameleon gevonden: de seriemoordenaar die het op jonge vrouwen heeft voorzien, en op wie hij al maanden jacht maakt. De zaak is opgelost, maar hoe was het mogelijk dat de Kameleon al die tijd ongestoord zijn gang kon gaan? Was hij een meester in het verbergen van zijn sporen, of was er iets schrijnenders aan de hand? Hoe goed was het contact tussen de mensen in de wijk, en hadden ze eigenlijk wel oog voor elkaar?

In de afhandeling van het onderzoek probeert Banks op te helderen hoe het mogelijk was dat een moordenaar onder de neus van zijn buren en zijn echtgenote onopgemerkt zijn werk kon doen. En langzaam maar zeker komt de gruwelijke waarheid boven tafel…

ISBN-10 90 229 8828 7
ISBN-13 978 90 229 8828 2

Lees ook van A.W. Bruna Uitgevers B.V.

Peter Robinson

Onvoltooide zomer

Luke, een vijftienjarige jongen, verdwijnt spoorloos. Het lijkt uitgesloten dat hij is weggelopen…

Inspecteur Alan Banks assisteert bij het onderzoek naar de verdwijning. Zijn speurtocht valt samen met het onderzoek naar een stoffelijk overschot dat recent is opgegraven.
Het blijkt te gaan om een vroegere jeugdvriend van Banks, Graham, die meer dan vijfendertig jaar geleden – in de zomer van 1965 – verdween.
Het spookbeeld dat Banks al die jaren heeft achtervolgd, komt tot leven. Hij heeft zichzelf nooit vergeven dat hij misschien de verdwijning van Graham op zijn geweten heeft, en mogelijk ook zijn dood.

Banks wordt heen en weer geslingerd tussen een verleden dat hij het liefst zou vergeten en de zoektocht naar een vijftienjarige jongen in het heden. De overeenkomsten tussen de twee zaken zijn verontrustend. Kan hij het noodlot afwenden?

ISBN-10 90 229 8746 9
ISBN-13 978 90 229 8746 9

Lees ook van A.W. Bruna Uitgevers B.V.

Peter Robinson

Vuurspel

Op een koude ochtend in januari branden twee woonboten in het Eastvale-kanaal af, waarbij twee slachtoffers vallen: Tina, een zeventienjarige drugsverslaafde, en Tom, een eenzame kunstenaar. De brand blijkt te zijn aangestoken, maar onduidelijk is tegen wie van de twee slachtoffers de aanslag was gericht.

Inspecteur Alan Banks heeft spoedig een aantal verdachten in het vizier: de buurman die de brand heeft gemeld, het vriendje van Tina, haar kille stiefvader en een plaatselijke kunsthandelaar. Maar hoewel Banks steeds dicht bij het motief voor de moord komt, blijkt de identiteit van de dader moeilijker te achterhalen...

ISBN-10 90 229 8872 4
ISBN-13 978 90 229 8872 5